Le violon du diable

Douglas Preston & Lincoln Child

Le violon du diable

Traduit de l'américain par Sébastian Danchin

Titre original :
BRIMSTONE
Publié par Warner Books Inc., New York, 2004

*Douglas Preston dédie ce livre
à Barry et Jody Turkus,
et Lincoln Child,
à sa sœur Veronica.*

1

Agnès Torres rangea sa petite Ford Escort blanche sur l'esplanade aménagée derrière la haie et fut accueillie à sa descente de voiture par l'air frais du matin. La haie, haute de plus de trois mètres, était aussi impénétrable qu'un mur de brique et c'est tout juste si Agnès apercevait le toit de la grande maison depuis la rue, mais la rumeur des vagues et la forte odeur d'iode étaient là pour lui rappeler la présence de l'océan, tout proche.

Agnès verrouilla soigneusement son auto. On n'est jamais trop prudent, même dans un quartier comme celui-ci. Puis elle sortit de son sac un trousseau de clés et glissa la plus imposante dans la serrure de la lourde grille barrant l'entrée de la propriété. Le battant métallique s'entrouvrit sur une vaste pelouse, flanquée de dunes, descendant en pente douce vers la plage. Elle avait à peine franchi le portail qu'une diode lumineuse rouge se mit à clignoter furieusement. Agnès se précipita sur le boîtier installé à l'entrée du jardin et composa le code d'un doigt nerveux. Elle disposait tout juste de trente secondes avant que l'alarme ne se mette en route. Un jour où elle avait laissé tomber son trousseau de clés, elle n'avait pu composer le code assez vite et la sirène s'était déclenchée, réveillant tout le quartier et ameutant trois voitures de police. Elle n'avait jamais vu

M. Jeremy aussi enragé que ce matin-là, il lui avait fait une scène épouvantable.

La diode vira au vert et Agnès referma la grille derrière elle avec un soupir de soulagement, puis elle se signa et sortit de son sac un chapelet dont elle caressa respectueusement le premier grain. Prête à affronter son lot quotidien, elle traversa la pelouse sur ses jambes courtaudes tout en récitant une litanie de « Notre Père » et de « Je vous salue Marie » en espagnol. Pour rien au monde Agnès Torres n'aurait oublié de dire une dizaine de prières avant de pénétrer chez M. Grove.

Au-dessus de sa tête, les mouettes effectuaient une ronde incessante en poussant des cris perçants. Levant les yeux sur la façade de l'imposante demeure, elle constata avec étonnement que l'une des lucarnes du dernier étage brillait, son éclat jaune tel un œil de cyclope dans la lueur grise de l'aube. C'était bien la première fois qu'elle voyait une lumière allumée dans le grenier. Que pouvait bien fabriquer M. Jeremy là-haut à 7 heures du matin, lui qui ne sortait jamais de son lit avant midi ?

Elle rangea son chapelet après une dernière prière et se signa à nouveau, machinalement, d'une main usée par des décennies de travaux domestiques, espérant que M. Jeremy n'était pas encore levé. Agnès pouvait vaquer à ses occupations l'esprit plus tranquille lorsqu'il dormait. Il suffisait qu'il pointe le bout du nez pour que le cauchemar commence : il laissait tomber ses cendres de cigarette sur le carrelage qu'elle venait de laver, entassait la vaisselle dans l'évier qu'elle avait tout juste fini de récurer, sans parler des commentaires aigres-doux qu'il débitait entre deux ricanements cyniques en se parlant à lui-même, en téléphonant ou en lisant le journal. M. Jeremy avait une voix acide, tranchante comme une lame de couteau rouillée. Aussi frêle que méchant, il sentait le tabac froid, buvait du cognac à l'heure du déjeuner et recevait des débauchés à toutes les heures du jour et de la nuit. Une seule fois, il avait voulu lui parler en espagnol, mais elle l'avait rembarré. À part ses proches et sa famille, personne ne s'adressait à Agnès Torres en espagnol, d'autant qu'elle parlait un anglais très convenable.

D'un autre côté, il fallait bien reconnaître que M. Jeremy était un patron tout ce qu'il y a de plus correct, et elle savait de quoi elle parlait. Il la payait bien, rubis sur l'ongle qui plus est, lui demandait rarement de faire des heures supplémentaires, ne modifiait pas ses horaires de travail pour un oui ou pour un non. Mais, surtout, il ne l'avait jamais accusée de vol. Une seule fois, tout au début, il avait blasphémé le nom de Dieu devant elle, mais elle l'avait immédiatement remis à sa place. Il s'était excusé sur-le-champ et n'avait jamais récidivé.

Agnès remonta l'allée dallée jusqu'à l'entrée des domestiques, sortit une seconde clé et se précipita sur le boîtier de l'alarme intérieure.

La vieille demeure était lugubre, ses fenêtres à meneaux tournées vers la plage couverte de varech que battait l'océan. Pourtant, c'est tout juste si l'on entendait le bruit des vagues depuis la maison où régnait une atmosphère étouffante.

Agnès renifla. Non seulement il faisait anormalement chaud, mais il flottait autour d'elle une odeur étrange. On aurait dit un rôti laissé trop longtemps dans le four. Elle se dirigea vers la cuisine qu'elle trouva vide. Des assiettes pleines de restes étaient empilées un peu partout dans un désordre indescriptible, mais l'odeur ne venait pas de là. M. Jeremy avait manifestement servi du poisson à ses invités. En temps ordinaire, Agnès ne travaillait pas chez lui le mardi, mais il lui avait exceptionnellement demandé de venir car il avait du monde à dîner la veille. On était au début du mois d'octobre et l'été n'était plus qu'un souvenir, mais M. Jeremy avait l'habitude de recevoir au moins jusqu'en novembre.

Agnès se dirigea vers le salon, reniflant l'air de plus belle. À l'odeur de brûlé se mêlaient des relents de soufre, comme si quelqu'un avait joué avec des allumettes.

Sans savoir pourquoi, elle eut un mauvais pressentiment. Pourtant, à part les cendriers pleins, les bouteilles de vin vides, la vaisselle dans l'évier et cette tache blanche sur le tapis, les choses étaient à peu près telles qu'elle les avait laissées en partant la veille en début d'après-midi.

Elle huma l'atmosphère de la pièce et s'aperçut que l'odeur émanait des étages.

Elle monta l'escalier sans faire de bruit et s'arrêta sur le palier afin de renifler une nouvelle fois. À pas de loup, elle longea le couloir sur lequel s'ouvraient le bureau et la chambre à coucher de M. Jeremy et atteignit la petite porte conduisant à l'étage supérieur. L'odeur de brûlé était plus présente que jamais et il régnait une chaleur suffocante.

La porte était verrouillée et elle dut essayer plusieurs des clés de son trousseau avant de trouver celle qui convenait. *Madre de Dios !* Prise à la gorge par une odeur nauséabonde, Agnès se résolut à escalader les marches étroites et vétustes. Arrivée en haut, elle prit le temps de reprendre son souffle.

Le grenier, immense, était traversé sur toute sa longueur par un couloir sur lequel s'ouvraient des chambres d'enfant inutilisées, une salle de jeux, une salle de bains, ainsi qu'un espace de rangement où s'entassaient pêle-mêle de vieux meubles, des cartons et d'horribles peintures contemporaines.

Agnès remarqua soudain un rai de lumière sous la porte de la dernière chambre. Elle avança avec mille précautions, s'arrêtant à plusieurs reprises afin de se signer. Son cœur battait à tout rompre dans sa poitrine et elle serra entre ses doigts les grains de son chapelet pour se rassurer. Devant la porte, l'odeur était quasiment insoutenable.

Elle frappa doucement, pour le cas où l'un des invités de M. Jeremy, trop soûl pour rentrer chez lui, aurait dormi là. N'obtenant aucune réponse, elle posa la main sur la poignée et la trouva brûlante. Le feu aurait-il pu prendre dans la chambre ? Il suffisait que son occupant se soit endormi avec une cigarette. Ce n'était pourtant pas une odeur de fumée, mais quelque chose d'indéfinissable, de plus fort et de plus âcre tout à la fois.

Agnès tourna la poignée, mais la porte était fermée à clé. Un souvenir d'enfance lui revint aussitôt en mémoire ; au couvent où elle allait à l'école quand elle était petite, la vieille sœur Ana était morte dans sa chambre et les secours avaient dû enfoncer la porte.

Qui sait si quelqu'un n'avait pas besoin d'aide de l'autre côté ? Une personne malade, un blessé... Agnès fouilla une nouvelle fois parmi ses clés, ne sachant trop laquelle utiliser, et parvint à ses fins après une dizaine de tentatives infructueuses. Retenant son souffle, elle poussa le battant qui résista, manifestement bloqué par quelque chose. S'arc-boutant contre la porte, elle entendit soudain un grand bruit de l'autre côté.

Santa Maria ! Pourvu que tout ce tintamarre n'ait pas réveillé M. Jeremy ! Elle tendit l'oreille, mais tout était calme dans la grande maison. Le silence la rassura, car M. Jeremy n'aurait pas manqué de faire claquer la porte de la salle de bains si un bruit intempestif l'avait tiré de son sommeil.

À force d'efforts, elle parvint à glisser la tête dans la pièce en se pinçant le nez. Un léger nuage flottait dans la chambre, transformée en fournaise. M. Jeremy avait une sainte horreur des enfants et la pièce était condamnée depuis des années, ce qui expliquait l'abondance des toiles d'araignée courant le long des murs aux tapisseries déchirées. Agnès comprit l'origine du vacarme déclenché par ses soins quelques instants plus tôt en constatant qu'une vieille armoire, plaquée contre le battant, s'était renversée. Tout le mobilier de la pièce semblait avoir été entassé contre la porte, à l'exception du lit sur lequel reposait M. Jeremy, tout habillé.

— Monsieur Jeremy ?

Agnès Torres l'avait appelé par acquit de conscience, mais elle savait déjà qu'il ne lui répondrait pas. M. Jeremy ne dormait pas. Ses yeux grands ouverts n'étaient plus que des charbons calcinés et un rictus atroce s'était à jamais figé sur sa bouche d'où émergeait une langue toute noire, grosse comme un chorizo. Et puis jamais M. Jeremy ne se serait endormi, les bras levés, les poings si serrés que du sang avait coulé entre ses doigts, le torse aussi racorni qu'une bûche aux trois quarts consumée. Agnès avait suffisamment vu de cadavres au cours de son enfance, en Colombie, pour savoir que M. Jeremy était mort, et bien mort.

Elle sursauta en entendant une voix monocorde avant de comprendre qu'il s'agissait de la sienne : « *En el nombre del Padre, y del Hijo, y del Espiritu Santo...* » Elle se signa furieusement, triturant son chapelet entre ses doigts nerveux, incapable de bouger ou de détacher son regard de la scène d'horreur qui lui faisait face. Au pied du lit, elle vit un signe qu'elle connaissait bien, et elle comprit ce qui était arrivé à M. Jeremy Grove.

Étouffant un cri de frayeur, elle rassembla ses dernières forces et referma brutalement la porte qu'elle verrouilla d'une main tremblante, tout en balbutiant entre deux sanglots : « *Creo in Dios, Padre todopoderoso, creador del cielo y de la tierra...* » Serrant désespérément son chapelet contre sa poitrine, elle traversa le couloir à reculons en se signant à n'en plus finir.

La marque très reconnaissable d'un pied fourchu sur le plancher calciné avait suffi à lui faire comprendre que M. Jeremy Grove avait été emporté par le diable en personne.

2

Le sergent arrêta de dérouler la bande de plastique jaune avec laquelle il sécurisait le périmètre et observa la scène d'un œil maussade. On n'avait pas fini d'entendre parler de cette histoire. Comme les barrières de sécurité avaient été mises en place trop tard, les curieux avaient parcouru la plage et les dunes dans tous les sens, anéantissant tout espoir de recueillir le moindre indice. Les barrières avaient surtout été installées au mauvais endroit et il avait fallu les déplacer. On avait enfermé par mégarde les deux Range Rover d'un couple de riverains et ils avaient piqué une crise en s'apercevant qu'ils risquaient d'être en retard, elle chez le coiffeur, lui à un cours de tennis. Brandissant leurs téléphones portables, ils avaient menacé de faire intervenir leur avocat.

Bref, cette journée du 16 octobre commençait mal pour la police de la petite ville de Southampton, à la pointe de Long Island.

La voix du lieutenant Braskie domina brusquement le tumulte.

— Sergent ! Qu'est-ce que vous foutez, encore ? Je vous avais pourtant bien dit de sécuriser le périmètre. *Tout* le périmètre ! Et les haies, alors ? Qu'est-ce que vous attendez pour vous en occuper ?

Sans même répondre à son supérieur, le sergent commença à dévider son rouleau le long des arbustes protégeant la propriété de Jeremy Grove. Comme si un ruban de plastique jaune pouvait maintenir les journalistes à distance ! Les camions des équipes de télévision étaient déjà là, avec leurs antennes paraboliques, et un hélicoptère bourdonnait dans le lointain. Quant aux représentants de la presse locale, agglutinés contre les barrières installées sur Dune Road, ils étaient en grande discussion avec une poignée d'agents en uniforme. Il avait fallu appeler en renfort des patrouilles de Sag Harbor et d'East Hampton qui avaient été déployées dans les dunes et le long de la plage, sans parler de la brigade criminelle de South Fork.

Les types du labo venaient d'arriver et le sergent les vit pénétrer dans la maison de Grove, leurs valises à la main. L'époque où il travaillait lui-même pour la criminelle lui paraissait bien lointaine...

Il continua de dérouler le ruban jaune jusqu'aux dunes et constata que plusieurs agents canalisaient la foule qui contemplait d'un air bête la vieille demeure avec son toit pointu, ses tourelles et ses fenêtres tarabiscotées. Les choses ne tarderaient pas à tourner à la foire. Quelqu'un avait branché un énorme radiocassette et une bande de jeunes venait d'entamer un pack de bières. Il faisait particulièrement chaud pour un mois d'octobre et les gens étaient tous en short ou en maillot de bain. Le sergent eut un petit sourire narquois en se disant que tous ces éphèbes ne vaudraient pas mieux que lui dans vingt ans s'ils continuaient à carburer à la bière.

Dans la propriété de Grove, les types du labo passaient le jardin au peigne fin, à quatre pattes sur la pelouse, sous le regard du lieutenant. Le sergent sentit une bouffée d'amertume lui monter à la gorge. Quand on pense qu'on avait confié l'enquête à ce type-là, alors qu'on lui demandait de dérouler le cordon jaune. Quel gâchis !

Les équipes de télévision avaient fini d'installer leurs caméras au seul endroit d'où l'on apercevait correctement la maison, et les correspondants, avec leurs belles petites gueules, débitaient leurs commentaires avec conviction, un micro à la main.

Il n'en fallait pas davantage pour que le lieutenant Braskie abandonne les types du labo et se dirige vers eux.

Le sergent secoua la tête d'un air affligé.

Au même moment, il aperçut un photographe zigzaguant à travers les dunes, courbé en deux pour passer inaperçu. Il le rattrapa à l'instant où il pénétrait dans le jardin. Armé d'un appareil équipé d'un téléobjectif gigantesque, un genou à terre, il mitraillait un inspecteur de la criminelle d'East Hampton en train d'interroger la femme de ménage dans la véranda.

Le sergent posa gentiment sa main sur l'objectif.

— Dehors.

— Je vous en prie, sergent, je...

— Ne m'obligez pas à confisquer votre pellicule, répondit-il d'une voix conciliante.

Le sergent avait toujours eu un faible pour les types qui se contentaient de faire leur boulot, même lorsqu'ils étaient journalistes.

Le photographe se releva, s'éloigna de quelques pas et se retourna, le temps de prendre une dernière photo, avant de disparaître derrière les dunes. En s'approchant de la maison, le sergent remarqua une curieuse odeur. Un peu comme une odeur de poudre, un soir de feu d'artifice.

Pendant ce temps, le lieutenant faisait le paon devant les caméras. Braskie avait l'intention de briguer le poste de chef de la police locale lors des prochaines élections et, sauf à commettre le crime lui-même, il n'aurait pu rêver meilleure occasion de se faire mousser, d'autant que le chef actuel était en vacances.

Le sergent contourna la pelouse, soucieux de ne pas gêner les types du labo. Derrière une haie, accroupi devant une petite mare, il remarqua un type à la dégaine incroyable occupé à donner du pain à une famille de canards. Avec sa chemise hawaïenne, son short trop grand et ses lunettes de soleil de plouc, il avait la panoplie du parfait peigne-cul. On avait beau être en automne, il était blanc comme un cachet d'aspirine. Si le sergent n'avait rien contre les journalistes et les photographes, il détestait les touristes qu'il considérait comme la lie de la société.

— Hé, vous !

L'homme releva la tête.

— Vous vous croyez où ? Je ne sais pas si vous êtes au courant, mais un crime a été commis ici cette nuit et vous n'avez rien à faire là.

— Je sais, sergent, excusez-moi, mais...

— Foutez-moi le camp !

— Sergent, je ne peux tout de même pas laisser ces malheureux volatiles mourir de faim. Normalement, quelqu'un se charge de les nourrir tous les jours, mais comme vous le savez, ce matin...

L'inconnu laissa sa phrase en suspens, un sourire timide aux lèvres.

Le sergent n'en croyait pas ses oreilles. Le propriétaire de la maison venait d'être assassiné et cet hurluberlu ne pensait qu'aux canards !

— Montrez-moi vos papiers.

— Tout de suite, tout de suite.

Il fouilla ses poches l'une après l'autre, en vain.

— Je suis sincèrement désolé, sergent, ajouta-t-il avec un accent new-yorkais insupportable. En apprenant la nouvelle, j'ai enfilé ce short en toute hâte et j'ai dû laisser mon portefeuille dans la poche de ma veste.

Le sergent fronça les sourcils. Un certain nombre de détails lui indiquaient que ce type-là n'était pas un simple touriste. À commencer par cette incroyable tenue aux couleurs trop criardes qui sentait le déguisement à plein nez.

— Eh bien, je crois que je vais...

— Attendez une minute, l'interrompit le sergent.

Il sortit de sa poche un calepin, trouva une page vierge et mouilla son crayon avant de poursuivre :

— Vous vivez dans les environs ?

— Je loue une maison à la semaine à Amagansett.

— Quelle adresse ?

— Brickham House, Windwill Lane.

Encore un qui ne devait pas avoir de problèmes de fin de mois.

— Votre adresse habituelle ?

— Le Dakota sur Central Park West à Manhattan.

Le sergent marqua un temps d'arrêt. *Tiens, tiens ! Drôle de coïncidence.*

— Votre nom ?

— Écoutez, sergent. Si cela ne vous dérange pas, je vais m'en aller et...

— Prénom ! aboya le sergent.

— Est-ce bien nécessaire ? J'ai un prénom imprononçable, avec une orthographe impossible. Je me demande bien à quoi pensait ma mère lorsque...

Le sergent lança à son interlocuteur un coup d'œil assassin qui le fit taire aussitôt. Un mot de trop et il lui passait les menottes.

— Pour la dernière fois, votre prénom ?

— Aloysius.

— Vous pouvez me l'épeler ?

L'homme s'exécuta.

— Nom de famille ?

— Pendergast.

Le crayon du sergent se figea. En levant les yeux, il constata que l'autre avait ôté ses lunettes de soleil. Comment aurait-il pu oublier ces yeux d'un gris incroyablement clair, ces cheveux d'un blond presque blanc, ces traits d'une finesse extrême, ce teint laiteux ?

— Pendergast !

— En personne, mon cher Vincent.

Toute trace d'accent new-yorkais avait disparu, laissant place à des intonations sudistes que le sergent connaissait bien.

— Mais... qu'est-ce que vous faites ici ?

— Je pourrais aisément vous retourner la question.

Vincent D'Agosta se sentit rougir jusqu'à la racine des cheveux. La dernière fois qu'il avait eu affaire à Pendergast, il avait le grade de lieutenant au sein de la police new-yorkaise. À l'époque, jamais il n'aurait pensé se retrouver un jour dans un trou comme celui-ci, à jouer les accessoiristes.

— Je me trouvais à Amagansett lorsque la nouvelle de la disparition brutale de Jeremy Grove m'est parvenue. Comment aurais-je pu résister ? Vous voudrez bien excuser ma tenue, mais je n'ai guère eu le temps de me mettre en frais.

— On vous a affecté à cette affaire ?

— Je me contente de nourrir les canards, en attendant d'être envoyé en mission officielle. Pour tout vous dire, j'ai eu le malheur de froisser certaines susceptibilités en agissant sans autorisation lors de ma dernière enquête. Quoi qu'il en soit, je me réjouis de vous retrouver.

— Moi aussi, même si vous ne me voyez pas vraiment à mon avantage, répliqua D'Agosta en rougissant à nouveau.

Pendergast posa une main sur le bras du sergent.

— Nous aurons tout le loisir d'évoquer cela plus tard. Pour l'heure, il serait préférable de nous occuper de l'individu que voici. À en juger par son allure martiale, je le soupçonne de vouloir faire preuve d'autoritarisme aigu.

Pendergast achevait tout juste sa phrase lorsqu'une voix menaçante s'éleva derrière le sergent.

— Désolé d'interrompre votre petite conversation, messieurs.

D'Agosta se retourna et découvrit Braskie.

Le lieutenant s'arrêta et regarda Pendergast d'un air agressif avant de demander :

— Dites-moi si je me trompe, sergent, mais ce monsieur m'a tout l'air de se trouver dans une zone interdite au public !

— C'est-à-dire que...

D'Agosta regarda Pendergast d'un air interrogateur.

— J'ose espérer que cet homme n'est pas l'un de vos amis, sergent ?

— À vrai dire...

— Le sergent était précisément en train de me demander de partir, s'interposa Pendergast d'une voix affable.

— Pas possible ! Et puis-je vous demander ce que vous faites ici, monsieur ?

— Ma foi, je donnais à manger aux canards.

— Vous donniez à manger aux canards. Tiens, tiens !

D'Agosta vit le visage du lieutenant tourner au cramoisi. Qu'attendait donc Pendergast pour sortir son badge ?

— Voilà une belle et noble occupation, poursuivit Braskie. En attendant, cher monsieur, si vous voulez bien me montrer vos papiers.

D'Agosta attendait la suite avec impatience.

— Comme je l'expliquais au sergent, j'ai malencontreusement oublié mon portefeuille chez moi et...

Braskie se tourna vers D'Agosta qui tenait toujours son calepin à la main.

— Vous avez relevé l'identité de ce monsieur ?

— Oui, fit D'Agosta en lançant à Pendergast un regard de détresse.

L'inspecteur fit celui qui n'avait rien vu.

— Vous lui avez demandé comment il avait pu s'introduire dans la propriété ?

— Non, parce que...

— Vous ne croyez pas que ce serait le moment ?

— Je suis entré par la petite porte du jardin située à hauteur de Little Dune Road, précisa Pendergast.

— Impossible. Elle est fermée à clé. Je m'en suis assuré personnellement.

— Il faut croire que la serrure ne fonctionne pas bien, car je n'ai eu aucune peine à l'ouvrir.

Braskie se tourna vers D'Agosta.

— Vous allez enfin pouvoir vous rendre utile, sergent. Allez refermer cette porte et revenez me faire votre rapport à 11 heures précises. Il est temps que nous ayons une petite conversation tous les deux. En attendant, monsieur, je vous raccompagne.

— Merci infiniment, lieutenant.

D'Agosta regarda d'un air hébété le lieutenant Braskie s'éloigner en compagnie de Pendergast. Les mains dans les poches de son short invraisemblable, ce dernier avait le visage tourné vers le ciel, comme pour mieux profiter de la caresse du soleil.

3

Installé sous la tonnelle recouverte de vigne du jardin de Jeremy Grove, le lieutenant L.P. Braskie Junior observait le travail des techniciens de la brigade criminelle. Affichant une gravité et un professionnalisme savamment étudiés, il réfléchissait à l'attitude à adopter vis-à-vis de son supérieur, en vacances en Écosse. MacCready était grand amateur de golf et Braskie s'imaginait le green de Saint Andrews, avec ses pelouses manucurées, la lande déserte à l'arrière-plan. Autant attendre le lendemain avant de prévenir son chef. MacCready dirigeait la police municipale depuis plus de vingt ans, et ce petit voyage en Écosse était bien la preuve qu'il était temps de rajeunir le service. Braskie avait vécu toute sa vie à Southampton, il ne manquait pas d'appuis à la mairie et il s'était fait un point d'honneur d'entretenir de bonnes relations avec les New-Yorkais propriétaires de villas. À force de rendre service à celui-ci comme à celui-là, il avait su se tisser un réseau de bonnes relations dans toutes les couches de la population.

Et voilà que le ciel lui envoyait cette affaire. D'ici une semaine, deux tout au plus, il aurait coincé l'assassin et son élection en novembre ne serait plus qu'une formalité. Après tout, pourquoi appeler Mac-Cready demain ? Après-demain serait amplement suffisant. *Vous savez, chef, j'ai longuement hésité à interrompre vos vacances bien méritées...*

Pour avoir longtemps travaillé au sein de la brigade criminelle de South Fork, Braskie savait à quel point les premières vingt-quatre heures d'une enquête sont importantes. La plupart du temps, à moins de trouver une piste encore fraîche, on n'a plus qu'à remballer ses gaules. En général, il suffit d'établir la liste de ceux qui sont entrés et sortis, et tout s'enchaîne jusqu'à ce que le coupable soit démasqué, avec preuves à l'appui et en prime l'arme du crime.

À son niveau, il lui suffisait de s'assurer que ses hommes faisaient leur boulot correctement, ce qui n'était pas gagné d'avance avec ce D'Agosta. Ce type-là n'en faisait jamais qu'à sa tête. D'après la rumeur, D'Agosta aurait été l'un des meilleurs éléments de la criminelle de New York jusqu'à ce qu'il donne sa démission et s'installe au Canada pour écrire des romans policiers. Il faut croire que les choses n'avaient pas tourné comme il l'espérait car il avait fini par rentrer au bercail, la queue entre les jambes. Et comme sa place à New York était prise, il avait dû se contenter d'un poste subalterne à Southampton. Si Braskie avait dirigé la police municipale, jamais il ne se serait embarrassé d'un emmerdeur et d'un aigri de première comme ce type-là, incapable de travailler en équipe.

Quand on parle du loup... Voilà que D'Agosta s'apprêtait à le rejoindre sous la tonnelle. Avec ses cheveux trop longs, son bide de quarantenaire et son petit air supérieur, il faisait décidément tache à Southampton. Pas étonnant que sa femme ait décidé de rester au Canada avec leur fils unique !

— Lieutenant, fit D'Agosta en s'approchant.

Dans sa bouche, même ce simple mot avait quelque chose d'insolent.

— Vous savez, sergent, nous sommes sur une affaire de première importance, remarqua Braskie, les yeux rivés sur les équipes du labo éparpillées sur la pelouse.

D'Agosta acquiesça.

Braskie plissa les yeux et regarda la maison avant de se tourner vers l'océan.

— Nous n'avons pas le droit à l'erreur.

— Je sais, lieutenant.

— Ravi de vous l'entendre dire. Depuis que vous êtes arrivé dans le service, D'Agosta, vous nous avez bien fait comprendre que vous n'étiez pas à votre place ici.

D'Agosta ne répondit pas.

Braskie poussa un soupir. Il se tourna vers le sergent et constata que celui-ci le regardait droit dans les yeux avec son air effronté.

— Vous avez besoin que je vous mette les points sur les *i*, sergent ? Vous êtes en poste *ici*, pas ailleurs. Vous faites partie de la police municipale de Southampton, et il est grand temps de vous faire une raison.

— Je ne vois pas de quoi vous voulez parler, lieutenant.

Quelle plaie, ce D'Agosta !

— N'allez pas vous imaginer que je ne vois pas clair dans votre petit jeu, D'Agosta. Je me fous de vos états de services antérieurs. Tout ce que je veux, c'est que vous fassiez ce qu'on vous dit.

D'Agosta ne jugea pas utile de répondre.

— Regardez ce matin, par exemple, poursuivit Braskie, je vous ai vu discuter avec ce type pendant au moins cinq minutes et j'ai dû intervenir. Je ne peux pas me permettre de laisser mes hommes perdre leur temps avec le premier crétin venu. Vous auriez dû me vider ce type-là *manu militari*, sans discussion. Peut-être que vous savez tout mieux que tout le monde, mais ça ne marche pas avec moi, D'Agosta.

Il s'arrêta brusquement et regarda le sergent droit dans les yeux. Il aurait juré que cet abruti se foutait de sa poire. Il était grand temps de remettre les pendules à l'heure.

À cet instant, le lieutenant aperçut du coin de l'œil une silhouette colorée. Encore cette espèce d'ostrogoth avec sa chemise hawaïenne, son short bouffant et ses lunettes de soleil de rupin qui s'approchait de la tonnelle d'un pas tranquille.

Braskie se tourna vers D'Agosta et lui demanda d'une voix volontairement calme :

— Sergent, arrêtez-moi tout de suite cet homme, et n'oubliez pas de lui lire ses droits.

— Lieutenant, si je puis me permettre...

Braskie n'en croyait pas ses oreilles. Après le savon qu'il venait de lui passer, D'Agosta avait encore le culot de discuter ses ordres.

— Sergent, c'est un ordre, dit-il dans un murmure, avant d'ajouter à l'intention de l'intrus : Cette fois, j'espère pour vous que vous n'avez pas oublié votre portefeuille.

— Justement, répondit l'homme en fouillant l'une de ses poches.

— Je ne veux rien savoir ! hurla Braskie. Vous montrerez ça au planton de garde au commissariat.

Sans se soucier le moins du monde de son interlocuteur, l'homme ouvrit son portefeuille d'un geste élégant et le lieutenant Braskie vit briller ce qui ressemblait à un badge.

— Qu'est-ce que... balbutia-t-il, les yeux écarquillés.

— Inspecteur Pendergast du FBI.

Le lieutenant devint cramoisi, comprenant qu'il s'était fait piéger comme un débutant. Mais que venait faire le FBI dans cette affaire ? Et si les choses n'étaient pas aussi simples qu'il y paraissait ? Autant ne pas faire de vague.

— Je vois. Puis-je vous demander ce qui justifie l'intervention de la police fédérale ? s'enquit Braskie d'une voix qu'il s'efforçait de rendre aimable. Jusqu'à présent, tout indique qu'il s'agit d'un simple meurtre.

— Il est possible que l'assassin ou les assassins soient venus en bateau depuis le Connecticut avant de repartir.

— Oui, et alors ?

— Auquel cas l'affaire ne concerne plus le seul État de New York.

— C'est un peu tiré par les cheveux, non ?

— La raison est cependant suffisante.

Mon cul, oui ! Pourquoi ne pas accuser Grove de blanchir de l'argent sale ou de dealer de la drogue, tant qu'on y était ? À moins qu'on ne le soupçonne d'appartenir à un réseau terroriste. Depuis le 11 septembre, impossible de faire un pet de travers sans qu'une horde de fédéraux vous tombe dessus. En tout cas, la présence de ce Pendergast changeait la donne et il faudrait faire avec.

Ravalant son orgueil, le lieutenant tendit la main à son interlocuteur.

— Bienvenue à Southampton, inspecteur. Si la police locale peut faire quoi que ce soit pour vous, n'hésitez pas à me le faire savoir. J'assure l'intérim en l'absence de mon supérieur qui se trouve actuellement en vacances, et je suis à votre service.

L'inspecteur avait la main étonnamment fraîche. Un vrai glaçon, comme son propriétaire. Ce dernier n'avait d'ailleurs rien d'un agent fédéral, avec son teint blafard et ses cheveux presque blancs, un peu comme ce peintre qui venait tout le temps ici, autrefois. Comment s'appelait-il, déjà ? Ce loufoque qui peignait des Marilyn de toutes les couleurs. On avait beau être en automne, ce Pendergast se repentirait avant ce soir de ne pas avoir pris un bidon d'huile solaire.

— À présent que les choses sont claires, reprit le dénommé Pendergast d'une voix affable, je vous serais reconnaissant de bien vouloir me faire l'honneur d'une visite des lieux. À cette heure, les spécialistes de l'identité judiciaire en ont certainement terminé avec la maison. Vous nous accompagnez, sergent ? ajouta-t-il à l'intention de D'Agosta.

— Bien, inspecteur.

Braskie étouffa un soupir. Les types du FBI sont pires que la grippe : chaque fois qu'ils vous tombent dessus, vous pouvez être certain d'avoir un mal de crâne carabiné.

4

Les hommes de la brigade criminelle de South Fork avaient improvisé une salle d'interrogatoire équipée d'une caméra vidéo à l'ombre d'un grand patio. À part la femme de ménage, il n'y avait pas grand monde à questionner, mais Pendergast semblait pourtant vouloir entraîner là ses deux compagnons. Il avançait d'un pas vif, D'Agosta et Braskie avaient du mal à le suivre.

Le commissaire d'East Hampton se tourna vers eux en les voyant arriver. D'Agosta ne l'avait jamais vu. Il était petit, le poil brun, avec de grands yeux sombres et de longs cils.

— Le commissaire Tony Innocente, l'inspecteur Pendergast du FBI, les présenta Braskie.

Innocente se leva, la main tendue.

La femme de ménage de Grove, une petite personne à la silhouette massive, était assise face au commissaire. Pour quelqu'un qui venait de découvrir un cadavre, elle avait l'air plutôt à l'aise. Seule une lueur fixe dans son regard trahissait son trouble.

Pendergast lui fit une courbette en lui tendant la main.

— Inspecteur Pendergast.

— Agnès Torres, répondit-elle.

— Puis-je me joindre à vous ? demanda Pendergast à Innocente.

— Je vous en prie. À tout hasard, je vous signale que l'interrogatoire est filmé.

— Madame Torres...

— Mademoiselle Torres, le corrigea la domestique.

— Je vous prie de m'excuser, mademoiselle Torres, êtes-vous croyante ?

Innocente lança un coup d'œil interrogateur en direction de ses collègues.

— Oui, finit par répondre la femme de ménage après un silence gêné.

— Vous êtes catholique pratiquante, je suppose ?

— Oui, monsieur.

— Croyez-vous à l'existence du diable ?

Nouveau silence.

— Oui, monsieur.

— Dans ce cas, ce que vous avez découvert au second étage de cette maison doit vous laisser peu de doute sur ce qui a pu s'y passer, n'est-ce pas ?

— Oui, monsieur.

Elle paraissait si convaincue que D'Agosta en eut la chair de poule.

— Vous pensez vraiment que les croyances de cette dame ont un rapport avec notre affaire ? s'interposa Braskie.

Pendergast tourna vers lui son regard limpide.

— Nos croyances influent grandement sur notre vision des choses, lieutenant, répliqua-t-il avant de se tourner à nouveau vers la domestique. Je vous remercie, mademoiselle Torres.

Sans s'attarder davantage, ils pénétrèrent dans la maison par une petite porte que gardait un jeune agent en uniforme. Braskie s'arrêta dans le hall d'entrée.

— Nous sommes en train d'établir la liste de tous ceux qui sont entrés et sortis d'ici au cours des dernières heures, expliqua-t-il. La grille de la propriété était fermée à clé et l'alarme branchée. Il s'agit d'une alarme volumétrique munie de coupe-circuit, activée depuis un boîtier équipé d'un clavier. Nous cherchons à déterminer avec précision l'identité de tous ceux qui en connaissaient le code. L'ensemble des portes et des fenêtres de la maison elle-même était également sous alarme. Outre les détecteurs de mouvements, la maison est équipée de cellules à infrarouge et de lasers. Nous avons testé le système d'alarme, il fonctionne parfaitement. Comme vous pouvez le constater, M. Grove possédait une très belle collection d'œuvres d'art, mais rien n'a apparemment été volé.

Pendergast jeta un regard admiratif à l'une des toiles accrochées au mur. D'Agosta aurait été bien en peine de dire ce que représentait le tableau. Un curieux mélange de cochon, de femme nue et de dés.

— M. Grove avait invité quatre personnes à dîner hier soir, poursuivit le lieutenant.

— Avez-vous pu recueillir le nom de ses convives ?

Braskie se tourna vers D'Agosta.

— Allez demander à Innocente la liste des invités.

Le sergent allait s'exécuter lorsque Pendergast le retint d'une main.

— Si vous n'y voyez pas d'inconvénient, lieutenant, j'aurais préféré que le sergent reste avec nous. Vous serait-il possible de dépêcher quelqu'un d'autre auprès du commissaire ?

Surpris, Braskie coula un regard soupçonneux en direction de D'Agosta, puis il fit signe à l'un de ses hommes d'aller chercher l'information demandée.

— Poursuivez, je vous prie.

— Tous les témoins s'accordent à dire que le dernier invité est reparti aux alentours de minuit et demi. Jusqu'à l'arrivée de la femme de ménage, à 7 h 30 ce matin, Grove est donc resté seul.

— A-t-on pu déterminer l'heure de la mort ?

— Pas encore. Le médecin légiste est toujours là-haut. On sait juste que Grove était encore en vie à 3 h 10 du matin, lorsqu'il a voulu téléphoner à un certain père Cappi.

— Grove a fait appel à un prêtre ? s'étonna Pendergast.

— Apparemment, ce Cappi était un vieil ami de Grove, mais les deux hommes ne s'étaient pas revus depuis trente ou quarante ans suite à une dispute. Quoi qu'il en soit, ça n'a rien changé car Grove est tombé sur le répondeur du prêtre.

— Je vous serai reconnaissant de bien vouloir me faire parvenir une copie du message qu'il y a laissé.

— Pas de problème. Grove était manifestement paniqué, il voulait que le père Cappi vienne immédiatement.

— Par le plus grand des hasards, aurait-il demandé au prêtre de se munir d'une bible, d'un crucifix et d'eau bénite ?

— Je vois qu'on vous a déjà parlé de ce coup de téléphone.

— Pas le moins du monde. Simple supposition de ma part.

— Le père Cappi est arrivé ce matin à 8 heures, tout de suite après avoir relevé ses messages, mais il était trop tard, comme vous le savez, et il s'est contenté de bénir le corps.

— A-t-on eu le temps d'interroger les invités ?

— Nous avons recueilli leur déposition, sans plus. C'est comme ça que nous savons à quelle heure s'est achevé le dîner. Apparemment, Grove n'était pas en grande forme hier soir. Il était extrêmement nerveux et parlait constamment. Certains invités nous ont même dit qu'il avait l'air terrorisé.

— Est-il concevable que l'un d'entre eux soit resté après les autres, ou bien qu'il soit revenu subrepticement ?

— C'est une hypothèse. Mais je dois vous dire que M. Grove était... comment dire ? Euh... c'était un pervers sexuel.

Pendergast leva les sourcils.

— Mais encore ?

— C'est-à-dire qu'il aimait à la fois les hommes et les femmes.

— Sans doute, mais en quoi était-ce un pervers sexuel ?

— Eh bien... je viens de vous le dire. Il s'intéressait autant aux hommes qu'aux femmes.

— Vous voulez sans doute dire qu'il était bisexuel, c'est bien cela ? À ma connaissance, trente pour cent des êtres humains de sexe masculin relèvent de cette catégorie.

— Pas à Southampton, en tout cas.

D'Agosta fut contraint de simuler une brusque quinte de toux pour ne pas éclater de rire.

— Quoi qu'il en soit, lieutenant, je constate que vous avez fait de l'excellent travail. À présent, si vous voulez bien nous conduire sur le lieu du crime.

Braskie se dirigea vers la cage d'escalier, suivi du sergent et de l'inspecteur. L'étrange odeur qui avait déjà frappé D'Agosta lorsqu'il se trouvait dans le jardin était plus présente que jamais, mais il aurait été bien en peine d'en déterminer la nature exacte. Des allumettes, peut-être ? Non, plutôt une odeur de poudre, ou de feu d'artifice, mêlée à des effluves de bois brûlé et de viande rôtie. Il repensa au morceau de viande d'ours qu'un ami lui avait donné un jour et qu'il avait voulu faire cuire dans sa maison des environs d'Invermere, au Canada. Sa femme avait failli vomir et ils avaient fini par commander une pizza.

Au premier étage, ils s'engagèrent dans le couloir menant au petit escalier.

— Cette porte était fermée à clé, remarqua Braskie. C'est la femme de ménage qui l'a ouverte à l'aide de son trousseau.

Ils grimpèrent jusqu'au grenier en file indienne, faisant grincer les marches. Un long couloir les attendait, traversé de portes des deux côtés. La plus éloignée, grande ouverte, laissait passer une lumière aveuglante.

— La porte de cette chambre était fermée, tout comme la fenêtre, expliqua Braskie. Il semble que la victime ait tenté de se protéger en entassant des meubles contre le battant.

Ils pénétrèrent dans une petite chambre mansardée où régnait une odeur pestilentielle, et D'Agosta se boucha le nez. Jeremy Grove reposait sur un lit à l'autre extrémité de la pièce. Il était tout habillé, mais ses vêtements avaient été découpés afin que le médecin légiste puisse procéder aux premières constatations.

Le médecin était là, occupé à prendre des notes sur un bloc à pince près du lit.

D'Agosta s'épongea le front. L'atmosphère était irrespirable, peut-être parce que l'on se trouvait sous les toits. À moins qu'il ne s'agisse des éclairages installés par les enquêteurs. Quant à l'odeur de brûlé, elle collait à la peau et le sergent resta posté près de la porte tandis que Pendergast faisait le tour du cadavre, l'œil brillant, les traits tendus. Avec son profil aquilin, on aurait dit un vautour prêt à fondre sur sa proie.

Le corps était allongé sur le lit, les yeux grands ouverts maculés de sang noirci, les poings serrés. Les chairs, cireuses, avaient quelque chose d'irréel, mais c'était plus encore le rictus d'effroi et de souffrance du mort qui obligea D'Agosta à détourner le regard. Il en avait pourtant vu de toutes les couleurs lorsqu'il était en poste à New York, mais cette vision d'horreur resterait à jamais gravée dans sa mémoire.

Son travail achevé, le médecin légiste rangeait ses instruments tandis que deux agents s'apprêtaient à placer le corps dans un sac spécial avant de l'évacuer sur une civière. Un autre agent, à genoux par terre, découpait avec précaution le carré de plancher sur lequel était imprimée une curieuse empreinte calcinée.

— Docteur ? fit Pendergast.

Le médecin légiste se retourna et D'Agosta découvrit, non sans étonnement, le visage d'une jolie femme blonde, les cheveux dissimulés dans son calot.

— Oui ?

Pendergast exhiba son badge.

— FBI. M'autorisez-vous à vous poser quelques questions ?

La jeune femme hocha la tête.

— Avez-vous pu établir l'heure du décès ?

— Non, et je peux vous dire que ça ne va pas être simple.

Pendergast fronça les sourcils.

— Pour quelle raison, si je puis me permettre ?

— J'ai compris que c'était une drôle d'affaire quand la sonde anale nous a donné une température corporelle de 42 degrés.

— J'allais vous le dire, intervint Braskie. Le corps a été chauffé, mais ne me demandez pas comment.

— Exactement, acquiesça la légiste. On dirait que le réchauffement est intervenu de l'intérieur.

— De l'intérieur ? s'étonna Pendergast.

À la façon dont il avait réagi, D'Agosta aurait juré que l'inspecteur était dubitatif.

— Oui. Comme si le corps avait été cuit intérieurement.

Pendergast regarda fixement la jeune femme.

— Avez-vous trouvé des traces de brûlure sur le corps ? Des lésions cutanées ?

— Aucune. Le corps est quasiment intact au plan externe. Le mort portait encore ses vêtements. À l'exception d'une curieuse brûlure à hauteur de la poitrine, la peau est en parfait état.

Pendergast garda le silence quelques instants.

— Comment expliquez-vous ce phénomène ? Pourrait-il s'agir d'une forte fièvre ?

— En aucun cas. La température corporelle était déjà redescendue lorsque nous avons pris nos mesures, mais elle a dû atteindre les 50 degrés, ce qui exclut tout phénomène biologique naturel. Le plus ennuyeux, c'est que l'ensemble des éléments dont on dispose habituellement pour déterminer l'heure du décès n'a plus aucune valeur. Le sang a littéralement bouilli dans les veines, à une température aussi élevée, les protéines musculaires se dénaturent et l'on n'observe pas la moindre raideur cadavérique. La chaleur ayant tué la plupart des bactéries, on ne peut pas davantage se fier à la décomposition. Enfin, en l'absence de digestion enzymatique spontanée, nous n'avons aucune autolyse. J'en suis réduite à vous dire qu'il est mort entre 3 h 10, heure de son dernier coup de téléphone, et 7 h 30, lorsque la femme de ménage l'a découvert. Comme vous pouvez le constater, mon évaluation n'a rien de scientifique.

— Je suppose qu'il s'agit de la brûlure à laquelle vous faisiez allusion tout à l'heure ? s'enquit Pendergast en désignant le torse de Grove, sur lequel apparaissait clairement la forme caractéristique d'un crucifix, brûlée à même les chairs.

— Il portait une croix autour du cou lorsqu'on l'a découvert. Un bijou de très grande valeur, apparemment. Je dis apparemment, parce que le métal avait fondu et que le bois était calciné, mais nous avons retrouvé parmi les cendres les diamants et les rubis qui étaient sertis dans la croix.

Pendergast hocha lentement la tête. Il remercia la jeune femme de son aide, puis il se tourna vers l'agent occupé à découper le plancher.

— Vous permettez ? fit-il en s'approchant.

L'homme recula afin de laisser Pendergast s'agenouiller près de la curieuse empreinte.

— Sergent ?

D'Agosta approcha, aussitôt imité par Braskie.

— Que pensez-vous de ceci ?

D'Agosta observa longuement la trace. Les contours en étaient imprécis, mais on reconnaissait sans peine la forme d'un énorme pied fourchu, comme marqué au fer rouge sur le parquet.

— Notre meurtrier ne manque pas d'humour, commenta D'Agosta.

— Mon cher Vincent, pensez-vous vraiment qu'il puisse s'agir d'une plaisanterie ?

— Pourquoi ? Ce n'est pas votre avis ?

— Non.

D'Agosta se retourna et vit que Braskie le regardait fixement. Le lieutenant n'avait visiblement pas apprécié le « cher Vincent ». Sans se soucier de la réaction de Braskie, Pendergast se mit à quatre pattes et renifla le bois, à la manière d'un limier. Une éprouvette et une pince à épiler apparurent entre ses doigts comme par miracle, et il préleva un minuscule morceau de bois calciné qu'il porta à son nez avant de le tendre au lieutenant.

— Qu'est-ce que c'est ? fit Braskie, peu rassuré.

— Le feu et le soufre, lieutenant, répondit Pendergast. Le feu et le soufre de l'Ancien Testament.

5

Le Chaunticleer était un minuscule restaurant de quelques tables caché dans une petite rue d'Amagansett, entre Bluff Road et Main Street. Installé sur une chaise trop petite pour lui, D'Agosta jeta un regard curieux autour de lui. Tout était d'un jaune éclatant, depuis les jonquilles sur les rebords des fenêtres, jusqu'aux rideaux de taffetas, aux nappes et aux serviettes. De rares taches de vert et de rouge venaient rompre cette harmonie. On se serait cru en présence de l'une de ces assiettes savamment décorées qui font la fortune de la nouvelle cuisine française en Amérique. D'Agosta ferma les yeux quelques instants. Après l'obscurité macabre du grenier de Jeremy Grove, le contraste était presque gênant.

La maîtresse de maison, une petite femme d'âge mûr au visage couperosé, s'approcha en minaudant.

— *Ah, monsieur Pendergast, comment allez-vous ?* s'enquit-elle en français.

— *Très bien, madame, je vous remercie,* lui répondit-il.

— Ce sera comme d'habitude, *monsieur ?*

— *Oui, s'il vous plaît.*

— Et vous, sergent ? demanda-t-elle en se tournant vers D'Agosta.

Ce dernier jeta un coup d'œil au menu du jour détaillé à la craie sur une ardoise accrochée près de l'entrée, mais il ne connaissait pas la moitié des plats et les autres ne lui disaient rien. Le souvenir de l'odeur âcre du corps de Jeremy Grove n'était pas pour lui ouvrir l'appétit.

— Rien pour moi, merci, fit-il.

— Quelque chose à boire ?

— Une Bud bien fraîche.

— Je suis désolée, *monsieur*, mais je ne suis pas autorisée à vendre de l'alcool.

D'Agosta passa la langue sur ses lèvres sèches et commanda un thé glacé.

Il regarda machinalement la patronne s'éloigner, puis il se tourna vers Pendergast qui avait troqué sa tenue de plage contre un costume noir. Le sergent s'étonnait de retrouver l'inspecteur inchangé depuis tout ce temps. Lui-même n'avait pas eu cette chance. Les cinq années écoulées depuis leur dernière rencontre avaient vu sa silhouette s'empâter et ses tempes se griser. Ainsi va la vie...

— Comment avez-vous découvert cet endroit ? demanda-t-il.

— Tout à fait par hasard. La maison que j'occupe se trouve tout près d'ici et ce lieu doit être le seul restaurant convenable de la région à n'être pas encore phagocyté par la clientèle huppée. Êtes-vous certain de ne rien vouloir manger ? Je vous recommande les œufs Benedict, Mme Merle fait la sauce hollandaise la plus délicieuse qu'il m'ait été donné de goûter en dehors de Paris : à la fois onctueuse et légère, relevée d'un soupçon d'estragon.

D'Agosta secoua la tête.

— Vous ne m'avez toujours pas expliqué ce que vous faites ici.

— Ainsi que je vous l'ai dit, je loue actuellement une maison car je me suis mis en chasse d'une propriété.

— Une propriété ? Pour quoi faire ?

— Ma foi, j'aurais souhaité dénicher le cadre idéal à la *convalescence* d'une amie, comme on dit en français. Vous ne tarderez pas à faire sa connaissance. Mais parlez-moi plutôt de vous. Aux dernières nouvelles, vous vous trouviez au Canada où vous poursuiviez une carrière d'écrivain. J'ajouterai que j'ai trouvé éminemment lisible votre roman *Les Anges du purgatoire*.

— Qu'entendez-vous par « lisible » ?

Pendergast fit un geste ample de la main.

— J'avoue mon ignorance de tout ce qui touche à la littérature policière. Mes goûts personnels en matière de romans à sensation s'arrêtent à M.R. James.

D'Agosta se demanda si son interlocuteur ne voulait pas plutôt parler de P.D. James, mais il préféra s'abstenir de tout commentaire. Pour avoir beaucoup donné en la matière, il n'avait pas l'intention de se lancer dans une « conversation littéraire ».

La patronne déposa deux verres devant eux et D'Agosta trempa les lèvres dans le sien. Son thé glacé manquait de goût et il ouvrit un sachet de sucre.

— Vous savez, Pendergast, il n'y a pas grand-chose à raconter. Comme mes talents d'auteur ne me faisaient pas vivre, j'ai fini par revenir ici. Mon poste à la brigade criminelle de New York ne m'avait pas attendu, bien évidemment, d'autant que je m'étais fait pas mal d'ennemis avant de partir. Sans parler des restrictions budgétaires imposées par la nouvelle municipalité. Je me suis retrouvé coincé et, quand on m'a parlé de ce job à Southampton, j'ai dû m'en contenter.

— Tout du moins votre cadre de travail a-t-il le mérite d'être agréable.

— C'est ce que je me disais aussi au début, mais après avoir passé l'été à courir derrière les gens qui laissent leurs crottes de chien sur la plage, j'ai changé d'avis. Et puis il faut voir à quelle faune nous avons affaire. Au moindre P-V pour excès de vitesse, vous vous retrouvez face à un avocat retors qui vous pourrit la vie en vous sortant des articles du code parfaitement inconnus. Je ne vous dis pas ce que ce genre d'affaire coûte chaque année au contribuable.

Pendergast écoutait gravement en sirotant ce qui avait tout l'air d'être du thé.

— Quels sont vos rapports avec le lieutenant Braskie ?

— C'est un connard de première qui ne pense qu'à être élu à la tête de la police municipale.

— Il ne m'a pourtant pas semblé dénué de compétence.

— Disons que c'est un connard compétent.

Pendergast observait son interlocuteur de ses yeux translucides. D'Agosta, qui avait oublié à quel point ce regard froid pouvait être inquisiteur, se tortilla sur sa chaise.

— Vous négligez manifestement quelques épisodes de votre histoire personnelle, Vincent. La dernière fois que nous avons travaillé ensemble, vous aviez une femme et un fils, prénommé Vincent lui aussi, si je ne m'abuse.

D'Agosta acquiesça.

— J'ai bien un fils, mais il est resté au Canada avec ma femme. Si je peux encore parler d'elle comme de ma femme.

Pendergast ne disait rien, et D'Agosta se sentit obligé de poursuivre.

— Avec Lydia, on ne s'entendait plus vraiment, soupira-t-il. Vous savez ce que c'est dans la police. On a des horaires impossibles, on rentre tard. Au début, elle ne voulait pas entendre parler du Canada, surtout pour s'installer dans un trou paumé comme Invermere. Là-bas, assis devant ma machine à écrire, j'étais sur son dos toute la journée et on avait du mal à se supporter. C'est un doux euphémisme, ajouta-t-il en haussant les épaules. Le plus curieux, c'est qu'elle a fini par se faire au Canada, et ma décision de revenir ici a fait déborder le vase.

Mme Merle arrivait avec le plat de Pendergast et D'Agosta en profita pour changer de sujet de conversation.

— Et vous-même ? demanda-t-il avec une certaine brusquerie. Qu'avez-vous fait pendant toutes ces années ? Toujours aussi occupé à New York ?

— Je rentre tout récemment du Midwest. Du Kansas, plus précisément, où j'ai traité une affaire de peu d'importance, mais fort intéressante [1].

— Pour quelle raison vous intéressez-vous à Grove ?

— Vous qui me connaissez, Vincent, savez à quel point je me passionne pour les crimes insolites, au point que certains me prêtent parfois des penchants morbides. Une bien mauvaise habitude, je vous le concède, mais les mauvaises habitudes ne sont-elles pas les plus tenaces ?

Pendergast décalotta son œuf à l'aide de la pointe de son couteau et le jaune s'écoula lentement sur son assiette, ajoutant une note colorée supplémentaire au décor ambiant.

— Vous êtes ici officiellement ? s'enquit D'Agosta.

— Je ne travaille plus en tant qu'enquêteur indépendant et le FBI a son charme. Mais pour répondre à votre question, je me trouve ici officiellement, en

_____
1. *Les Croassements de la nuit.*

effet, répondit Pendergast en tapotant le téléphone portable dont on devinait la forme dans sa poche.

— Je ne vois pas très bien ce qui peut intéresser les fédéraux dans cette histoire. À moins de ramifications terroristes ou d'un trafic de drogue.

— Ainsi que je l'ai déclaré au lieutenant Braskie, le coupable a fort bien pu trouver refuge dans un autre État. J'ai parfaitement conscience de la fragilité de cette thèse, mais je devrai m'en contenter.

S'approchant de son interlocuteur, Pendergast ajouta d'un ton plus feutré :

— Vincent, j'ai besoin de votre aide.

D'Agosta le regarda, incrédule.

— Nous formions une bonne équipe, autrefois.

— Oui, mais...

Le sergent hésita, puis il se reprit et s'écria, un soupçon de colère dans la voix :

— Mais non, vous n'avez pas besoin de moi !

L'œil inquisiteur de Pendergast ne le lâchait pas.

— Et si c'était vous qui aviez besoin de moi, Vincent ?

— Pourquoi dites-vous ça ? Je n'ai besoin de personne, je me débrouille très bien tout seul, merci.

— Désolé de vous contredire, mais ce n'est pas le cas.

— Qu'est-ce qui vous fait dire ça ?

— Vous occupez un emploi subalterne. Non seulement c'est un véritable gâchis, mais vous vivez mal la situation et cela se ressent dans votre comportement. Le lieutenant Braskie n'est pas un mauvais bougre et il n'est pas complètement idiot, mais vous n'avez rien à faire sous ses ordres. Et les choses iront de mal en pis lorsqu'il sera nommé à la tête de la police locale.

— Parce que vous croyez vraiment que ce connard a quelque chose dans le citron ? Je ne vous donne pas une journée avec lui pour changer de disque !

— C'est vous, Vincent, qui devriez changer de disque. Au cours de nos carrières respectives, nous avons connu bien pire.

— Si je comprends bien, vous êtes mon sauveur, c'est ça ? railla D'Agosta.

— Non, Vincent. Ce n'est pas moi qui vous sauverai, mais cette affaire.

D'Agosta se leva d'un air rageur.

— Je n'ai besoin de personne, pas plus de vous que d'un autre.

Sortant son portefeuille, il jeta un billet de cinq dollars tout chiffonné sur la table et s'éloigna à grandes enjambées.

Lorsque D'Agosta revint dix minutes plus tard, Pendergast n'avait pas bougé et le billet de cinq dollars était toujours là. Il tira la chaise qu'il occupait un peu plus tôt, s'assit et commanda un autre thé glacé, le visage cramoisi. De son côté, Pendergast se contenta de hocher la tête en achevant son déjeuner, puis il sortit tranquillement une feuille de papier de la poche de sa veste et la déposa délicatement sur la table.

— Vous trouverez ici la liste des quatre invités de Jeremy Grove la veille de sa mort, ainsi que les coordonnées du prêtre auquel il a passé son ultime coup de téléphone. Autant commencer par là. Vous remarquerez que la liste des invités de Grove est limitée, mais qu'elle n'est pas inintéressante, fit-il en poussant la feuille en direction de son interlocuteur.

D'Agosta acquiesça. Presque calmé, il lut les noms et les adresses des suspects avec le pincement caractéristique qui accompagnait autrefois le début d'une enquête difficile.

— En qualité de quoi pourrais-je vous aider ? Je dépends toujours de la police de Southampton.

— Je demanderai au lieutenant Braskie de vous affecter en qualité d'agent de liaison avec le FBI.

— Il n'acceptera jamais.

— Bien au contraire, il sera trop heureux de se débarrasser de vous. Quoi qu'il en soit, j'ai l'intention de lui exposer ma requête officiellement. Ainsi que vous le remarquiez vous-même tout à l'heure, Braskie est un animal politique, et il fera ce qu'on lui dit de faire.

D'Agosta hocha la tête.

— Il est bientôt 14 heures, reprit Pendergast en regardant sa montre. Venez, Vincent, nous avons un peu de route à faire. Les prêtres n'ont pas pour habitude de dîner tard, mais nous avons encore le temps de voir le père Cappi ce soir si nous nous dépêchons.

6

Confortablement installé sur la banquette de cuir blanc de la Rolls Silver Wraith 1959 conduite par le chauffeur de Pendergast, D'Agosta avait la curieuse impression de se trouver dans le ventre de Moby Dick. Le standing de l'inspecteur s'était manifestement amélioré depuis leurs dernières aventures communes puisqu'il se contentait alors d'une Buick de service. Un parent quelconque lui avait sans doute légué plusieurs milliards, ou alors il avait fini par assumer ses origines patriciennes.

La voiture remontait la vallée de l'Hudson le long de la Route 9, au nord de Poughkeepsie. Après des mois passés dans le morne décor des dunes de Southampton, D'Agosta était heureux de retrouver un peu de verdure. À travers les arbres, on devinait çà et là de vieilles demeures au bord de la rivière, pour la plupart des propriétés privées, mais aussi quelques monastères. Malgré la chaleur estivale, les premiers signes de l'automne avaient fait leur apparition.

La Rolls ralentit, puis elle s'engagea sur un petit chemin blanc et s'arrêta sans un bruit sous un porche de brique. En descendant de voiture, face à une pelouse descendant en pente douce jusqu'aux eaux de l'Hudson, D'Agosta découvrit une superbe bâtisse de style néogothique flanquée d'un clocher. Une inscription accrochée au-dessus de l'entrée signalait que le bâtiment avait été édifié en 1874 et qu'il s'agissait d'un monument classé.

Un moine vêtu d'une robe de bure serrée à la taille par un cordon de soie répondit au coup de heurtoir de Pendergast. Sans un mot, il fit pénétrer les deux policiers dans un hall qui sentait l'encaustique. Pendergast s'inclina respectueusement et tendit l'une de ses cartes au moine qui lui rendit son salut et leur fit signe de le suivre. Sous la conduite de leur guide, les deux hommes parcoururent un dédale de couloirs et se retrouvèrent dans une pièce aux murs blanchis à la chaux que meublaient un crucifix et deux rangées de chaises alignées le long des murs. La lumière du jour ne leur parvenait qu'à travers une fenêtre percée juste en dessous de la charpente apparente.

Le moine s'inclina et se retira. Quelques instants plus tard, un autre moine pénétrait dans la pièce. Lorsqu'il releva sa capuche, D'Agosta découvrit un colosse de plus d'un mètre quatre-vingts dont les yeux sombres respiraient la vigueur. Au même instant, les cloches sonnèrent l'heure dans le lointain et le sergent fut parcouru d'un long frisson.

— Je suis le père Cappi, commença le moine. Je vous souhaite la bienvenue au monastère carthaginois de Hyde Park. Tous ceux qui vivent ici ont fait vœu de silence, mais nous nous réunissons dans cette pièce une fois par semaine afin de débattre de nos problèmes. Nous avons baptisé ce lieu « la chambre des disputes », parce que c'est ici que nous laissons libre cours à nos pleurnicheries. Et croyez-moi, ce ne sont pas les raisons de nous plaindre qui manquent après une semaine de silence.

Puis, relevant sa robe de bure d'un geste ample, il prit place sur une chaise.

— Je vous présente le sergent D'Agosta, avec lequel je travaille sur cette affaire, murmura Pendergast en s'asseyant à son tour. Il aura certainement quelques questions à vous poser.

— Enchanté, déclara le géant en broyant la main du sergent dans la sienne.

Drôle d'agneau de Dieu, pensa D'Agosta en s'agitant sur sa chaise inconfortable.

En dépit du soleil dont les rayons pénétraient par la fenêtre, la pièce était froide et humide, et D'Agosta se fit la réflexion que jamais il n'aurait pu être moine.

— Je suis sincèrement désolé de venir vous déranger dans votre retraite, s'excusa Pendergast.

— C'est tout à fait normal, et j'espère pouvoir vous être utile. Toute cette histoire est tragique.

— Afin de ne pas abuser de votre temps, je vous propose de nous parler tout d'abord de ce coup de téléphone.

— Comme je l'ai déjà expliqué à la police, Grove a téléphoné chez moi à 3 h 10 du matin. Je peux me montrer aussi précis car mon répondeur indique l'heure d'enregistrement des messages. Chaque année, j'effectue une retraite de quinze jours dans ce monastère. Je n'étais donc pas à la maison lorsque le téléphone a sonné, mais je relève mon répondeur tous les matins au réveil. C'est contraire aux règles de cette communauté, mais ma mère est âgée et je tiens à rester joignable. Je me suis immédiatement rendu à Long Island, mais il était déjà trop tard.

— Pour quelle raison M. Grove souhaitait-il vous joindre ?

— J'ai bien peur que votre question n'appelle une réponse un peu longue.

Pendergast lui fit signe de continuer.

— Je connaissais Jeremy Grove depuis très longtemps, reprit le prêtre. Nous nous sommes rencontrés à l'université de Columbia il y a des années de cela. Puis je suis entré dans les ordres et il est parti pour Florence afin d'y suivre des études d'histoire de l'art. À l'époque, nous avions... je ne dirais pas que nous partagions une même passion pour la religion, mais plutôt que nous étions curieux de spiritualité. Nous passions des nuits entières à discuter de Dieu, d'épistémologie, du bien et du mal, ce genre de choses. J'ai ensuite étudié la théologie à Mount St Mary et nous sommes restés très liés. C'est même moi qui ai marié Grove quelques années plus tard.

— Je vois, murmura Pendergast.

— Grove habitait Florence à l'époque et je lui ai rendu visite à plusieurs reprises dans la ravissante villa qu'il occupait au milieu des collines, au sud de la ville.

D'Agosta toussota.

— D'où lui venait son argent ? demanda-t-il timidement.

— C'est une histoire assez curieuse, sergent. Lors d'une vente aux enchères chez Sotheby's, il a acheté un jour une toile attribuée à un élève de Raphaël dont il a pu prouver par la suite qu'elle était en réalité de la main du maître lui-même, et il l'a revendue trente millions de dollars au Metropolitan Museum.

— Pas mal.

— Comme vous dites. Pour en revenir à Florence, Grove était devenu extrêmement croyant. Je dirais même qu'il avait une conception de la foi chrétienne proche de la dévotion, comme c'est parfois le cas de certains intellectuels, et il prenait plaisir à se lancer avec moi dans de longues discussions théologiques. Grove était le type même de l'intellectuel catholique, si vous voyez ce que je veux dire.

Pendergast acquiesça.

— Grove avait fait un mariage heureux, poursuivit le père Cappi. Il adorait sa femme jusqu'au jour où elle l'a quitté pour un autre, sans crier gare. Je n'ai pas de mots pour décrire le désarroi de Grove. Il était littéralement anéanti, et il a cru bon de reporter sa colère sur Dieu.

— Je vois, commenta Pendergast.

— Grove s'est senti trahi par ce Dieu auquel il avait tout donné. Il n'est pas devenu athée ou agnostique pour autant, je dirais plutôt qu'il a décidé de régler ses comptes avec Dieu. Il a volontairement embrassé un style de vie marqué par la dépravation et la violence. En vérité, toute cette violence n'était pas tant dirigée contre Dieu que contre lui-même. Parallèlement, il s'est lancé dans une carrière de critique d'art. Je ne vous apprendrai rien en vous disant que la profession de critique autorise le recours à une brutalité verbale qui n'a pas ordinairement cours dans les rapports dits « civilisés ». Qui s'autoriserait à dire de vive voix à un peintre que son travail est d'une parfaite nullité ? Le critique est en revanche libre de le crier haut et fort au reste du monde tout en faisant croire qu'il s'agit là d'un véritable devoir moral. Je ne connais pas de profession plus ignoble que celle de critique. À l'exception peut-être de celle des médecins chargés d'exécuter les condamnés à mort.

— Je vous suis sans peine sur ce terrain, approuva D'Agosta. Les créateurs refoulés se contentent d'enseigner, et ceux qui ne sont pas capables d'enseigner deviennent critiques.

Cette sortie provoqua l'hilarité du père Cappi.

— Ce n'est pas moi qui vous donnerai tort, sergent.

— Le sergent D'Agosta est lui-même auteur de romans policiers, expliqua Pendergast.

— Vraiment ? Je suis personnellement grand amateur du genre et je serais ravi de lire votre prose.

— Son dernier roman a pour titre *Les Anges du purgatoire*.

50

— Je vais m'empresser de l'acheter.

D'Agosta, gêné, balbutia quelques remerciements. C'était la deuxième fois ce jour-là que Pendergast le mettait dans l'embarras. Il faudrait qu'il lui en touche un mot, car il n'aimait pas beaucoup que l'on évoque sa carrière avortée d'écrivain.

— Pour en revenir à Grove, poursuivit le père Cappi, il a rapidement poussé l'art de la critique à son paroxysme, s'entourant d'une cour de créatures viles, dépravées et inutilement méchantes. Grove faisait tout dans l'excès, qu'il s'agisse d'argent ou de sexe, de boire ou de manger, ou bien de colporter les ragots les plus infâmes. Les fêtes qu'il donnait n'avaient rien à envier aux orgies des empereurs romains et on le voyait régulièrement à la télévision s'appliquant à dénigrer l'une ou l'autre de ses cibles avec sa faconde coutumière. Les lecteurs s'arrachaient ses chroniques dans le *New York Review of Books* et je ne vous étonnerai pas en vous disant qu'il jouissait d'un succès sans pareil auprès de l'élite new-yorkaise.

— Étiez-vous toujours en rapport avec lui ?

— Non. J'étais devenu la personnification de tout ce à quoi il avait renoncé, de sorte que nous n'avions plus le moindre contact.

— À quand remonte cette rupture ? s'enquit D'Agosta.

— La femme de Grove l'a quitté en 1974, nous nous sommes brouillés peu après, et je n'ai plus jamais entendu parler de lui. Jusqu'à ce matin, bien évidemment.

— Que vous disait-il sur son message ?

Le prêtre sortit un appareil à microcassette de sa poche.

— J'en ai fait une copie avant de confier l'original à la police, expliqua-t-il en mettant l'appareil en marche.

Un bip se fit entendre, suivi d'une voix métallique manifestement affolée :

Bernard ? Bernard ? C'est Jeremy Grove à l'appareil. Est-ce que tu es là ? Si tu es là, réponds-moi, pour l'amour du ciel !

Écoute-moi, Bernard, j'ai besoin de te voir. Il faut que tu viennes tout de suite. J'habite à Southampton, 3001 Dune Road. Viens tout de suite, je t'en supplie. Il m'arrive quelque chose... quelque chose d'effroyable. N'oublie pas d'apporter ton crucifix, une bible et de l'eau bénite. Il est là, Bernard, il veut m'emporter. Tu m'entends ? Il a décidé de venir me prendre ! J'ai absolument besoin de me confesser, d'obtenir le pardon et l'absolution... Pour l'amour de Dieu, Bernard, réponds, je t'en prie...

La suite avait été coupée, le temps alloué par la machine étant écoulé, mais cette voix sépulcrale était si inquiétante que D'Agosta sentit ses poils se hérisser.

— Eh bien, fit Pendergast, rompant enfin le silence. Je serais curieux de savoir ce que vous pensez de tout cela, mon père.

Le prêtre fit la grimace.

— Je suis convaincu d'avoir entendu la voix d'un damné.

— Un damné, ou bien une créature du diable ?

Le père Cappi se tortilla sur sa chaise.

— Pour des raisons qui m'échappent, Jeremy Grove savait qu'il allait mourir. Il aura voulu obtenir le pardon divin avant de disparaître. C'était autrement plus important pour lui que d'appeler la police car Grove, en dépit de ses turpitudes, n'avait jamais cessé de croire en Dieu.

— Vous a-t-on parlé des indices découverts sur le lieu du crime ? Je veux parler de l'empreinte d'un pied fourchu, des traces de soufre et de feu, de la façon étrange dont le corps s'est consumé ?

— Oui, je suis au courant.

— Comment expliquez-vous tout cela ?

— C'est l'œuvre d'un être humain. L'assassin de Grove entendait dénoncer à sa manière son mode de vie, et il aura volontairement laissé l'empreinte et le reste, répondit le père Cappi d'un air grave en remettant le petit enregistreur dans la poche de sa robe. Le mal n'a rien de mystérieux, monsieur Pendergast. Il rôde en permanence autour de nous, j'en ai la preuve quotidienne, mais je me refuse à croire que le diable, quelle que soit sa réalité physique, souhaite attirer notre attention sur ses agissements.

7

Éclairé par les dernières lueurs du crépuscule, le dénommé Wren avançait d'un pas tranquille dans le décor sinistre de Riverside Drive, au-delà de la frontière artificielle que forme la 110e Rue. On devinait à sa gauche Riverside Park et les eaux de l'Hudson tandis que se dressaient sur sa droite les silhouettes délabrées d'anciennes demeures patriciennes. Les ultimes rougeoiements du soleil, reflétés par la rivière, projetaient l'ombre du vieil homme de réverbère en réverbère. Le quartier avait toujours résisté aux tentatives de colonisation de la bourgeoisie de Manhattan, et rares étaient ceux qui osaient s'aventurer à la nuit tombée dans ce *no man's land* inquiétant. Il y avait toutefois dans l'allure de Wren quelque chose de différent qui éloignait les prédateurs : ses traits cadavériques, peut-être, sa démarche furtive, ou bien encore son abondante crinière blanche, anormalement fournie pour un homme de son âge.

Wren s'arrêta brusquement devant une imposante maison de style beaux-arts dominant la rivière de ses trois étages à hauteur de la 137e Rue. De hautes grilles rouillées, surmontées de pointes acérées, protégeaient la vieille demeure. De l'ancien parc de la propriété, il ne restait guère que des mauvaises herbes et des buissons sauvages, et tout indiquait que le bâtiment était lui aussi à l'abandon, avec ses fenêtres recouvertes de tôle ondulée, ses tuiles cassées et son belvédère de fer forgé défraîchi.

La grille qui barrait l'entrée était entrouverte et Wren s'y glissa sans hésiter, puis il remonta l'ancien chemin de gravier menant à la porte principale le long de laquelle s'entassaient toutes sortes de détritus chassés par le vent. Dans la pénombre, c'est tout juste si l'on distinguait l'énorme battant de chêne constellé de graffitis qui permettait de pénétrer dans la vieille bâtisse. D'une main décharnée, Wren frappa une première fois, répétant son geste après quelques instants.

L'écho se perdit sous les voûtes de la maison sans que rien se passe pendant une ou deux minutes. Enfin, le grincement d'une serrure se fit entendre et l'huis s'écarta en gémissant. Une faible lueur troua l'obscurité, dévoilant la silhouette spectrale de Pendergast. Sans un mot, il fit signe à Wren d'entrer et referma la porte en prenant soin de la verrouiller derrière son visiteur.

Précédé de son hôte, Wren traversa un hall dallé de marbre et suivit un long couloir lambrissé. Surpris, il s'arrêta brusquement. C'était la première fois qu'il revenait là depuis l'été, lorsqu'il s'était chargé de répertorier les formidables collections scientifiques de la vieille demeure pendant que Pendergast prenait quelques jours de congé dans un coin reculé du Kansas. L'intérieur de la maison était alors dans un état de délabrement aussi avancé que l'extérieur, les boiseries arrachées, les parquets défoncés, les cloisons démolies. Avec l'inspecteur, Wren était l'une des quatre personnes – ou plutôt cinq – au courant du terrible drame qui s'était déroulé entre ces murs[1].

---

1. Le détail de ces aventures est relaté dans *La Chambre des curiosités*.

Le contraste n'en était que plus frappant aujourd'hui. Les lambris de châtaignier avaient retrouvé tout leur lustre, les murs avaient été retapissés à l'aide de papiers peints victoriens et les poignées de porte en laiton luisaient doucement dans la lumière tamisée. Quant aux collections – des météorites, des pierres précieuses d'une valeur inestimable, des papillons uniques, des fossiles d'espèces inconnues... –, elles avaient pris place dans des dizaines d'alcôves ou sur des socles de marbre : après plus d'un siècle d'abandon, l'extraordinaire cabinet de curiosités découvert dans ce lieu étrange avait enfin retrouvé son âme. Wren savait pourtant que ce trésor resterait à jamais inaccessible au public.

— Vous avez effectué un travail remarquable, souligna le vieil homme en désignant le décor qui l'entourait.

Pendergast le remercia d'un mouvement de tête.

— Je suis stupéfait que vous ayez pu réaliser tout cela en un laps de temps aussi court.

— Ma famille a longtemps fait appel à des artisans et à des menuisiers cajuns de la région du Bayou Tèche, expliqua Pendergast en conduisant son visiteur à travers un dédale de couloirs. Ils ont une nouvelle fois apporté la preuve de leur savoir-faire, même si le quartier n'était pas vraiment à leur goût.

Wren étouffa un petit rire.

— Ce n'est pas moi qui les contredirai. Mais aussi, quelle drôle d'idée de vouloir vous installer ici alors que vous disposez d'un si bel appartement dans le Dakota Building, en plein cœur de Manhattan. À moins...

Il laissa sa phrase en suspens, questionnant son hôte du regard.

Pendergast hocha la tête.

— Oui, Wren. C'est également pour cette raison-là.

Ils traversèrent un immense salon de réception dont la coupole avait été repeinte d'un bleu Wedgwood vibrant. De nouveaux trésors, superbement mis en valeur, s'offraient à la vue dans des vitrines alignées le long des murs, tandis que des animaux empaillés et de petits squelettes de dinosaures étaient élégamment disposés sur le parquet ciré.

— Comment va-t-elle ? s'enquit Wren en tirant Pendergast par la manche.

L'inspecteur s'arrêta.

— Elle se porte fort bien physiquement, et aussi bien qu'on pourrait l'espérer au plan émotionnel. Les progrès sont lents, mais constants. Il faut bien reconnaître que la parenthèse aura été longue.

Wren acquiesça d'un air entendu, puis il sortit de sa poche un DVD.

— Vous trouverez sur ce disque l'inventaire complet des collections de cette maison, indexé du mieux que j'ai pu.

Pendergast hocha la tête.

— Je n'arrive toujours pas à me faire à l'idée que cette maison abrite le cabinet de curiosités le plus riche au monde.

— C'est pourtant le cas. Vous me direz si les quelques raretés que je vous ai données ont suffi à votre dédommagement.

— Oh oui, murmura Wren. C'était parfaitement suffisant.

— Si je ne m'abuse, vous avez longtemps conservé par-devers vous le livre de comptes indien que je vous avais donné à restaurer, au point que je commençais à me faire du souci.

— Je suis un artiste et l'art est intemporel, se justifia Wren, et ce livre de comptes était une telle merveille. C'est toujours la même chose. Le temps est notre pire ennemi. Il emporte tout, disait Virgile. Et je puis vous dire que le temps emporte effectivement mes chers livres, les détruisant plus vite que je ne peux les restaurer.

L'antre habituel de Wren se trouvait au septième sous-sol de la bibliothèque municipale de New York. Le vieil homme y régnait sur un empire de livres corrompus par les ans dans lequel lui seul parvenait à se retrouver.

— Dans ce cas, vous devez être soulagé d'avoir achevé le répertoire de mes collections, reprit Pendergast.

— Je me serais volontiers lancé dans l'inventaire de la bibliothèque, mais *elle* semble en connaître le moindre détail dans sa tête, répliqua Wren avec un petit rire amer.

— J'avoue que sa connaissance des trésors de cette maison ne cesse de me surprendre. Je viens de le vérifier une nouvelle fois.

Wren jeta à l'inspecteur un regard inquisiteur.

— Je compte à présent lui demander de compulser pour moi les ouvrages traitant de Satan.

— Satan, rien moins ? Le sujet n'est pas mince, hypocrite lecteur.

— Sans doute, mais je concentre actuellement mes recherches sur un point bien particulier : celui des victimes humaines du diable.

— Ceux qui lui ont vendu leur âme à la suite d'un pacte, ce genre de chose ?

Pendergast acquiesça.

— Vaste domaine.

— À ceci près que je ne m'intéresse pas à la littérature, mais uniquement aux cas avérés. De préférence aux comptes rendus de témoins directs.

— L'atmosphère de cette maison est en train de vous tourner la tête.

58

— C'est avant tout pour son bien-être, à *elle*. Vous le dites vous-même, personne ne connaît mieux qu'elle les collections de cette demeure.

— Je comprends, répondit Wren en regardant fixement une double porte située à l'autre extrémité de la pièce.

Pendergast suivit son regard.

— Vous désirez la voir ?

— Cela vous étonne ? Après ce qui s'est passé ici l'été dernier, on pourrait presque dire que je suis son parrain. Vous oubliez un peu vite le rôle que j'ai joué dans cette affaire.

— Je n'oublie rien, et je vous serai éternellement reconnaissant de ce que vous avez fait pour elle, affirma Pendergast en ouvrant la porte sans bruit.

Wren l'avait suivi et il glissa par l'ouverture un œil brillant, découvrant une somptueuse bibliothèque. Des milliers d'ouvrages présentaient leurs reliures de cuir à la clarté d'une vaste cheminée, face à une dizaine de fauteuils et de canapés disposés sur d'épais tapis persans. Assise près de l'âtre, une jeune femme vêtue de bas noirs et d'une robe blanche recouverte d'un tablier feuilletait un grand recueil de lithographies. Elle tourna une page, dévoilant des bras d'une finesse extrême, des cheveux noirs et des yeux sombres. Une théière et deux tasses attendaient sur une table basse à ses côtés.

Pendergast toussa légèrement et la jeune fille releva la tête. Un éclair de peur traversa son regard, mais elle reconnut aussitôt Wren. Elle déposa son livre, se leva, lissa son tablier et attendit que ses deux visiteurs s'approchent.

— Constance, comment allez-vous ? s'enquit Wren d'une voix à la fois chevrotante et douce.

— Très bien, monsieur Wren, je vous remercie, répliqua Constance avec une révérence. Et vous-même ?

— Plus occupé que jamais. Mes livres prennent tout mon temps.

— Je sais trop l'amour que vous portez à vos travaux pour imaginer que vous songiez un instant à vous en plaindre.

La jeune femme s'exprimait d'une voix grave, mais Wren crut voir passer sur ses lèvres l'ombre d'un sourire amusé, peut-être même condescendant.

— Je l'avoue, concéda-t-il.

Il avait oublié la façon presque précieuse dont elle s'exprimait, ce regard si mûr dans un visage aussi jeune et harmonieux. Se raclant la gorge afin de se donner une contenance, il demanda :

— Dites-moi, Constance, à quoi passez-vous vos journées ?

— Ma foi, je mène une existence fort tranquille. Le matin, je lis les classiques latins et grecs sous la direction d'Aloysius. L'après-midi, je consacre le plus clair de mon temps à étudier les collections, veillant à corriger les rares erreurs qu'il m'est donné de relever.

Wren jeta un coup d'œil furtif en direction de Pendergast.

— Ensuite, poursuivit Constance, nous prenons le thé et Aloysius me fait la lecture des journaux. Enfin, mes soirées sont dédiées au violon, Aloysius me faisant la charité de prétendre que je ne lui écorche pas les oreilles.

— M. Pendergast est le plus franc des hommes.

— Je dirais surtout que M. Pendergast est le plus délicat et le plus diplomate des hommes.

— Quoi qu'il en soit, je serais heureux de pouvoir vous entendre un jour.

— Tout le plaisir sera pour moi, répondit-elle avec une nouvelle révérence.

Wren la salua et il s'apprêtait à quitter la pièce lorsqu'elle le rappela.

— Monsieur Wren ?

Wren se retourna, ses épais sourcils froncés.

— Je tenais à vous remercier une fois de plus pour tout ce que vous avez fait, fit-elle en le regardant intensément.

Quelques instants plus tard, Pendergast raccompagnait son visiteur.

— Vous lui faites vraiment la lecture des journaux ? s'étonna Wren.

— Je veille bien évidemment à choisir les articles les plus adéquats. Cela m'a semblé la façon la plus efficace de... comment dirais-je ? De la resocialiser. Nous sommes à présent arrivés aux années soixante.

— Poursuit-elle encore ses... ses explorations nocturnes ?

— Depuis qu'elle se trouve sous ma garde, elle n'éprouve plus le besoin de parcourir les souterrains en tous sens. De plus, j'ai enfin trouvé le lieu idéal pour sa convalescence. Je compte l'emmener dans la propriété de ma grand-tante sur les bords de l'Hudson. L'endroit est désert et Constance pourra s'y réaccoutumer à la lumière du jour en toute quiétude.

— La lumière du jour, répéta lentement Wren avec une intonation presque gourmande. Comment imaginer qu'elle a pu passer toutes ces années enfermée de la sorte ? Je me demande parfois ce qui l'a poussée à me révéler sa présence.

— Sans doute avait-elle compris qu'elle pouvait vous faire confiance. Après tout, elle vous avait observé tout l'été depuis sa cachette, et elle avait pu voir avec quel soin vous vous occupiez de ces collections qui comptent tant pour elle. À moins qu'elle n'ait brusquement ressenti le besoin de reprendre pied dans le monde des humains, quel qu'en soit le risque.

Wren secoua la tête.

— Vous êtes vraiment sûr qu'elle n'a que dix-neuf ans ?

— Vous me posez là une question délicate. Pour simplifier, je dirais qu'elle a le corps d'une jeune fille de dix-neuf ans.

Cette conversation les avait conduits jusqu'au hall d'entrée et Wren attendit que Pendergast fasse tourner la clé dans la serrure.

— Merci à vous, Wren, fit l'inspecteur en ouvrant la porte.

L'air de la nuit envahit aussitôt le hall, et avec lui la rumeur de la ville dans le lointain. Wren franchit le seuil, puis il se retourna.

— Avez-vous idée de ce que vous allez faire d'elle ?

Pendergast réfléchit longuement, puis il hocha la tête en silence.

8

Le Salon Renaissance du Metropolitan Museum of Art était l'une des salles les plus prestigieuses du musée. Rapporté pierre par pierre d'Italie où il se trouvait à l'origine dans le Palazzo Dati à Florence, il avait entamé une seconde vie à Manhattan en permettant aux visiteurs de se replonger dans l'atmosphère d'un *salone* de la Renaissance tardive. Il s'agissait de la plus imposante et de la plus austère des galeries du Metropolitan et c'est pour cette raison qu'elle avait été choisie comme cadre d'une cérémonie à la mémoire de Jeremy Grove.

D'Agosta avait la fâcheuse impression de détonner avec son uniforme, son écusson or et bleu de la police municipale de Southampton et ses maigres galons de sergent. Les gens le regardaient avec des yeux ronds avant de détourner les yeux, persuadés qu'il se trouvait là pour des raisons de sécurité.

S'avançant dans l'ombre de Pendergast, D'Agosta découvrit avec étonnement un buffet somptueux, ployant sous une tonne de victuailles ; quant aux vins et aux alcools, étalés sur une table voisine, ils auraient suffi à terrasser une horde de rhinocéros. Le sergent ricana intérieurement. Curieuse messe du souvenir, en vérité. On se serait cru à une veillée funèbre irlandaise. À l'époque où il faisait partie de la police new-yorkaise, D'Agosta avait côtoyé suffisamment de flics d'origine irlandaise pour savoir de quoi il parlait.

Jeremy Grove n'était mort que depuis deux jours, et ses amis avaient dû mettre les bouchées doubles pour organiser cette petite sauterie. Le Salon Renaissance était bourré à craquer et les invités se voyaient contraints de rester debout, faute de siège, les organisateurs ayant souhaité se démarquer des cérémonies du même acabit. Plusieurs équipes de télévision avaient installé leur matériel près de l'estrade recouverte de moquette sur laquelle trônait un petit podium. Au milieu de la rumeur ambiante, c'est tout juste si l'on percevait les accents du clavecin installé dans un coin de la salle, et personne n'avait l'air de pleurer Jeremy Grove.

Pendergast se pencha vers D'Agosta.

— Vincent, si vous avez l'intention de vous sustenter, c'est le moment ou jamais. Le buffet ne fera pas long feu avec un tel auditoire.

— Me sustenter ? Vous voulez dire manger ? Non, merci, répliqua le sergent que sa courte expérience dans l'univers de la littérature avait édifié sur la nature des denrées proposées dans ce genre de pincefesse.

La plupart du temps, on y trouvait des œufs de poisson et des fromages nauséabonds.

— Dans ce cas, je vous proposerai de faire un petit tour, suggéra Pendergast en se faufilant à travers les invités.

Un personnage impeccablement vêtu, le cheveu parfaitement lissé et le visage soigneusement maquillé, se hissa sur l'estrade et la foule se tut avant même qu'il atteigne le micro.

— Sir Gervase de Vache, le directeur du musée, susurra Pendergast à l'oreille de son compagnon.

De Vache saisit le micro et entama son discours d'un air digne, sans même se présenter.

— Je commencerai par vous souhaiter à tous la bienvenue, commença-t-il avec un léger accent français. Nous sommes rassemblés ici afin d'honorer la mémoire de notre ami et collègue, Jeremy Grove, ainsi qu'il l'aurait voulu, c'est-à-dire avec bonne humeur, en musique, autour d'un buffet bien garni, et non avec des mines contrites et des discours fastidieux.

Pendergast s'était arrêté au milieu des invités en voyant le directeur saisir le micro, mais il n'en continuait pas moins de dévisager chacun des membres de l'assistance.

— Ma première rencontre avec Jeremy Grove remonte à plus de vingt ans, lors de la publication dans les colonnes de *Downtown* d'un article consacré à notre exposition Monet. Il s'agissait... comment dirais-je ? Il s'agissait d'une critique à la Jeremy Grove.

Une onde de rire parcourut la salle.

— Jeremy Grove possédait ce formidable don de dire les choses telles qu'il les voyait, avec panache, mais sans s'embarrasser des conventions habituelles du genre. Son esprit mordant et ses sorties irrévérencieuses auront animé plus d'un dîner...

D'Agosta relâcha son attention en voyant Pendergast reprendre sa ronde, tel un requin attiré par l'odeur du sang. Le sergent le vit s'approcher du buffet devant lequel un jeune homme tout en noir se servait une rasade généreuse d'un liquide ambré. Il portait une petite barbiche rehaussée d'immenses yeux sombres, et ses doigts semblaient encore plus fins et agiles que ceux de Pendergast.

— Il s'agit du peintre expressionniste Maurice Vilnius, chuchota Pendergast. L'une des cibles préférées de notre ami Grove.

— Mais encore ?

— J'ai le souvenir d'un article consacré à l'œuvre de Vilnius, il y a quelques années de cela. Une phrase en particulier me revient en mémoire : « Ses tableaux sont si exécrables qu'ils inspirent le respect le plus absolu. Il faut à un peintre un talent bien particulier pour produire une telle médiocrité, mais Vilnius n'en manque pas. »

D'Agosta fut pris d'un fou rire incontrôlable.

— Je comprends mieux pourquoi Grove s'est fait assassiner, pouffa-t-il avant de se reprendre en voyant Vilnius regarder dans leur direction.

— Ah, Maurice ! Vous allez bien ? demanda Pendergast.

Le peintre leva les sourcils d'un air interrogateur. Pour avoir lui-même souffert de la férocité de la critique, D'Agosta s'attendait à découvrir un visage tourmenté, mais il fut surpris de voir un large sourire sur les traits de Vilnius.

— Nous nous connaissons ?

— Je me nomme Pendergast, et nous avons brièvement fait connaissance l'an dernier lors de votre exposition à la galerie Dellitte. Toutes mes félicitations. J'envisage même de faire l'acquisition de l'une de vos œuvres pour mon appartement du Dakota.

Le visage de Vilnius s'éclaira encore davantage.

— J'en serais ravi, se rengorgea-t-il avec un accent russe prononcé. Vous êtes le bienvenu quand vous voulez. Aujourd'hui même si vous le souhaitez. Vous serez mon cinquième acheteur de la semaine.

— Vraiment ?

D'Agosta nota que Pendergast évitait soigneusement de laisser percer son étonnement. Derrière eux, le directeur du musée continuait son discours :

— *... c'était un être courageux et opiniâtre, qui nous aura quittés dans la tourmente d'une nuit cruelle...*

— Maurice, poursuivit Pendergast. J'aurais souhaité vous parler de Grove et de ses derniers...

L'inspecteur fut interrompu par une femme d'un certain âge dont la robe pailletée dissimulait mal l'extrême maigreur. Elle traînait derrière elle un homme élancé à la calvitie luisante, vêtu d'un smoking sombre. L'intruse se jeta littéralement sur Vilnius et le prit par la manche.

— Maurice chéri ! Je tenais à vous féliciter de vive voix pour cet article remarquable. Il était grand temps que votre génie soit enfin reconnu.

— Comment... vous l'avez lu ? s'étonna Vilnius.

— Nous en avons reçu une épreuve à la galerie cet après-midi, expliqua l'homme en smoking.

— *... et je vous propose d'écouter à présent l'une des sonates de Haydn que Jeremy aimait tout particulièrement...*

Dans la salle, les conversations avaient repris et personne ne se souciait plus guère de l'orateur sur son estrade. Vilnius reporta son attention sur Pendergast.

— Ravi de vous avoir revu, monsieur Pendergast, fit-il en lui tendant sa carte. N'hésitez pas à passer me voir à l'atelier, ajouta-t-il avant de s'éloigner en compagnie de ses deux amis.

— Les nouvelles vont incroyablement vite, l'entendit dire D'Agosta. L'article n'est censé paraître que demain.

Le sergent constata que Pendergast regardait le peintre s'éloigner.

— Intéressant, murmura-t-il entre ses dents.

De Vache venait tout juste de terminer son oraison et le brouhaha avait repris de plus belle, noyant définitivement le son du clavecin.

Pendergast fendit la foule et se dirigea vers le directeur du Metropolitan au moment où celui-ci descendait de son estrade. De Vache s'arrêta en le voyant approcher.

— Ah, Pendergast ! Ne me dites pas que c'est vous qui êtes chargé de l'enquête ?

Pendergast hocha la tête et le Français fit la moue.

— Vous êtes ici officiellement ? Mais peut-être étiez-vous un ami de Jeremy ?

— Grove avait-il des amis ?

De Vache eut un petit rire.

— Vous avez mille fois raison. L'amitié ne faisait pas partie de la grammaire quotidienne de Jeremy. La dernière fois que je l'ai vu, lors d'un dîner, je me souviens encore de l'une de ses reparties. Il était assis en face d'un malheureux vieillard affublé d'un dentier, et il lui a froidement demandé d'arrêter de claquer les incisives en mangeant, lui faisant remarquer qu'il n'appartenait pas à la race des rongeurs. Le même soir, il a demandé à un autre invité qui avait eu le malheur de tacher sa cravate s'il était apparenté à Jackson Pollock, gloussa de Vache. Tout ça en l'espace d'un dîner.

Sir Gervase fut bientôt happé par une meute de rombières endimanchées, et il s'éloigna en s'excusant. Pendergast poursuivit son tour de salle des yeux, arrêtant brusquement son regard sur un petit groupe installé près du clavecin.

— *Voilà !* s'écria-t-il en français. J'ai trouvé ce qu'il nous faut !

— Où ça ?

— Ces trois personnes en pleine discussion. Tout comme Vilnius, que vous venez de rencontrer, ces trois-là se trouvaient chez Grove le soir de sa mort.

Le premier était un homme d'allure banale en costume gris. À ses côtés se tenait une vieille femme outrageusement maquillée, manucurée, coiffée et liftée au dernier degré, sans doute dans le vain espoir de faire oublier qu'elle avait passé la barre fatidique des soixante ans. Elle portait autour du cou une collection d'émeraudes si impressionnante que D'Agosta se demanda un instant comment elle pouvait encore tenir debout. Le troisième personnage était plus voyant encore, son obésité superbement mise en valeur par un costume gris perle d'une extrême élégance, des gants blancs et un gilet de soie orné d'une chaîne en or.

— La femme n'est autre que Lady Milbanke, veuve du baron Milbanke, septième du nom, chuchota Pendergast à l'oreille de son compagnon. Une langue de vipère, à en croire la rumeur. On prétend aussi qu'elle boit de l'absinthe et qu'elle est une grande adepte de spiritisme devant l'éternel, capable de faire parler les morts.

— Elle ferait peut-être bien de commencer par se ressusciter elle-même avant de penser aux autres, railla D'Agosta.

— Mon cher Vincent, si vous n'étiez pas là, votre sens de l'humour me manquerait. Pour en revenir à nos oiseaux, ce monsieur très enveloppé est à n'en pas douter le comte Fosco. Je ne l'ai jamais rencontré, mais on m'a souvent parlé de lui.

— Il doit peser au moins cent cinquante kilos.

— Sans doute, mais vous noterez avec quelle légèreté il se meut. Quant à l'individu en costume gris, il s'agit de Jonathan Frederick, un critique du magazine *Art & Antiquités*.

D'Agosta hocha la tête.

— Sommes-nous prêts à nous jeter dans la fosse aux lions ?

— C'est vous le patron.

Sans hésiter, Pendergast s'avança d'un pas décidé. Prenant dans la sienne la main droite de Lady Milbanke, il la porta à ses lèvres.

La vieille femme rougit sous son maquillage.

— Ai-je le plaisir... ?

— Non, répondit Pendergast, et je le regrette. Je me nomme Pendergast.

— Pendergast. Et voici votre garde du corps, sans doute ?

Sa remarque eut le don d'amuser ses deux compagnons, et Pendergast se joignit à eux.

— D'une certaine manière, gloussa-t-il.

— S'il fait des heures supplémentaires pour votre compte, remarqua Frederick, il aurait pu s'abstenir de venir en uniforme. Après tout, il s'agit d'une cérémonie funèbre.

Pendergast ne prit pas la peine de relever la remarque du critique d'art, se contentant de hocher la tête d'un air désolé.

— Ce pauvre Grove. Quelle fin terrible !

Tous acquiescèrent machinalement.

— J'ai entendu dire qu'il avait dîné en compagnie de quelques amis le soir de sa mort.

Cette fois, sa remarque fit mouche.

— C'est curieux que vous nous disiez cela, monsieur Pendergast, finit par répondre Lady Milbanke. Figurez-vous que nous nous trouvions tous chez lui ce soir-là.

— Vraiment ? On dit que le meurtrier pourrait bien être l'un des invités de Grove.

— Pas possible ! s'écria Lady Milbanke. On se croirait en plein roman d'Agatha Christie. D'autant que nous avions tous de bonnes raisons d'en vouloir à Grove. Autrefois, en tout cas, fit-elle en échangeant un coup d'œil furtif avec les deux autres. Mais nous n'étions pas les seuls, n'est-ce pas, Jason ? ajouta-t-elle en faisant signe d'approcher à un jeune homme qui passait par là, une flûte de champagne à la main.

70

Le nouveau venu avait des cheveux couleur carotte, et une orchidée s'étiolait à la boutonnière de sa veste fauve.

— De quoi parlez-vous ? s'enquit-il en fronçant les sourcils.

— Je vous présente Jason Prince, déclara Lady Milbanke avec un petit rire narquois. Jason, j'expliquais à M. Pendergast qu'une bonne partie de l'assistance avait de bonnes raisons de vouloir assassiner Jeremy Grove. Et comme tout le monde ici connaît votre jalousie...

— Ne l'écoutez pas, répliqua le jeune homme en rougissant. Elle ne raconte que des conneries, comme d'habitude.

Tournant les talons, il s'éloigna à grandes enjambées, ce qui provoqua une nouvelle crise d'hilarité chez Lady Milbanke.

— Quant à notre ami Jonathan, ici présent, il n'est pas le dernier à avoir subi les assauts de la plume de Grove. N'est-ce pas, Jonathan ?

Le critique esquissa un sourire ironique.

— J'étais loin d'être le seul.

— Ne vous a-t-il pas accusé un jour d'être la « poupée gonflable de la critique » ?

— Grove maniait le verbe comme personne, rétorqua l'autre sans se démonter. Mais tout cela est de l'histoire ancienne, ma chère Evelyn.

— Et le comte, alors ! s'exclama-t-elle en se tournant vers Fosco. Le suspect idéal. Regardez-le ! À le voir, on sent tout de suite que c'est un homme de l'ombre, comme tous les Italiens.

— C'est vrai, acquiesça le comte. Nous autres Italiens sommes des créatures fourbes et dangereuses.

Le comte avait des yeux gris foncé d'une limpidité parfaite. Sa crinière blanche était tirée en arrière, mais le plus surprenant était peut-être son teint rose de bébé, d'une fraîcheur inhabituelle pour un homme approchant de la soixantaine.

— Je ne voudrais pas être oubliée dans votre galerie de coupables idéaux, poursuivit Lady Milbanke. Après tout, j'avais le meilleur des mobiles puisque nous avions été amants autrefois. *Cherchez la femme*, comme le disent si bien les Français.

D'Agosta frissonna, refusant d'imaginer cette vieille sirène plâtrée dans le rôle d'une maîtresse fougueuse.

Jonathan Frederick devait avoir des pensées tout aussi impures car il décida brusquement de prendre congé.

— Vous ne m'en voudrez pas de vous quitter, mais j'ai vu quelqu'un avec qui je dois impérativement m'entretenir, s'excusa-t-il.

— Votre nouveau poste, je suppose ? demanda Lady Milbanke en souriant.

— Exactement, chère amie. Monsieur Pendergast, ravi d'avoir fait votre connaissance.

Le départ de Frederick fut ponctué par un long silence et D'Agosta nota que le comte observait Pendergast de ses yeux gris, l'ombre d'un sourire sur les lèvres.

— Dites-moi, monsieur Pendergast, demanda Fosco. En quoi cette affaire vous concerne-t-elle ?

Pendergast glissa la main dans la poche intérieure de sa veste et sortit son portefeuille qu'il déplia avec emphase, à la manière d'un joaillier ouvrant un écrin. Sous les lustres du prestigieux salon, on aurait dit que le badge scintillait de mille feux.

— *Ecce signum !* s'exclama le comte avec ravissement.

Lady Milbanke fit un pas en avant.

— Vous... vous êtes de la police ?

— Inspecteur Pendergast, du Bureau fédéral d'investigation.

La vieille femme se tourna aussitôt vers le comte. Toute trace d'amusement avait disparu de sa voix.

— Vous le saviez et vous ne m'avez rien dit ! Et moi qui m'amusais à accumuler sur nos têtes les épées de Damoclès !

Le comte eut un petit sourire.

— J'ai su à l'instant où il nous abordait qu'il appartenait à la maréchaussée.

— Personnellement, je ne trouve pas qu'il ait l'air d'un agent du FBI.

Le comte se tourna vers l'inspecteur.

— En tous les cas, j'ose espérer que les révélations de cette chère Evelyn vous seront précieuses.

— À n'en pas douter, répliqua Pendergast. J'ai beaucoup entendu parler de vous, comte Fosco, ajouta-t-il.

Le comte lui répondit par un sourire.

— J'ai cru comprendre que vous étiez un ami de longue date de Grove.

— Nous partagions une même passion pour l'art et la musique, et plus encore pour le mariage des deux, c'est-à-dire l'opéra. Seriez-vous par hasard amateur d'opéra ?

— Pas le moins du monde.

— Vraiment ? fit le comte en haussant les sourcils. Et pour quelle raison ?

— J'ai toujours trouvé l'opéra vulgaire et infantile. Je préfère de loin les formes symphoniques, la musique à l'état pur sans tous ces décors, ces costumes, ces accents mélodramatiques, cette insistance à parler de sexe, et toute cette violence inutile.

D'Agosta crut un instant que le comte avait eu une attaque, avant de comprendre qu'il riait en silence. Fosco eut quelque peine à surmonter son hilarité, mais il finit par s'essuyer les yeux à l'aide de son mouchoir avant d'applaudir.

— Eh bien je constate que vous avez des opinions pour le moins tranchées.

Puis, se penchant vers son interlocuteur, il entonna d'une voix de basse :

Braveggia, urla ! T'affretta
A palesarmi il fondo d'ell'alma ria !

— L'une de mes arias favorites, tirée de la *Tosca*, précisa le comte.

Pendergast se pinça les lèvres.

— Crie donc, vantard ! traduisit-il. Es-tu donc si pressé de me montrer le tréfonds de ton âme vile ?

La réplique jeta un froid car on aurait pu croire que Pendergast s'adressait au comte, mais ce dernier, tout sourire, s'écria aussitôt :

— Bravo ! Je constate avec ravissement que vous parlez italien !

— *Ci provo*, répondit Pendergast.

— Vous êtes trop modeste, mon cher ami. Tout le monde n'est pas capable de traduire Puccini au pied levé. Je regrette pourtant que vous n'aimiez pas l'opéra. J'ose espérer que la peinture vous touche davantage. Avez-vous pris le temps d'admirer le sublime Ghirlandaio que l'on voit là-bas, au moins ?

— Pour en revenir à l'affaire qui nous préoccupe, l'interrompit Pendergast, me permettrez-vous de vous poser quelques questions ?

Fosco hocha la tête.

— Comment avez-vous trouvé Grove le soir de sa mort ? Avez-vous eu l'impression qu'il était mal à l'aise, ou même effrayé ?

— À n'en pas douter. Mais suivez-moi un instant, prenons le temps d'admirer ce chef-d'œuvre, insista le comte en prenant Pendergast par le bras.

— Je m'en veux de devoir insister, comte Fosco, mais vous êtes l'un des derniers à avoir vu Grove vivant.

Le comte applaudit à nouveau.

— Excusez ma désinvolture. Je ne demande qu'à vous aider, d'autant que j'ai toujours éprouvé la plus grande fascination pour votre métier. Je suis un grand lecteur de romans policiers anglais, vous savez. C'est bien le seul domaine dans lequel brillent les Anglais, d'ailleurs. C'est néanmoins la première fois que je fais l'objet d'une enquête et j'avoue avoir connu des expériences plus agréables.

— Je ne saurais vous donner tort sur ce point. Quels éléments peuvent-ils vous faire croire que Grove n'était pas dans son état normal ce soir-là ?

— Eh bien, il ne tenait pas en place. Mais surtout, je l'ai à peine vu tremper les lèvres dans son verre, ce qui était contraire à ses habitudes. Il s'exprimait avec véhémence et nous étourdissait de paroles, quand il ne pleurait pas.

— Auriez-vous une explication sur cet étrange comportement ?

— Bien évidemment. Il avait tout simplement peur du diable.

Lady Milbanke, au comble de l'excitation, battit des mains.

— Et qu'est-ce qui vous fait dire cela ? insista Pendergast.

— Au moment où j'allais prendre congé, il m'a fait une requête tout à fait curieuse. Me sachant catholique, il a souhaité emprunter ma croix.

— Quelle a été votre réaction ?

— J'ai accepté, naturellement. J'avoue avoir quelques craintes pour ce crucifix après avoir lu dans les journaux ce qu'il était advenu à Grove. Mais peut-être pourrez-vous m'aider à rentrer en possession de cet objet.

— J'ai bien peur que non.

— Pour quelle raison ?

— Il s'agit d'une pièce à conviction.

— Ah ! s'exclama le comte, visiblement soulagé. Ce qui veut dire que je pourrai tout de même le récupérer un jour.

— À part les pierres qui y étaient incrustées, je vois mal ce que vous pourriez récupérer.

— Comment cela ?

— Votre crucifix a brûlé et le métal a fondu.

— Non ! s'écria le comte, bouleversé. Un bijou d'une valeur inestimable qui appartenait à ma famille depuis douze générations ! Je l'avais reçu en cadeau le jour de ma confirmation.

Se reprenant, il ajouta :

— Le destin est décidément bien capricieux, monsieur Pendergast. Grove sera mort avant d'avoir pu me rendre un service de toute première importance, emportant avec lui ce précieux héritage. Ainsi va la vie... Mais peut-être allez-vous pouvoir satisfaire ma curiosité, maintenant que j'ai satisfait la vôtre.

— Je ne suis malheureusement pas autorisé à vous parler de l'affaire.

— Mais qui vous parle de cette affaire ? Non, mon cher monsieur, je souhaiterais simplement recueillir votre opinion sur ce tableau.

Pendergast leva les yeux sur la toile que lui désignait le comte et répondit d'un ton détaché :

— À la lecture de l'expression de ces paysans, on décèle l'influence du triptyque Portinari.

Un sourire éclaira le visage de Fosco.

— Quel génie ! Et surtout quelle intuition !

Pendergast s'inclina légèrement.

— Je ne parlais pas de vous, mon cher, mais du peintre. Si je m'en remets à votre jugement, Ghirlandaio aurait fait preuve d'une intuition presque surnaturelle, ce tableau ayant été réalisé trois ans *avant* l'arrivée à Florence du triptyque Portinari.

Satisfait de son petit effet, le comte se rengorgeait déjà, mais Pendergast lui lança un regard glacial.

— Des études de cette œuvre avaient été envoyées des Flandres à la famille Portinari cinq ans avant l'arrivée du triptyque lui-même. Je suis surpris que vous ne le sachiez pas, monsieur le comte.

Fosco en resta un instant sans voix, puis il applaudit d'un air admiratif.

— Toutes mes félicitations, je crois pour une fois avoir trouvé mon maître. Décidément, monsieur Pendergast, il me semble que je gagnerais à mieux vous connaître. Pour un représentant des *carabinieri*, votre culture est pour le moins surprenante.

9

La sonnerie vibrait si faiblement à l'autre bout du fil que D'Agosta se demanda un instant s'il n'appelait pas la lune. Si seulement son fils, Vincent, pouvait répondre... Il n'avait pas la moindre envie de parler à sa femme.

Un déclic, et une voix qu'il connaissait trop bien.

— Oui ?

Elle ne disait jamais *allô*, mais toujours ce *oui* péremptoire qui donnait inévitablement l'impression qu'on la dérangeait.

— C'est moi.

— Oui ? répéta-t-elle.

Putain de merde.

— C'est moi, Vinnie.

— Je t'avais reconnu.

— Je voudrais parler à mon fils, s'il te plaît.

— Impossible, fit-elle après un court silence.

D'Agosta sentit la moutarde lui monter au nez.

— Je pourrais savoir pourquoi ?

— Je ne sais pas si tu es au courant, mais le Canada est doté d'un système scolaire et les enfants sont généralement à l'école pendant la journée.

D'Agosta se sentit brusquement démuni. Quel idiot ! On était vendredi et il était presque midi.

— Désolé, j'avais oublié.

— Bien sûr, que tu avais oublié. De même que tu as oublié de l'appeler pour son anniversaire.

— C'est faux. Ce jour-là, tu avais dû mal raccrocher.

— Je pense plutôt que le chien a dû faire tomber le téléphone, mais ça ne t'empêchait pas de lui envoyer une carte.

— Mais je l'ai fait ! J'ai envoyé une carte, avec un cadeau.

— Qui ne sont arrivés que le lendemain.

— Je t'en prie ! Je suis allé à la poste dix jours avant son anniversaire. Tu ne vas tout de même pas me reprocher la lenteur du courrier !

Une fois de plus, il se laissait embarquer dans des discussions stériles. Pourquoi fallait-il qu'ils se disputent à chaque fois ? Le mieux était encore de laisser courir sans rien dire.

— Écoute, Lydia. Dis-lui que je l'appellerai ce soir, d'accord ?

— Ce soir, Vincent sort avec des copains.

— Alors je lui téléphonerai demain matin.

— Tu risques de le rater, il a un entraînement de base-ball toute la journée...

— Alors demande-lui de m'appeler, ce sera plus simple.

— Parce que tu te figures peut-être que j'ai les moyens de te téléphoner d'aussi loin avec ce que tu me donnes comme pension ?

— Tu sais pertinemment que je te verse ce que je peux. Si ça ne te convient pas, personne ne t'oblige à rester là-bas.

— Vinnie, c'est toi qui as absolument voulu qu'on s'installe au Canada. On était résolument contre et il nous a fallu du temps pour nous habituer à cette nouvelle vie jusqu'au jour où un miracle s'est produit. J'ai trouvé mon équilibre, ici. Et Vincent aussi. Au cas où tu ne l'aurais pas compris, Vinnie, nous avons réussi à nous faire des amis et nous sommes parfaitement heureux comme ça. Et juste au moment où on trouvait enfin nos marques, tu décides de retourner dans le Queens. Eh bien je vais te dire une chose, Vinnie : jamais nous ne retournerons dans le Queens.

D'Agosta ne répondit pas. C'était précisément le genre de discussion qu'il voulait éviter à tout prix. Quelle mouche l'avait piqué de téléphoner ? Tout ce qu'il souhaitait, c'était parler à son fils.

— Rien n'est gravé dans le marbre, Lydia. Si on le voulait vraiment, je suis persuadé qu'on pourrait encore trouver une solution.

— C'est toi qui me parles de trouver une solution ? Il est grand temps que tu voies...

— Arrête, Lydia.

— Non, je n'arrête pas. Il est grand temps que tu voies la réalité en face, Vinnie, et il est grand temps...

— Arrête !

— ... de divorcer.

D'Agosta raccrocha lentement. Vingt-cinq ans de vie commune pour en arriver là. Il en avait la nausée. Mieux valait ne plus y penser. Heureusement, il avait du pain sur la planche avec l'affaire Grove.

Les locaux de la police de Southampton étaient situés dans une jolie maison en bois ayant autrefois servi de club-house au Slate Rock Country Club. Le bâtiment avait sans doute connu des jours meilleurs, mais il avait fallu une bonne dose d'imagination à la municipalité pour en faire un lieu aussi laid et impersonnel, avec son linoléum sans âme, ses cloisons de parpaing et ses murs couleur vomi. Jusqu'à l'odeur, ce curieux mélange de sueur, de photocopieur, de casiers métalliques et de détergent qu'on trouve dans les commissariats du monde entier.

D'Agosta avait l'estomac noué à l'idée de retourner au bureau. Depuis trois jours qu'il suivait Pendergast, il s'était contenté de faire ses rapports à Braskie par téléphone et il n'avait aucune envie de le voir. Sans parler du coup de téléphone à sa femme qui lui avait mis le moral à zéro. Il aurait été mieux inspiré de l'appeler plus tard.

Il traversa la grande salle, saluant au passage des collègues qui n'avaient pas l'air plus heureux que ça de le revoir. Convaincu qu'il ne tarderait pas à retrouver une place au sein de la police new-yorkaise, D'Agosta n'avait jamais cherché à se faire aimer. Il ne traînait jamais au bowling avec les autres et ne passait pas son temps chez Tiny's, le bar du coin, à jouer aux fléchettes. Il avait peut-être eu tort.

Évitant de se poser davantage de questions, il frappa à la porte du lieutenant. Le mot BRASKIE se détachait en grosses lettres dorées sur le verre cathédrale.

— Ouais ? fit une voix.

Braskie était installé derrière un vieux bureau métallique sur lequel trônait une pile de journaux. Du *Post* au *Times* en passant par l'*East Hampton Record*, tous traitaient de l'affaire en première page. Le lieutenant avait la mine défaite, les yeux cernés, les traits tirés. Pour un peu, D'Agosta aurait eu pitié de lui.

Braskie lui fit signe de s'asseoir.

— Du nouveau ?

Le sergent lui fit le point complet sur l'enquête. Braskie l'écouta sans un mot, puis il passa la main sur son crâne dégarni en soupirant.

— Le chef rentre demain et pas le moindre indice à se mettre sous la dent. Personne n'a rien vu, aucun témoin, pas l'ombre d'un cheveu ou d'un morceau de tissu. Rien de rien. Quand Pendergast doit-il revenir ?

Il fallait que la situation soit dramatique pour que le lieutenant se raccroche à la venue de l'inspecteur.

— Il sera là d'ici une demi-heure. Il voulait s'assurer que tout était prêt.

— Tout est prêt, soupira le lieutenant en se levant. Suivez-moi.

Les indices recueillis sur le lieu du crime avaient été stockés dans un Algeco installé derrière le commissariat, face à l'un des derniers champs de pommes de terre de Southampton. Le lieutenant glissa une carte magnétique dans la serrure électronique et poussa la porte. À l'intérieur, le sergent Joe Lillian disposait les derniers éléments de l'enquête sur une table installée au centre de la pièce, entre des rangées d'étagères ployant sous le poids des divers objets recueillis depuis des années.

D'Agosta constata que son collègue avait fait du bon boulot. Tous les éléments récoltés chez Grove étaient soigneusement répertoriés, étiquetés et rangés dans des enveloppes transparentes ou des tubes à essai.

— Vous pensez que ça conviendra à Pendergast ? s'inquiéta Braskie.

D'Agosta se demanda un instant si le lieutenant plaisantait ou bien s'il était vraiment désespéré. Avant qu'il ait pu se faire une opinion, une voix doucereuse se fit entendre derrière lui.

— Mais oui, lieutenant, tout est parfait.

Braskie sursauta. Il se retourna et découvrit Pendergast sur le seuil, les mains dans le dos. L'inspecteur avait dû entrer dans l'Algeco derrière eux sans qu'ils s'en aperçoivent.

Pendergast s'approcha de la table et examina avec une moue de connaisseur les indices étalés sous ses yeux.

— N'hésitez pas à prendre ce dont vous avez besoin, fit Braskie. Vos laboratoires sont certainement plus performants que les nôtres.

— En effet, mais je doute que le meurtrier ait laissé derrière lui la moindre preuve matérielle. Pour l'heure, je me contenterai de jeter un coup d'œil général. Tiens, tiens ! De quoi s'agit-il ? Les restes de la croix, j'imagine. Si vous le permettez...

Le sergent Lillian se précipita sur l'enveloppe dans laquelle se trouvaient les restes du crucifix et la tendit à Pendergast. L'inspecteur la prit délicatement entre ses doigts, la tournant dans tous les sens.

— Je souhaiterais tout de même envoyer ceci dans un laboratoire à New York.

— Aucun problème, répliqua Lillian en reprenant l'enveloppe transparente afin de la déposer dans une boîte en plastique.

— Je prendrai également ces débris calcinés, ajouta Pendergast en saisissant une éprouvette contenant des restes de soufre.

Il l'ouvrit, renifla son contenu et la referma, puis il se tourna vers D'Agosta.

— Autre chose, sergent ?

D'Agosta fit un pas en avant.

— Laissez-moi voir.

Examinant lentement le contenu de la table, il finit par désigner un paquet de lettres.

— Vous pouvez toucher, précisa Lillian. Les types du labo ont déjà tout vérifié.

D'Agosta sortit une première lettre de son enveloppe. Elle était signée de Jason Prince, le jeune homme aperçu au Metropolitan. Lillian eut un petit sourire narquois et D'Agosta se demanda ce qu'il pouvait bien y avoir de si drôle.

Sa lecture à peine entamée, il devint rouge comme une tomate et reposa brusquement la lettre.

— On en apprend tous les jours. Pas vrai, D'Agosta ? fit Lillian d'un air entendu.

D'Agosta se pencha à nouveau sur la table, s'intéressant cette fois à une pile de livres : le *Faust* de Christopher Marlowe, le *Nouveau Livre des prières chrétiennes*, un troisième volume intitulé *Malleus maleficarum*.

— Il s'agit du « Marteau des sorcières », expliqua Pendergast en désignant le dernier ouvrage. Un manuel couramment utilisé pour la chasse aux sorcières à l'époque de l'Inquisition. Une mine d'informations sur tout ce qui a trait à la magie noire.

Des sorties sur imprimante étaient empilées à côté des livres. D'Agosta prit la première qui lui tombait sous la main. Il s'agissait d'un document détaillant les moyens d'éloigner le diable, récupéré sur un site internet baptisé *Maledicat Dominus*.

— Grove s'est rendu sur toutes sortes de sites du même genre au cours de la journée qui a précédé sa mort, expliqua Braskie, et vous avez là l'ensemble des tirages effectués par ses soins.

Pendant ce temps, Pendergast examinait un bouchon de liège à l'aide d'une loupe.

— Qu'a-t-il servi à ses invités ? demanda-t-il.

Braskie prit un carnet qu'il ouvrit à la bonne page, puis il le tendit à l'inspecteur.

Pendergast lut à voix haute :

— Sole de Douvres, médaillons de bœuf au vin rouge servis avec des champignons, julienne de carottes, salade, sorbet citron. Le tout servi avec un petrus millésime 1990. Notre homme avait du goût.

Il rendit son carnet à Braskie puis, poursuivant son examen, il s'empara d'une feuille de papier chiffonnée.

— On a retrouvé ça en boule dans sa corbeille. On dirait une épreuve d'article, expliqua Lillian.

— En effet, il s'agit de l'épreuve d'un article à paraître dans le prochain numéro du magazine *Art Review* qui sort demain en kiosque, si je ne m'abuse, répliqua Pendergast qui lissa la feuille et lut à voix haute : « L'histoire de l'art, au même titre que toutes les grandes disciplines, possède ses heures sacrées. Des événements pour lesquels tout critique digne de ce nom vendrait son âme si on lui proposait d'y assister. On pense à la première exposition impressionniste de 1874 sur le boulevard des Capucines, ou bien au jour où Braque a vu pour la première fois *Les Demoiselles d'Avignon* de Picasso. La découverte de la série des Golgotha de Maurice Vilnius, actuellement visible dans son studio de l'East Village, est de ces moments glorieux qui jalonnent l'histoire de l'art. »

— Quand nous avons rencontré Vilnius hier, au Metropolitan, vous ne m'avez pas dit que Grove détestait sa peinture ? s'étonna D'Agosta.

— C'était le cas autrefois, mais il semble avoir changé d'opinion.

Pendergast reposa l'article sur la table, l'air songeur.

— Voilà qui expliquerait l'excellente humeur dans laquelle nous avons trouvé Vilnius hier.

— On a découvert un article du même genre à côté de son ordinateur, s'interposa Braskie en désignant une autre feuille de papier. Le texte n'était pas signé, mais il est apparemment de Grove.

Pendergast prit le document qu'il parcourut rapidement.

— Il s'agit d'un article pour le *Burlington Magazine*, intitulé : « Une réévaluation de *L'Éducation de la Vierge*, de Georges de La Tour. » Grove revient sur son opinion précédente, affirmant cette fois qu'il ne s'agit nullement d'un faux, mais bien d'un véritable La Tour. Décidément, il semble avoir changé d'avis sur beaucoup de sujets à la veille de sa mort, ajouta-t-il.

Poursuivant son inventaire, l'inspecteur découvrit un relevé d'appels téléphoniques.

— Ah, Vincent ! Voilà qui devrait nous être utile, s'exclama-t-il en les tendant au sergent.

— J'ai reçu les autorisations nécessaires ce matin même, expliqua Braskie. Vous trouverez au dos les coordonnées précises de tous ses correspondants.

— On dirait qu'il a passé pas mal de coups de fil ce jour-là, remarqua D'Agosta en feuilletant rapidement le listing.

— Oui, acquiesça Braskie. Vous verrez qu'il s'agit pour la plupart de gens bizarres.

D'Agosta retourna le document, et le détail des correspondants de Grove lui confirma l'impression du lieutenant. Outre les noms d'Evelyn Milbanke et de Jonathan Frederick, on trouvait là celui d'un certain professeur Iain Montcalm que Grove avait joint au New College d'Oxford. Après minuit, Grove avait également appelé l'industriel Locke Bullard ainsi qu'un certain Nigel Cutforth, avant de passer son ultime coup de téléphone au père Cappi.

— On compte bien les interroger, précisa Braskie. À propos, le professeur Montcalm est une sommité en matière d'histoire médiévale et un grand spécialiste des pratiques sataniques.

Pendergast hocha la tête.

— Mme Milbanke et Frederick figuraient parmi ses convives ce soir-là, il les aura probablement appelés pour les inviter. En revanche, on n'a pas la moindre idée de ce qui l'a poussé à téléphoner à Bullard. On ne sait même pas s'il le connaissait. Quant à Cutforth, c'est une autre énigme. Il s'agit d'un producteur de disques dont on ne voit pas très bien quel rapport il pouvait avoir avec Grove. Il s'agit pourtant de leurs numéros privés.

— On a pu en savoir davantage sur ses autres coups de fil ? s'enquit D'Agosta. Je vois qu'il a appelé les renseignements dans une dizaine de villes différentes.

— D'après ce qu'on a pu savoir, il cherchait à retrouver un certain Beckmann. Ranier Beckmann. Le mouchard de son moteur de recherche internet le confirme.

Pendergast reposa une serviette sale après l'avoir soigneusement examinée.

— Excellent travail, lieutenant. Accepteriez-vous que nous interrogions également ces personnes ?

— Faites comme chez vous, inspecteur.

Pendergast et D'Agosta prirent place dans la Rolls qui ronronnait devant le commissariat, et le chauffeur de l'inspecteur, en livrée, s'éloigna aussitôt. Pendergast sortit de sa poche un carnet relié plein cuir qu'il ouvrit à une nouvelle page et il y griffonna quelques notes à l'aide d'un stylo en or.

— Ce ne sont pas les suspects qui manquent, remarqua-t-il.

— À peu près tous les gens que connaissait Grove, acquiesça le sergent.

— À l'exception peut-être de Maurice Vilnius. Je reste toutefois persuadé que la liste ne va pas tarder à se resserrer. En attendant, notre planning de demain est tout établi, fit-il en tendant à D'Agosta la liste qu'il venait de dresser. Occupez-vous de Lady

Milbanke, de Bullard et de Cutforth. De mon côté, je m'occuperai de Vilnius, de Fosco et de Montcalm. Laissez-moi vous donner ces quelques cartes du bureau du FBI à Manhattan. Si l'on s'avise de vous poser la moindre question, n'hésitez pas à vous en servir.

— Je dois rechercher quelque chose en particulier ?

— Non, la routine. À ce stade de l'enquête, le mieux que nous ayons à faire est de chausser nos souliers à clous. C'est bien ainsi que vous décrivez les choses dans vos romans policiers, non ?

D'Agosta eut un sourire amer.

— Pas tout à fait.

10

Nigel Cutforth, confortablement installé devant une table de style Bauhaus dans son somptueux appartement de la 5e Avenue, lisait le dernier numéro de *Billboard*. Il s'arrêta brusquement et renifla l'air. C'était la troisième fois ces derniers temps qu'il était incommodé par des effluves soufrés. Sans doute un problème de ventilation, mais il avait déjà fait venir deux fois les crétins chargés de l'entretien de l'immeuble et ils n'avaient rien relevé d'anormal.

Posant l'hebdomadaire d'un geste rageur, il appela :
— Eliza !

Eliza était la seconde femme de Cutforth. Comme la première n'était plus vraiment regardable après plusieurs grossesses, il s'en était débarrassé au profit d'une jeunesse. La jeune femme apparut sur le seuil de la porte en collant de gym. La tête légèrement penchée de côté, elle brossait ses longs cheveux blonds.

— C'est à nouveau cette odeur, grommela-t-il.

— Merci, j'ai un nez, répliqua-t-elle avec un mouvement de tête qui fit voler ses mèches dorées.

Il n'y a pas si longtemps, Cutforth adorait la regarder se coiffer, mais sa manie de s'occuper de ses cheveux en permanence commençait à l'agacer sérieusement. Il ne l'avait jamais chronométrée, mais elle y passait au bas mot une demi-heure par jour.

Imperturbable, Eliza brossait une mèche après l'autre et Cutforth sentit la moutarde lui monter au nez.

— Je n'ai pas foutu cinq millions et demi dans cet appartement pour me retrouver dans un laboratoire pharmaceutique, grinça-t-il. Qu'est-ce que tu attends pour appeler le service d'entretien ?

— Tu n'as qu'à tendre la main et prendre toi-même le téléphone.

Le ton désinvolte de la jeune femme l'énerva encore un peu plus.

— J'ai mon cours de gym dans un quart d'heure et je suis en retard, ajouta-t-elle, rejetant derrière elle une dernière mèche avant de disparaître en claquant la porte.

Cutforth l'entendit refermer le placard dans lequel elle avait dû prendre ses tennis, puis il perçut le ronronnement de l'ascenseur dans l'entrée.

L'air buté, les yeux rivés sur la porte qu'elle venait de lui claquer au nez, il se demanda s'il avait bien fait de vouloir à tout prix se trouver une femme plus jeune.

Le nez levé, il constata que l'odeur était plus tenace que jamais. Et les types de l'entretien n'accepteraient pas de revenir une troisième fois. Putain de copropriété. Il fallait gueuler pour obtenir le moindre truc. En plus, il n'y avait que deux appartements à cet étage-là et l'autre était inoccupé ; quant aux voisins du dessous, ils n'avaient rien remarqué d'anormal, de sorte que Cutforth était le seul à se plaindre.

Étreint par un curieux sentiment de malaise, il se leva. Lors de son étrange coup de téléphone, Grove lui avait parlé d'une odeur bizarre, sans même parler du reste. Cutforth secoua la tête, refusant de se laisser gagner par la panique.

Décidé à découvrir l'origine de cette odeur épouvantable, il fit le tour de l'appartement. C'était pire dans le salon et la bibliothèque, et plus il approchait de son studio d'enregistrement privé, plus les effluves étaient forts. Il ouvrit la porte du studio à l'aide de sa clé, pénétra dans la cabine technique, mit en route l'électricité et vit s'allumer sa console Studer, son enregistreur digital et ses racks d'effets. Sur le mur d'en face s'étalaient les vitrines contenant sa précieuse collection d'objets rock : la guitare démolie par Mick Jagger à Altamont ; une Fender Telecaster de 1950 ayant appartenu à Keith Richards, avec ses micros d'origine ; la partition originale d'*Imagine*, maculée de taches de café et ornée de petits dessins obscènes... Sa femme avait le don de le mettre en rogne en lui disant que tout ce bazar faisait très Planet Hollywood, mais cette imbécile n'y connaissait rien. Non seulement ce studio abritait l'une des plus belles collections du genre, mais c'est là qu'il avait entendu pour la première fois la démo pourrie envoyée de Cincinnati par les Suburban Lawnmowers, ou encore le son si particulier de Rappah Jowly. Cutforth avait une oreille infaillible dès qu'il s'agissait de dénicher des groupes susceptibles de vendre des millions de disques. Il n'avait jamais su d'où lui venait ce don, et il s'en foutait d'ailleurs royalement. L'important, c'était que ça marche.

Je t'en foutrais, moi, des Planet Hollywood ! Quelle conne, je te jure. Et cette putain d'odeur qui me fracasse la tête...

Cutforth, le nez levé, s'avança vers la vitre séparant la cabine technique du studio proprement dit. Si ça se trouvait, une machine quelconque avait pris feu à la suite d'un court-circuit.

Il entrouvrit la lourde porte matelassée et l'odeur le prit à la gorge. Au soufre se mêlaient des émanations nettement plus nauséabondes et un léger nuage de fumée flottait dans la pièce. On se serait cru dans une porcherie en plein été.

Et si quelqu'un était venu dans le studio pendant son absence ?

Entre colère et inquiétude, Cutforth fit des yeux le tour de la pièce, s'assurant que rien n'avait bougé : le piano Bösendorfer, les micros Neumans, les cloisons roulantes, les panneaux d'isolation phonique... Il voyait mal comment quiconque aurait pu s'introduire dans son antre avec le système d'alarme qu'il avait fait installer. On n'est jamais trop prudent, surtout dans un métier comme celui du disque et du rap où certains artistes font davantage confiance aux flingues qu'aux avocats lorsqu'il s'agit de régler leurs affaires.

Pourtant, tout avait l'air normal. Les machines étaient bien éteintes. Par acquit de conscience, il posa la main sur un ampli et constata qu'il était froid, ses diodes lumineuses muettes. Soudain, il aperçut un objet insolite dans un coin de la pièce. S'approchant, il se baissa et ramassa une dent. Ou plutôt, ce qui avait tout l'air d'être une défense de sanglier, encore humide de sang.

D'instinct, Cutforth la lâcha avec un mouvement de dégoût.

Quelqu'un est venu ici !

Pris d'un haut-le-cœur, il recula machinalement, cherchant à comprendre. C'était impossible. Personne n'avait pu pénétrer dans le studio. D'ailleurs, la pièce était fermée à clé, il venait de l'ouvrir lui-même. À moins que ce ne soit arrivé la veille, quand il avait fait visiter les lieux à ce type qu'il connaissait à peine. Il faut dire que les gens bizarres ne manquent pas dans ce métier. Il ramassa la dent à l'aide d'un chiffon, courut jusqu'à la cuisine et la jeta dans le broyeur de l'évier qu'il mit aussitôt en marche. Une odeur désagréable lui monta aux narines et il détourna la tête en faisant la grimace.

Au même instant, un grésillement le fit sursauter violemment. Reprenant ses esprits, il se dirigea vers l'interphone et appuya sur une touche.

— Monsieur Cutforth ? Un officier de police demande à vous voir.

Cutforth regarda le petit moniteur vidéo placé à côté de l'interphone et découvrit un flic quarantenaire en uniforme qui dansait d'un pied sur l'autre dans le hall d'entrée de l'immeuble.

— Un samedi ? s'étonna Cutforth. Qu'est-ce qu'il veut ?

— Je ne sais pas, monsieur. Il dit que c'est personnel.

Cutforth hésita brièvement avant de répondre :

— Faites-le monter.

Il ne voulait pas se l'avouer, mais l'idée d'avoir un flic chez lui dans un moment pareil n'était pas pour lui déplaire.

De plus près, le sergent auquel il ouvrit la porte ressemblait à tous les flics d'origine italienne qu'il avait pu croiser, avec un accent du Queens par-dessus le marché. Cutforth lui fit signe de s'installer sur le canapé du salon et prit une chaise. L'écusson aux armes de la police de Southampton cousu sur l'uniforme de son interlocuteur lui confirma ce qu'il redoutait. Ce type venait l'interroger au sujet de Grove. Ce con devait avoir un mouchard sur son téléphone. Cutforth avait fait une belle connerie en acceptant de parler à ce cinglé de Jeremy.

Le sergent sortit de sa poche un carnet et un crayon, ainsi qu'un petit enregistreur.

— Pas d'enregistrement, fit Cutforth.

L'autre haussa les épaules et remit l'appareil dans sa poche.

— Drôle d'odeur, remarqua-t-il.

— Oui, un problème de ventilation.

Le flic tourna les feuilles de son carnet jusqu'à ce qu'il en trouve une vierge tandis que son hôte, les bras croisés, s'impatientait.

— Alors sergent Dee-Agusta, que puis-je pour vous ?

— Connaissiez-vous un certain Jeremy Grove ?

— Non.

— Il vous a pourtant téléphoné dans la nuit du 15 au 16 octobre.

— Ah bon ?

— Je vous pose la question.

Cutforth décroisa les bras, puis il croisa et décroisa les jambes. Il commençait à regretter d'avoir accepté de recevoir ce flic. Heureusement, il n'avait pas l'air très malin.

— La réponse est oui, il m'a effectivement appelé.

— De quoi avez-vous parlé ?

— Suis-je tenu de répondre à vos questions ?

— Non. Pas pour le moment, en tout cas. Mais si vous le souhaitez, je peux vous interroger dans un cadre plus officiel.

Cutforth n'avait aucune envie de recevoir une convocation officielle. Il s'agissait de réfléchir, et vite.

— Je n'ai rien à cacher. Il se trouve que je possède une importante collection d'instruments de musique et de souvenirs liés à l'histoire du rock. Grove souhaitait m'acheter l'un de ces objets.

— Lequel ?

— Une simple lettre.

— Je vous demanderai de me la montrer.

Cutforth tenta de dissimuler sa surprise.

— Suivez-moi, finit-il par répondre en entraînant son visiteur vers la cabine du studio. Voilà, dit-il en désignant une feuille de papier exposée dans une vitrine.

Le flic s'approcha en fronçant les sourcils.

— Il s'agit d'une lettre écrite par Janis Joplin à Jim Morrison. Le courrier n'a jamais été envoyé. Deux lignes, dans lesquelles elle lui dit que c'est le plus mauvais coup de toute sa vie, expliqua Cutforth avec un petit rire.

Le flic sortit son carnet afin de recopier le contenu de la lettre, et Cutforth leva les yeux au ciel.

— Combien vaut cette lettre ?

— J'ai dit à Grove qu'elle n'était pas à vendre.

— Vous a-t-il expliqué pourquoi cette lettre l'intéressait ?

— Sans plus. J'ai cru comprendre qu'il collectionnait les souvenirs liés aux Doors.

— Vous n'avez pas été surpris qu'il vous appelle pour ça en pleine nuit ?

— Dans le show-biz, nous sommes tous un peu décalés, vous savez.

Désireux de mettre fin à l'entretien, Cutforth se dirigea vers la porte qu'il tint ouverte, mais son visiteur n'avait pas l'air de vouloir comprendre.

— Drôle d'odeur, vraiment, remarqua-t-il en reniflant à plusieurs reprises.

— J'appelle de ce pas le service d'entretien.

— C'est étrange, mais il y avait exactement la même odeur dans la pièce où Jeremy Grove a été retrouvé assassiné.

Le cœur de Cutforth fit un bond. Que lui avait dit Grove, exactement ? *Le pire, c'est cette horrible odeur qui vous met les idées à l'envers.* Grove lui avait également dit avoir trouvé chez lui quelque chose d'anormal : une touffe de poils de la taille d'une balle de golf, avec des lambeaux de chair. Cette horreur avait presque l'air vivant, jusqu'à ce que Grove la piétine et s'en débarrasse dans les toilettes. Cutforth tenta de calmer les battements de son cœur, s'obligeant à respirer lentement ainsi qu'il avait appris à le faire dans les cours de gestion du stress qu'il suivait régulièrement. Mais non, c'était grotesque. On n'était plus au Moyen Âge, tout de même. *Arrête un peu tes conneries, mon petit Nigel.*

— Auriez-vous entendu parler d'un certain Locke Bullard, monsieur Cutforth ? Ou bien d'un certain Ranier Beckmann ?

Cutforth crut qu'il allait défaillir, et il fit un effort presque surhumain pour faire non de la tête sans laisser percer son trouble.

— Vous êtes resté en contact avec Beckmann ? insista l'autre.

— Non.

Jamais il n'aurait dû laisser monter ce flic.

— Et Bullard ? Vous le voyez toujours ? Ou bien un coup de téléphone de temps en temps, pour parler du bon vieux temps ?

— Non. Son nom ne me dit rien. L'autre non plus, d'ailleurs.

Le flic prit des notes furieusement, au grand désarroi de Cutforth qui sentait la sueur lui couler dans le dos. Il voulut avaler sa salive, mais sa gorge était nouée.

— Vous ne voulez vraiment pas m'en dire plus sur ce coup de téléphone ? Tous ceux qui ont parlé à Grove ce soir-là disent qu'il avait l'air extrêmement perturbé. Je le vois mal vous appeler pour parler de votre collection.

— Je vous ai dit tout ce que je savais.

Ils finirent par regagner le salon, au grand soulagement de Cutforth qui fit exprès de rester debout, histoire de se débarrasser le plus rapidement possible de son visiteur.

— Il fait toujours aussi chaud, chez vous, monsieur Cutforth ?

C'est vrai qu'il faisait chaud, mais il préféra ne pas répondre.

— Chez Grove aussi, il faisait très chaud. C'était d'autant plus curieux que le chauffage était éteint, poursuivit le flic en regardant son hôte droit dans les yeux.

Cette fois encore, Cutforth préféra ne pas répondre.

Le flic poussa un petit grognement, replia son carnet d'un geste sec et remit son stylo dans son étui de cuir.

— Un petit conseil, monsieur Cutforth. La prochaine fois, refusez de répondre aux questions de la police tant que vous n'aurez pas fait venir un avocat.

— Un avocat ? Et pourquoi ?

— Parce qu'un avocat vous dirait qu'il est moins dangereux de ne pas répondre que de mentir.

Cutforth ouvrit des yeux ronds.

— Qu'est-ce qui vous fait dire que je mens ?

— Grove détestait tout ce qui touche à la musique rock.

Cutforth se raidit. Ce flic n'était pas aussi idiot qu'il en avait l'air. Il était même à peu près aussi idiot qu'un renard.

— Je repasserai vous voir, monsieur Cutforth. La prochaine fois, je compte bien vous interroger sous la foi du serment et enregistrer vos réponses. Je vous rappelle que le parjure est un délit. D'une façon ou d'une autre, nous finirons par savoir de quoi vous avez parlé avec Grove. Merci de m'avoir reçu.

La porte de l'ascenseur à peine refermée, Cutforth prit son téléphone et composa un numéro d'une main tremblante. Il avait besoin de vacances tranquilles, sur une plage, très loin d'ici. À Phuket, il connaissait une fille très douée de ses mains, et du reste. Impossible de partir demain, il lui restait à terminer l'enregistrement du disque de Jowly, son artiste le plus important. Mais après ça, rien à foutre des autres, il partait à l'autre bout du monde. Loin de sa femme, loin de ce flic avec toutes ses questions. Loin de cet appartement avec cette odeur de soufre épouvantable...

— Doris ? Nigel à l'appareil. Réservez-moi un vol pour Bangkok. Demain soir si possible, sinon lundi matin. Non, un seul billet. Arrangez-vous pour qu'un chauffeur et une voiture m'attendent à l'aéroport. Je veux une grande maison sur la plage à Phuket, sécurité maximum, avec cuisinière, femme de chambre, prof de gym et garde du corps. Vous me faites la totale. Et ne dites à personne où je suis. D'accord, ma petite Doris ?... Oui, je sais qu'il fait chaud en Thaïlande à cette époque de l'année, mais c'est mon problème, okay ?

Il fait toujours aussi chaud, chez vous, monsieur Cutforth ?

Il raccrocha d'un geste rageur et se rendit dans sa chambre où il jeta pêle-mêle dans une valise des maillots de bain, une veste en satin, des jeans, des lunettes de soleil, des sandales, une montre, de l'argent et un passeport, sans oublier son téléphone satellite.

Il souhaitait bien du plaisir aux flics pour l'accuser de quoi que ce soit quand il serait à l'autre bout du monde.

11

D'Agosta pénétra dans le New York Athletic Club par l'entrée de service, rouge de colère. En le voyant arriver avec son uniforme, le portier posté sur Central Park South l'avait arrêté d'un geste et l'avait obligé à faire le tour du pâté de maisons sous prétexte qu'il n'était pas membre du club. Il lui avait alors fallu emprunter la 6e Avenue jusqu'à la 58e Rue, un détour de près de cinq cents mètres.

D'Agosta avait pesté tout le long du chemin. Cutforth mentait comme un arracheur de dents, ça ne faisait pas un pli. Le sergent avait joué son va-tout en lui affirmant que Grove détestait le rock et la manœuvre avait fonctionné au-delà de ses espérances. Le regard du producteur l'avait trahi. D'Agosta savait pourtant qu'en fin de compte jamais il n'aurait le dernier mot avec ce crétin friqué.

Son rendez-vous chez Lady Milbanke n'avait guère été plus brillant. Cette vieille toquée avait passé son temps à lui parler de son nouveau collier d'émeraudes et elle ne lui avait rien dit d'intéressant. Et voilà qu'on l'obligeait à emprunter l'entrée du personnel de l'Athletic Club, comme un simple fournisseur. *Merde, merde et remerde !*

D'Agosta enfonça le bouton de l'ascenseur de service qu'il dut attendre plus de trois minutes. La porte s'ouvrit en grinçant, le sergent appuya sur le bouton du huitième étage et la cabine se mit en branle avec une lenteur exaspérante. Au terme d'une ascension interminable, la porte coulissa avec un long crissement et D'Agosta se retrouva dans un couloir mal éclairé. L'endroit était plutôt glauque pour un club aussi huppé. Il suivit les indications d'une vieille pancarte ornée d'une main au doigt tendu portant l'inscription *Salle de billard*. Il flottait dans l'air un léger parfum de cigare qui rappela au sergent l'époque où il fumait encore le havane, avant que sa femme lui demande d'arrêter. Maintenant qu'il vivait seul, rien ne l'empêchait de recommencer.

Pistant l'odeur du tabac, il se retrouva dans une immense pièce éclairée par de grandes baies vitrées. Il en avait à peine franchi le seuil qu'un gardien jaillit de derrière son bureau en criant « Monsieur ! ». L'ignorant superbement, D'Agosta fit des yeux le tour de la salle et son regard se posa sur la silhouette auréolée de fumée d'un joueur, debout près du billard le plus éloigné.

— Monsieur ! Si je puis me permettre de vous demander...

— Non, vous ne pouvez pas vous permettre, répondit sèchement D'Agosta.

Il écarta l'importun d'un geste et traversa la salle, zigzaguant entre les tables vertes au-dessus desquelles flottaient des lumières aveuglantes. On était en fin d'après-midi, à l'heure magique où New York hésite entre le jour et la nuit, et Central Park dessinait un rectangle sombre de l'autre côté des baies vitrées.

D'Agosta s'arrêta à quelques mètres du joueur solitaire et sortit son carnet sur lequel il porta l'inscription « Bullard, 20 octobre », puis il attendit.

Au lieu de lever la tête, l'autre se pencha sur la table et poussa une boule, puis il passa un peu de craie sur l'extrémité de sa queue de billard d'un geste agile, fit le tour de la table et frappa une autre boule. D'Agosta n'avait jamais vu un billard aussi grand, avec de petites poches et des boules rouges et blanches.

— Monsieur Bullard ?

L'autre continuait à jouer, comme si de rien n'était. Il avait une carrure impressionnante, mise en valeur par un costume de soie parfaitement coupé. De l'endroit où il se trouvait, D'Agosta ne voyait que l'extrémité de son cigare et ses mains marbrées de veines dans le cercle de lumière de la table. Bullard portait deux énormes chevalières en or qui brillaient à chacun de ses mouvements.

D'Agosta s'apprêtait à l'apostropher à nouveau lorsque l'homme se redressa. Se retournant d'un geste brusque, il retira son cigare et demanda :

— Que voulez-vous ?

D'Agosta ne répondit pas immédiatement, prenant le temps d'examiner son interlocuteur. Il n'avait jamais vu quelqu'un d'aussi laid. On aurait dit un ours, avec sa tête démesurément grande, un teint basané qui faisait ressortir ses joues creuses, des oreilles pendantes, des lèvres charnues d'un blanc malsain et un nez monumental constellé de cratères. Ses yeux, largement enfoncés dans leurs orbites et protégés par d'épais sourcils, disparaissaient sous un front proéminent surmonté d'un crâne parfaitement lisse et tavelé de taches de vieillesse. Il émanait de Bullard une impression de brutalité et d'assurance que venait renforcer la façon supérieure, presque écrasante, dont il se déplaçait en faisant bruisser sa veste de soie bleue.

D'Agosta se lança.

— Je souhaiterais vous poser quelques questions.

Bullard le regarda longuement, puis il remit son cigare entre ses lèvres et recommença à jouer.

— Si je vous dérange, nous pouvons toujours poursuivre dans un cadre plus officiel.

— Une minute.

D'Agosta jeta un coup d'œil à sa montre et se retourna. Le larbin installé à l'entrée de la salle, les mains jointes à la manière d'un bedeau, l'observait d'un œil narquois.

Sans se préoccuper du sergent à qui il tournait le dos, Bullard continuait à jouer comme si de rien n'était, dévoilant un pan de chemise blanche et des bretelles rouges chaque fois qu'il se penchait.

— La minute est passée, Bullard.

Bullard prit nonchalamment le morceau de craie dont il frotta l'extrémité de sa queue de billard et se pencha sur une nouvelle boule.

Ce sale con se foutait ouvertement de lui.

— Vous commencez sérieusement à m'énerver, grinça le sergent.

Bullard frappa la balle et fit le tour de la table.

— Vous devriez apprendre à gérer vos pulsions. Il y a des cours spécialisés pour ça, ironisa-t-il en envoyant une boule contre une autre avec une délicatesse inattendue.

D'Agosta décida que la coupe était pleine.

— Continuez comme ça, Bullard, et je vous passe les menottes devant le portier de carnaval de votre club et je vous trimbale comme ça jusqu'à Columbus Circle où j'ai garé ma voiture. Ensuite, j'ai bien l'intention de demander du renfort par radio et de vous laisser bien en vue sur le trottoir, les mains menottées dans le dos. Un samedi après-midi, je vois déjà la publicité que ça va vous faire.

Bullard se figea, puis il se redressa, les mâchoires tendues, et sortit de sa poche un téléphone portable sur lequel il composa un numéro.

— Je suis certain que le maire sera ravi d'apprendre que l'un de ses flics chéris se permet ce genre de fantaisie avec moi.

— Je vous en prie, ne vous gênez pas pour moi. Mais au cas où vous ne l'auriez pas remarqué, j'appartiens à la police de Southampton et je n'ai rien à secouer de votre copain le maire.

Bullard plaça le portable contre son oreille et tira sur son cigare.

— Si je comprends bien, vous n'avez rien à faire ici et vos menaces sont de l'abus de pouvoir.

— Pour votre gouverne, je travaille en liaison avec le Bureau fédéral d'investigation de Manhattan, rétorqua D'Agosta en sortant de son portefeuille l'une des cartes données par Pendergast qu'il jeta négligemment sur le billard. Si vous souhaitez porter plainte auprès du responsable local du FBI, il s'appelle Carlton et vous trouverez son numéro ici.

L'assurance tranquille de D'Agosta sembla faire son effet car Bullard replia son portable avec une lenteur calculée avant de laisser tomber son cigare dans un bac à sable où il continua à fumer.

— Très bien, vous avez réussi à retenir mon attention.

D'Agosta ouvrit son carnet, soucieux de ne pas perdre une minute.

— Le 16 octobre, à 2 h 02 du matin, Jeremy Grove a appelé le numéro privé de votre yacht, qui est sur liste rouge. La conversation a duré quarante-deux minutes. Pouvez-vous le confirmer ?

— Je ne me souviens pas de cet appel.

— Vraiment ?

D'Agosta sortit de son carnet la photocopie du listing fourni par la compagnie de téléphone et la tendit à son interlocuteur.

— L'opérateur téléphonique le confirme pourtant.

— Vous pouvez garder votre papier.

— Quelqu'un d'autre que vous aurait-il pu répondre à votre place ? Une petite amie, une cuisinière, une baby-sitter, n'importe qui ?

Bullard marqua un long silence.

— Je me trouvais seul sur mon yacht cette nuit-là.

— Alors qui a pu répondre au téléphone ? Le chat ?

— Je refuse de répondre à vos questions en dehors de la présence de mon avocat.

La voix de Bullard était à peu près aussi avenante que son physique de brute. Chacune de ses phrases avait le don de mettre à vif les nerfs du sergent.

— Laissez-moi vous dire quelque chose, monsieur Bullard. Vous venez de me mentir. Techniquement, ça s'appelle entrave à la justice. Vous êtes libre d'appeler votre avocat si vous le désirez, mais vous ne pourrez le faire qu'une fois dans nos bureaux où je me ferai un plaisir de vous accompagner. C'est vraiment ça que vous voulez, ou bien nous reprenons notre petite conversation ?

— Je vous rappelle que vous vous trouvez dans un club respectable, et je vous demanderai de parler moins fort.

— Je suis malheureusement un peu dur d'oreille. En plus, je ne suis pas du tout respectable.

D'Agosta attendit et Bullard finit par grimacer un sourire.

— Ce coup de téléphone de Grove vient de me revenir. Ça faisait une éternité qu'on ne s'était pas parlé.

— De quoi avez-vous discuté ?

— De tout et de rien.

— De tout et de rien, répéta D'Agosta en notant scrupuleusement la réponse sur son calepin. Et ça vous a pris quarante-deux minutes ?

— Je vous dis, ça faisait une éternité que je n'avais pas eu de ses nouvelles.

— Vous connaissiez bien Grove ?

— Nous nous étions vus à plusieurs reprises, mais je ne peux pas dire que c'était un ami.

— Quand l'avez-vous rencontré ?

— Il y a des années, je ne sais plus très bien.

— Je vous repose la question : de quoi avez-vous discuté ?

— Il m'a parlé de ses activités...

— Mais encore ?

— Je ne sais plus. Ses articles, ses dîners, ce genre de choses.

Ce salopard lui mentait effrontément. Comme Cutforth.

— Et vous ? Que lui avez-vous raconté ?

— Je lui ai parlé de mon travail, de la société que je dirige.

— Quelle était la raison de son appel ?

— Il faudra le lui demander. Comme je vous l'ai déjà dit, on ne s'était pas parlé depuis longtemps.

— Et il vous appelait à 2 heures du matin uniquement pour prendre de vos nouvelles ?

— Exactement.

— Comment se fait-il qu'il avait votre numéro, puisque vous êtes inscrit sur liste rouge ?

— Il faut croire que je le lui avais donné.

— J'avais cru comprendre que vous n'étiez pas plus amis que ça.

Bullard haussa les épaules.

— Ou alors quelqu'un d'autre lui aura donné mon numéro.

D'Agosta s'arrêta d'écrire et regarda son interlocuteur en face, mais Bullard se tenait de telle façon, entre ombre et lumière, qu'il était impossible de voir ses yeux.

— Grove vous a-t-il paru effrayé, ou tendu ?

— Pas particulièrement. En tout cas, je n'en ai pas gardé le souvenir.

— Connaissez-vous un certain Nigel Cutforth ?

Bullard hésita un instant avant de répondre.

— Non.

— Et Ranier Beckmann ?

— Non plus, répondit-il sans hésitation.

— Le comte Isidor Fosco ?

— Son nom me dit quelque chose. J'ai dû le lire en passant dans les journaux.

— Lady Milbanke ? Jonathan Frederick ?

— Je ne connais ni l'un ni l'autre.

Tout ça ne menait à rien et D'Agosta décida de mettre un terme à l'entretien.

— Nous nous retrouverons, monsieur Bullard, fit-il en refermant son carnet.

— De mon côté, sergent, je n'ai pas la moindre intention de vous retrouver sur mon chemin, répliqua Bullard en retournant à son jeu de billard.

D'Agosta s'éloignait déjà lorsqu'il se retourna.

— J'espère que vous n'avez pas l'intention de quitter le pays, monsieur Bullard.

Comme l'autre ne répondait pas, D'Agosta poursuivit :

— Je n'aurais aucun mal à vous faire convoquer comme témoin, mentit le sergent.

Son sixième sens lui disait qu'il était sur la bonne piste.

— C'est ce que vous voulez ? ajouta-t-il.

Bullard avait beau faire semblant de ne pas entendre, D'Agosta savait qu'il avait fait mouche. Il traversa la salle et s'arrêta devant le larbin qui reprit aussitôt son masque neutre.

— À quoi joue-t-on, ici ? Au billard ?

— Au snooker, monsieur.

— Au snooker ? répéta D'Agosta d'un air perplexe.

Drôle de nom. On aurait dit une gâterie de salon de massage. L'autre n'avait pourtant pas l'air de se foutre de lui.

En quittant la salle, le sergent se dirigea vers l'ascenseur principal, décidé à ressortir par la grande porte pour faire la nique à cet imbécile de portier.

Les dernières lueurs du jour filtraient à travers les immenses fenêtres de la salle de billard du New York Athletic Club. Les yeux perdus dans le vague, Locke Bullard ne voyait ni la table ni les boules. Au bout d'une minute, il posa sa queue de billard, se dirigea vers le bar et saisit le téléphone. Il fallait faire vite. Il avait impérativement besoin de se rendre en Italie et il était hors de question que ce flic minable l'en empêche.

12

D'Agosta s'arrêta un instant sur les marches du New York Athletic Club et regarda sa montre. Il était tout juste 18 h 30. Pendergast l'avait invité à le rejoindre à 21 heures dans ce qu'il appelait sa « vieille demeure des hauts de Manhattan » afin de faire le point, il avait donc plus de deux heures devant lui.

Si sa mémoire ne le trahissait pas, il devait y avoir à hauteur de Broadway et de la 61e Rue un petit pub irlandais où l'on servait des hamburgers à peu près corrects. Il avait largement le temps de manger un morceau et d'avaler une bière.

Le crétin qui l'avait obligé à passer par l'entrée de service un peu plus tôt ne le quittait pas des yeux et il prit un malin plaisir à traîner quelques instants devant le club. Droit comme un I dans sa guérite, l'autre avait l'air d'une vieille momie. *Décidément, on engage n'importe qui comme portier à Manhattan, par les temps qui courent.*

Prenant à gauche sur Central Park South, D'Agosta repensa à Pendergast. Pourquoi diable avait-il besoin d'une maison aussi loin du centre alors qu'il avait déjà un grand appartement au Dakota ? Le sergent exhuma de sa poche la carte de l'inspecteur : 891 Riverside Drive. À quelle hauteur le numéro 891 pouvait-il bien se trouver ? Il devait s'agir de l'une de ces vieilles maisons de maître bordant Riverside Park du côté de la 96ᵉ Rue, mais il n'en était pas sûr. Depuis le temps qu'il avait quitté New York, D'Agosta avait perdu ses repères. Autrefois, il suffisait qu'on lui donne un numéro sur une avenue pour qu'il sache dans quel pâté de maisons se trouvait l'immeuble concerné.

Mullin's, son pub irlandais, n'avait pas changé de place. Un bistrot de quartier mal éclairé avec un bar tout en longueur et une rangée de tables en bois le long d'un mur. D'Agosta se réjouissait d'avance de commander un bon vieux cheeseburger saignant, pas l'un de ces trucs pour Bobos avec de l'avocat, du camembert et de la pancetta qui se vendent quinze dollars à Southampton.

Lorsque D'Agosta émergea de chez Mullin's une heure plus tard, il se dirigea vers la station de métro de la 66ᵉ Rue. Même à cette heure, la ville vibrait dans un mélange de gaz d'échappement, de chrome, d'acier et de coups de klaxon rageurs. Dans la mêlée ambiante, D'Agosta faillit se faire écraser par une vieille Impala dorée aux vitres fumées qu'il abreuva copieusement d'injures, puis il s'engouffra dans le métro, passa le tourniquet à l'aide de sa carte magnétique et descendit sur le quai. Il était en avance et regrettait presque de n'avoir pas pris le temps d'une seconde bière chez Mullin's.

Moins d'une minute plus tard, la rame arrivait, précédée d'une bouffée d'air rance. Il prit place dans un wagon, réussit à trouver une place assise et ferma les yeux, comptant machinalement les stations : 72ᵉ Rue, 79ᵉ Rue, 86ᵉ Rue... Il rouvrit les yeux à l'instant où la rame stoppait à la 96ᵉ Rue, descendit et se dirigea vers la sortie arrière.

Traversant Broadway et West End Avenue, il emprunta la 94ᵉ Rue jusque Riverside Drive. À travers les arbres du parc, on apercevait le flot incessant des voitures sur la West Side Highway, le long des rives de l'Hudson. C'était une fin de journée agréable, mais l'humidité commençait déjà à tomber avec la nuit. De l'autre côté des eaux noires de l'Hudson, les lumières du New Jersey s'allumaient les unes après les autres, et un éclair troua brièvement l'air.

D'Agosta leva les yeux sur le premier immeuble qui se présentait à lui et constata qu'il se trouvait à hauteur du 214.

Et merde ! Son séjour au Canada lui avait fait perdre la main. Le 891 était donc beaucoup plus haut. Juste avant Harlem, probablement. Pourquoi diable Pendergast était-il allé se perdre dans un coin pareil ?

Il aurait pu reprendre le métro, mais cela voulait dire remonter vers Broadway et attendre un train à une heure où les rames commençaient à se faire rares. Restait la solution de prendre un taxi, mais il lui fallait de toute façon retourner sur Broadway en sachant qu'il aurait toutes les peines du monde à convaincre un chauffeur de le conduire aussi haut dans Manhattan.

Le mieux était encore d'y aller à pied.

Sa décision prise, D'Agosta remonta Riverside Drive. Une dizaine de pâtés de maisons, une quinzaine à tout casser. Et puis il manquait d'exercice et cette petite marche lui ferait le plus grand bien, d'autant qu'il avait encore une heure devant lui.

Il avançait d'un bon pas, faisant tinter les menottes et les clés accrochées à sa ceinture. Dans la brise du soir, les arbres de Riverside Park murmuraient sur son passage, sous le regard atone des portiers des immeubles bourgeois donnant sur le fleuve. Il était presque 8 heures et la plupart des passants rentraient du travail : des femmes en tailleur et des hommes en costume, un musicien avec son violoncelle, deux universitaires en veste de tweed en pleine discussion au sujet d'un certain Hegel. De temps à autre, un passant lui adressait un petit signe amical, visiblement rassuré de croiser un agent en uniforme. Depuis le 11 septembre, les gens à New York n'avaient plus le même regard sur les flics. Raison de plus pour retrouver du boulot ici le plus rapidement possible.

D'Agosta chantonnait en marchant, respirant à pleins poumons l'odeur caractéristique du West Side. Une odeur de sel, de voiture, de poubelles et d'asphalte. En passant devant une épicerie, un parfum de café torréfié lui caressa les narines. Le charme de New York. Une fois qu'on avait attrapé le virus, pas moyen de s'en débarrasser. Dès que la police locale recruterait à nouveau, D'Agosta serait le premier à poser sa candidature. Il était même prêt à recommencer depuis le bas de l'échelle s'il le fallait.

À hauteur de la 110e Rue, il constata qu'il se trouvait encore dans les 400. Et pas moyen de se souvenir de la règle de trois permettant de calculer à quelle hauteur se trouve un numéro de maison. Tout ce qu'il savait, c'est qu'il était encore loin du but.

Heureusement qu'il était en avance. Ça ne l'aurait pas étonné que Pendergast habite l'une de ces maisons en grès près de l'université de Columbia. Il accéléra le pas. Le quartier était déjà moins reluisant, mais les immeubles restaient encore proprets. À l'approche du campus, on apercevait des étudiants avec leurs pantalons trop larges. Penché à une fenêtre, un jeune discutait avec un copain, debout sur le trottoir ; il envoya un livre que l'autre rattrapa au moment où D'Agosta passait à sa hauteur. Le sergent se demanda à quoi aurait ressemblé sa vie si ses parents avaient eu les moyens de lui payer des études. Il aurait peut-être réussi à se faire un nom comme auteur, la critique se serait peut-être intéressée à lui au lieu de le snober. Il avait remarqué que la plupart des critiques du *New York Times* avaient fait leurs études à Columbia. Un milieu très fermé.

Mais à quoi bon avoir des regrets ? Comme le disait toujours son grand-père, le passé n'est que de l'*acqua passata*.

Arrivé à hauteur de la 122e Rue, à la limite nord du campus, il s'arrêta pour reprendre son souffle. Devant lui, l'International House formait le dernier rempart avant la jungle urbaine de Harlem et il n'en était qu'au numéro 550.

Merde. Il regarda sa montre : 8 h 10. Il n'était pas en retard, mais il avait fait près de deux kilomètres et commençait à la trouver saumâtre. Et cette fois, plus le moindre espoir de trouver un taxi. Les étudiants se faisaient plus rares, remplacés par des gamins en bande qui le regardaient d'un œil torve, nonchalamment assis sur les marches des maisons. Le 891 devait à coup sûr se trouver du côté de la 135e Rue, peut-être même plus au nord. Il en avait pour dix minutes tout au plus, mais il lui fallait traverser l'un des quartiers les plus durs de Harlem.

Il sortit à nouveau la carte de Pendergast, mais l'écriture élégante de l'inspecteur lui confirma qu'il ne s'était pas trompé.

Laissant derrière lui l'oasis rassurante de l'International House, il se remit en marche du même pas. Avec son uniforme et son arme de service, il voyait mal ce qui aurait pu lui arriver.

Brusquement, le quartier changea du tout au tout et Riverside Drive se vida. La plupart des réverbères étaient cassés, les appartements mal éclairés. Au-delà de la 130e Rue, D'Agosta découvrit un univers radicalement différent, celui des anciennes demeures bourgeoises du XIXe siècle, transformées pour la plupart en refuges pour drogués. Un peu plus loin, une pancarte délabrée annonçait un « hôtel meublé » dont les résidents tuaient le temps en buvant de la bière, assis sur les marches du perron. Les conversations se turent à l'approche de D'Agosta et, quelque part, un chien aboya.

Des épaves de voitures s'alignaient le long du trottoir, certaines sans pare-brise, d'autres sans roues. La circulation commençait à se faire rare. Une très vieille Honda Accord mangée de rouille passa avec un bruit de ferraille, suivie par une Impala dorée aux vitres fumées. D'Agosta la vit ralentir au moment où elle arrivait à sa hauteur, puis elle tourna un peu plus loin à droite.

Une Impala dorée, comme celle qui avait failli l'écraser tout à l'heure. D'Agosta esquissa un petit sourire : voilà qu'il devenait parano ! Des Impalas comme celle-là, il devait y en avoir des milliers à New York.

Longeant les immeubles abandonnés et les vieilles maisons transformées en appartements et en studios, il poursuivit son chemin, louvoyant entre les crottes de chien, les tessons de bouteilles et autres détritus qui jonchaient le trottoir. À force d'être pris pour cible par les gangs de Harlem, les éclairages publics avaient été laissés à l'abandon par les services de la voirie.

D'Agosta se trouvait à présent au cœur de la partie ouest de Harlem et il avait du mal à croire que Pendergast ait pu choisir de vivre là. L'inspecteur était connu pour son excentricité, mais tout de même... Au-delà de la 132e Rue, Riverside Drive était plongé dans l'obscurité, les deux dernières maisons encore debout étant abandonnées. L'endroit idéal pour se faire agresser. Mais qui aurait été assez fou pour se balader dans le coin à la nuit tombée ?

D'Agosta se rassura en se disant qu'il était armé. Il avait même une radio. Il n'allait tout de même pas flipper pour si peu. À force de travailler dans un coin aussi calme que Southampton, il avait fini par prendre de mauvaises habitudes.

Il avançait d'un pas résolu lorsqu'il sentit derrière lui la présence d'une voiture qui roulait lentement. Bien trop lentement. Arrivé à hauteur du dernier réverbère qui fonctionnait encore, il vit du coin de l'œil qu'il s'agissait de l'Impala dorée.

D'Agosta avait peut-être perdu ses repères à New York, mais son sixième sens, exercé par des années au sein de la police new-yorkaise, l'alerta aussitôt. Le doute n'était plus permis, c'était la même qui avait failli l'écraser sur la 61e Rue. À l'allure où elle avançait, la Chevrolet serait à sa hauteur au moment où il se trouverait plongé dans l'obscurité.

Pas de doute, c'était une embuscade.

Sans prendre le temps de la réflexion, D'Agosta prit ses jambes à son cou et traversa la rue sous le nez de ses poursuivants. Les pneus de l'Impala crissèrent sur la chaussée alors que le chauffeur accélérait afin de le renverser, mais il était trop tard et le sergent avait déjà plongé dans Riverside Park lorsque l'auto s'arrêta dans un grand bruit de freins le long du trottoir.

Cherchant le salut dans l'obscurité du parc, D'Agosta eut tout juste le temps de voir les portes de la voiture s'ouvrir à la volée.

13

La porte de la suite située au neuvième étage du Sherry Netherland Hotel s'ouvrit sur un maître d'hôtel anglais tout droit sorti d'un roman de P.G. Wodehouse. Il s'inclina et laissa passer Pendergast. Sa veste noire à queue de pie n'avait pas un faux pli et son plastron empesé bruissait à chacun de ses mouvements. Tout en tenant d'une main gantée de blanc un plateau d'argent, il prit le manteau de Pendergast. Ce dernier sortit de sa poche un porte-cartes en or et déposa sa carte sur le plateau.

— Si Monsieur veut bien se donner la peine d'attendre, prononça le maître d'hôtel avec une légère courbette avant de disparaître, son plateau à la main.

Pendergast entendit une porte s'ouvrir, des bruits de pas sur le parquet d'un long couloir, suivis d'un autre bruit de porte, plus feutré. Quelques instants plus tard, le maître d'hôtel était de retour.

— Si Monsieur veut bien me suivre.

Pendergast lui emboîta le pas et se retrouva bientôt dans un salon lambrissé où l'attendait une flambée de bois de hêtre au creux d'une immense cheminée.

— Que Monsieur veuille bien se donner la peine de s'asseoir, fit le maître d'hôtel.

Toujours frileux, Pendergast s'installa dans un fauteuil de cuir rouge près de l'âtre.

— Monsieur le comte sera là dans un instant. Monsieur acceptera-t-il un amontillado ?

— Volontiers.

Le maître d'hôtel se retira et réapparut moins d'une minute plus tard, armé d'un plateau sur lequel était posé un verre de cristal à demi rempli d'un liquide ambré. Il posa le verre sur une petite table à côté du visiteur et disparut sans bruit.

Pendergast goûta le porto, puis il examina en détail le cadre dans lequel il se trouvait. La pièce était meublée avec un goût très sûr, sans la moindre ostentation. Un ancien tapis safavid orné d'un motif Shah Abassi s'étalait au milieu de la pièce et la vénérable cheminée, taillée dans de la *pietra serena* florentine, était rehaussée d'un écusson de vieille noblesse. Sur la petite table, à côté du verre d'amontillado, étaient posés divers objets précieux : de l'argenterie ancienne, un siphon d'eau de Seltz, des flacons de parfum romains ainsi qu'un ravissant petit bronze étrusque.

Le tableau accroché au-dessus de la cheminée retint toute l'attention de Pendergast. La toile représentait une femme debout devant une fenêtre dans un décor de maison flamande, tenant entre ses mains un mouchoir de dentelle. La luminosité de l'œuvre, la sérénité ambiante, tout indiquait un Vermeer, mais Pendergast connaissait l'œuvre du peintre, et il ne s'agissait pas là de l'une des trente-cinq œuvres du grand maître flamand répertoriées au monde. Ce n'était pas davantage un faux, personne n'étant jamais parvenu à rendre la lumière avec autant de génie que Vermeer.

Perplexe, l'inspecteur se tourna vers un autre tableau, une toile inachevée, exécutée dans le style du Caravage, montrant la conversion de Paul sur le chemin de Damas. Il s'agissait d'une version miniature du célèbre tableau du Caravage conservé à Rome dans l'église Santa Maria del Popolo. Il ne pouvait s'agir d'une copie, ni même de l'œuvre d'un élève du maître, et tout semblait indiquer une étude préliminaire exécutée de la main du peintre.

Sur le mur de droite était accroché le portrait d'une enfant plongée dans un intérieur sombre, lisant un livre à la lueur d'une chandelle. L'œuvre rappelait étrangement la série des tableaux de Georges de La Tour intitulés *L'Éducation de la Vierge*, mais pouvait-il réellement s'agir d'un original ?

La pièce ne contenait aucune autre toile, mais ces trois chefs-d'œuvre étaient exposés dans leur simplicité, sans la moindre prétention, au point de s'intégrer parfaitement au décor ambiant.

Un léger bruit tira Pendergast de sa rêverie. Son ouïe particulièrement fine lui disait qu'une porte s'était ouverte dans les profondeurs de l'appartement et il distingua très nettement le sifflement d'un oiseau, des pas légers, ainsi qu'une voix grave aux inflexions douces.

Il tendit l'oreille.

— Allons ! Monte, mon joli ! Un, deux et trois. Et maintenant on redescend : trois, deux et un !

Une série de pépiements se fit entendre, à laquelle se mêlaient de curieux ronronnements mécaniques, avec en toile de fond l'intonation douce et grave. Soudain, une voix de ténor entonna une aria et l'oiseau, si c'en était un, se tut, comme subjugué. La voix s'éteignit à l'instant où le maître d'hôtel réapparaissait.

— Monsieur le comte va vous recevoir, fit-il.

Pendergast se leva et le suivit jusqu'à un petit salon, empruntant un long couloir couvert de rayonnages pleins de livres.

Le comte, dans toute son opulente majesté, se tenait au centre de la pièce dont le mur extérieur n'était qu'une immense baie vitrée. Tournant le dos à son visiteur, il regardait tomber la nuit sur un petit balcon habillé de rosiers grimpants. Il était vêtu d'un pantalon d'intérieur et d'une chemise immaculée largement ouverte sur sa poitrine. Près de lui, une forêt d'outils de toutes sortes était méticuleusement rangée sur un établi : de petits tournevis, des scies d'orfèvre, des limes d'horloger, de fers à souder miniatures. À côté s'étalaient des nuées de rouages, de ressorts, de pièces métalliques de toutes tailles et de toutes formes, mais aussi de minuscules circuits intégrés, des faisceaux de fibre optique, des diodes lumineuses et autres puces électroniques.

Au centre de l'établi se dressait un perchoir en bois sur lequel était juché ce qui ressemblait fort à un cacatoès, à en juger par sa crête jaune citron et son plumage blanc. Un examen plus appuyé révéla toutefois à l'inspecteur qu'il s'agissait d'un oiseau mécanique.

Le maître d'hôtel fit signe à Pendergast de s'asseoir sur un tabouret. Comme par magie, le verre d'amontillado retrouva sa place près de l'inspecteur et le serviteur s'éclipsa silencieusement.

Pendergast observait le comte. D'un geste précieux, il saisit une noix de casuarina sur un plateau, la plaça entre ses lèvres charnues en veillant à ce qu'elle dépasse à moitié. Avec un sifflement de satisfaction, l'oiseau électronique se percha sur l'épaule de Fosco et se pencha en roucoulant afin de voler la noix qu'il fit mine d'avaler après l'avoir ouverte d'un coup de bec.

— Allons, mon joli. Fini de jouer. Il est temps de remonter sur ton perchoir, gazouilla le comte avec un petit geste de sa main gantée.

118

Mais le volatile, sifflant son mécontentement et gonflant sa crête, refusait de bouger.

— Je vois que tu as décidé de faire ton têtu, aujourd'hui, lui dit le comte sur un ton autoritaire. Allons ! Retourne sur ton perchoir, mon joli, si tu ne veux pas manger du millet à la place des noix jusqu'à ce soir.

L'oiseau retourna sur l'établi avec un petit cri, se dandina jusqu'à son perchoir sur lequel il se hissa à l'aide de ses griffes métalliques avant de scruter Pendergast de ses yeux électroniques.

Daignant enfin prêter attention à son hôte, le comte se retourna et s'inclina, la main tendue.

— Désolé de vous avoir fait attendre, mais mon jeune ami, ici présent, réclamait son exercice quotidien, ainsi que vous avez pu le voir.

— Fort intéressant, répondit sèchement Pendergast.

— J'ai bien conscience d'être un peu ridicule avec mes chers animaux.

— Vos animaux, dites-vous ?

— Oui, mais voyez comme ils m'aiment. Outre ce charmant cacatoès, j'élève également de ravissantes souris blanches, expliqua-t-il en montrant de son triple menton l'autre extrémité de la pièce où de minuscules rongeurs couraient en tous sens dans une cage en forme de pagode. Il n'empêche, ajouta-t-il avec un soupçon de fierté, Bucéphale reste la perle de ma collection. Pas vrai, mon joli ? fit-il en se tournant vers le perchoir.

L'oiseau mécanique, faussement timide, enfouit son énorme bec dans ses plumes artificielles.

— Je vous demanderai de bien vouloir excuser Bucéphale, fit Fosco. Il se laisse volontiers effaroucher par les étrangers, n'hésitant pas à pousser au besoin des cris d'orfraie. Je me suis vu contraint de louer les deux appartements mitoyens afin de couper court aux récriminations des voisins.

Ignorant les compliments de son maître, le curieux volatile continuait d'observer Pendergast de son regard factice.

— Vous ne me croirez probablement pas, mais mes animaux de compagnie ont une prédilection marquée pour l'opéra. Ainsi que le disait si justement Congreve, la musique possède des charmes inépuisables. Mais sans doute avez-vous entendu mes pauvres vocalises. Auriez-vous reconnu cette aria ?

Pendergast hocha la tête.

— L'air de Pollione, tiré de la *Norma*. *Abbandonarmi cosi protesti*.

— Ah ! Je constate que vous êtes tombé sous le charme.

— Je me suis contenté de reconnaître cette aria. Dites-moi, monsieur le comte, construisez-vous ces créatures mécaniques vous-même ?

— J'avoue être grand amateur d'animaux et de robots. Puis-je vous montrer mes canaris ? De véritables canaris, j'entends. À ma décharge, je confonds volontiers dans un même élan les créatures de la nature et les miennes.

— Je vous remercie, mais cela ne sera pas nécessaire.

— J'aurais dû naître en Amérique où l'inventivité est reconnue comme une qualité. J'étais fait pour devenir un Thomas Edison. Au lieu de cela, j'ai grandi dans l'univers déliquescent de l'aristocratie florentine où l'on n'avait que faire de ma passion pour les techniques actuelles. Dans ma famille, la modernité s'arrête au XVIIIe siècle.

Pendergast commençait à s'impatienter.

— Monsieur le comte, je suis navré de devoir vous interrompre, mais j'aurais quelques questions à vous poser.

— Épargnez-moi les « monsieur le comte », répliqua Fosco avec un geste de la main. Nous sommes en Amérique et mes amis m'appellent Isidor. M'autoriserez-vous à vous appeler Aloysius ?

Pendergast marqua un temps d'arrêt avant de répondre d'une voix glaciale.

— Si vous n'y voyez pas d'inconvénient, monsieur le comte, je préférerais conserver à cet entretien son caractère formel.

— Comme il vous plaira. Je vois que mon cher Pinketts vous a servi de l'amontillado. Il est étonnant, ne trouvez-vous pas ? Les Anglais ont dominé le monde si longtemps qu'il ne m'est pas indifférent d'avoir l'un des leurs à mon service. Vous n'êtes pas anglais, au moins ?

— Non.

— Fort bien. Voilà qui m'autorisera à une certaine franchise au sujet des enfants d'Albion. Quand on pense que leur seul compositeur de qualité s'appelait Byrd ! Doux nom d'oiseau, en vérité.

Le comte s'installa confortablement dans un fauteuil. Pour un homme de sa corpulence, il se déplaçait avec une légèreté surprenante.

— Monsieur le comte, je commencerai par évoquer le dîner qui s'est déroulé la veille de la mort de Grove. À quelle heure êtes-vous arrivé ?

Fosco joignit les mains d'un air angélique et poussa un soupir.

— Grove nous attendait à 19 heures. Un lundi soir de surcroît, ce qui ne lui ressemblait guère. Nous sommes arrivés les uns après les autres. En retard, comme de juste et je suis arrivé le premier, vers 19 h 30.

— Comment avez-vous trouvé Grove ?

— Il n'était pas en grande forme. Ainsi que je vous l'ai déjà dit, il avait l'air excessivement nerveux et tendu, ce qui ne l'a pas empêché de nous recevoir en grande pompe. Il avait tenu à préparer lui-même le repas, car c'était un excellent cuisinier. Nous avons dîné d'une sole grillée délicieuse, rehaussée d'un filet de citron. Il nous a ensuite servi...

— Je vous remercie, mais j'ai déjà le menu. Vous a-t-il laissé entendre la raison de sa nervosité ?

— Non, et je crois même qu'il faisait tout pour la dissimuler, mais certains signes ne trompent pas : son regard apeuré, la manière dont il veillait scrupuleusement à refermer la porte à clé derrière chacun d'entre nous. C'est tout juste s'il a touché à son verre, ce qui n'était pas dans ses habitudes. Grove était un homme de goût et ses vins étaient toujours exquis. Nous avons commencé par un tokay du Frioul avant de poursuivre avec un petrus 90. Une vraie merveille.

Le château petrus 1990 était l'un des millésimes préférés de Pendergast qui en conservait douze bouteilles dans sa cave du Dakota, mais il préféra n'en rien dire, d'autant que Fosco poursuivait sa description de la soirée avec sa faconde coutumière.

— Grove a également sorti une bouteille de Castello di Verrazzano. Leur cuvée particulière, avec son étiquette en soie. Un véritable nectar.

— Connaissiez-vous les autres invités ?

Le comte sourit.

— Je connais fort bien Lady Milbanke. Quant à Vilnius, j'avais déjà eu l'occasion de le croiser à diverses reprises, ce qui n'était pas le cas de Jonathan Frederick dont je connaissais bien évidemment la signature.

— De quoi avez-vous parlé ?

Le sourire du comte s'élargit.

— C'était assez étrange.

122

— Mais encore ?

— Nous avons commencé par évoquer le Georges de La Tour que vous avez vu dans le salon. Je serais d'ailleurs curieux de recueillir votre avis, inspecteur.

— Je préférerais m'en tenir au sujet qui nous préoccupe.

— Précisément, c'est bien de cela que je souhaite vous parler. Votre opinion m'intéresse, inspecteur. Pensez-vous qu'il s'agisse d'un La Tour ?

— Oui.

— Admirable franchise. Et pour quelle raison ?

— La technique utilisée pour la dentelle est tout à fait caractéristique, de même que cette luminosité transparente de la bougie entre les doigts du sujet.

Le comte observa longuement Pendergast, une lueur indéfinissable dans le regard.

— J'avoue ma surprise, Pendergast. Vous m'impressionnez fort, finit-il par murmurer sur un ton presque admiratif, avant de poursuivre : Il y a de cela vingt ans, je me suis retrouvé dans une position financière quelque peu délicate, ce qui m'a contraint à mettre cette toile en vente chez Sotheby's. La veille de la vente, Grove a publié dans les colonnes du *Times* un petit article consacré à ce tableau, prétendant qu'il s'agissait d'un faux exécuté par Delobre au tournant du XXe siècle. La toile a aussitôt été retirée de la vente et cela m'a coûté la bagatelle de quinze millions de dollars, alors que j'avais en main toutes les preuves de l'authenticité de ce tableau.

Pendergast prit le temps de digérer les informations que le comte venait de lui fournir.

— Si je comprends bien, vous avez parlé de cette affaire ce soir-là ?

— Absolument. Nous avons ensuite évoqué les débuts de Vilnius, notamment sa première grande exposition à SoHo au début des années quatre-vingt.

À l'époque, Grove avait publié un article d'une cruauté inouïe qui avait fait grand bruit, et la carrière de Vilnius ne s'en est jamais remise.

— Curieux sujet de conversation.

— Nous sommes d'accord. Grove s'est alors attaché à rappeler sa liaison avec Lady Milbanke quelques années plus tôt.

— L'atmosphère devait être animée.

— Je vous avoue avoir rarement participé à un dîner tel que celui-là.

— Quelle a été la réaction de Lady Milbanke ?

— À votre avis ? D'autant que cette liaison lui avait coûté son mariage et que Grove l'avait abandonnée pour un tout jeune homme.

— Si je vous comprends bien, vous possédiez tous d'excellentes raisons d'en vouloir mortellement à Grove.

— C'est vrai, soupira Fosco. Nous le haïssions tous cordialement, à commencer par Frederick. Sans le connaître personnellement, je sais qu'il avait eu la témérité de brocarder Grove dans l'un de ses articles, à l'époque où il était rédacteur en chef de la revue *Art & Antiquités*. Grove ne manquait pas d'amis haut placés et son audace a coûté sa place à Frederick qui a mis des années à retrouver du travail dans la presse artistique.

— À quelle heure vous êtes-vous séparés ?

— Peu après minuit.

— Lequel d'entre vous est parti le premier ?

— Je suis le premier à m'être levé car j'avoue avoir besoin de beaucoup de sommeil. Les autres m'ont imité, mais Grove a tout fait pour nous retenir, nous servant du café et des digestifs.

— Comment expliquez-vous cet acharnement à ne pas vous laisser partir ?

— Il avait l'air terrorisé à l'idée de rester seul.

— Vous souvenez-vous de ses paroles ?

— Plus ou moins, répondit le comte, avant de se lancer dans une imitation criante de vérité : *Mes amis ! Comment ! Vous partez déjà ? Il est minuit à peine. Allons, buvons à notre réconciliation. Mon cher Fosco, j'ai ici un vieux porto auquel vous ne résisterez pas. Un tawny Graham de 1972, une pure merveille.*

Le nez du comte frémit légèrement.

— Il a d'ailleurs bien failli me convaincre, conclut-il.

— Avez-vous tous quitté la maison de Grove au même moment ?

— Oui. Nous nous sommes dit au revoir avant de retraverser ce merveilleux jardin.

— Quelle heure était-il précisément ? Il s'agit d'un détail essentiel.

— 0 h 25.

Fosco observa Pendergast pendant quelques instants, puis il poursuivit :

— Monsieur Pendergast, j'espère que vous ne m'en voudrez pas, mais je constate que vous oubliez une question essentielle.

— Laquelle, monsieur le comte ?

— Je pensais que vous souhaiteriez savoir pourquoi Grove avait réuni ce soir-là ses quatre plus grands ennemis.

Pendergast resta silencieux un long moment.

— Excellente question, dit-il enfin. Je vous la pose.

— C'est en vérité la première chose que Grove nous a dite au moment de passer à table. Confirmant ce qu'il nous avait déjà déclaré par téléphone, il a annoncé vouloir faire amende honorable auprès des quatre personnes qu'il avait le plus maltraitées au cours de sa vie.

— Avez-vous conservé son invitation ?

Un sourire aux lèvres, Fosco tira de la poche de sa chemise un court message manuscrit qu'il tendit à son interlocuteur.

— Il ne s'agissait pas d'une simple déclaration d'intention, puisqu'il avait déjà consacré à Vilnius un article plein de louanges, nota Pendergast.

— Un article remarquable, soit dit en passant. J'ai cru comprendre que Vilnius allait prochainement exposer à la Gallery 10 et que les prix de ses œuvres grimpaient en flèche.

— Cela règle le cas de Vilnius, mais comment comptait-il faire amende honorable vis-à-vis de Lady Milbanke et de Jonathan Frederick ?

— Il est vrai que Grove ne pouvait rendre son mari à Lady Milbanke, mais il lui a offert avec beaucoup de grâce un collier d'émeraudes du Sri Lanka qui vaut, à mon sens, tous les vieux barons rances de la terre. Un bijou d'un million de dollars, sinon plus. J'ai bien cru que la malheureuse allait fondre de plaisir en ouvrant l'écrin. Quant à Frederick, il rêvait de longue date de prendre la direction de la Fondation Edsel et Grove s'est arrangé pour lui obtenir le poste.

— Voilà qui est tout à fait extraordinaire. Il ne restait donc plus que vous.

— Vous connaissez déjà la réponse à cette question.

— En effet, acquiesça Pendergast. Il avait entrepris de rédiger un article pour le compte du *Burlington Magazine* afin de réhabiliter votre La Tour.

— Exactement. Un article dans lequel il battait sa coulpe, reconnaissant qu'il ne s'agissait nullement d'un faux. Il a été jusqu'à nous lire l'article lors du dîner.

— Nous avons retrouvé un exemplaire de cet article à côté de son ordinateur, mais il n'aura pas eu le temps de le signer et de l'envoyer.

— Malheureusement, monsieur Pendergast, malheureusement. Des quatre convives présents ce soir-

126

là, je suis le seul à rester lésé, s'écria le comte en écartant les bras dans un geste désenchanté. Si son meurtrier avait eu la courtoisie d'attendre un jour de plus, je me serais retrouvé plus riche de quarante millions de dollars.

— Je croyais vous avoir entendu dire que cette toile en valait quinze ?

— Il s'agissait de l'estimation de Sotheby's il y a vingt ans. Aujourd'hui, ce tableau vaudrait beaucoup plus si son origine ne restait pas entachée de doute... Mais maintenant que Grove a disparu sans prendre le temps de se dédire, répliqua Fosco avec un haussement d'épaules, je me consolerai en me disant que je contemplerai cette merveille pour le restant de mes jours en sachant qu'il ne s'agit nullement d'un faux.

— Vous avez raison, approuva Pendergast. C'est bien là le principal.

— Je suis heureux de vous l'entendre dire.

— Et le Vermeer qui se trouve dans la même pièce ?

— Il s'agit effectivement d'un Vermeer.

— Vraiment ?

— À en croire les experts, il a été peint en 1671, entre *La dame écrivant une lettre et sa servante* et *L'Allégorie de la foi*.

— D'où vous vient un tel chef-d'œuvre ?

— Il se trouvait dans ma famille depuis des générations, mais les Fosco ont toujours privilégié la discrétion à l'ostentation.

— J'avoue mon étonnement.

Le comte sourit en s'inclinant légèrement.

— Me ferez-vous l'honneur de jeter un œil sur les autres pièces de mes collections ?

— Avec plaisir, répondit Pendergast après un court instant d'hésitation.

Le comte se leva et se dirigea vers la porte. Au moment d'en franchir le seuil, il se retourna vers son étrange oiseau.

— Bucéphale, mon joli, je te laisse garder la maison.

Pour toute réponse, le cacatoès émit un petit cri rauque.

14

D'Agosta s'enfonça en courant dans le petit bois séparant Riverside Drive de la voie rapide. En se retournant, il constata que ses poursuivants étaient toujours sur ses talons, et qu'ils étaient armés.

Zigzaguant entre les arbres, il sortit son arme de service et fit glisser la culasse afin d'insérer une balle dans le canon. Le Glock n'avait ni le charme ni la puissance de son calibre 45, mais il était léger et disposait de quinze balles. En quittant son bureau ce matin-là, il n'avait pas jugé utile de prendre un chargeur de rechange et regrettait amèrement sa décision.

Les deux hommes couraient vite et D'Agosta se sentit pousser des ailes, fonçant sans se soucier du bruit qu'il pouvait faire. La végétation du parc était de toute façon trop pauvre pour le dissimuler longtemps à la vue des deux tueurs. Il bifurqua brusquement vers la gauche, espérant les semer et revenir sur ses pas en direction de Riverside Drive et de Broadway. Jamais ils n'oseraient continuer leur chasse à l'homme en pleine rue. Plusieurs possibilités s'offraient à lui, mais la meilleure était encore de se diriger vers le commissariat le plus proche, situé sur la 95e Rue entre Broadway et Amsterdam.

Derrière lui, ses deux assaillants ne lâchaient pas prise. Le premier cria quelque chose au second qui lui répondit d'une voix plus lointaine et le sergent comprit qu'ils s'étaient séparés afin de le prendre en tenaille.

Plié en deux, il poursuivit sa course à travers les arbres. Il était trop tard pour passer un appel sur sa radio. Du coin de l'œil, il aperçut à sa gauche les lumières de Riverside Drive ; de l'autre côté, un talus en pente raide descendait vers la voie rapide dont il percevait la rumeur en contrebas.

Il hésita un instant à tenter sa chance de ce côté-là, mais la présence d'épais buissons le fit renoncer. Si jamais il restait coincé au milieu des fourrés, ses agresseurs n'auraient plus qu'à le tirer comme un lapin.

Le petit bois s'arrêtait brusquement et il se retrouva sur l'une des allées du parc. La lune brillait dans le ciel, rendant sa position d'autant plus inconfortable, mais il n'avait d'autre choix que de continuer à courir.

Qui sont ces deux types ? se demanda-t-il. *Des voleurs, ou bien des cinglés qui ont décidé de se faire un flic ?*

Non, c'était forcément plus compliqué. Jamais de simples voleurs ne l'auraient suivi pendant des heures avant de l'attaquer. Et puis ils auraient abandonné la poursuite depuis longtemps. Ces deux types-là voulaient sa peau, ça ne faisait aucun doute. Restait à savoir pourquoi.

Courbé en deux, il traversa en flèche un premier petit jardin, se protégeant du mieux qu'il le pouvait derrière les bancs. Soudain, une petite lumière rouge se mit à danser tout près de lui.

Ces salauds ont des flingues à viseur laser.

Il eut tout juste le temps de faire un bond sur sa droite avant que le coup de feu retentisse. La balle ricocha sur un banc avec un bruit métallique avant de se perdre dans les fourrés. D'Agosta roula sur un parterre de fleurs, se releva tant bien que mal et se mit en position de tir. Une silhouette sombre traversa un pan de pelouse éclairé par la lune et il tira à deux reprises dans sa direction. Quelques instants plus tard, il reprenait sa course. À l'école de police, on apprend aux jeunes recrues qu'un tir manqué n'est jamais inutile car un coup de feu ralentit immanquablement la course de l'adversaire. D'Agosta pria pour que ce soit vrai.

Parvenu à l'extrémité du jardin public, il voulut plonger sous les arbres.

Au même moment, le petit point rouge se remit à danser à côté de lui et il se jeta par terre avant de se relever, sans se soucier de son genou écorché. Ses agresseurs n'étaient pas des enfants de chœur et sa riposte n'avait pas eu l'air de les effrayer le moins du monde. Le doute n'était plus permis : il avait affaire à des tueurs professionnels.

Il traversa une aire de jeux, slalomant entre le bac à sable et les balançoires, puis il dut contourner une fontaine, le souffle court. Si jamais il s'en sortait, il se promit de refaire de l'exercice régulièrement. Sautant par-dessus un parapet de pierre, il se retrouva sur le talus surplombant la voie rapide. Épuisé, il s'accroupit derrière le muret et attendit, l'arme au poing. Pas question de les rater au moment où ils émergeraient du petit bois. Les poings serrés autour de la crosse de son Glock, les muscles tendus, il tenta de calmer sa respiration.

Ne crispe pas ton doigt sur la détente. Chaque coup doit porter. Vas-y !

Deux silhouettes sortirent à toute allure du bois et il appuya sur la détente à trois reprises.

Deux petites lumières rouges entamèrent une ronde folle à la hauteur de sa tête et D'Agosta, perdant tout sang-froid, vida son chargeur en jurant. Les détonations, assourdissantes, l'empêchèrent d'entendre la riposte de ses adversaires, mais une volée d'éclats de pierre lui grêla le visage.

Aucune de ses balles n'avait fait mouche. Cela faisait plus de trois ans qu'il n'avait pas mis les pieds sur un champ de tir et il avait perdu la main. L'époque où il remportait des médailles lors des concours de police était révolue depuis longtemps.

Il reprit sa course, s'abritant du mieux qu'il le pouvait derrière le petit mur. Tout en courant, il retira son chargeur et constata qu'il était vide : il ne lui restait plus que les deux balles engagées dans la chambre.

Au moment où il s'y attendait le moins, il vit se dresser devant lui la masse du pont surplombant la sortie de la 110e Rue. L'endroit était entièrement grillagé et tout espoir de fuite lui était interdit. Quant à repasser de l'autre côté du mur, cela équivalait à se jeter dans les bras de ses agresseurs.

D'un rapide coup d'œil, il comprit que le talus menant à la voie rapide constituait son unique chance de survie. Une fois en bas, il n'aurait plus qu'à arrêter le flot des voitures en se précipitant sur la chaussée avant d'appeler des renforts à l'aide de sa radio. Jamais les tueurs n'auraient le culot de lui tirer dessus devant témoin.

Sans une hésitation, il dévala le talus tant bien que mal, griffé par les ronces, fouetté par les orties.

Wang !

Une balle siffla à ses oreilles et D'Agosta roula en avant, emporté par sa course, s'arrachant les genoux et les coudes sur les pierres, avant de se relever. Dans son dos, un bruit de branches cassées lui indiqua que les tueurs se trouvaient à moins de dix mètres de lui. Tout en courant, il se retourna et tira une balle en direction de ses poursuivants, le cœur prêt à exploser. La rumeur des voitures était toute proche à présent et il apercevait même la lueur des phares à travers la végétation.

Wang ! Wang !

Il baissa machinalement la tête et continua à avancer en zigzaguant. La route ne se trouvait plus qu'à une vingtaine de mètres et les phares, éclairant sa silhouette, faisaient de lui une cible idéale.

Plus que dix mètres.

Wang !

Le sol se redressa sous ses pieds et il se rua vers la voie rapide avec l'énergie du désespoir.

Boum !

Le choc avait été si violent, si inattendu, qu'il crut un instant avoir été atteint par une balle, avant de comprendre qu'il s'était jeté tête baissée sur le grillage censé protéger les voitures des jets de bouteilles et autres projectiles. Il aurait dû s'en souvenir ! Pour être passé par là des milliers de fois, il revoyait parfaitement ce grillage à moitié tordu au-dessus de la voie rapide. Piégé !

Il se releva, décidé à faire face à ses adversaires.

Ils étaient deux et il ne lui restait plus qu'une balle : le compte n'y était pas.

15

Une flambée ronflait dans la cheminée, qui projetait des ombres dorées sur les murs et chassait l'humidité de la pièce. Confortablement installés de part et d'autre de l'âtre, l'inspecteur Pendergast et Constance Greene se faisaient face, séparés par une petite table sur laquelle reposaient les restes d'une collation frugale : deux tasses de thé vides, une passoire, un pot à lait, quelques gâteaux secs. Une odeur de cire et de vieux tissu flottait autour d'eux, tandis que luisaient, sous l'éclat des flammes, les vénérables reliures de cuir des ouvrages alignés sur les rayonnages.

Pendergast leva un bref instant ses yeux clairs vers l'horloge surmontant la cheminée, puis il reprit la lecture du journal dont il proposait des extraits à sa protégée. D'une voix monocorde, il entama un nouvel article.

— Washington, 7 août 1964 — Avec 88 voix pour et 4 voix contre, les sénateurs ont autorisé aujourd'hui le président Johnson à faire usage de « tous les moyens nécessaires » pour contenir les attaques armées contre les forces américaines au Viêtnam. Ce vote intervient à la suite de l'attaque surprise de deux bâtiments de l'US Navy par les forces nord-vietnamiennes dans le golfe du Tonkin...

Constance l'écoutait attentivement, et seul le froissement des pages jaunies la rappelait à la réalité. Profitant d'une pause, elle leva la main et Pendergast s'arrêta.

— Je ne suis pas certaine d'être en mesure de supporter une nouvelle guerre. Celle-ci est-elle aussi atroce que les précédentes ?

— Il s'agit de l'une des pires. Elle a tout simplement failli plonger notre pays dans le gouffre de la dissension.

— Dans ce cas, puis-je vous demander d'attendre demain avant de poursuivre ?

Pendergast hocha la tête et replia délicatement le journal qu'il déposa à côté de lui.

— Je n'arrive pas à comprendre ce qui a pu pousser le monde à tant de cruauté tout au long du siècle dernier.

Pendergast acquiesça d'un air grave.

Elle secoua la tête lentement, ses yeux sombres brillant à la lueur du feu.

— Pensez-vous que le XXIᵉ siècle sera aussi barbare que le précédent ?

— Le siècle passé nous a laissés entrevoir le visage le plus diabolique de la science. Ce siècle-ci sera celui de la terreur bactériologique. Je vous le dis, Constance, l'humanité touche à sa fin.

— Pourquoi tant de cynisme ?

— Croyez-moi, je serais heureux que Dieu me donne tort.

Une bûche se cassa en deux dans une gerbe d'étincelles, ouvrant une plaie béante au milieu de l'âtre.

Pendergast s'agita sur son fauteuil.

— Que diriez-vous à présent de nous intéresser aux résultats de vos recherches ?

— Avec plaisir.

Constance se leva et se dirigea vers les rayonnages. Quelques instants plus tard, elle revenait avec une pile de volumes.

— L'abbé Trithemius, le *Liber de Angelis*, le texte de McMaster, *Le Livre d'Honorius*, le *Secretum philosophorum* et l'*Ars notorium*, commenta-t-elle. Il s'agit des principaux ouvrages traitant des pactes avec le diable.

Elle déposa les livres sur une petite table proche de son fauteuil avant de reprendre :

— Il s'agit exclusivement de témoignages rédigés en latin, en grec, en araméen, en ancien français, en vieux norrois ainsi qu'en moyen anglais. Sans parler des traités de magie, dont *Les Véritables Clavicules de Salomon* est le plus célèbre. Pour la plupart, ces ouvrages appartenaient à des sociétés secrètes, fort nombreuses au sein de la noblesse de l'ère médiévale. Il semble que ces ordres aient couramment pratiqué le satanisme.

Pendergast acquiesça :

— Je recherche en particulier tout ce qui concerne la façon dont le diable vient réclamer son dû.

— Ce ne sont pas les comptes rendus qui manquent. Je prendrai comme exemple le récit de Geoffrey, maître du Kent, fit-elle en montrant d'un doigt prudent la reliure usée de l'*Ars notorium*.

— Cela m'intéresse au plus haut point.

— À quelques détails près, ces récits s'inscrivent dans la lignée des thèmes faustiens : on y trouve un érudit mécontent du sort que lui réserve l'existence, un grimoire, l'invocation du diable, des promesses tenues et d'autres non tenues, une fin sulfureuse. Dans le cas de Geoffrey, nous sommes en présence d'un professeur de philosophie de l'université d'Oxford au début du XVe siècle. Chimiste et mathématicien, Geoffrey se passionne pour les nombres premiers et se plonge, des années durant, dans le mystère des chiffres. Certains calculs occupent tout son temps pendant de longs mois. Incapable de parvenir à ses fins, il éprouve le besoin de se faire aider et passe un pacte avec Lucifer. Parmi ses collègues d'Oriel College, on murmure qu'il se déroule des choses étranges dans le bureau de Geoffrey ; on entend des incantations et des bruits étranges, de curieuses odeurs traversent sa porte, des lueurs suspectes se manifestent tard dans la nuit. Mais le maître poursuit ses enseignements, entame de brillantes expériences alchimiques et sa réputation va croissant. On prétend qu'il a percé le secret de la transmutation du plomb en or, et il est même intronisé dans l'Ordre du Calice d'Or par le roi Henri VI en personne. La publication d'un ouvrage intitulé *Les Neuf Nombres de Dieu* lui vaut une réputation de grande sagesse à travers toute l'Europe.

Et soudain, l'image se brouille. Au faîte de sa gloire, on le voit devenir nerveux, inquiet, méfiant. La maladie le contraint à garder la chambre, il sursaute au moindre bruit, maigrit terriblement, et ceux qui le voient sont frappés par « ses yeux égarés, semblables à ceux du veau sous le couteau du boucher ». Bientôt, il fait barricader sa porte à l'aide de verrous et de barres de fer, jusqu'au matin où ses étudiants s'étonnent de son absence au réfectoire. Ils se rendent dans ses appartements, mais la porte en est verrouillée et la poignée brûlante, une forte odeur de soufre flotte dans l'air, et c'est à grand-peine que l'on parvient enfin à forcer l'huis.

Une vision terrible attend ceux qui pénètrent dans la pièce. Geoffrey, maître du Kent, gît sur son lit tout habillé. On ne note pas la moindre contusion ni la moindre plaie sur son corps, mais son cœur tout fumant repose à côté de lui. On raconte alors qu'il faudra l'asperger d'eau bénite pour qu'il cesse de battre avant d'éclater. Les détails de la chose sont pour le moins... déplaisants.

Comme Pendergast l'observait d'un œil curieux, Constance se pencha afin de prendre sa tasse de thé, y trempa les lèvres, la reposa et lui sourit.

— Les textes que vous avez consultés expliquent-ils comment invoquer le Prince des ténèbres ?

— En général, ceux qui avaient passé un pacte avec le diable s'enfermaient dans un cercle de trois mètres de diamètre tracé à l'aide d'un arthame, une sorte de couteau sacrificiel. Certains dessinaient de plus petits cercles à l'intérieur du premier, mais il était indispensable de ne jamais rompre le cercle initial tout au long de la cérémonie. À condition de rester enfermé dans ce cercle, celui qui invoquait le Malin restait hors de portée de celui-ci.

— Que se passait-il ensuite ?

— On procédait à la rédaction d'un contrat dont la monnaie d'échange était l'âme du mortel concerné. L'histoire de Faust, notamment dans la façon dont elle trouve sa conclusion, est le prototype même de ce genre de pacte.

Pendergast acquiesça.

— À la suite d'un accord passé avec le diable, Faust a pu obtenir tous les pouvoirs terrestres et divins dont il avait toujours rêvé, mais le mythe ne s'arrête pas là. Il se plaint de n'être jamais seul, d'être observé en permanence par des yeux dissimulés dans les murs, d'entendre d'étranges claquements de dents. En dépit de tous ses biens, il vit une existence misérable. Sentant sa fin proche, il entame la lecture de la Bible en clamant haut et fort son repentir. La veille de sa mort, il passe la soirée à boire avec ses compagnons et pleure abondamment sur son sort en implorant le ciel de ralentir la course du temps.

— *O lente, lente, currite noctis equi*, récita Pendergast.

— La scène 2 de l'acte V du *Faust* de Marlowe, précisa aussitôt Constance, avant de réciter :

Les étoiles poursuivent leur course nocturne, le temps s'écoule impitoyablement,
Mais le diable n'attend pas car Faust est damné.

Le visage de Pendergast s'éclaira.

— À en croire la légende, des cris atroces s'élèvent de ses appartements peu après minuit et aucun de ses invités n'ose intervenir, poursuivit la jeune femme. Au matin, sa chambre est sens dessus dessous, les murs sont maculés de sang et un œil traîne dans un coin de la pièce. Les restes de son crâne brisé sont collés à la cloison et son corps désarticulé gît dans du crottin de cheval à même le pavé, sous sa fenêtre. On raconte...

Son récit fut interrompu par plusieurs coups frappés à la porte de la bibliothèque.

— Il doit s'agir du sergent D'Agosta, déclara Pendergast en posant son regard sur l'horloge. Entrez !

Le battant s'ouvrit lentement et le sergent pénétra dans la pièce, le visage en sang, son uniforme en lambeaux.

— Vincent ! s'écria Pendergast en jaillissant de son siège.

16

D'Agosta se laissa tomber sur une chaise. La tête lui tournait, son corps endolori était à demi paralysé et l'austérité de la vieille demeure n'était pas pour le rasséréner. Comment Pendergast pouvait-il vivre dans un endroit pareil ? Pourquoi aller se perdre au fin fond de Harlem dans cette espèce de musée des horreurs, au milieu de tous ces animaux empaillés, alors qu'il possédait un appartement au Dakota, l'une des résidences les plus chic de Manhattan ? Au moins la bibliothèque formait-elle une oasis à l'écart des fossiles et des fragments de roche, grâce à ses fauteuils confortables et son feu rassurant. Encore sous le choc de son agression, D'Agosta avait à peine remarqué la présence, aux côtés de Pendergast, d'une jeune femme vêtue d'une longue robe couleur saumon.

— On dirait que vous avez vu le diable, s'inquiéta l'inspecteur.

— C'était à peu près ça.

— Un doigt de sherry ?

— Si c'était possible, j'aurais préféré une Bud glacée.

— Euh... je crois que nous avons quelques bouteilles de Pilsner Urquell, répondit Pendergast d'un air gêné.

— Tant que c'est de la bière, ça ira.

La jeune femme se leva et revint quelques instants plus tard avec un verre de bière posé sur un plateau. D'Agosta lui lança un regard reconnaissant.

— Je vous remercie, euh...

— Constance, se présenta la jeune femme.

— Constance Green est ma protégée, ajouta Pendergast. Et voici le sergent D'Agosta, avec lequel je travaille actuellement sur cette affaire.

D'Agosta fronça les sourcils. Sa protégée ? Quelle protégée ? Il posa sur la jeune femme un regard curieux et remarqua pour la première fois sa beauté délicate. Sous son corsage de dentelle très chaste se dissimulait une poitrine qui l'était beaucoup moins. En dépit de cette robe guindée qui la vieillissait, elle devait avoir tout juste vingt ans, mais ses yeux mauves, d'une intelligence aiguë, trahissaient une expérience de la vie infiniment plus affirmée.

— Enchanté, répondit D'Agosta en se levant avec une grimace de douleur.

— Où avez-vous mal ? s'inquiéta Pendergast.

— Partout, répliqua le sergent avant d'avaler une longue gorgée de bière.

— Racontez-nous ce qui vous est arrivé.

D'Agosta posa son verre et entama son récit.

— J'ai commencé par rendre visite à Lady Milbanke, mais notre entretien n'a rien donné. En dehors de son nouveau collier d'émeraudes, elle n'avait rien d'intéressant à raconter. L'entrevue avec Cutforth n'a guère été plus brillante. Il a passé son temps à me mentir au sujet du coup de téléphone de Grove, éludant mes questions quand il acceptait d'y répondre. Quant à Bullard, je l'ai vu au New York Athletic Club. Il prétend connaître à peine Grove. Il ne sait plus de quoi ils ont parlé ni même comment Grove s'est procuré son numéro. Bref, un véritable arracheur de dents !

— Fort intéressant.

— Je ne vous le fais pas dire. Il fallait voir l'oiseau. Une espèce de gros enc... euh, une espèce de gros lard, laid comme un pou et d'une arrogance rare, se reprit D'Agosta en lançant un coup d'œil rougissant en direction de Constance. Il m'a tout bonnement envoyé promener. Ensuite, je suis allé dîner chez Mullin's du côté de Broadway. En sortant, je tombe sur une Impala dorée que je retrouve un peu plus tard sur Riverside Drive en sortant du métro.

— Cette voiture roulait-elle en direction du nord ou du sud ? demanda Pendergast.

— Elle remontait vers le nord, répondit D'Agosta, surpris par la question de Pendergast.

Ce dernier hocha la tête et lui fit signe de continuer.

— J'ai tout de suite compris que ça sentait le roussi, alors je me suis enfui à travers Riverside Park, mais deux types sont sortis de l'Impala et se sont lancés à ma poursuite. Ils étaient armés de gros calibres équipés de viseurs laser. En voulant leur échapper par la voie rapide, je me suis retrouvé coincé contre le grillage de protection et j'ai bien cru que j'étais foutu. Au dernier moment, j'ai remarqué une carcasse de voiture un peu plus loin. Le conducteur avait défoncé le grillage et j'ai réussi à leur échapper en arrêtant un véhicule qui passait. Le conducteur m'a déposé à la première sortie, mais il n'y avait pas de taxi dans le coin et j'ai dû refaire tout le trajet à pied en surveillant mes arrières, des fois que les types se pointent à nouveau avec leur Impala. C'est ce qui explique mon retard.

Pendergast hocha la tête à nouveau.

— L'un des deux hommes vous aura suivi dans le métro tandis que le second restait au volant de la voiture. Ils se sont ensuite rejoints et vous ont donné la chasse.

— C'est exactement ce que je me suis dit.

— Avez-vous fait usage de votre arme ?

— Pour ce que ça m'a servi.

— Allons bon ! Vous qui étiez un tireur de toute première force !

— Je crois que j'ai un peu perdu la main, avoua D'Agosta en baissant les yeux.

— Il serait intéressant de savoir qui a lancé ces tueurs à vos trousses.

— Tout ça est arrivé dans la foulée de mon entrevue avec Bullard.

— Un peu trop vite à mon sens.

— Bullard est plutôt du genre à battre le fer tant qu'il est chaud.

Pendergast acquiesça.

La jeune femme avait écouté la conversation d'une oreille attentive, mais elle jugea le moment venu de laisser les deux hommes.

— Si vous n'y voyez pas d'inconvénient, je vais me retirer, annonça-t-elle en se levant.

Elle avait une façon curieuse de s'exprimer qui rappelait à D'Agosta le ton désuet des actualités d'autrefois. S'approchant de Pendergast, elle l'embrassa sur la joue.

— Bonne nuit, Aloysius, dit-elle d'une voix douce avant d'ajouter à l'intention de D'Agosta : J'ai été ravie de faire votre connaissance, sergent.

Quelques instants plus tard, la porte de la bibliothèque se refermait derrière la jeune femme et le silence retombait.

— Votre *protégée* ? finit par demander D'Agosta.

Pendergast acquiesça de la tête.

— D'où vient-elle ?

— J'ai hérité d'elle avec cette maison.

— Vous avez *hérité* d'elle ? s'étonna D'Agosta. Une parente à vous ?

— Pas exactement. C'est assez compliqué. Cette maison m'a été léguée par mon grand-oncle Antoine avec l'ensemble de ses collections, et Constance a été découverte par la personne à qui j'avais demandé de dresser la liste de ces collections. Elle vivait ici, cachée.

— Cachée ? Depuis combien de temps ?

Pendergast ne répondit pas immédiatement.

— Depuis assez longtemps.

— Pourquoi se cachait-elle ? Elle n'a pas de famille ? Ou bien alors, elle a fait une fugue ?

— Constance est orpheline de père et de mère. Mon grand-oncle l'a recueillie et il s'est occupé d'elle, pourvoyant notamment à son éducation.

— Un vrai petit saint, votre grand-oncle...

— Détrompez-vous. Mais Constance semble être la seule personne à laquelle il se soit attaché. Lorsqu'il s'est retiré du monde, il a continué à prendre soin d'elle. Mon grand-oncle était un misanthrope convaincu, et elle aura été l'exception qui confirme la règle. Quoi qu'il en soit, je suis à présent sa seule famille. Je vous demanderai de ne jamais parler de tout cela devant elle. Les mois passés ont été extrêmement... éprouvants pour elle.

— Comment ça ?

— Je préfère ne pas vous en dire davantage. Disons que Constance est le fruit d'expériences diaboliques réalisées par mon grand-oncle il y a fort longtemps. Les siens ont été les premières victimes de ces terribles expériences, de sorte que je me sens personnellement responsable de son bien-être. La découverte de sa présence ici complique singulièrement mon existence, mais sa connaissance intime des trésors de cette bibliothèque constitue une aide appréciable.

Constance est tout à fait parfaite dans son rôle de gardienne des trésors de cette demeure.

— Et elle n'est pas désagréable à regarder, ce qui ne gâte rien.

Le regard de Pendergast suffit à refroidir les ardeurs de D'Agosta qui se hâta de changer de sujet de conversation.

— Comment se sont passées vos entrevues ? demanda-t-il en se raclant la gorge.

— Le professeur Montcalm ne m'a rien appris que nous ne sachions déjà. Il était en déplacement jusqu'à hier, et Grove s'est contenté de laisser un message pour le moins curieux à son assistant. Il souhaitait savoir comment rompre un pacte avec le diable, mais l'assistant de Montcalm n'a pas pris la chose au sérieux. Il semble que le professeur soit régulièrement la proie de farceurs. Mon rendez-vous avec Fosco s'est en revanche révélé fort intéressant.

— J'espère que vous l'avez fait marcher.

— Je crois plutôt que c'est lui qui m'a fait marcher.

D'Agosta regarda son interlocuteur d'un air perplexe. Il voyait mal Pendergast se laisser embobiner par quiconque.

— Il a quelque chose à voir dans toute cette histoire ? demanda-t-il.

— Tout dépend de ce que vous entendez par là. Le comte est un personnage remarquable et son témoignage m'a beaucoup éclairé.

— Je ne pourrais pas en dire autant de Cutforth et de Bullard.

— Vous affirmiez il y a un instant que tous les deux vous avaient menti. Comment pouvez-vous en être sûr ?

— Cutforth a prétendu que Grove l'avait appelé en pleine nuit pour lui acheter une lettre provenant de sa collection d'objets rock. J'ai tenté un coup de bluff en lui répondant du tac au tac que Grove détestait le rock et sa réaction l'a trahi.

— Un mensonge pour le moins grossier.

— C'est un personnage grossier, pas très intelligent par-dessus le marché. Pour avoir autant d'argent, il doit pourtant être doué dans son domaine.

— Vous savez, Vincent, l'intelligence, l'éducation et la culture ne font pas partie de la grammaire du show-business. Et votre autre client ?

— Bullard, c'est une autre histoire. Grossier lui aussi, mais extrêmement intelligent. À mon sens, ce serait une erreur de le sous-estimer. En tout cas, je peux vous affirmer que ces deux-là en savent plus qu'ils ne veulent bien le dire. Nous ne devrions pas avoir trop de mal à faire parler cette mauviette de Cutforth, mais ce sera une autre paire de manches avec Bullard.

Pendergast approuva gravement.

— Le rapport d'autopsie sera prêt demain et nous devrions en apprendre davantage sur les circonstances de la mort de Grove. Reste à établir un lien entre Bullard, Cutforth et Grove. Si vous voulez mon avis, Vincent, c'est là que réside la clé du mystère.

17

Le docteur Jack Dienphong caressa des yeux les microscopes électroniques, les microtomes et autres appareils sophistiqués qui trônaient dans son laboratoire. Le cadre dans lequel il travaillait n'était peut-être pas beau, mais il présentait l'avantage d'être extrêmement fonctionnel. Dienphong dirigeait le département des Sciences médico-légales du FBI sur Congress Street, et il était particulièrement curieux de rencontrer ce fameux inspecteur Pendergast dont tout le monde lui parlait.

Il consulta une dernière fois ses notes. Il appréhendait ce rendez-vous car il n'était pas satisfait des résultats de son rapport, et il espérait que ce Pendergast se montrerait compréhensif. Depuis qu'il exerçait ce métier, Dienphong s'était toujours gardé de tirer des conclusions hâtives, sachant que c'était le meilleur moyen de faire condamner un innocent. Il ne s'était jamais laissé influencer par quiconque, et Pendergast ne lui ferait pas changer d'avis.

Dienphong regarda sa montre en entendant des pas dans le couloir. On ne lui avait pas menti, ce Pendergast était la ponctualité personnifiée. Quelques instants plus tard, la porte s'ouvrait sur un personnage élancé vêtu d'un costume funèbre, accompagné du responsable du FBI à Manhattan, Carl Carlton, et de plusieurs de ses adjoints. Il régnait autour d'eux l'atmosphère d'excitation caractéristique des grandes affaires, mais il fallait que celle-ci soit exceptionnelle pour que Carlton se déplace en personne un dimanche.

La police de Southampton avait transmis au FBI tous les indices d'importance retrouvés sur le lieu du crime. Dienphong avait été chargé de les faire parler, mais il s'était trouvé en butte à des difficultés inattendues.

Il examina attentivement son visiteur. Dienphong avait eu l'occasion de croiser pas mal d'agents du FBI au cours de sa carrière, mais celui-ci était différent de tous ceux qu'il connaissait.

Pendergast posa sur Dienphong son regard transparent.

— Ravi de faire votre connaissance, docteur Dienphong, déclara-t-il avec un accent sudiste prononcé.

— Enchanté, répliqua Dienphong en lui serrant la main.

— J'ai lu avec grand plaisir l'article que vous avez publié dans le *Journal médico-légal* sur la maturation des larves de mouches à viande prélevées sur des cadavres humains.

— Je vous remercie.

Dienphong n'avait jamais imaginé que l'on pût prendre plaisir à lire sa prose, mais après tout... Personnellement, il préférait de beaucoup les essais de Samuel Johnson.

— Je suis prêt, ajouta-t-il en désignant à ses visiteurs deux rangées de chaises métalliques disposées face à un écran de projection. Si vous le voulez bien, nous commencerons par une rapide présentation visuelle.

— Parfait.

Les agents du FBI prirent place dans un brouhaha de chuchotements et de chaises grinçantes, laissant

Carlton s'installer pesamment au premier rang à côté de Pendergast.

Sur un signe de son chef, l'assistant de Dienphong éteignit la lumière et alluma le projecteur.

— N'hésitez pas à m'interrompre si vous avez des questions, recommanda Dienphong en projetant le premier cliché. Je vous propose de commencer par les éléments les plus simples avant de nous intéresser à ceux qui le sont nettement moins. Vous voyez ici un peu du soufre retrouvé sur le lieu du crime, grossi cinquante fois. L'analyse chimique nous montre qu'il s'agit de soufre classique d'origine volcanique. Ce soufre a été chauffé et embrasé très rapidement par des moyens impossibles à déterminer. En brûlant, le soufre se combine avec l'oxygène de l'air et forme du dioxyde de soufre. Le SO_2 dégage une odeur extrêmement caractéristique que l'on retrouve par exemple lorsque l'on enflamme une allumette. Au contact de l'eau, le dioxyde de soufre se transforme ensuite en H_2SO_4, c'est-à-dire en acide sulfurique.

Une nouvelle image apparut à l'écran.

— Les fibres que l'on distingue sur cette photographie proviennent des vêtements de la victime. Vous remarquerez qu'elles sont piquetées et comme recroquevillées, rongées par l'acide sulfurique.

Dienphong passa successivement trois autres clichés.

— Au microscope, on remarque des altérations identiques sur les lunettes en plastique de la victime, de même que sur la peinture des murs et sur le vernis du plancher, à la suite de micro-projections de soufre.

— Êtes-vous en mesure de déterminer l'origine volcanique précise de ce soufre ? interrogea Pendergast.

— Il m'est extrêmement difficile de vous répondre. Il me faudrait comparer cet échantillon aux mil-

149

liers de types de soufre volcanique existant de par le monde. Un travail considérable, sans même parler de la difficulté qu'il y aurait à se procurer les échantillons nécessaires. Je puis tout de même vous dire que le taux élevé de silicone signale un soufre volcanique de type continental, et non océanique. Pour dire les choses simplement, ce soufre ne provient pas des îles Hawaï ou du fond d'une mer quelconque.

Pendergast acquiesça, le visage impénétrable.

— L'image suivante est une coupe microscopique de la brûlure en forme de pied fourchu relevée sur le plancher.

Dienphong projeta toute une série de clichés de la curieuse empreinte, puis il toussota. À partir de là, les choses se compliquaient.

— Vous noterez la profondeur de la brûlure, plus nette encore à un grossissement de 200 fois. Cette brûlure n'a pas été faite au fer rouge, poursuivit-il d'un air gêné, mais par des radiations intenses de type non ionisant, sans doute des ondes infrarouges de très courte portée qui ont pénétré le bois en profondeur.

Ainsi qu'il fallait s'y attendre, Carlton prit la parole.

— En clair, vous êtes en train de nous dire que le coupable ne s'est pas contenté de chauffer une empreinte et de l'appliquer sur le plancher, c'est bien ça ?

— Précisément. Le plancher n'est pas entré en contact direct avec une source de chaleur. La brûlure est le fait d'une radiation intense.

Carlton changea de position, et sa chaise gémit sous son poids.

— Attendez une seconde. Comment expliquez-vous ça ? demanda-t-il.

— Je n'explique rien, je me contente de décrire, rétorqua Dienphong en passant à l'image suivante.

Mais Carlton n'entendait pas le laisser s'en tirer à si bon compte.

— Vous voulez dire que cette empreinte a été réalisée à l'aide d'un rayon laser ?

— Il s'agit bien d'une radiation, mais je ne peux vous en dire davantage.

Carlton poussa un petit grognement.

— Ce qui nous amène à la croix, poursuivit Dienphong en cliquant sur une nouvelle image. Selon notre expert, il s'agit d'un crucifix toscan du XVII\ :superscript:`e` siècle tel qu'en portait couramment la noblesse de l'époque. Une croix d'or et d'argent fondus fabriquée à la main par un spécialiste de ce que l'on baptise en orfèvrerie des *lamelles fines*. La croix était enchâssée dans un morceau de bois précieux qui s'est calciné sous l'effet de la chaleur.

— Combien peut coûter un machin comme ça ? demanda Carlton, pour une fois avec à-propos.

— Je dirais dans les cent mille dollars du fait de la présence de pierres précieuses. Nous en avons retrouvé quatre-vingts au total. Je parle bien évidemment de la valeur marchande de cette croix avant qu'elle ne soit dans cet état.

Carlton émit un petit sifflement.

— On a retrouvé ce crucifix autour du cou de la victime, à même la peau. Sur ce cliché, on aperçoit la croix en situation, commenta Dienphong, faisant apparaître une photo qui provoqua chez son auditoire des réactions dégoûtées. On voit très bien que la croix a fondu sous l'effet d'une chaleur intense, brûlant l'épiderme. Vous noterez toutefois que les chairs situées à proximité ne présentent aucun signe de brûlure. Ce crucifix a été chauffé à l'aide de quelque chose qui l'a fait fondre sans pour autant altérer la peau à proximité. Maintenant, je serais bien incapable de vous dire ce qui a pu faire ça. C'est uniquement en fondant que le crucifix a brûlé les chairs de la victime.

Une autre photo apparut sur l'écran.

— Ceci est un grossissement réalisé à l'aide d'un microscope électronique. On remarque toute une série de cratères sur l'argent, mais *pas* sur l'or. Un phénomène que je n'arrive pas à m'expliquer. Selon l'hypothèse la plus probable, la croix a été soumise à des radiations intenses et prolongées, ce qui aurait eu pour effet de faire disparaître les électrons en surface, vaporisant littéralement une partie du métal. Ce processus semble avoir été plus efficace sur l'argent que sur l'or, sans que je puisse vous en dire davantage.

Carlton, agacé, se leva brusquement.

— Docteur, si vous pouviez éviter de jargonner, je crois que tout le monde vous en serait reconnaissant.

— Bien sûr, répliqua sèchement Dienphong. Concrètement, cela signifie que ce crucifix a été chauffé, mais pas son environnement immédiat. Sans doute à l'aide de radiations agissant sur les surfaces métalliques et non sur les matières organiques.

— Les mêmes radiations que pour l'empreinte du pied fourchu ?

— Très probablement, fit Dienphong, surpris de constater que Carlton n'était pas aussi bête qu'il paraissait.

Pendergast leva la main.

— Inspecteur ?

— Avez-vous retrouvé des traces de radiations dans d'autres endroits de la pièce ?

— Tout à fait. Les montants du lit en pin verni ont manifestement été soumis à l'action de la chaleur, de même que le mur lambrissé au-dessus de la tête de lit. La peinture s'est cloquée à plusieurs endroits.

À l'aide de la souris de son ordinateur, Dienphong accéda au menu et cliqua sur la légende d'une photo.

— Vous avez ici une coupe transversale du mur à cet endroit. On distingue très nettement quatre couches de peinture successives. Le plus curieux, c'est que seule la couche inférieure semble avoir souffert de la chaleur. Voyez ces cloques ici, et ici. Les couches de peinture plus récentes sont en revanche intactes.

— Avez-vous procédé à l'analyse de ces différentes couches de peinture ? demanda Pendergast.

Dienphong hocha la tête.

— La couche la plus ancienne serait-elle constituée de peinture à base de plomb, par hasard ?

Dienphong sursauta. Il avait pensé à tout, sauf à ça.

— Laissez-moi le temps de vérifier, fit-il en feuilletant précipitamment un épais rapport sur lequel était collée l'étiquette « Feux de l'enfer ».

Au FBI, la plupart des affaires importantes reçoivent un surnom. Celui-ci était assez mélodramatique, mais il avait le mérite d'être clair.

— Vous avez raison, dit-il en relevant les yeux quelques instants plus tard. Il s'agit bien d'une peinture au plomb.

— Ce qui n'est pas le cas des autres, je présume ?

— En effet.

— Ce qui tendrait à étayer l'hypothèse de radiations.

— Toutes mes félicitations, inspecteur, fit Dienphong d'un air admiratif.

C'était bien la première fois qu'un agent faisait preuve d'autant de perspicacité. Décidément, la réputation de ce Pendergast n'était pas usurpée.

— D'autres questions ? poursuivit Dienphong en se raclant la gorge.

Carlton leva la main.

— Oui ?

— Je ne comprends pas quelque chose. Comment ces radiations peuvent-elles avoir un effet sur la première couche de peinture sans affecter les autres ?

Pendergast se tourna vers son collègue.

— Tout simplement parce que le plomb de cette peinture a réagi aux radiations, tout comme les parties métalliques de la croix. À tout hasard, docteur, a-t-on retrouvé des traces de radioactivité lors de l'enquête ?

— Pas la moindre, répondit Dienphong avant de passer à une autre photo. Ceci est la dernière image que je souhaiterais vous montrer. Il s'agit d'une coupe du crucifix. Vous remarquerez que le métal a fondu de façon très localisée, ce qui exclut toute forme de chaleur par convection et tendrait à confirmer l'hypothèse des radiations.

— Quel type de radiation serait susceptible d'influer sur le métal sans affecter les matières organiques ? s'enquit Pendergast.

— Les rayons X, les rayons gamma, les micro-ondes, certains infrarouges et certaines ondes radio, sans parler des rayons alpha et des flux de neutrons élevés. Rien d'étonnant à cela. Ce qui me surprend en revanche, c'est l'intensité tout à fait inhabituelle de ces radiations.

Dienphong s'attendait à ce que Carlton lui réclame des explications, mais Pendergast fut plus rapide.

— La présence de cratères sur le métal du crucifix vous fait-elle penser à quelque chose en particulier ?

— Pas spécialement.

— Des suppositions ?

— Je ne fais jamais de suppositions, inspecteur.

— Un faisceau d'électrons ne pourrait-il pas provoquer un tel phénomène ?

— Si, mais un faisceau d'électrons nécessite le vide absolu. La présence d'air l'empêcherait de fonctionner. Comme je vous l'ai dit, il pourrait s'agir d'ondes infrarouges, de micro-ondes ou de rayons X, à ceci près que seul un émetteur de plusieurs tonnes pourrait générer un faisceau d'une telle intensité.

— J'entends bien. Dans un autre registre, que pensez-vous de la théorie avancée par le *New York Post* ?

Dienphong ne chercha pas à dissimuler son étonnement.

— Je vous avouerai que je n'ai pas l'habitude de me fier aux théories du *Post*.

— Ils prétendent que Grove a été victime du diable.

La réponse de Pendergast fut accueillie par un silence perplexe, suivi de quelques rires. Plus sérieux que jamais, l'inspecteur n'avait pourtant pas l'air de plaisanter.

— J'ai bien peur de n'être pas prêt à vous suivre sur ce terrain, inspecteur.

— Vraiment ? insista Pendergast.

Dienphong eut un petit sourire.

— À vrai dire, inspecteur, je suis de confession bouddhiste et, pour nous, le diable se cache uniquement dans le cœur des hommes.

18

Pendergast n'eut aucune peine à repérer l'ample silhouette d'Isidor Fosco parmi la foule qui se pressait aux portes du Metropolitan Opera House. Le comte, debout dans toute sa majesté face à la fontaine du Lincoln Center, formait un tableau particulièrement tapageur et Pendergast, traçant tant bien que mal sa route au milieu de la bousculade, ne tarda pas à le rejoindre. En ce soir de première où l'on donnait *Lucrezia Borgia* de Donizetti, des messieurs en smoking et des dames en rangs de perles babillaient tout autour d'eux. Le comte, plus replet que jamais, avait revêtu pour l'occasion un habit blanc de coupe assez traditionnelle auquel un superbe gilet de soie de Hong Kong gris et blanc donnait une touche de fantaisie. Il portait à la boutonnière un gardénia, son visage poupin était rasé et poudré à la perfection, et son épaisse crinière blanche retombait sur ses épaules en boucles élégantes. Quant à ses mains potelées, elles trouvaient une certaine grandeur dans une paire de gants de chevreau gris faits sur mesure.

— Mon cher Pendergast ! s'écria Fosco. J'espérais que vous viendriez en habit. J'ai du mal à comprendre comment les gens peuvent afficher des tenues aussi tristes un soir tel que celui-ci, fit-il en montrant d'un geste désinvolte les spectateurs endimanchés qui les entouraient. Par les temps qui courent, il ne reste guère que trois occasions de s'habiller : les mariages, les enterrements ou bien une première à l'opéra. Je vous avouerai que c'est de loin la troisième que je trouve la plus distrayante.

— Tout dépend du point de vue dans lequel on se place, répliqua Pendergast.

— Dois-je en déduire que vous êtes heureux en ménage ?

— Non, je faisais plutôt allusion à la deuxième occasion.

— Ah ! pouffa Fosco. Comme c'est bien dit, mon cher Pendergast. C'est encore sur son lit de mort que l'on a souvent le sourire le plus lumineux.

— Je pensais plus volontiers aux héritiers qu'au défunt.

— Quel esprit perfide vous faites ! Mais je crois qu'il est temps d'entrer. J'espère que cela ne vous dérangera pas d'assister à la représentation depuis l'orchestre. J'évite les loges autant que faire se peut, l'acoustique y est déplorable. Nous avons des places sur le centre droit de la rangée N. D'expérience, je puis vous assurer que ce sont les meilleures, en particulier les sièges 23 à 31. Mais allons rejoindre nos fauteuils.

Son énorme tête bien droite, le menton en avant, Fosco fendit la foule avec autorité sans un regard pour les ouvreuses qui lui tendaient un programme. Arrivé à l'extrémité de la rangée N, Fosco fit signe aux spectateurs déjà installés de se lever afin qu'il puisse rejoindre sa place sans encombre. Le comte avait réservé trois sièges pour lui tout seul, et il s'installa sur celui du milieu afin d'avoir le loisir d'étendre confortablement ses bras sur les fauteuils voisins.

— Vous ne m'en voudrez pas de ne pas m'asseoir à côté de vous, mon cher Pendergast, mais ma corpulence m'oblige à quelques concessions.

D'une main agile, il sortit de la poche intérieure de son frac des jumelles de nacre incrustées de pierreries qu'il mit sur le fauteuil situé à sa droite, avant de déposer de l'autre côté une lunette d'approche en laiton.

La salle se remplissait peu à peu dans le brouhaha animé caractéristique des premières. Dans la fosse, les musiciens accordaient leurs instruments et se déliaient les doigts en s'essayant à des bribes de partition.

Fosco se pencha vers Pendergast et posa sur son bras une main gantée.

— Aucun mélomane digne de ce nom ne saurait résister à *Lucrezia Borgia*. Mais... qu'avez-vous dans les oreilles ? s'étonna-t-il en regardant son compagnon. Ne me dites pas que vous avez mis des boules Quies ?

— Ce ne sont pas des boules Quies. De simples protège-tympans qui m'aident à supporter la musique lorsqu'elle est trop forte. J'ai l'ouïe exceptionnellement fine et j'avoue souffrir le martyre lorsque la rumeur ambiante dépasse le niveau d'une simple conversation. Mais n'ayez crainte, je n'entendrai que trop bien la musique.

— Que trop bien, dites-vous ?

— Monsieur le comte, je suis extrêmement sensible à votre invitation, mais ainsi que je vous l'ai déjà dit, je n'ai encore jamais été séduit par un opéra. Je trouve la musique incompatible avec la vulgarité de ce genre de spectacle. Ma préférence va de loin aux quatuors à cordes de Beethoven dont j'apprécie d'ailleurs moins la musique pure que le contenu intellectuel, je dois l'avouer.

Fosco fit la grimace.

— Que reprochez-vous donc au spectacle ? demanda-t-il en écartant les mains. La vie n'est-elle pas un spectacle ?

— Tout ce bruit, cette pompe, ces couleurs tapageuses, ces divas qui arpentent la scène en poussant des cris avant de se jeter du haut d'un rempart en carton-pâte. Je dois avouer que toutes ces péripéties ont une fâcheuse tendance à me distraire de la musique.

— Mais voilà précisément la beauté de l'opéra ! L'opéra est une véritable fête des sens, l'alliance merveilleuse du son et des couleurs. L'humour, la tragédie, la passion, la cruauté, l'amour, la trahison ! C'est tout cela, l'opéra !

— Je vous entends, comte, mais vous ne faites qu'apporter de l'eau à mon moulin.

— Votre tort, Pendergast, est de considérer l'opéra uniquement sous l'angle musical. L'opéra est bien davantage que la musique. C'est la *vie* ! Abandonnez-vous, laissez-vous emporter !

Pendergast eut un sourire en coin.

— Malheureusement, comte, j'ai bien peur de ne jamais m'abandonner.

Fosco lui tapota le bras.

— Vous portez un nom français, mais vous avez du sang anglais dans les veines. Ce sont les Anglais qui refusent d'extérioriser leurs sentiments, au prétexte qu'ils ont peur du ridicule. C'est d'ailleurs pour cette raison que les Anglais font d'excellents anthropologues et de fort mauvais musiciens. Purcell ! Et Britten !

— Vous oubliez un peu vite Haendel, me semble-t-il.

— C'était un immigré allemand, persifla Fosco. Mais vous me voyez ravi de vous avoir invité ce soir, Pendergast. Je ne doute pas de parvenir à vous faire changer d'avis.

— À ce propos, comment vous êtes-vous procuré mon adresse de Riverside Drive ?

Un sourire triomphant illumina le visage du comte.

— Rien de plus simple. Je me suis rendu au Dakota où j'ai mené ma petite enquête.

— C'est curieux. Ils ont pour instruction de ne communiquer à personne mon autre adresse.

— Sans doute, mais qui résisterait à Fosco ? Je vous l'ai déjà dit, je m'intéresse depuis toujours à votre profession pour avoir lu tous les grands classiques, de Sir Arthur Conan Doyle à Dickens et Poe, sans oublier le sublime Wilkie Collins. Avez-vous lu *La Femme en blanc* ?

— Bien sûr.

— Un chef-d'œuvre. Dans une prochaine vie, je me promets de devenir détective. Si vous saviez à quel point l'existence d'un comte de vieille noblesse peut être ennuyeuse !

— Rien ne vous empêche d'être comte et détective.

— Bien dit ! D'autant que la profession de détective s'ouvre aujourd'hui à toutes les catégories sociales, des lords anglais aux policiers navajos. Alors, pourquoi pas un lointain héritier de Dante et de Béatrice ? Je vous l'avoue, le meurtre de Grove me fascine littéralement, et pas uniquement pour avoir assisté à la cène finale, si vous me permettez ce mauvais jeu de mots. C'était il y a tout juste une semaine. J'en suis désolé pour ce pauvre Grove, bien évidemment, mais quel mystère formidable ! N'hésitez pas à faire appel à moi si je puis encore vous être utile.

— C'est très aimable à vous, mais il y a peu de chances que j'aie recours à vos services.

— Fort bien. Mais, en tant qu'ami, n'hésitez pas à me solliciter si mes connaissances artistiques ou musicales peuvent vous être utiles. Ou bien encore si vous avez besoin de puiser dans mon carnet d'adresses. J'ose espérer vous avoir déjà aidé dans ce domaine en répondant à vos questions sur ce dîner chez Grove.

— Je vous en suis très reconnaissant, croyez-le bien.

— C'est moi qui vous remercie, fit le comte en battant des mains comme un enfant.

Les lumières s'éteignirent, les conversations s'arrêtèrent et Fosco, les yeux brillants, se tourna vers la scène. Le temps pour les musiciens de s'accorder une dernière fois et le chef d'orchestre fit son entrée sous les applaudissements. Il s'avança, leva sa baguette et les premières notes de l'ouverture de *Lucrezia Borgia* retentirent.

Emporté par la musique, le visage rayonnant, Fosco suivait de la tête la moindre inflexion de la partition, mais il ne put cacher son agacement lorsque quelques applaudissements saluèrent le lever de rideau à l'orée du premier acte.

Se servant tour à tour de sa lunette et de ses jumelles, le comte buvait littéralement chacune des répliques des chanteurs, foudroyant le public du regard lorsqu'il manifestait bruyamment son appréciation d'une aria célèbre. À l'inverse du reste de la salle, le comte s'enflammait pour les pages musicales les plus complexes qu'il applaudissait silencieusement, ses mains gantées levées, en murmurant *Brava*. Son exaltation et sa parfaite connaissance de l'œuvre, renforcées par sa présence monumentale, eurent bientôt un effet contagieux sur ses voisins qui se mirent en devoir de manifester leur enthousiasme à l'unisson de ses élans, au point que la rangée N de l'orchestre semblait donner le *la* de l'intuition du public.

Le premier acte s'acheva sous un tonnerre de hourras et les *bravi !* particulièrement véhéments de Fosco attirèrent même l'attention du chef d'orchestre. Le tumulte s'éteignait lorsque Fosco, à bout de souffle, se tourna vers Pendergast en s'épongeant le front à l'aide d'un immense mouchoir.

— Vous voyez bien que j'avais raison ! s'écria-t-il, au comble du ravissement. Vous commencez à y prendre plaisir !

— Qu'est-ce qui vous fait dire cela ?

— Fosco voit tout, mon cher ami ! Je vous ai vu hocher la tête en mesure il y a tout juste quelques instants lorsque Duca chantait *Vieni ! La mia vendetta*.

Pendergast ne répondit pas, se contentant d'incliner légèrement la tête alors que les lumières revenaient et que les premiers spectateurs se levaient à la faveur de l'entracte.

19

Nigel Cutforth repoussa sa couette et s'assit dans son lit. Eliza, furieuse de le voir partir en Thaïlande sans elle, avait préféré passer la nuit chez une amie à Greenwich Village. Bon débarras.

Sur sa table de nuit, les diodes rouges de son réveil affichaient 10 : 34. Seulement. Putain de merde ! Son avion ne décollait qu'à 6 heures le lendemain matin et il avait voulu se coucher de bonne heure après avoir avalé deux doigts de gin, histoire d'arriver à dormir. Il avait eu toutes les peines du monde à trouver le sommeil et voilà qu'il se réveillait avec des palpitations. Il régnait une chaleur étouffante dans l'appartement, et il voulut créer un semblant de courant d'air en s'éventant à l'aide de sa couette. Ne parvenant qu'à remuer de l'air chaud, il alluma la lumière en pestant, prêt à se lever. À ce train-là, il lui faudrait au moins une semaine de plus en Thaïlande pour évacuer la fatigue, sans parler du décalage horaire. Pourtant, il se voyait mal rester une semaine de plus loin de New York, surtout dans un métier comme le sien où il suffisait de tourner le dos pour qu'un autre cherche à prendre votre place.

Il se dirigea pesamment vers le thermostat afin de s'assurer que le chauffage était bien coupé. L'aérateur était froid au toucher, mais le thermomètre indiquait 30 degrés.

Grove aussi s'était plaint de la chaleur.

Cutforth tenta de se rassurer en se disant qu'on était au XXIe siècle et que ce cinglé de Grove avait dû perdre la boule sur la fin. Tirant les doubles rideaux, il ouvrit la porte coulissante donnant sur la nuit et fut accueilli par la fraîcheur de la brise d'octobre. Il respira longuement et s'avança sur le balcon. Il commençait déjà à se sentir mieux, rassuré par la rumeur de la circulation. Les gratte-ciel de Midtown formaient un rempart scintillant dans la nuit et la 5e Avenue, avec sa colonne vertébrale de phares blancs et rouges, s'écoulait comme un long fleuve tranquille trois cents mètres en contrebas. Il s'emplit une dernière fois les poumons et décida de rentrer, chassé par un frisson. La chaleur était plus étouffante que jamais dans l'appartement et Cutforth ressentit des picotements désagréables au niveau des bras, du visage et des cheveux. Une sensation inconnue de chaud et de froid l'envahit soudainement.

Il était manifestement en train de tomber malade. Sans doute un début de grippe.

Il enfila une paire de chaussons et sortit de la chambre avec l'intention d'avaler un petit remontant dans le salon. Au comble de l'énervement, il ouvrit brutalement la porte du placard à alcools et saisit la bouteille de Bombay Sapphire dont il se versa une rasade généreuse avant d'ajouter quelques olives et des glaçons. Pour faire bonne mesure, il avala successivement un Xanax, trois Tylenol, cinq comprimés de vitamine C, deux gélules d'huile de saumon, une gélule de sélénium et trois comprimés de calcium qu'il chassa avec quelques lampées de gin, puis il se servit un deuxième verre et s'approcha des baies vitrées dominant Park Avenue et Madison. Au loin, on apercevait Roosevelt Island et la silhouette du pont de la 59e Rue, avec la tache sombre du Queens à l'arrière-plan.

Cutforth avait le plus grand mal à se concentrer. Tout son corps le démangeait et il avait la curieuse impression d'être couvert d'araignées venimeuses. Ou encore d'avoir une tenue d'apiculteur et de servir de terrain de jeu à un essaim d'abeilles.

Pourquoi s'inquiéter ? Grove était complètement fêlé, c'est pour ça qu'il était mort. Pas étonnant, avec la vie qu'il menait. Surtout, ne pas penser à cette vieille histoire, à cette nuit où...

Il avala une gorgée de gin, s'obligeant à oublier. Sous l'effet de l'alcool, les somnifères commençaient déjà à agir, sans pour autant chasser ses démangeaisons. Il passa la main sur son bras : sa peau était brûlante, et rêche comme du papier de verre.

Grove s'était plaint d'avoir trop chaud. Il lui avait également parlé de cette horrible odeur de soufre.

Il vida son verre d'une main tremblante. *Pas de parano, mon petit Nigel.* Il avait un début de grippe, voilà tout. Il ne s'était pas encore fait vacciner et la grippe devait être précoce cette année. Génial, juste au moment où il partait en Thaïlande.

— Et merde, dit-il à voix haute.

Il n'avait plus rien à boire. Un petit troisième ne pouvait pas lui faire de mal. Il prit la bouteille et se servit une généreuse rasade de gin.

Me voici.

Cutforth se retourna : personne.

Qui était là ? Il avait entendu une voix, ou plutôt un murmure, comme une vibration qui lui avait traversé le corps.

— Qui est là ? demanda-t-il en passant la langue sur ses lèvres sèches.

Pas de réponse.

Il se retourna, renversant la moitié de son verre sur ses doigts crispés. C'était impossible. Il n'avait jamais cru à toutes ces conneries, et il n'allait pas changer d'avis aujourd'hui. Dieu n'existait pas, le diable encore moins, la vie n'était qu'une longue suite de hasards et l'éternité une invention de tarés.

Maledicat dominus.

Cutforth sursauta violemment. Qu'est-ce que c'était que ça ? On aurait dit du latin ! Quelqu'un était en train de lui faire une mauvaise blague, mais qui ? Un de ces connards de rappeurs ? Ou bien alors l'un des artistes qu'il avait laissés tomber ? Pourquoi pas ce chanteur haïtien qui avait promis de se venger ? À tout coup, ce salopard avait décidé de lui foutre la trouille et de lui faire avoir un infarctus en lui montant un plan vaudou quelconque avec des potes.

— C'est bon, assez rigolé ! cria-t-il. Arrêtez vos conneries, maintenant.

Pas de réponse.

Loin de s'apaiser, ses démangeaisons avaient repris de plus belle. Il se passait vraiment quelque chose de bizarre.

Grove avait raison. Ils allaient tous y passer.

Il porta son verre à la bouche d'une main tremblante et avala une longue gorgée sans rien sentir.

Toute cette histoire était grotesque. Qui pouvait encore croire à des trucs pareils au XXIᵉ siècle ? Grove était cinglé, Grove était cinglé, Grove était cinglé ! Et pourtant... Tous ces détails dans le journal. Les flics n'avaient pas voulu dire grand-chose, mais les journaux s'étaient fait un malin plaisir de décrire le corps brûlé de l'intérieur, et l'empreinte de Lucifer sur le plancher.

Et si c'était vrai ? Après toutes ces années ?

Le verre de gin lui échappa des mains et il regarda désespérément autour de lui. Avant de mourir, sa mère lui avait bien donné un crucifix, mais il ne savait pas ce qu'il en avait fait. Il l'avait encore vu le mois dernier, mais où ? Cutforth se précipita dans sa chambre, ouvrit à la volée les portes du dressing et arracha un tiroir qui tomba par terre dans une pluie de boutons de manchettes, d'épingles de cravate et de pièces de monnaie.

Pas le moindre crucifix. *Putain ! Mais il est où, ce con ?*

Il ouvrit un deuxième tiroir, puis un troisième, dispersant montres, gourmettes et bagues entre deux sanglots.

Mon crucifix !

Cutforth arracha du tiroir la croix de sa mère qu'il serra contre lui d'une main en se signant de l'autre.

Les démangeaisons redoublaient, comme des milliers de piqûres d'abeilles.

— Arrière ! Allez-vous-en ! sanglota-t-il. *Notre père qui êtes aux cieux...*

Et merde ! Il avait oublié la suite.

Le crucifix était brûlant entre ses doigts, ses oreilles bourdonnaient, il avait l'impression d'avoir avalé un tombereau de cendres et il commençait à étouffer.

Me voici.

Cutforth agitait son crucifix dans tous les sens, chassant un ennemi invisible.

— Arrière, Satan ! hurla-t-il.

Le crucifix lui brûlait les doigts, son pyjama lui collait à la peau, ses sourcils et ses cheveux étaient en feu.

— Arrière !

Soudain, il lâcha le crucifix avec un cri terrible. À son épouvante, un nuage de fumée s'éleva du bijou, laissant sur la moquette une trace en forme de croix. Il étouffait, à demi asphyxié par l'odeur de soufre qui envahissait la pièce.

S'enfuir, partir de là, trouver un refuge, une église, une chapelle, n'importe quoi, mais lui échapper...

Il se rua sur la porte, mais quelqu'un frappa au moment où il allait tourner la poignée.

Cutforth se pétrifia, entre terreur et soulagement. Qui pouvait bien toquer à cette heure-là ?

Et si un incendie s'était déclaré dans l'immeuble ? Mais bien sûr ! Il y avait le feu quelque part et on venait le prévenir. Sans doute un problème avec les extincteurs.

— Je suis là ! fit-il entre deux sanglots.

Il voulut saisir la poignée, mais le métal était brûlant et il retira aussitôt sa main.

— *Putain, c'est chaud !*

Les yeux écarquillés, Cutforth vit sa main se crevasser et un mélange de sang et de graisse liquide s'écouler en fumant de sa paume craquelée. Sur la poignée de porte chauffée à blanc, un énorme lambeau de chair brûlait en exhalant une odeur infecte de poulet grillé.

De l'autre côté de la porte, on frappa à nouveau sur un rythme inquiétant.

— À l'aide ! hurla Cutforth. Au feu !

Une douleur fulgurante le traversa, comme si on l'écorchait vif. Cette fois, le doute n'était plus permis. *Il* l'attendait de l'autre côté de la porte. Les intestins tordus, Cutforth se recroquevilla sur lui-même en poussant un cri abominable. Il recula en titubant et un voile rouge lui obscurcit la vue. La douleur était insoutenable. Son ventre n'était plus qu'un volcan en éruption, sa tête une bouilloire prête à exploser.

Il se roula par terre avec un cri inhumain, les jambes prises d'un tremblement frénétique. De ses doigts meurtris et sanguinolents, il voulut s'arracher la peau du visage, étouffer le feu qui lui brûlait les entrailles, mais il était trop tard...

Me voici.

20

Allongée dans son lit, les yeux grands ouverts, Laetitia Dallbridge tendit l'oreille. Livide de rage, elle se leva d'un bond, enfila sa robe de chambre, déplia ses lunettes, les posa sur le bout de son nez et jeta un regard furibond au cadran de son réveil : 11 h 15. C'était tout simplement intolérable.

Les lèvres pincées, elle prit le téléphone et composa un numéro sur la ligne intérieure. Le gardien de nuit lui répondit aussitôt.

— Bonsoir, madame Dallbridge. Que puis-je pour votre service ?

— Je vais vous dire ce que vous pouvez pour mon service, Jason. Vous allez appeler immédiatement le propriétaire de l'appartement juste au-dessus de ma tête, le 17B. Je ne sais pas ce qui se passe là-haut, mais il n'arrête pas de taper par terre et j'entends des cris. C'est déjà la deuxième fois ce mois-ci que je suis obligée de me plaindre. Je ne suis plus toute jeune et je n'ai pas à supporter un potin pareil en plein milieu de la nuit.

— Très bien, madame Dallbridge. Je m'en occupe tout de suite.

— Et je vous préviens, je compte bien en parler à la prochaine réunion des copropriétaires.

— Je vous comprends, madame Dallbridge.

— Je vous remercie, Jason.

La vieille dame raccrocha le téléphone et attendit. Les coups étaient moins violents à présent. Moins réguliers aussi. On aurait même dit que les cris s'étaient arrêtés, mais elle savait d'avance que tout ce cirque ne tarderait pas à reprendre. C'était chaque fois la même chose. Cet abominable producteur de disques devait encore faire la fête. Ils passaient leur temps à danser et à boire là-haut, sans parler de la drogue et du reste. Un soir de semaine, par-dessus le marché. Elle serra sa robe de chambre contre elle, sachant déjà qu'elle n'arriverait plus à retrouver le sommeil. Pas à son âge.

Elle se dirigea vers la cuisine en passant par le salon, mit la bouilloire à chauffer, sortit une théière en argent dans laquelle elle déposa trois sachets de camomille et attendit que l'eau se mette à bouillir. Puis elle retira la casserole du feu, versa l'eau dans la théière sur laquelle elle glissa un couvre-théière afin de garder sa tisane au chaud le plus longtemps possible. Deux toasts beurrés complétèrent cet en-cas nocturne qu'elle rapporta dans sa chambre.

Elle regarda le plafond d'un air courroucé, se remit au lit et se versa une tasse de camomille. La chaleur parfumée de la tisane ne tarda pas à calmer ses nerfs. À quoi bon se faire un ulcère pour si peu ? La vie est déjà assez courte comme ça. D'autant que tout avait l'air calme au-dessus de sa tête. N'empêche, elle allait faire ce qu'il fallait pour que ça ne se reproduise plus.

Un léger crépitement lui fit dresser l'oreille. Voilà qu'il commençait à pleuvoir. Il lui faudrait penser à prendre son Burberry en sortant demain matin...

Le crépitement s'intensifia et une odeur de bacon brûlé parvint jusqu'à ses narines. Une odeur désagréable, insistante, qui envahissait peu à peu la chambre. La vieille dame renifla, se demandant si elle avait bien éteint le gaz dans la cuisine et si...

Plop ! Une goutte d'un liquide gras tomba dans sa tasse en l'aspergeant, suivie de plusieurs autres.

En l'espace de quelques secondes, sa robe de chambre et son couvre-lit de satin étaient tout tachés. Elle leva la tête et vit avec horreur une auréole sombre au plafond. La tache s'élargissait à vue d'œil, laissant sur la peinture une marque luisante et grasse.

Laetitia Dallbridge se rua sur le téléphone et composa à la hâte le numéro du gardien de nuit.

— Oui, madame Dallbridge ?

— Il y a une fuite dans l'appartement du dessus ! hurla-t-elle dans le combiné. Ça passe à travers le plafond de ma chambre !

— J'envoie quelqu'un tout de suite et je coupe l'eau du 17B, madame Dallbridge.

— C'est un scandale ! Si vous voyiez l'état de mon beau couvre-lit anglais ! Il est fichu ! Complètement fichu !

Le liquide nauséabond filtrait du plafond en plusieurs points, souillant les moulures et ruisselant à grosses gouttes sur le lustre vénitien, les chaises Louis XV et la commode chippendale. Le combiné toujours vissé à l'oreille, la vieille dame se pencha et posa un doigt inquisiteur sur le liquide brunâtre maculant sa tasse. On aurait dit de la cire fondue, ou du suif. Elle retira aussitôt son doigt d'un air dégoûté.

— Mais ce n'est pas de l'eau ! s'écria-t-elle. On dirait de la graisse !

— De la *graisse* ? lui fit écho la voix du gardien dans le combiné.

— Il pleut de la graisse dans mon appartement !

À l'autre bout du fil, un brouhaha se fit entendre et la voix du gardien résonna brusquement, affolée :

— L'alarme vient de se mettre en route. Il est possible qu'un incendie se soit déclaré dans l'appartement du dessus, madame Dallbridge. Ne sortez surtout pas de chez vous et, si vous apercevez de la fumée sous la porte, servez-vous d'une serviette mouillée pour l'empêcher d'entrer en attendant que nous vous donnions...

Le hurlement de l'alarme à incendie dans le couloir empêcha Laetitia Dallbridge d'entendre la fin de la phrase, et une sirène se mit en route dans son propre appartement. Elle lâcha le combiné et se couvrit les oreilles alors que les diffuseurs du système anti-incendie se mettaient en marche.

Pétrifiée de terreur, la vieille dame n'osait plus bouger. Soudain, un véritable déluge s'abattit sur elle, détrempant sa robe de chambre, son couvre-lit et ses draps tandis que, dans le plateau posé en équilibre sur ses genoux, sa tasse se remplissait en un clin d'œil d'eau sale et glacée.

21

La puanteur qui enveloppait l'appartement avertit D'Agosta de ce qui l'attendait dans la chambre. Il s'était couché tard après avoir rédigé le rapport de son agression à Riverside Park, et, s'il était à demi endormi en arrivant chez Cutforth, l'odeur avait suffi à le réveiller. Du coup, il ne sentait même plus ses courbatures et ses genoux écorchés.

D'Agosta avait vu dans sa carrière un certain nombre de cadavres peu ragoûtants, mais rien n'aurait pu le préparer à la scène d'horreur qu'il découvrit au pied du lit. La chose informe qui reposait là était de toute évidence un corps humain, mais jamais il n'avait vu un tel magma d'organes calcinés jaillissant d'un tronc monstrueusement déformé, béant du pubis au sternum. Le sergent saisit machinalement la croix qu'il portait sous sa chemise. S'il existait réellement, le diable ne s'y prendrait pas autrement...

En jetant un coup d'œil en direction de Pendergast, il constata que l'inspecteur était plus pâle encore que d'habitude. Pour une fois, son empressement à toucher et à renifler la victime semblait l'avoir abandonné. Raide comme la justice dans son smoking, il semblait hébété.

Le spécialiste de l'identité judiciaire chargé de prélever les poussières accumulées sous les ongles du mort s'affairait à quatre pattes autour de la dépouille grotesque de Cutforth, armé d'une pince à épiler et d'une batterie de tubes à essai. Lui non plus n'avait pas l'air d'être dans son assiette, ce qui en disait long sur l'atrocité du spectacle.

Le médecin légiste passa la tête dans la pièce.

— Terminé ?

— Oui, Dieu merci.

Pendergast exhiba son badge.

— Excusez-moi, docteur, mais m'autoriserez-vous à vous poser quelques questions ?

— Allez-y.

— Avez-vous pu établir la cause du décès ?

— Pas encore. Le corps a été soumis à une très forte chaleur. On dirait même qu'il a brûlé, mais je n'ai aucune idée de ce qui a pu provoquer ça.

— A-t-on fait usage de produits inflammables ?

— Pas à première vue. Mais ce n'est pas la seule bizarrerie que j'aie pu constater. Vous remarquerez en particulier l'absence de toute réaction de type pugilistique : pas la moindre contraction des muscles des bras couramment constatée chez les grands brûlés. Vous noterez également les fractures osseuses dues aux effets de la chaleur aux extrémités des membres. Les os ont même été calcinés. Il aura fallu une chaleur incroyable pour provoquer de telles lésions. Une chaleur bien supérieure au seuil de combustion. Le plus curieux, c'est qu'on ne constate aucun phénomène de flash-over dans la pièce. Seul le corps semble avoir été soumis à une chaleur intense.

— De quel type de chaleur pourrait-il s'agir ?

Le médecin secoua la tête.

— À ce stade, aucune idée.

— Combustion humaine spontanée ?

— Vous voulez dire... comme ce qui est arrivé à Mary Reeser ? demanda le médecin, interloqué.

— Vous avez donc entendu parler de ce cas ?

174

— Bien sûr, c'était un cas d'école célèbre quand je faisais mes études de médecine, mais il s'agit d'une vaste fumisterie. Si mes souvenirs sont exacts, le FBI s'était occupé de l'affaire, c'est bien ça ?

— En effet. À en croire nos archives, de tels cas de CHS n'auraient rien d'une vaste fumisterie, comme vous dites.

Le médecin émit un rire désabusé.

— C'est fou ce que vous aimez les abréviations, au FBI ! railla-t-il. À ma connaissance, monsieur Pendergast, vous ne trouverez aucune référence à votre « CHS » dans les traités de médecine.

— Au risque de vous contrarier, docteur, vos traités de médecine sont bien imparfaits au regard des mystères de la vie, dont fait partie la combustion humaine spontanée. Mais je ne manquerai pas de vous faire parvenir une copie du dossier Reeser, pour votre gouverne.

— Si ça vous amuse, laissa tomber le médecin avant de s'éclipser en compagnie du technicien de la criminelle, abandonnant Pendergast et D'Agosta en tête à tête avec le mort.

Le sergent aurait donné n'importe quoi pour ne plus voir le cadavre. Se reprenant, il nota sur un petit carnet d'une main tremblante : *23 octobre, 2 h 20 du matin, 842 5ᵉ Avenue, Appartement 17B, Cutforth.* À cause de l'odeur, il était obligé de respirer par la bouche, et il se promit de ne plus jamais sortir de chez lui sans un tube de Vicks VapoRub.

Les inspecteurs de la criminelle interrogeaient l'un des préposés à l'entretien de l'immeuble, dans le salon, le plus loin possible de la chambre. D'Agosta s'était fait discret en arrivant, de peur que l'un de ses anciens collègues ne le voie avec son uniforme de la police de Southampton et ses galons de sergent.

Incapable de se concentrer sur ses notes, D'Agosta releva la tête et constata que Pendergast, surmontant sa répugnance, examinait à quatre pattes le corps. Un tube de verre et une pince à épiler à la main, il effectuait ses propres prélèvements avec d'infinies précautions. Puis le sergent le vit s'approcher du mur et observer à la loupe une curieuse tache. D'Agosta n'avait jamais compris comment Pendergast pouvait trimbaler autant de trucs dans ses poches.

L'inspecteur s'attarda si longuement sur la tache que D'Agosta, intrigué, s'approcha à son tour. La peinture était cloquée à cet endroit précis du mur. Aucune empreinte de pied fourchu cette fois, mais une silhouette étrange qui donna la chair de poule au sergent. Le contour de la tache était flou, mais on aurait juré que... Sans doute le fruit de son imagination.

Pendergast se retourna.

— Vous aussi, vous le voyez ?

— Il me semble, oui.

— Que voyez-vous, précisément ?

— On dirait un visage.

— Quelle sorte de visage ?

— Un visage horrible, avec des lèvres charnues, des yeux énormes et une bouche grande ouverte, prête à mordre.

— Ou bien prête à avaler.

— Exactement.

— La ressemblance est frappante avec la fresque de Vasari représentant le diable avalant les pécheurs, que l'on peut voir dans la coupole du *Duomo* de Florence.

— Si vous le dites.

Pendergast, songeur, recula d'un pas.

— Je suppose que vous connaissez l'histoire de Faustus, sergent ?

— Faustus ? Vous voulez dire Faust ? Celui qui a vendu son âme au diable ?

Pendergast acquiesça.

— Il existe de nombreuses variantes de cette légende, pour la plupart rapportées dans des manuscrits de l'ère médiévale. Chaque auteur propose sa version des choses, mais la mort de Faustus ressemble à s'y méprendre à celle de Mme Mary Reeser.

— L'affaire dont vous parliez avec le médecin légiste ?

— Précisément. Un cas de combustion humaine spontanée, ce que l'on appelait *le feu intérieur* au Moyen Âge.

D'Agosta hocha machinalement la tête. Il avait un mal de crâne épouvantable.

— Nous en avons un exemple caractéristique avec ce Nigel Cutforth, plus encore que dans le cas de Grove.

— Vous n'êtes tout de même pas en train de me dire que ce type a été victime du diable ?

— Je n'émets aucune hypothèse, sergent. Je me contente d'énoncer les faits.

D'Agosta fut parcouru d'un long frisson, et il caressa la croix qu'il portait autour du cou.

— Bonsoir, messieurs, fit derrière eux une voix féminine grave et posée.

D'Agosta se retourna et vit sur le seuil de la chambre une jeune femme en costume gris à rayures, des galons de capitaine cousus sur le col de sa chemise blanche. Petite, mince avec des rondeurs, des cheveux très noirs encadrant un visage aux traits délicats, des yeux d'un bleu profond, elle avait à peine trente-cinq ans, ce qui était étonnamment jeune pour occuper un tel poste au sein de la brigade criminelle. D'Agosta l'avait déjà vue quelque part, et son estomac se contracta. Lui qui avait cru pouvoir échapper à ses anciens collègues...

— Capitaine Hayward, se présenta-t-elle en le regardant droit dans les yeux.

Aucun doute, elle l'avait également reconnu.

— Je sais que vous vous êtes déjà présentés en arrivant, poursuivit-elle, mais je serais curieuse de voir vos badges.

— Avec plaisir, rétorqua Pendergast en sortant le sien d'un geste élégant.

Hayward s'en empara et l'examina longuement.

— Enchantée, monsieur Pendergast.

— Tout le plaisir est pour moi, capitaine Hayward, répondit l'inspecteur avec une courbette. Ravi de vous revoir. Permettez-moi de vous féliciter pour votre promotion.

Hayward laissa glisser le compliment et se tourna vers le sergent. Mais, au lieu de saisir le badge qu'il lui tendait, elle le fixa de ses yeux bleus.

La mémoire était revenue à D'Agosta en entendant la jeune femme se présenter. Laura Hayward avait travaillé dans son service autrefois. Elle était en fin d'études et rédigeait un mémoire sur les SDF ayant élu domicile dans les galeries du métro. Lors de l'affaire Pamela Wisher, il avait le grade de lieutenant et elle était sergent. Son cœur se serra dans sa poitrine.

— Vous êtes le lieutenant Vincent D'Agosta, c'est bien ça ? interrogea la jeune femme.

— Je suis redevenu sergent, répondit-il en rougissant, sans autre explication.

La situation était suffisamment humiliante comme ça.

— Sergent ? s'étonna-t-elle. Vous n'appartenez plus au NYPD ?

— Non, je travaille pour la police de Southampton, à Long Island. Je suis actuellement en détachement auprès du FBI dans le cadre de l'affaire Grove.

Il serra sans conviction la main qu'elle lui tendait. Une main chaude et légèrement moite, signe qu'elle n'était pas aussi désinvolte qu'on aurait pu le croire.

— Ravie de travailler à nouveau avec vous, dit-elle d'une voix claire.

D'Agosta lui fut reconnaissant de ne pas lui poser de questions indiscrètes.

— J'ai eu l'occasion d'apprécier votre professionnalisme par le passé, intervint Pendergast.

— Merci du compliment. Si je puis me montrer franche à mon tour, j'ai eu l'occasion de constater par le passé que vous n'étiez pas du genre à vous embarrasser des problèmes de hiérarchie et des règles de procédure.

— Je vois que vous me connaissez bien, répliqua Pendergast sans se démonter.

— Dans ce cas, autant mettre les choses au point tout de suite.

— Bien volontiers.

— C'est moi qui suis chargée de cette affaire. À moins d'une urgence, pas question de faire un pas sans m'en parler, et interdiction formelle de vous entretenir avec la presse sans mon feu vert. Vous n'avez peut-être pas l'habitude de travailler comme ça, mais ici, c'est moi qui décide.

— Nous sommes d'accord, acquiesça Pendergast.

— Le FBI a la réputation de ne pas toujours se montrer fair-play avec la police locale et je vous préviens tout de suite que ça ne se passera pas comme ça avec moi. Pour commencer, je ne suis pas la « police locale ». Je représente la brigade criminelle du NYPD et j'entends travailler sur un pied d'égalité avec le FBI.

— Assurément, capitaine.

— Vous pouvez compter sur moi pour que cette égalité soit réciproque.

— Je n'en attendais pas moins de vous.

— Personnellement, j'obéis toujours au règlement, même lorsque le règlement est absurde, tout simplement parce que c'est la seule façon de s'assurer que les coupables soient condamnés. Dans cet État, le moindre faux pas et le coupable est acquitté.

— Je ne puis que vous donner raison sur ce point.

— Je vous attends demain matin à 8 heures au 16ᵉ étage du One Police Plaza avec le lieutenant... je veux dire le sergent D'Agosta. Rendez-vous même lieu et même heure chaque mardi jusqu'à la fin de l'enquête. Et pas d'entourloupe, nous jouons cartes sur table.

— Demain matin, 8 heures, répéta Pendergast.

— Je m'occupe du café et des viennoiseries.

Une ombre passa sur le visage de Pendergast.

— Si vous n'y voyez pas d'inconvénient, capitaine, je préfère prendre mon petit déjeuner avant de venir.

Hayward regarda sa montre.

— De combien de temps avez-vous encore besoin ?

— Cinq minutes tout au plus. Possédez-vous des informations que nous n'avons pas ?

— La vieille dame qui habite juste en dessous est notre unique témoin, si l'on peut parler de témoin. Le meurtre a eu lieu peu après 23 heures. Il semble qu'elle ait entendu la victime crier et se débattre, mais elle était persuadée qu'il avait organisé une fête chez lui, précisa-t-elle avec un petit sourire. Le bruit s'est calmé et ce n'est qu'à 23 h 22 qu'un liquide gras et visqueux s'est mis à filtrer à travers le plafond. Il s'agissait apparemment des tissus adipeux de la victime qui avaient fondu.

Les tissus adipeux de la victime qui avaient fondu. D'Agosta allait noter la formule lorsqu'il se reprit. À quoi bon noter ? Il ne risquait pas d'oublier un détail aussi scabreux.

— À peu près au même moment, les alarmes à incendie et les sprinklers se sont déclenchés, respectivement à 23 h 24 et à 23 h 25. L'équipe chargée de l'entretien de l'immeuble s'est immédiatement rendue sur place et elle a trouvé la porte verrouillée. Comme personne ne répondait et qu'une odeur nauséabonde émanait de l'appartement, les types ont ouvert à l'aide de leur passe à 23 h 29 et ils ont découvert la victime dans cet état. Lorsque nous sommes arrivés un quart d'heure plus tard, il faisait près de quarante degrés dans l'appartement.

D'Agosta et Pendergast échangèrent un coup d'œil.

— Qu'en est-il des autres voisins ? demanda le sergent.

— Le voisin du dessus n'a rien entendu jusqu'à ce que l'alarme se mette en route, mais il s'est plaint de l'odeur. Quant à l'autre appartement situé à cet étage, il a récemment été racheté et il est encore inoccupé. Le nouveau propriétaire est un Anglais du nom d'Aspern.

Elle sortit un carnet de l'une des poches de sa chemise et gribouilla quelques mots sur une feuille qu'elle tendit à Pendergast.

— Vous trouverez ici les noms de tous les voisins. M. Aspern se trouve actuellement en Angleterre, M. Roland Beard est le propriétaire de l'appartement du dessus et Laetitia Dallbridge habite juste en dessous. Vous souhaitez les interroger ?

— Ce ne sera pas nécessaire.

Pendergast observa un instant son interlocutrice avant de se tourner vers la curieuse marque sur le mur.

La jeune femme esquissa un sourire mystérieux.

— Je vois que ça ne vous a pas échappé, laissa-t-elle tomber.

— En effet. Votre opinion ?

— N'est-ce pas vous, monsieur Pendergast, qui m'avez un jour mise en garde contre les hypothèses prématurées ?

L'inspecteur lui répondit par un sourire.

— Je constate que vous connaissez votre métier.

— Il faut croire que j'ai eu un bon maître, répliqua-t-elle en regardant D'Agosta.

Un court silence ponctua sa remarque.

— Messieurs, je vous laisse, finit-elle par dire.

Elle avait à peine tourné les talons que Pendergast planta ses yeux dans ceux de D'Agosta.

— Notre Laura Hayward semble avoir gagné en assurance avec le temps.

Le sergent se contenta de hocher la tête.

22

Planté au coin de la 5e Avenue et de la 67e Rue, Bryce Harriman regardait fixement l'un de ces gratte-ciel de brique claire que l'on trouve couramment dans l'Upper East Side. Le ciel gris de ce mardi après-midi d'automne était à l'unisson des états d'âme du journaliste. Ritts, son rédacteur en chef, lui avait passé un savon sous prétexte qu'il n'avait pas sorti de papier sur l'affaire de la veille. Était-ce de sa faute s'il était en repos ce jour-là ? Il n'était pas médecin, tout de même, et pour ce qu'il était payé... En plus, il avait passé la nuit à faire la fête et il aurait été bien incapable d'enquêter sur quoi que ce soit. Il avait eu assez de mal comme ça à reprendre le métro pour rentrer chez lui.

Il pensait bien trouver sur place quelques badauds, mais il ne s'attendait pas à découvrir un attroupement d'une centaine de curieux au pied de l'immeuble, sans doute attirés par le journal télé du matin, à moins que la nouvelle n'ait circulé sur internet. Aux flâneurs habituels se mêlaient des gothiques, des amateurs de magie blanche, des allumés de l'East Village, et même quelques hari krishna alors qu'on n'en voyait plus depuis des années. À croire que tous ces gens n'avaient rien d'autre à foutre de leurs journées. Des adeptes du satanisme en longues robes moyenâgeuses psalmodiaient des formules magiques en traçant des signes cabalistiques sur le trottoir à côté de Harriman. Un peu plus loin, des bonnes sœurs égrenaient leurs chapelets et des ados chantaient des cantiques accompagnés d'une guitare en faisant brûler des cierges. On se serait cru dans un film de Fellini.

La scène était si inattendue que Harriman sentit monter en lui un courant électrique. Ses élucubrations sur l'assassinat de Grove avaient fait quelques remous la semaine précédente, mais il n'avait pas pu aller beaucoup plus loin, faute d'éléments concrets. Ce second meurtre encore plus sinistre changeait radicalement la donne. Son rédac'chef n'avait peut-être pas tort, il aurait mieux fait de se pointer dans le coin la nuit précédente au lieu d'écluser du whisky à l'Algonquin avec ses copains jusqu'à l'aube.

Harriman tenait enfin l'occasion de damer le pion à ce crétin de Bill Smithback qui devait se faire reluire l'escargot pendant sa lune de miel. Mais aussi, quelle idée de passer sa lune de miel à Angkor Vat ! Harriman en voulait mortellement à ce sale con depuis qu'il lui avait piqué sa place au *New York Times*. Smithback n'avait aucun flair, ce n'était même pas un bon journaliste de terrain, il avait du pot, c'est tout. La chance avait voulu qu'il se trouve aux premières loges à plusieurs reprises, lors des crimes du métro quelques années plus tôt, et à nouveau l'automne précédent lorsque l'affaire du Chirurgien avait défrayé la chronique. Rien que d'y penser, Harriman en avait la nausée. C'était pourtant lui qui avait soulevé le lièvre le premier, jusqu'à ce que ce crétin de capitaine Custer le lance sur une fausse piste [1]...

Mais la roue finit toujours par tourner et Harriman allait enfin pouvoir se venger, maintenant que

1. Voir *La Chambre des curiosités*.

Smithback se trouvait à l'autre bout du monde. Pourvu que les meurtres continuent, histoire de faire monter la mayonnaise. Qui sait ? Il décrocherait peut-être un contrat avec une chaîne de télé, ou alors le prix Pulitzer. Avec un peu de chance, le *Times* lui proposerait de le reprendre.

En le bousculant, un vieux schnock déguisé en mage le tira de sa rêverie et il se vengea en lui décochant un coup de coude. Harriman n'avait jamais vu autant d'hystériques. La moindre étincelle risquait de mettre le feu aux poudres.

Le journaliste tourna la tête en entendant du bruit un peu plus loin. Un imitateur d'Elvis, plutôt convaincant dans son costume lamé or, chantait *Burning Love* à tue-tête, accompagné d'un karaoké portable.

I feel my temperature rising.

L'atmosphère était de plus en plus électrique et les sirènes de police se multipliaient dans le lointain.

Lord Almighty, I'm burning a hole where I lay.

Harriman sortit de sa poche un petit enregistreur afin de recueillir quelques témoignages pittoresques en prévision de son papier. Tout près de lui, un type en santiags, un Stetson sur la tête, brandissait une baguette magique en cristal d'une main tout en tenant un hamster de l'autre. Non, trop zarbi, il lui fallait quelque chose de plus parlant. Pourquoi pas cet ado tout en noir, avec une crête de Mohican ? Sans doute un fils de bourgeois en mal de reconnaissance.

— Pardon ! fit-il en se taillant un chemin à travers la foule. Excusez-moi, je suis journaliste au *New York Post*. Je peux vous poser quelques questions ?

Le gamin se retourna et le regarda avec des yeux brillants de convoitise. Tous les mêmes, prêts à n'importe quoi pour une nanoseconde de gloire.

— Pour quelle raison êtes-vous ici ?

— Vous ne savez pas ? C'est le diable ! répondit le gamin, le visage illuminé. Il est venu chercher un type dans cet immeuble. Exactement comme celui de Long Island. Il lui a réclamé son âme avant de le faire griller et de l'emporter en enfer.

— Comment avez-vous appris la nouvelle ?

— J'ai lu ça sur le net, ça commence à faire des vagues.

— Qu'est-ce qui vous a poussé à venir ici, personnellement ?

Le gamin le regarda comme s'il avait dit une énormité.

— Qu'est-ce que vous croyez ? Je suis venu rendre hommage à l'Homme en Rouge.

Quelques hippies sur le retour entonnèrent *Sympathy for the Devil* avec des voix de fausset, dans un nuage de marijuana, et Harriman dut hausser la voix pour continuer son interview.

— D'où êtes-vous ?

— Je suis venu avec des potes de Fort Lee.

Les potes en question, tous habillés de la même façon, s'étaient regroupés autour du journaliste.

— C'est qui ce mec ? demanda l'un d'entre eux.

— Un journaliste du *Post*.

— Sans déconner !

— Eh, m'sieur, vous voulez bien me prendre en photo ?

Je suis venu rendre hommage à l'Homme en Rouge. Harriman tenait la phrase qui tuait. Il ne lui manquait plus que les détails.

— Comment t'appelles-tu ?

— Shawn O'Connor.

— Tu as quel âge ?

— Quatorze ans.

Incroyable.

186

— Une dernière question, Shawn. Qu'est-ce qui t'attire autant chez le diable ?

— C'est le *maître* ! s'écria-t-il, tandis que ses copains répétaient en chœur :

— Le *maître* ! C'est le *maître* !

Harriman s'éloigna. *Quel monde de crétins, non mais quel monde de crétins ! Le pire, c'est qu'ils se reproduisent comme des lapins, surtout dans le New Jersey.* Il lui fallait un autre témoin, quelqu'un de sérieux. Un curé, par exemple. La chance lui souriait car deux prêtres en col romain observaient la scène en silence.

— Pardon, pardon ! fit-il en jouant des coudes.

Les deux hommes se retournèrent et Harriman fut frappé par l'expression de peur qu'ils portaient sur le visage.

— Harriman, du *Post*. Puis-je vous demander pour quelle raison vous êtes ici ?

Le plus âgé des deux prêtres s'avança d'un air digne.

— Nous sommes ici pour témoigner.

— Témoigner de quoi ?

— Témoigner de la fin de ce monde terrestre.

Il disait ça avec une telle conviction que Harriman en eut la chair de poule.

— Vous pensez vraiment que la fin du monde est pour bientôt ?

— « Elle est tombée, la grande Babylone, elle est tombée, et elle est devenue la demeure des démons, la retraite de tout esprit immonde », cita le vieil homme d'un ton sentencieux.

Son jeune confrère acquiesça en enchaînant :

— « Elle sera brûlée par le feu, parce que Dieu qui la condamnera est puissant. Alors les rois de la terre qui se sont corrompus avec elle, et qui ont vécu dans les délices, pleureront sur elle, et frapperont leur poitrine en voyant la fumée de son embrasement. »

— « Hélas ! Hélas ! Babylone, grande ville, ville si puissante, poursuivit le premier ecclésiastique. Ta condamnation est venue en un moment. »

Harriman prenait des notes furieusement. D'une main douce, le premier prêtre l'arrêta :

— Il s'agit de l'Apocalypse de saint Jean, chapitre XVIII.

— Ah, merci ! À quelle paroisse êtes-vous rattachés ?

— Notre-Dame de Long Island City.

— Je vous remercie infiniment, répondit le journaliste après avoir pris leurs noms, puis il s'éloigna rapidement en fourrant son carnet dans sa poche.

Le calme résigné des deux prêtres l'avait impressionné davantage que l'hystérie de tous les autres cinglés.

Une onde d'excitation parcourut la foule, signalant l'arrivée de plusieurs voitures de police, gyrophares allumés. Les flashs des photographes crépitèrent tandis que s'allumaient les projecteurs des équipes de télévision. Harriman repoussa une nuée de preneurs de son qui avaient le culot de lui bloquer le passage. Et puis quoi, encore ! Un journaliste du *Post* n'allait tout de même pas faire de la figuration derrière les types de la télé. Tout le monde se précipitait dans une cohue indescriptible pour voir ce qui allait se produire.

Une jolie jeune femme en civil descendit d'une voiture banalisée, aussitôt entourée de plusieurs inspecteurs. Elle n'était manifestement pas du genre à se laisser marcher sur les pieds. Protégée par un rempart de flics en uniforme, elle leva les mains en direction de la presse.

— Je vous accorde cinq minutes, après quoi je demanderai à tout un chacun de rentrer chez soi.

Une forêt de micros s'abattit sur elle. Refusant de s'exprimer tant que le brouhaha ne se serait pas calmé, elle regarda calmement sa montre et laissa tomber :

— Plus que quatre minutes.

La menace eut le mérite de refroidir les ardeurs des journalistes tandis que les mages, les adeptes du satanisme et les loufoques de tout poil, conscients qu'il allait se passer quelque chose, retrouvaient un semblant de calme.

— Je suis le capitaine Laura Hayward de la brigade criminelle de New York, commença-t-elle d'une voix claire et posée. La victime, Nigel Cutforth, est morte hier soir aux alentours de 23 h 15. À ce stade de l'enquête, la cause du décès n'a pu être établie, mais il semble toutefois s'agir d'un meurtre.

Merci, on le savait déjà, pensa Harriman.

— À présent, si vous avez des questions, je suis prête à y répondre.

Des cris fusèrent de toutes parts et la jeune femme désigna un journaliste qui lui adressait de grands signes.

— Existe-t-il un rapport entre cette affaire et la mort de Jeremy Grove ? Avez-vous remarqué des similitudes entre ces deux meurtres ? Ou alors des différences ?

— Oui à vos trois questions, répondit Hayward avec un sourire. D'autres questions ?

— Avez-vous des suspects ?

— Pas jusqu'à présent.

— A-t-on retrouvé l'empreinte d'un pied fourchu ou tout autre signe diabolique ?

— Aucune empreinte de pied fourchu cette fois.

— On dit qu'une tache représentant un visage a été découverte sur un mur.

Le sourire s'effaça des lèvres de la jeune femme.

— Nous avons bien retrouvé la tache en question, et certains ont en effet cru reconnaître la forme d'un visage.

— Comment était ce visage ?

Nouveau sourire.

— Ceux qui ont cru reconnaître un visage l'ont qualifié de grimaçant.

La réponse provoqua de nouveaux cris dans la foule.

— S'agit-il du visage du diable ? Le visage avait-il des cornes ? demandèrent une dizaine de journalistes dans un même élan.

Au bout de leurs perches, les micros dansaient de plus belle, s'entrechoquant furieusement.

— À défaut d'avoir rencontré le diable, répondit Hayward, je suis incapable de vous dire si ça lui ressemble. En tout cas, celui-ci n'avait pas de cornes.

Harriman prenait des notes à toute vitesse. Plus ses confrères l'interrogeaient sur le diable, plus elle éludait leurs questions.

— Pensez-vous vraiment qu'il peut s'agir du diable ?

À tous les coups, c'était Geraldo qui avait posé la question. Et merde ! Harriman avait vraiment loupé le coche la nuit précédente.

— Nous avons suffisamment de diables de chair et de sang dans cette ville sans avoir à nous inquiéter des autres.

— Si c'est le cas, comment la victime est-elle morte ? hurla un journaliste. Cutforth a-t-il été brûlé comme Grove ?

— Une autopsie est en cours. Je serai en mesure de vous en dire davantage lorsqu'elle sera terminée.

Elle avait beau s'efforcer de paraître calme et rationnelle, Harriman n'était pas dupe. La police n'avait pas l'ombre d'une piste et il comptait bien le dire haut et fort dans son article.

— Merci et bon après-midi, conclut la jeune femme. Je vous demanderai maintenant de bien vouloir vous disperser.

Le vacarme avait repris de plus belle, mais des renforts de police arrivaient, chargés de repousser la foule et de rétablir la circulation.

Harriman s'éloigna en réfléchissant à l'accroche de son papier. Il tenait l'affaire du siècle.

23

La vénérable Rolls-Royce ralentit en arrivant en vue du yacht-club d'East Cove. Sur la banquette arrière, D'Agosta regardait le paysage afin d'oublier ses courbatures et sa fatigue. Entre le meurtre de Cutforth et la réunion du matin dans les locaux de la criminelle, il n'avait guère dormi plus de deux heures.

Pendergast avait préféré prendre lui-même le volant de son imposante voiture pour ce rendez-vous, laissant Proctor dans la demeure de Riverside Drive. Il faisait un temps splendide et le soleil du matin donnait aux vagues des reflets irisés. Drapeaux au vent, le ferry de Staten Island venait tout juste de quitter le quai, laissant derrière lui un sillage d'écume au-dessus duquel flottait une nuée de mouettes piailleuses. À l'horizon, Staten Island mêlait sa silhouette bleutée à celle du New Jersey et une forte odeur iodée avait envahi l'habitacle de l'auto à travers les fenêtres ouvertes.

D'Agosta se tourna vers la marina. Un mur protégeait du regard des curieux les rangées de yachts étincelants que l'on apercevait pourtant, alignés comme à la parade, au-dessus de Coentis Slip.

— Vous n'entrerez jamais sans mandat, remarqua D'Agosta. Pour avoir rencontré Bullard, je peux vous assurer qu'il n'est pas du genre commode.

— Nous verrons bien, répliqua Pendergast. Il est toujours préférable d'entamer ce genre de rencontre sur une note amène.

— Et si ça ne marche pas ?

— Il sera toujours temps d'envisager une approche plus directe en cas de besoin.

D'Agosta se demanda ce que Pendergast entendait par là.

Tout en conduisant, l'inspecteur se pencha sur une tablette de merisier installée à côté de lui et pianota sur le clavier d'un petit ordinateur. Ils approchaient de l'aire de parking réservée à la marina et le gardien, apercevant la Rolls, s'empressa de leur ouvrir la barrière. Pendergast se gara aussitôt à un endroit stratégique d'où l'on voyait parfaitement l'Upper Bay.

La silhouette d'un yacht magnifique apparut sur l'écran de l'ordinateur, et il ne fallut pas longtemps aux deux hommes pour identifier le bateau un peu plus loin, au milieu d'une forêt de mâts et de vergues.

D'Agosta émit un petit sifflement admiratif.

— Belle bête, murmura-t-il.

— Je ne vous le fais pas dire. Un yacht à moteur Feadship modèle 2003, équipé d'une coque De Voogt construite sur mesure. Cinquante-deux mètres de longueur, 740 tonneaux, deux moteurs Diesel Caterpillar de 2 500 chevaux et une vitesse de croisière de trente nœuds. Un bâtiment doté de tout le confort imaginable, possédant de surcroît une très grande autonomie.

— Combien peut coûter un engin comme celui-ci ?

— Il a coûté 48 millions de dollars à notre ami Bullard.

— Putain ! Je me demande bien à quoi peut servir un tel bateau.

— Il est possible que notre homme n'aime pas l'avion. Ou alors, il préfère effectuer ses déplacements loin des yeux et des oreilles indiscrètes. Il n'est pas difficile de rejoindre les eaux internationales à l'aide d'un yacht tel que celui-ci.

— C'est drôle, mais lors de ma rencontre avec Bullard, j'ai eu l'impression qu'il comptait se rendre à l'étranger et que l'idée d'être bloqué ici ne lui plaisait qu'à moitié.

Pendergast se retourna d'un bloc.

— Vraiment ?

Remettant la Rolls en route, il se dirigea vers le parking VIP dont un petit rouquin teigneux au menton proéminent surveillait l'entrée. D'Agosta fronça les sourcils. Ces types-là sont souvent les plus difficiles à amadouer car rien ne les impressionne, pas même une Silver Wraith de 1959.

— Ouais ?

Pendergast montra son badge à travers la vitre.

— Nous venons voir M. Locke Bullard.

Le petit rouquin regarda le badge, puis il observa longuement Pendergast d'un air soupçonneux.

— Et lui, qui c'est ?

D'Agosta sortit son badge à son tour.

— C'est pour quoi ?

— Nous sommes ici dans le cadre d'une enquête.

— Attendez ici, je vais voir.

Le gardien s'éloigna, emportant les deux badges avec lui, et il s'isola dans sa guérite afin de téléphoner. Quelques minutes plus tard, il revenait avec les badges et un appareil sans fil.

— Il veut parler à celui de vous deux qui s'appelle D'Agosta.

Le sergent tendit la main et le gardien lui donna le combiné.

— D'Agosta à l'appareil.

— J'étais sûr que vous reviendriez, fit la voix grave de Bullard à l'autre bout du fil.

194

D'Agosta sentit ses poils se hérisser.

— Vous avez le choix, rétorqua le sergent en s'efforçant de rester calme. Ou bien nous discutons gentiment, ou bien nous utilisons la manière forte. C'est vous qui décidez, Bullard.

Un éclat de rire ponctua sa phrase.

— Vous m'avez déjà dit ça la dernière fois. Écoutez-moi bien. Depuis notre dernière conversation, je me suis renseigné sur votre compte et je connais votre petite existence sordide dans ses moindres détails. Par exemple, je sais tout sur votre petite femme qui s'amuse à vous faire pousser des cornes géantes depuis six mois au Canada. Son jules s'appelle Chester Dominic, si vous voulez tout savoir, et il vend des camping-cars à Edgewater. Si ça se trouve, il est en train de la sauter à l'heure qu'il est. Ça donne à réfléchir, pas vrai ?

Le poing de D'Agosta se crispa autour du téléphone.

— Je me suis également procuré les chiffres de vente de vos best-sellers. Le dernier en date s'est vendu à 6 215 exemplaires, toutes éditions confondues, y compris ceux que votre mère a achetés. Alors, Stephen King de pacotille ? railla Bullard avec un rire méchant. Je me suis également arrangé pour consulter votre dossier dans les archives du NYPD. Plutôt édifiant, surtout le rapport disciplinaire. Sans parler de vos états de service médicaux et psychiatriques, à New York et au Canada. Désolé d'apprendre que vous avez des troubles de l'érection, mon pauvre vieux. Qui sait ? C'est peut-être pour ça que votre femme se défoule avec ce vieux Chet. En attendant, je comprends que vous fassiez une dépression. À propos, j'espère que vous n'avez pas oublié de prendre votre comprimé de Zoloft, ce matin. C'est fou le nombre de choses qu'on peut apprendre sur les gens quand on est propriétaire d'une grande mutuelle, comme moi. Bref, j'ai trouvé tout ça très intéressant, et j'ai même retenu quelques adjectifs en passant : dépressif, bon à rien, loser...

Un voile rouge passa devant les yeux de D'Agosta.

— Je ne sais pas si vous êtes au courant, Bullard, mais vous venez de commettre une grave erreur.

Pour toute réponse, l'autre éclata à nouveau de rire et raccrocha.

D'Agosta, à la limite de l'apoplexie, tendit le téléphone au garde. L'immonde salaud ! On n'a pas le droit de faire ça, d'aller fouiller comme ça dans la vie privée des gens. Bullard parlait fort, et D'Agosta se demanda si Pendergast avait tout entendu.

— Vous ne pouvez pas rester là, laissa tomber le garde avant d'ajouter « monsieur », par acquit de conscience.

— Nous allons faire un petit tour, répondit Pendergast, le temps que M. Bullard change d'avis.

— Ne comptez pas trop là-dessus.

Pendergast jeta au rouquin un regard compatissant.

— En tout cas, j'espère que vous saurez vous effacer le moment venu. Je dis cela pour votre bien.

— Qu'est-ce que ça veut dire ?

Pendergast enclencha la marche arrière sans daigner répondre et appuya brutalement sur l'accélérateur, laissant derrière lui un sillage de gomme. Puis il fit demi-tour et ressortit en direction de State Street.

— Ça ira, Vincent ? s'inquiéta-t-il.

— Pas de problème, répondit le sergent, la mâchoire serrée.

Pendergast tourna à droite afin de faire le tour du pâté de maisons.

— J'ai bien peur qu'il nous faille passer aux choses sérieuses.

— Ouais.

D'une main, Pendergast composa un numéro sur le clavier du téléphone fixé au tableau de bord.

Le haut-parleur grésilla et une voix familière répondit presque aussitôt.

— Capitaine Hayward.

— Bonjour, capitaine. Pendergast à l'appareil. J'aurai finalement besoin du mandat et de l'assignation à comparaître dont nous nous sommes entretenus ce matin.

— Quel motif ?

— Refus de coopérer et risque de sortie du territoire.

— Arrêtez un peu. Bullard n'est ni un parrain de la drogue colombien ni un terroriste arabe.

— En effet, il possède plusieurs usines et de nombreux comptes bancaires à l'étranger. Il se trouve actuellement sur son yacht privé avec le plein de carburant et suffisamment de provisions pour une longue traversée. Le Canada, le Mexique, l'Amérique du Sud ou l'Europe, le choix ne manque pas.

Hayward poussa un soupir.

— Bullard est un citoyen américain, il dispose d'un passeport en bonne et due forme, il est donc libre de quitter le territoire quand bon lui semble.

— C'est surtout un témoin peu coopératif qui refuse de répondre à nos questions.

— Il n'est pas le seul.

— À ceci près que Grove et Cutforth lui ont tous deux téléphoné juste avant d'être assassinés. Bullard est lié d'une façon ou d'une autre à cette affaire, reste à déterminer comment.

À l'autre bout du fil, la jeune femme commençait à perdre patience.

— Vous savez aussi bien que moi que ce genre d'opération passe très mal auprès d'un jury populaire.

— Bullard s'est permis de menacer le sergent D'Agosta.

— Ah bon ?

L'argument avait fait mouche.

— Il n'a pas hésité à exercer sur le sergent une certaine forme de chantage à l'aide d'éléments d'ordre privé obtenus grâce à la mutuelle dont il est propriétaire, la Northern Health Atlantic Management.

Pendergast avait donc tout entendu.

— Bon, répondit Hayward. Si c'est comme ça, vous pouvez y aller, je vous couvre. Les papiers sont prêts, je n'ai plus qu'à les signer.

— Parfait, conclut Pendergast en indiquant à la jeune femme un numéro de fax.

— Inspecteur ?

— Oui ?

— N'y allez pas trop fort. Je tiens à mon job.

— Croyez bien que j'y tiens également.

Une minuscule imprimante intégrée au tableau de bord cracha le fax à l'instant où la marina était à nouveau en vue. Pendergast détacha la feuille et la tendit au gardien.

— Encore vous ? s'étonna le rouquin en prenant le fax.

Pendergast, tout sourire, mit son doigt sur ses lèvres.

— Et surtout, pas un mot à M. Bullard.

Le garde lut le document et le rendit à l'inspecteur, une lueur amusée dans les yeux.

— Le moment est venu de s'effacer, lui dit Pendergast d'une voix douce.

— Oui, monsieur.

La Rolls garée, Pendergast se dirigea vers le coffre qu'il ouvrit.

— À vous l'honneur, fit-il à l'adresse de son compagnon.

D'Agosta, intrigué, découvrit un bélier réglementaire d'un mètre de long, semblable à ceux qu'utilisent les agents fédéraux chargés de la lutte contre les narcotrafiquants.

— Vous... vous plaisantez ?

— Pas le moins du monde, mon cher Vincent. Ne vous avais-je pas dit qu'il était temps de passer aux choses sérieuses ?

D'Agosta sortit le bélier du coffre et les deux hommes se dirigèrent vers le quai principal. Le yacht de l'industriel, percé d'une multitude de hublots en verre fumé, dominait la marina de ses trois ponts et de sa cabine de pilotage bourrée d'équipements électroniques. Le nom du bâtiment, *Stormcloud*, leur apparut en grosses lettres sur la poupe.

— Que fait-on de l'équipage ? s'inquiéta D'Agosta.

— Si mes renseignements sont exacts, Bullard se trouve seul à bord.

Le ponton auquel était amarré le *Stormcloud* était protégé par sa propre grille. Pendergast s'agenouilla devant la serrure et la grille s'écarta.

— Il nous faut agir vite, précisa-t-il en se relevant.

D'Agosta s'avança, le bélier serré contre lui. Il avait beau avoir repris les séances d'entraînement depuis sa mésaventure de Riverside Park, il était loin d'avoir retrouvé sa forme d'antan et le lourd instrument pesait une tonne entre ses bras encore meurtris par son équipée. La passerelle du *Stormcloud* était relevée, mais une écoutille cadenassée les attendait sur l'arrière du bateau. Pendergast s'arrêta, sortit son Les Baer 45 de la poche intérieure de sa veste et recula d'un pas, faisant signe au sergent de passer à l'attaque.

— Après vous, Vincent.

Le sergent chercha à se souvenir de ce qu'on lui avait enseigné à l'école de police. *Ne jamais courir en direction de la porte, mais la frapper à l'aide du bélier par un mouvement de balancier.* Prenant sa respiration, il agrippa les poignées du bélier et le bascula en avant. Sous le choc, l'écoutille s'ouvrit avec un bruit sourd et Pendergast se précipita à travers l'ouverture, l'arme au poing, suivi du sergent.

La petite ouverture donnait sur un couloir étroit longeant une cloison ripolinée d'un côté, et de l'autre des vitres de verre fumé. Pendergast poussa une porte et ils se retrouvèrent dans le grand salon du bateau, un vaste espace, au sol recouvert de moquette épaisse, que meublaient plusieurs tables noires décorées de motifs dorés.

— FBI ! aboya Pendergast. Ne bougez pas !

Bullard, debout au milieu de la pièce dans un survêtement bleu pâle, un cigare à la main, les regardait d'un air ahuri. D'Agosta crut même lire de l'effroi dans son regard, mais Bullard se reprenait déjà. Rouge de colère, les veines du cou gonflées, il tira une longue bouffée de son cigare et recracha un nuage de fumée.

— Allons bon ! Le minable de service a appelé du renfort.

— Laissez vos mains où elles sont, lui conseilla Pendergast en faisant un pas dans sa direction, l'arme en avant.

Bullard écarta les bras.

— Voilà une scène toute trouvée pour votre prochain bouquin, D'Agosta. Même si je doute que vous ayez jamais vu un yacht comme celui-ci dans le taudis de Carmine Street où vous avez été élevé par le flic à deux sous qui vous servait de père. Quant à votre mère...

D'Agosta se rua sur lui, mais Pendergast s'interposa juste à temps.

— Allons, sergent. Ne lui faites pas le plaisir de réagir comme il le veut.

D'Agosta, haletant, avait toutes les peines du monde à se contenir.

— Alors, railla Bullard. C'est le moment ou jamais de montrer que vous avez quelque chose sous votre gros bide. J'ai beau avoir soixante ans, je vous prends quand vous voulez.

Pendergast secoua la tête en regardant D'Agosta droit dans les yeux et le sergent finit par reculer.

L'inspecteur posa ses yeux clairs sur l'industriel.

— On recrute des croque-morts au FBI, maintenant ? De la vraie racaille blanche sudiste, me semble-t-il. Et même très blanche.

— Pour vous servir, rétorqua calmement Pendergast.

Bullard éclata de rire. On aurait dit qu'il se gonflait comme un serpent venimeux avant l'attaque. Il porta à sa bouche le cigare qu'il tenait entre ses énormes doigts et son rire se tut tandis qu'il soufflait un nouveau nuage de fumée dans leur direction.

Pendergast déposa le fax sur l'une des tables noires, puis il désigna à son compagnon un grand panneau de bois peint sur l'un des murs du salon.

— Sergent, soyez assez gentil d'ouvrir ce panneau, s'il vous plaît.

— Une petite minute ! Je vous interdis de toucher à quoi que ce soit sans mandat et...

Pendergast lui montra le fax.

— Vous n'avez qu'à lire.

— Je demande à faire appel à mon avocat.

— Nous commencerons par recueillir les éléments dont nous avons besoin, ainsi que nous y autorise ce mandat. Au premier faux pas, je vous passe les menottes et vous serez accusé d'entrave à la justice. Êtes-vous seul sur ce bateau ?

— Allez vous faire foutre.

D'Agosta s'approcha du panneau indiqué par Pendergast. Il appuya sur un bouton et le panneau coulissa, découvrant un écran, un clavier et de nombreux appareillages électroniques.

— Saisissez-vous de l'unité centrale.

D'Agosta repoussa le moniteur et suivit les câbles jusqu'à l'unité centrale, dissimulée dans une niche.

— Je vous interdis de toucher à ça.

— Désolé, monsieur Bullard, mais ce mandat nous y autorise.

D'Agosta tira sur le câble d'un coup sec et sortit l'appareil de sa cachette, puis il colla des stickers officiels sur les ports d'entrée de la machine avant de croiser les bras.

— Vous êtes armé ? demanda Pendergast.

— Bien sûr que non.

Pendergast remit son Les Baer dans sa veste.

— Fort bien, dit-il d'une voix doucereuse qui faisait ressortir son accent sudiste. Outre ce mandat, monsieur Bullard, nous disposons d'une assignation à comparaître que je vous demanderai de bien vouloir lire.

— Je veux mon avocat.

— C'est bien naturel. Nous allons vous emmener avec nous au One Police Plaza aux fins d'interrogatoire et vous aurez tout le loisir de faire appel à votre conseil.

— Je veux appeler mon avocat tout de suite.

— Vous allez rester sagement où vous êtes avec vos mains bien en vue. Dois-je vous rappeler que vous n'avez aucun droit de faire appel à votre avocat ?

Vous pourrez le faire uniquement lorsque nous vous y autoriserons.

— Mon cul, oui. C'est vous qui n'avez aucun droit, et vous ne savez pas à qui vous avez affaire. Je vais vous faire bouffer votre badge, espèce d'albinos de mes deux !

— Je suis certain que votre avocat vous conseillerait de vous abstenir de ce genre de remarque.

— Pas question de vous accompagner au One Police Plaza.

Pendergast détacha la radio qu'il portait à la ceinture.

— Manhattan Sud ? À qui ai-je l'honneur ? Shirley ? Fort bien. Ici l'inspecteur Pendergast du Bureau fédéral d'investigation. Je me trouve actuellement au yacht-club d'East Cove, sur le yacht de M. Locke Bullard...

— Éteignez-moi cette putain de radio tout de suite.

— ... exactement. M. Locke Bullard. Son yacht se nomme le *Stormcloud*. Nous allons le ramener afin de l'interroger au sujet des meurtres de MM. Grove et Cutforth.

D'Agosta vit Bullard blêmir, sachant que tous les médias de l'agglomération surveillent en permanence les communications radio de la police.

— Non, nous ne souhaitons pas l'interroger en qualité de suspect. Je répète, nous ne l'interrogeons *pas* en qualité de suspect.

À la façon dont il insistait, tous ceux qui se trouvaient à l'écoute seraient persuadés du contraire.

Un pli barrait le front épais de Bullard.

— Écoutez, Pendergast, je ne vois pas pourquoi vous voulez jouer les méchants flics avec moi, tenta-t-il sur un ton conciliant.

— Shirley, nous aurions besoin de renforts afin de contenir la foule, ainsi que d'une voiture de police avec une escorte pour conduire M. Bullard jusqu'à nos bureaux. Oui, c'est cela. Trois, cela devrait suffire. Non, prévoyez-en quatre, on ne sait jamais. M. Bullard est quelqu'un d'important, il s'agit d'éviter tout débordement.

Pendergast raccrocha sa radio et sortit son téléphone portable qu'il lança à Bullard.

— Vous pouvez appeler votre avocat. Nous vous emmenons au One Police Plaza, il pourra vous y retrouver dans l'une des salles d'interrogatoire du sous-sol dans quarante minutes. Nous fournirons le café.

— Salopard, gronda Bullard en composant un numéro.

Il s'entretint à voix basse avec son correspondant et rendit le téléphone à Pendergast, la communication terminée.

— Votre conseil a dû vous dire la même chose que moi, commenta Pendergast avec un grand sourire. C'est-à-dire de ne pas ouvrir la bouche.

Comme Bullard ne répondait pas, l'inspecteur fit le tour du salon d'un air désinvolte, regardant attentivement chaque objet, prenant le temps d'admirer les gravures accrochées aux murs. On aurait dit qu'il tuait le temps.

— Qu'est-ce que vous attendez ? s'énerva Bullard.

— Je croyais qu'il ne voulait plus parler, laissa tomber D'Agosta.

Pendergast acquiesça distraitement.

— J'ai cru comprendre que ce cher M. Bullard n'écoutait pas vraiment les conseils qu'on lui donnait.

L'industriel, tremblant de rage, serra les poings sans rien dire.

— Je ne sais pas ce que vous en pensez, sergent, mais il serait sans doute préférable de rester ici quelques minutes de plus, afin de ne rien laisser au hasard.

— Vous avez raison, approuva D'Agosta, retrouvant le sourire.

Pendergast poursuivit ses explorations, soulevant un journal ici, prenant le temps d'étudier une lithographie là. Les minutes passaient et Bullard était près d'imploser lorsque des sirènes de police résonnèrent dans le lointain. L'inspecteur prit un exemplaire du magazine *Fortune* qu'il feuilleta consciencieusement avant de le reposer, puis il regarda sa montre.

— Dites-moi, sergent, aurais-je oublié de vérifier quelque chose ?

— Avez-vous pensé à regarder l'album photos ?

— Excellente idée, répondit Pendergast en ouvrant l'album.

Il commençait tout juste à en tourner les pages lorsque son regard se figea. On aurait dit qu'il gravait dans sa mémoire les visages immobiles qui le regardaient.

Enfin, il reposa le volume et demanda :

— Vous êtes prêt, monsieur Bullard ?

L'industriel enfila un blouson, le visage sombre, et emboîta le pas à Pendergast tandis que D'Agosta fermait la marche, le bélier sur l'épaule. À peine arrivés sur le ponton, une rumeur de foule les accueillit. On entendait des cris, le hurlement des sirènes de police et le nasillement d'un mégaphone. Une meute de photographes les mitraillait de l'autre côté des grilles, et les agents en uniforme avaient toutes les peines du monde à se frayer un passage en voiture.

— Sale ordure, siffla Bullard en observant la scène. Vous avez traîné exprès.

— De la part d'un maître de la provocation tel que vous, monsieur Bullard, le compliment me va droit au cœur.

— Eh oui, ajouta D'Agosta. Je suis certain que votre photo avec un blouson sur la tête sera du plus bel effet à la une du *Daily News*.

24

Bryce Harriman remontait Manhattan au volant d'une voiture du *Post*. La scène du yacht-club avait tourné au désastre, moins par la faute des badauds qu'à cause de ses collègues. La presse new-yorkaise dans toute sa splendeur, bousculades et insultes de rigueur, dans une atmosphère confinant au lâcher de taureaux dans les rues de Pampelune. Aucun des officiels présents n'avait accepté de répondre aux questions de la presse, personne ne savait rien, le chaos le plus complet. Harriman regrettait amèrement de ne pas être retourné directement au journal rédiger son papier sur le meurtre de Cutforth au lieu d'aller perdre son temps à l'autre bout de la ville.

La circulation se faisait de plus en plus dense et les premiers bouchons apparurent à hauteur de West Street. Couché sur son klaxon, Harriman pestait à voix haute. S'il avait su, il aurait pris le métro. À ce train-là, il ne serait pas au bureau avant 5 heures et il devait boucler son article avant 10 heures pour qu'il paraisse dans l'édition du matin.

Il écrivait et réécrivait l'accroche dans sa tête, rayant mentalement les formules choc les unes après les autres. Il revoyait encore la foule bigarrée rassemblée devant l'immeuble de Cutforth. C'est en pensant à eux qu'il devait rédiger son papier, en veillant à l'ambiancer convenablement. L'absence de Smithback lui laissait le champ libre, et de toute façon, le *Times* traitait rarement ce genre d'histoire.

En attendant, le meurtre de Cutforth pouvait faire les gros titres un jour ou deux, mais la suite dépendrait du bon vouloir de l'assassin dont on ne pouvait pas décemment prévoir s'il frapperait encore. Harriman avait impérativement besoin de biscuit s'il voulait tenir le public en haleine.

La voiture de devant avança et il changea de file en faisant un doigt d'honneur au type de derrière qui le klaxonnait. Et un doigt d'honneur en prime à un autre con qui n'avait pas l'air content...

C'est à cet instant précis que lui vint l'inspiration ! Il avait besoin d'un spécialiste de l'occulte pour faire monter la sauce ! Restait à savoir qui...

Il se précipita sur son téléphone portable et composa le numéro du journal.

— Salut Iris, ça va ?

— C'est à toi qu'il faut demander ça, répondit la voix de son assistante. Le téléphone n'arrête pas de sonner, même que j'ai des ampoules aux oreilles.

Harriman fit la grimace. Il n'avait pas l'habitude d'être traité d'égal à égal par une simple assistante. Il était temps de lui expliquer qu'ils n'avaient pas gardé les cochons ensemble.

— Tu veux tes messages ? s'enquit la jeune femme.

— Non, pas tout de suite. J'ai besoin que tu me dégottes d'urgence les coordonnées de cet universitaire spécialisé dans les sciences occultes, celui qui a un nom allemand. Monk, ou Munch, un truc comme ça. Tu sais, celui qui a fait une émission sur l'exorcisme pour la chaîne Discovery. Oui, celui-là. Non, je me fous que ça te prenne une éternité, je te demande de mettre la main dessus.

Il appuya sur la touche rouge et jeta le téléphone sur le siège passager, un sourire béat aux lèvres. Autour de lui, la cacophonie des klaxons prenait des allures de symphonie.

25

D'Agosta se jura de féliciter le responsable de l'entretien du One Police Plaza si jamais il le rencontrait un jour. C'était probablement le dernier endroit où il était encore permis de fumer à New York, et les murs en parpaing avaient une couleur brunâtre particulièrement écœurante. L'air, confiné et rance, était à couper au couteau et le vieux lino par terre était si usé qu'on aurait pu le mettre sous verre dans un écomusée.

Le décor rêvé pour interroger Locke Bullard, vert de rage dans son survêtement et ses chaussures bateau, assis derrière une table métallique d'une saleté repoussante. Pendergast s'était installé face à l'industriel et D'Agosta se tenait debout derrière l'inspecteur, près de la porte. Le médiateur des interrogatoires assistait à la scène, conformément à la loi. Debout à côté de la caméra vidéo, il rentrait le ventre d'un air important afin de se donner une contenance. Nul ne disait mot, on attendait l'avocat de Bullard, coincé dans les embouteillages.

La porte s'ouvrit sur le capitaine Hayward et D'Agosta sentit aussitôt la température de la pièce baisser de dix degrés. La jeune femme posa un regard glacial sur Pendergast, puis sur D'Agosta, avant de leur faire signe de la rejoindre dans le couloir.

Les deux hommes la suivirent jusqu'à un petit bureau inoccupé dont elle referma la porte.

— Qui a eu l'idée de convoquer la presse ? demanda-t-elle d'une voix tranchante.

— C'était malheureusement inévitable, répliqua Pendergast.

— Pas de ça avec moi. Tout ce cirque a été savamment mis en scène. Il y a au moins cinquante journalistes dehors qui vous ont suivis depuis la marina. C'est *exactement* ce que je voulais éviter. Je vous avais pourtant prévenu.

— Capitaine, répondit Pendergast d'une voix calme, je puis vous assurer que Bullard ne nous a guère laissé le choix. J'ai même cru à un moment qu'il serait nécessaire de lui passer les menottes.

— Vous auriez très bien pu organiser une rencontre sur son bateau en présence de son avocat, au lieu de lui tendre une embuscade.

— Si nous l'avions averti de notre arrivée, il y avait de fortes chances pour qu'il quitte le pays.

Hayward, au comble de l'exaspération, poussa un long soupir.

— Écoutez-moi bien. En tant que capitaine au sein de la police de cette ville, c'est à moi qu'on a confié cette enquête et je n'ai pas l'intention qu'on traite Bullard en suspect. Sergent, ajouta-t-elle en se tournant vers D'Agosta, c'est vous qui poserez les questions. Je compte sur l'inspecteur Pendergast pour rester en retrait et ne pas ouvrir la bouche. Il m'a assez causé d'ennuis comme ça.

— À votre aise, s'inclina Pendergast, mais la jeune femme s'éloignait déjà en direction de la salle d'interrogatoire.

En les voyant rentrer, Bullard se leva d'un bond, pointant un doigt accusateur en direction de Pendergast.

— Je vous ferai payer ça, vous et votre gros acolyte de merde.

— Vous avez enregistré ça sur la bande vidéo ? demanda posément Hayward au médiateur.

— Oui, madame. La bande tourne depuis son arrivée ici.

Elle hocha la tête, tandis que les yeux de Bullard lançaient des éclairs.

Le silence était retombé lorsqu'on frappa à la porte.

— Entrez ! dit Hayward, et un agent en uniforme introduisit un homme en costume anthracite.

Il avait des cheveux poivre et sel coupés en brosse, des yeux gris et un visage avenant.

— Enfin ! rugit Bullard. Ça fait quarante minutes que je vous ai téléphoné. Arrangez-vous pour me sortir d'ici tout de suite.

L'avocat, imperturbable, salua Bullard comme s'il le croisait dans un dîner mondain, puis il se tourna vers Pendergast dont il serra la main.

— George Marchand, du cabinet Marchand & Quisling, avocat de M. Bullard, dit-il d'une voix presque chantante.

— Je vous présente mon collègue, le sergent D'Agosta, fit la jeune femme.

L'avocat fit des yeux le tour de la pièce.

— Où se trouve l'assignation ?

Pendergast sortit une feuille de sa poche et la tendit à l'homme de loi.

— Vous pouvez la garder, il s'agit de votre exemplaire, précisa Hayward d'une voix neutre.

— Je vous remercie. Je souhaiterais savoir pourquoi cet interrogatoire n'a pu avoir lieu dans les bureaux de M. Bullard, ou même sur son bateau.

La question ne s'adressait à personne en particulier, et Hayward fit signe à D'Agosta de répondre.

— M. Bullard a refusé de répondre à mes questions lors de notre première rencontre à son club. Cette fois-ci, il a proféré à mon encontre des menaces qui ressemblaient fort à une tentative de chantage. De plus, il donnait l'impression de vouloir quitter le pays alors que son témoignage peut se révéler crucial pour notre enquête.

— Est-il considéré comme suspect ?

— Non, mais c'est un témoin important.

— Je vois. La tentative de chantage à laquelle vous faites allusion, de quoi s'agissait-il exactement ?

— C'est un putain de... s'interposa Bullard, mais son avocat lui fit signe de se taire.

— Les menaces en question ont été faites en ma présence, précisa Pendergast. M. Bullard a d'ailleurs réitéré ses menaces peu avant votre arrivée, en présence de cette caméra.

— Vous n'êtes qu'un putain de menteur...

— Pas un mot de plus, monsieur Bullard. Vous avez assez parlé comme ça.

— Mais enfin, George, ces types sont...

— Restez tranquille, le coupa l'avocat d'une voix affable, mais ferme, et Bullard se tut. Mon client ne demande qu'à vous aider, poursuivit Marchand. Voici comment je vous propose de procéder. À chacune de vos questions, je m'entretiendrai avec mon client dans le couloir si nous le jugeons nécessaire, suite à quoi il vous apportera sa réponse. Nous sommes d'accord ?

— Nous sommes d'accord, acquiesça Hayward. Nous allons commencer par lui faire prêter serment.

À la requête du médiateur, Bullard grommela les paroles d'usage. Ce rituel terminé, il se tourna vers son défenseur.

— Putain de merde, George, je vous rappelle que vous êtes censé être de mon côté !

— Je vous demanderai de bien vouloir me laisser m'entretenir avec mon client.

Marchand sortit avec Bullard, mais les deux hommes étaient de retour moins d'une minute plus tard.

— Première question, déclara l'avocat.

D'Agosta jeta un coup d'œil à ses notes et se lança, de sa voix la plus officielle :

— Monsieur Bullard, vous avez reçu un appel téléphonique de Jeremy Grove le 16 octobre à 2 h 02 du matin. Cette conversation a duré quarante-deux minutes. De quoi avez-vous parlé ? Veuillez détailler votre entretien depuis le début.

— J'ai déjà... commença Bullard, aussitôt arrêté par Marchand qui lui posa la main sur l'épaule et l'entraîna dans le couloir.

— Vous n'allez quand même pas le laisser faire ça à chaque question ? s'impatienta D'Agosta.

— Mais si, répondit Hayward. C'est la loi.

Les deux hommes revenaient déjà.

— Grove voulait bavarder, expliqua Bullard. Simple conversation amicale.

— À une heure aussi tardive ?

Bullard se tourna vers son avocat et celui-ci hocha la tête.

— Oui.

— De quoi avez-vous bavardé ?

— Comme je vous l'ai déjà dit, de tout et de rien. Sa santé, la mienne, ma famille, mon chien, ce genre de choses.

— De quoi d'autre avez-vous parlé ?

— Je ne m'en souviens pas.

Sa réponse fut suivie d'un silence.

— Monsieur Bullard. Vous parlez de votre chien à Jeremy Grove pendant quarante-deux minutes et on le retrouve assassiné quelques heures plus tard.

— Il ne s'agit pas d'une question, fit remarquer l'avocat. Suivante.

D'Agosta leva les yeux et constata que Hayward le regardait fixement.

— Où vous trouviez-vous au moment de l'appel ?

— Sur mon yacht, au large de la marina.

— Combien d'hommes d'équipage se trouvaient avec vous ?

— Je n'avais pas d'équipage. Mon yacht est entièrement automatisé, il m'arrive constamment de le manœuvrer seul.

Nouveau silence.

— Comment avez-vous fait la connaissance de Grove ?

— Je ne m'en souviens pas.

— Était-ce un ami proche ?

— Non.

— Étiez-vous en affaires avec lui ?

— Non.

— Quand l'avez-vous vu pour la dernière fois ?

— Je ne me rappelle plus.

— Comment expliquez-vous son appel ?

— Il faudrait le lui demander.

C'était n'importe quoi, Bullard avait décidé de le faire tourner en bourrique comme la fois précédente. D'Agosta décida de passer à l'affaire suivante.

— Le 22 octobre à 19 h 54, Nigel Cutforth vous a téléphoné à votre domicile. Avez-vous répondu à son appel ?

Bullard regarda son avocat qui hocha la tête.

— Oui.

— De quoi avez-vous parlé ?

— Simple conversation amicale, là aussi. Nous avons évoqué des amis communs, la famille, l'actualité, ce genre de choses.

— Vous n'avez pas parlé de vos chiens ? railla D'Agosta.

— Je ne sais plus si nous avons parlé des chiens.

Pendergast s'interposa.

— À ce propos, possédez-vous un chien, monsieur Bullard ?

Au cours du silence qui suivit, Hayward lança à Pendergast un regard menaçant.

— Quand je parlais de chien, il s'agissait d'une métaphore. J'ai simplement voulu dire que nous avions parlé de choses et d'autres.

D'Agosta reprit la main.

— Cutforth a été assassiné quelques heures seulement après cette conversation. Vous a-t-il paru nerveux ?

— Je ne m'en souviens pas.

— Vous a-t-il donné l'impression d'avoir peur ?

— Pas que je me souvienne.

— Vous a-t-il demandé de l'aide ?

— Je ne m'en souviens pas.

— Quelle était la nature de vos rapports avec M. Cutforth ?

— Nous avions des rapports superficiels.

— Quand l'avez-vous vu pour la dernière fois ?

Bullard hésita.

— Je ne m'en souviens pas.

— Avez-vous déjà eu des rapports professionnels ou autres avec M. Cutforth ?

— Non.

— Comment l'avez-vous rencontré ?

— Je ne m'en souviens pas.

— Quand l'avez-vous vu pour la première fois ? demanda Pendergast.

— Je ne m'en souviens pas.

Ce type-là se foutait de leur poire et son avocat, ce George Marchand, avait l'air particulièrement content de lui, mais D'Agosta n'avait pas l'intention de se laisser faire.

— Suite à l'appel de Cutforth, avez-vous passé la nuit sur votre yacht ?

— Oui.

— Disposez-vous d'une vedette à moteur ?

— Oui.

— Était-elle à terre ?

— Non, elle se trouvait amarrée au ponton à côté de mon yacht.

— De quel genre de vedette s'agit-il ?

— Un Picnic Boat.

Pendergast prit le relais.

— S'agit-il du Picnic Boat fabriqué par la firme Hinckley, équipé d'un jet drive ?

— Exactement.

— Avec un Yanmar de 350 ou de 420 chevaux ?

— 420.

— Capable d'atteindre une vitesse de pointe supérieure à trente nœuds, si je ne me trompe ?

— À peu de chose près.

— Et un tirant d'eau de dix-huit pouces ?

— Théoriquement.

Pendergast se recula sur sa chaise, ignorant le regard curieux de Hayward.

Mais D'Agosta reprenait la direction des opérations.

— Suite au coup de téléphone de Cutforth, il vous était donc possible de vous rendre en ville à bord de votre Picnic Boat. Avec un tel engin, rien de plus facile que de mettre pied à terre à peu près n'importe où, d'autant que le jet drive vous autorise à manœuvrer aisément dans tous les sens. Est-ce exact ?

— Mon client vous a déjà dit avoir passé la nuit sur son yacht ce jour-là, précisa l'avocat avec son amabilité coutumière. Question suivante ?

— Étiez-vous seul cette nuit-là, monsieur Bullard ?

Avant de répondre, l'industriel et son défenseur prirent le temps de s'entretenir quelques instants dans le couloir.

— Oui, j'étais seul, affirma Bullard en reprenant place à la table. C'est facile à vérifier, dans la mesure où les gardiens de la marina notent toutes les allées et venues. Ils pourront vous confirmer que je n'ai pas bougé de la nuit et que le Picnic Boat n'a pas quitté son anneau.

— Nous vérifierons, rétorqua D'Agosta. Si je comprends bien, vous avez parlé de la pluie et du beau temps pendant une demi-heure avec Cutforth, quelques heures seulement avant son assassinat ?

— Je n'ai pas le souvenir que nous ayons parlé du temps, sergent, répondit Bullard, une lueur d'amusement dans les yeux.

Une fois de plus, il triomphait.

— Monsieur Bullard, avez-vous l'intention de quitter le pays ? s'enquit Pendergast.

Bullard se tourna vers Marchand.

— Je dois lui répondre ?

Au terme d'un nouveau conciliabule dans le couloir, Bullard répondit par l'affirmative.

— Où comptez-vous vous rendre ?

— Cette question n'entre pas dans le champ de votre assignation, répondit l'avocat. Mon client est prêt à coopérer avec la police, mais il vous demande de respecter sa vie privée. Vous nous avez d'ailleurs précisé qu'il n'était pas considéré comme suspect.

— Sans être considéré comme suspect, répliqua Pendergast, votre client peut fort bien être appelé en qualité de témoin de fait, ce qui nous conduirait à lui retirer son passeport. Provisoirement, bien entendu.

D'Agosta ne quittait pas Bullard des yeux, mais la réaction de l'industriel dépassa toutes ses attentes. Son visage était devenu cramoisi, on aurait dit qu'il allait exploser.

Un léger sourire aux lèvres, l'avocat contre-attaqua sans attendre.

— Vous n'êtes pas sérieux, monsieur Pendergast. Il est tout à fait hors de question d'entraver la liberté de mouvement de M. Bullard. Je suis extrêmement surpris de cette déclaration, je suis même choqué que vous ayez pu évoquer une telle possibilité, qui s'apparente presque à une menace.

Hayward lança un regard noir à l'inspecteur.

— Monsieur Pendergast...

Celui-ci l'arrêta d'un geste.

— Monsieur Bullard, croyez-vous à l'existence du diable ?

Une ombre passa sur le visage de l'industriel, sans que D'Agosta puisse en deviner la nature exacte. Bullard se recula sur sa chaise, croisa les jambes et fit un large sourire.

— Bien sûr que non. Et vous ?

L'avocat se leva.

— Messieurs, cet interrogatoire est terminé.

Comme personne ne venait le contredire, il distribua sa carte à la ronde en serrant la main de tous les présents.

— La prochaine fois que vous souhaitez vous entretenir avec M. Bullard, contactez-moi d'abord. M. Bullard est attendu à l'étranger, précisa-t-il avec un petit sourire à l'adresse de Pendergast.

— C'est ce que nous verrons, répondit calmement ce dernier.

26

Bullard et son avocat quittèrent le One Police Plaza non sans mal, poursuivis par la meute hurlante des journalistes qui les attendaient à leur sortie. De son côté, Pendergast s'était rapidement éclipsé, laissant D'Agosta seul avec Laura Hayward dans le hall d'entrée du bâtiment.

— C'est vrai que Bullard vous a menacé, sergent ? se lança-t-elle.

Comme D'Agosta hésitait, elle insista.

— Juste pour ma gouverne, rien d'officiel. Je ne vous demande pas de jouer les rapporteurs.

— Oui, on peut dire qu'il m'a menacé, finit-il par répondre alors qu'ils avançaient vers la sortie.

À l'extérieur, les dernières équipes de télévision remballaient leur matériel d'un air morose dans l'atmosphère irisée d'un coucher de soleil flamboyant. Tout en marchant, D'Agosta ressentait comme une onde de chaleur la fureur contenue de sa compagne.

— Quel genre de menaces ?

— Je préfère ne pas en parler.

Je sais tout sur votre petite femme au Canada. D'Agosta eut brusquement sous les yeux le visage soigneusement rasé de Chester Dominic. Il avait du mal à y croire, mais en y réfléchissant bien, ce n'était pas aussi surprenant qu'il y paraissait. Pas la peine de se bercer d'illusions, ils étaient séparés depuis long-temps, leur mariage était de l'histoire ancienne. Mais de là à imaginer qu'elle avait choisi ce vendeur de bagnoles, avec son sourire Gibbs et ses costards en Tergal... N'importe qui, mais pas lui.

D'Agosta jeta un coup d'œil en direction de Hayward et s'aperçut qu'elle le regardait d'un air inquiet. Il fallait bien reconnaître qu'elle se trouvait dans une position difficile. Pendergast était un flic hors pair, mais il n'était pas du genre à travailler en équipe.

— Il faudra bien que vous acceptiez d'en parler si l'on décide d'engager des poursuites contre Bullard.

— On verra bien ce jour-là.

Il prit sa respiration avant de continuer :

— Vous savez, capitaine, Bullard n'a pas laissé le choix à Pendergast.

— Je n'en crois pas un mot. Il aurait pu l'interroger sur son bateau une fois qu'il avait l'assignation, et il aurait probablement obtenu de meilleurs résultats. Moyennant quoi, Bullard a refusé de lâcher quoi que ce soit.

— C'est bien ce qu'on comptait faire, mais c'est là qu'il m'a menacé. Le fait de prendre des pincettes avec lui n'aurait rien changé.

— Peut-être, mais ce n'est pas en déclarant la guerre à un témoin qu'on le fait parler.

Ils poussèrent les portes en verre et se retrouvèrent sur le parvis du bâtiment. La colère de Hayward était encore palpable et D'Agosta jugea préférable de mettre de l'huile dans les rouages.

— Vous faites quelque chose ?

Hayward se tourna vers lui.

— J'allais rentrer chez moi.

— Je peux vous inviter à boire un verre ? Boulot, boulot. Je connais un petit endroit sympa sur Church Street. S'il est toujours là.

Elle l'observa un moment, la pâleur de ses traits accentuée par la masse de ses cheveux noirs, un reste de rancœur dans les yeux.

— D'accord.

D'Agosta descendit les marches, la jeune femme à ses côtés.

— Pendergast a ses propres méthodes, reprit le sergent.

— C'est bien ce qui m'inquiète. Vous savez, sergent...

— Vous pouvez m'appeler Vinnie.

— Alors appelez-moi Laura. Vous savez combien de fois Pendergast a dû témoigner devant des jurés ?

— Aucune idée.

— Eh bien je vais vous le dire : quasiment jamais, et vous savez pourquoi ?

— Non.

— Parce que les types qu'il pourchasse ont la mauvaise habitude de mourir, voilà pourquoi.

— Ce n'est tout de même pas de sa faute.

— C'était une simple constatation. En tout cas, je peux vous dire que tout ce cinéma fera très mauvaise impression si jamais Bullard se retrouve un jour sur le banc des accusés.

Leurs pas les avaient conduits sur Park Row, et ils bifurquèrent à droite sur Vesey Street. D'Agosta constata que son petit bar n'avait pas bougé de place. Des fougères à moitié mortes retenues par des suspensions en macramé pendaient dans la vitrine, un détail qui suffisait à éloigner la clientèle des flics. C'était précisément pour cette raison que D'Agosta avait toujours aimé l'endroit. Pour ça et pour la Guinness pression.

— Je n'avais jamais remarqué ce bar, s'étonna Hayward en descendant les quelques marches tandis que D'Agosta lui tenait la porte.

Une bonne odeur de bière régnait à l'intérieur. La jeune femme choisit une table au fond de la pièce et un serveur les rejoignit.

— Une Guinness, commanda-t-elle.

— Deux.

D'Agosta n'arrêtait pas de penser à Dominic et à sa femme. Il voulait en avoir le cœur net.

— J'en ai pour une minute, s'excusa-t-il en se levant.

Le téléphone se trouvait dans un renfoncement derrière le bar. Il ne s'était pas servi d'un téléphone public depuis une éternité, mais il lui était impossible d'utiliser son portable pour ce qu'il avait à faire. Il appela les renseignements, obtint un numéro au Canada qu'il composa après s'être muni au bar d'une vingtaine de pièces de 25 cents.

— Concession Kootenay, lui répondit une voix nasillarde.

— Je voudrais parler à Chet Dominic.

— M. Dominic est actuellement en rendez-vous à l'extérieur.

— Zut ! J'avais rendez-vous avec lui et je voulais le prévenir que je serais en retard. Vous avez son numéro de portable ?

— Qui le demande ?

— Jack Torrance. C'est moi qui suis intéressé par le Sunflyer Itasca. Vous savez, celui avec la chambre repliable et la cuisine en formica. J'appartiens au même club que Chet.

— Monsieur Torrance, bien sûr ! répondit la secrétaire avec une amabilité feinte en s'empressant de lui communiquer le numéro de son patron.

D'Agosta regarda sa montre et récupéra de nouvelles pièces au bar avant d'appeler.

— Allô ?

Le sergent reconnut immédiatement la voix de Dominic.

— Docteur Morgan. Je vous appelle de l'hôpital. Je suis au regret de vous dire qu'un accident extrêmement grave vient de se produire.

— Où ça ? Qui a eu un accident ?

Son interlocuteur avait l'air paniqué, et D'Agosta se demanda si Dominic avait une femme et des enfants. Probablement. Quel salopard !

— Je cherche à entrer en contact avec une certaine Lydia D'Agosta et on m'a communiqué votre numéro.

— Ah ! Euh... attendez un instant, je vous la passe.

Un court conciliabule à l'autre bout du fil et D'Agosta reconnut la voix de sa femme.

— Oui ? De quoi s'agit-il ? Qu'est-ce qui s'est passé ?

D'Agosta raccrocha lentement. Il prit longuement sa respiration et rejoignit Laura Hayward. Il allait s'asseoir lorsque son portable sonna. Il le sortit de sa poche et appuya sur la touche verte.

— Vinnie ? C'est Lydia. Tu vas bien ?

— Bien sûr, pourquoi tu me demandes ça ? Que se passe-t-il ? Tu as l'air bizarre.

— Non, non, tout va bien. C'est juste que... J'ai cru qu'on avait cherché à me joindre de l'hôpital et je m'inquiétais.

Elle s'embrouillait, manifestement perturbée.

— En tout cas, ce n'était pas pour moi.

— Tu sais ce que c'est, le fait d'être seule ici, loin de tout...

— Tu me téléphones du boulot ?

— J'en sors à l'instant, je viens de monter dans ma voiture.

— Bon, à bientôt.

D'Agosta referma son portable d'un geste sec et s'installa en face de sa collègue. *Tu veux dire que c'est Chester qui en sort à l'instant, pas vrai ?* Il avait le visage en feu, des picotements sur tout le corps. On lui avait servi sa Guinness pendant son absence. Une vraie Guinness, servie dans une pinte anglaise, avec cinq centimètres de mousse crémeuse. Il en avala une longue gorgée, puis une seconde, histoire de s'éclaircir les idées. Il reposa son verre et s'aperçut que Laura l'observait.

— Vous aviez soif, remarqua-t-elle.

— Ouais, grommela-t-il en avalant une nouvelle gorgée.

Pourquoi se faire des illusions ? Ils étaient séparés depuis plus de six mois, il n'avait aucune raison de lui en vouloir. Aucune vraie raison, en tout cas. D'autant que son fils, Vinnie Junior, avait également insisté pour rester là-bas. Lydia n'était pas une mauvaise fille, mais c'était quand même un coup bas. Il se demanda si Vinnie était au courant.

— Mauvaises nouvelles ?

— Pas terribles, avoua-t-il en levant brièvement les yeux.

— Je peux vous aider ?

— C'est gentil, mais vous ne pouvez rien faire, répondit-il, mal à l'aise. Je suis désolé, Laura. J'ai bien conscience de ne pas être très drôle, ce soir.

— Ne vous en faites pas. Ce n'est pas comme si vous m'aviez invitée à dîner.

Un long silence s'installa, que Hayward finit par rompre.

— J'ai lu les deux romans que vous avez écrits.

D'Agosta se sentit rougir. Sa carrière d'auteur était bien la dernière chose dont il souhaitait parler.

— Je les ai trouvés super, et je tenais à vous le dire.

— C'est gentil.

— Vous avez un style à la fois direct et pince-sans-rire. On retrouve bien dans vos bouquins l'atmosphère de ce métier, contrairement à tous les auteurs de polar qui courent les rues.

D'Agosta hocha la tête.

— Comment avez-vous réussi à vous les procurer ? Chez un soldeur ?

— Non, je les ai achetés quand ils sont sortis. J'ai toujours plus ou moins voulu savoir ce que vous deveniez.

— Ah bon ?

D'Agosta ne chercha pas à dissimuler sa surprise. Lorsqu'ils avaient travaillé ensemble sur les crimes du métro, il n'avait pas eu le sentiment de lui avoir fait bonne impression. Il faut dire que Hayward ne s'était jamais montrée très expansive.

— Ça vous étonne peut-être, mais...

Elle hésita avant de poursuivre :

— Je venais de terminer ma maîtrise à l'université de New York quand on s'est connu. C'était ma première affaire importante. J'avais les dents qui rayaient le plancher et vous étiez exactement le genre de flic que j'aurais voulu devenir. Quand vous êtes parti au Canada pour écrire, je me suis demandé ce qui pouvait bien pousser un flic de votre trempe à tout abandonner.

— Je voulais raconter plein de choses. Sur le métier, les criminels, le système judiciaire, les gens en général.

— Si c'est le cas, vous vous êtes très bien acquitté de votre mission.

— Pas aussi bien que ça, il faut croire.

Il remarqua que leurs verres étaient vides.

— Une autre tournée ?

— Volontiers. Vinnie, il faut que je vous avoue quelque chose. Vous savez, j'ai été stupéfaite quand j'ai vu que vous étiez sergent à la municipale de Southampton. Je me suis même demandé si vous n'aviez pas un frère jumeau.

D'Agosta eut un petit rire forcé.

— Ainsi va la vie.

— Sacrée histoire, tout de même, l'enquête des crimes du métro.

— Tu parles ! Vous vous souvenez de l'émeute ?

— Et comment ! On se serait cru au cinéma. Il m'arrive encore d'y repenser la nuit et de faire des cauchemars.

— Je n'étais pas sur place à ce moment-là. J'essayais d'achever la mission du capitaine Waxie, à huit cents mètres sous terre.

— Ce bon vieux Waxie. Quand je pense qu'il a disparu dans un de ces tunnels et qu'on n'a jamais retrouvé son corps. Si ça se trouve, il s'est fait bouffer par un alligator.

— Ou pire.

Hayward, les yeux dans le vague, ne répondit pas tout de suite.

— Le métier a beaucoup changé depuis. Il faut dire qu'à l'époque, il y avait dans la police une bande de guignols pas piqués des vers, et j'étais encore toute jeune.

— Vous vous souvenez de McCarroll, celui qu'on avait surnommé McCharogne parce qu'il avait mauvaise haleine ? pouffa D'Agosta.

— Plutôt deux fois qu'une ! J'ai travaillé sous les ordres de ce salaud pendant six mois. C'était dur d'être une femme dans le service à l'époque, et j'avais deux handicaps : non seulement j'étais une fille, mais en plus j'avais des diplômes. Non, trois handicaps : j'avais refusé de coucher avec McCharogne.

— Pourquoi ? Il a essayé de vous draguer ?

— Si on peut appeler ça draguer. Il n'arrêtait pas de me coller et de me souffler son haleine fétide à la figure en me disant que mon corps lui plaisait.

D'Agosta fit une grimace.

— Berk ! Vous l'avez dénoncé ?

— J'aurais pu changer de métier si j'avais fait ça. C'était un pauvre crétin inoffensif, rien de plus. Le NYPD d'aujourd'hui n'a plus aucun rapport avec ce qu'il était autrefois. Le service s'est incroyablement professionnalisé, et personne n'oserait plus se permettre la moindre remarque sexiste vis-à-vis d'un capitaine.

Le serveur déposa deux nouvelles pintes devant eux et D'Agosta entama la sienne en écoutant sa compagne évoquer ses mésaventures avec McCarroll et un autre capitaine oublié depuis longtemps, Al « Crisco » DuPrisco.

Envahi par la nostalgie, il secoua la tête.

— New York est sûrement la plus belle ville au monde pour un flic.

— Aucun doute là-dessus.

— Il faut absolument que je retrouve du boulot ici, Laura. Je n'en peux plus à Southampton.

Comme la jeune femme restait silencieuse, D'Agosta leva les yeux sur elle et crut voir de la pitié dans son regard.

— Je suis désolé, s'excusa-t-il en détournant la tête.

C'est drôle comme la roue tourne. La petite stagiaire était devenue la plus jeune capitaine du service, tandis que lui... En tout cas, si quelqu'un méritait de réussir, c'était bien elle...

— Écoutez, reprit-il d'un air grave. Je vous ai invitée à boire un verre pour m'assurer qu'il n'y avait pas d'animosité entre vous et Pendergast. J'ai déjà travaillé avec lui sur deux affaires différentes et je peux vous garantir que ses méthodes ne sont peut-être pas très orthodoxes, mais qu'elles sont efficaces. Ce type-là est le meilleur agent fédéral qui soit.

— Votre loyauté est tout à votre honneur, mais il n'empêche qu'il a un gros problème de solidarité professionnelle. J'ai pris des risques en obtenant le mandat et l'assignation qu'il me demandait, et il me remercie en me mettant dans la panade. Je veux bien lui accorder le bénéfice du doute pour cette fois, Vinnie, mais je compte sur vous pour l'inciter à se tenir tranquille à l'avenir. Il a le plus grand respect pour vous.

— Pour vous aussi, Laura.

Après un moment de silence, Hayward revint sur un terrain plus personnel.

— Pourquoi avez-vous arrêté d'écrire ? Vous aviez une belle carrière devant vous.

— Une carrière de professionnel du découvert, oui. J'ai arrêté parce que je n'arrivais pas à joindre les deux bouts et que je n'avais plus un sou. Lydia, ma femme, n'en pouvait plus.

— Vous êtes marié ? demanda-t-elle en jetant un coup d'œil furtif à son annulaire.

Cela faisait des années que l'alliance de D'Agosta était devenue trop petite pour lui.

— Oui, je suis marié.

— Je ne vois pas pourquoi j'ai l'air étonnée, tous les types bien que je rencontre sont déjà mariés. À la santé de Lydia, ajouta-t-elle en levant son verre.

D'Agosta jugea préférable de s'expliquer.

— Nous sommes séparés. Elle vit toujours au Canada.

— Je suis désolée, répondit-elle d'un ton peu convaincant en reposant son verre.

— Vous savez, les menaces de Bullard... poursuivit D'Agosta d'une voix mal assurée.

Il ne savait pas pourquoi il lui racontait tout ça, mais il éprouvait brusquement le besoin de lui dire ce qu'il avait sur le cœur.

— Je ne sais pas comment il l'a su, mais il a découvert que ma femme avait une liaison et il me l'a dit.

Sans parler de tout un tas de trucs très personnels qu'il a menacé de rendre publics.

— Le salaud. Si c'est ça, je suis contente que Pendergast l'ait humilié.

Après une courte hésitation, elle ajouta :

— Vous avez envie d'en parler ?

— C'est ce que je suis en train de faire.

— Je suis désolée, Vincent. Vous pensez encore pouvoir sauver votre couple ?

— Il n'y a plus rien à sauver depuis six mois. On refuse de voir les choses en face, c'est tout.

— Des enfants ?

— Un fils, qui vit avec sa mère. Un bon gamin qui a décroché une bourse pour entrer en fac l'an prochain.

— Depuis combien de temps étiez-vous mariés ?

— Vingt-cinq ans. On s'est marié en sortant du lycée.

— Vous êtes sûr qu'il n'y a plus rien à faire ?

— À part quelques bons souvenirs, c'est foutu.

— Dans ce cas, Bullard vous aura rendu service, conclut-elle en posant gentiment la main sur la sienne.

D'Agosta la regarda. Il commençait à se demander si elle n'avait pas raison.

27

Le yacht n'avait pas encore quitté la marina, mais l'équipage se trouvait au complet et tout était prêt pour un départ aux premières lueurs de l'aube. Debout sur le pont, Bullard respirait l'air de la nuit en scrutant Staten Island à l'autre extrémité de la baie. Il lui restait une dernière chose à faire avant de lever l'ancre. Il avait commis plusieurs erreurs impardonnables et il lui fallait rectifier le tir. Il n'aurait jamais dû demander à ces deux minables de tuer D'Agosta. Il avait agi sur un coup de tête, mais il fallait bien reconnaître que cette espèce de sergent l'avait énervé avec ses menaces en l'air. Bullard était trop nerveux ces derniers temps, il devait se reprendre. D'autant que ce gros con de sergent n'était qu'un vague sous-fifre. Le véritable ennemi, c'était ce Pendergast. Un vrai serpent, froid et calculateur, capable de frapper à tout moment. C'était lui le cerveau. Il suffisait d'éliminer Pendergast et l'enquête s'éteindrait d'elle-même.

Le problème, c'est qu'on ne met pas impunément un contrat sur un fédéral, mais il faut savoir faire des exceptions en cas d'urgence, et c'en était une.

Bullard redescendit dans la cabine. Tout était calme à bord. Il pénétra dans sa chambre, ferma sa porte à clé et regarda sa montre. Bientôt minuit. Il appuya sur une série de boutons et un écran s'alluma.

Pendergast avait emporté l'unité centrale et un certain nombre de fichiers, mais Bullard travaillait en réseau et tous ses documents professionnels restaient accessibles, soigneusement cryptés comme de juste. D'ailleurs, ce n'était pas ce que Pendergast risquait de trouver qui l'inquiétait. C'était Pendergast lui-même.

Il pianota sur son clavier et un visage apparut sur l'écran. Un visage aux traits tirés à craquer, le crâne lissé au papier de verre. Ce type-là lui donnait la chair de poule, mais c'était le meilleur dans sa partie et c'était tout ce qui comptait.

L'homme, un dénommé Vasquez, ne prit pas la peine de le saluer. Les doigts croisés, il le fixait d'un œil éteint. Bullard se recula sur son siège et esquissa un sourire, tout en sachant que ça ne servait strictement à rien puisque Vasquez ne voyait sur son écran qu'une silhouette artificielle, reconstituée par ordinateur.

— Votre cible est un certain Pendergast dont je ne connais pas le prénom, finit-il par dire. Il a le grade d'inspecteur au FBI et il réside au 891 Riverside Drive. Mettez-lui deux balles en pleine tête et je vous verse un million de dollars par balle.

— Le paiement doit m'être intégralement versé d'avance, répliqua Vasquez.

— Et si vous ratez votre coup ?

— Aucun risque.

— Conneries. N'importe qui peut se planter un jour ou l'autre.

— Le jour où je raterai mon coup, c'est que je serai mort. Nous sommes d'accord à présent ?

Bullard hésita, mais il n'avait guère le choix.

— Très bien, répondit-il sèchement. Mais le temps presse.

Si jamais Vasquez le doublait, il trouverait toujours quelqu'un d'autre pour lui faire la peau et finir le travail en prime. Deux meurtres pour le prix d'un.

Vasquez montra à la caméra une feuille de papier avec un numéro dont Bullard prit note.

— J'entamerai ma mission le jour où les deux millions auront été versés sur ce compte. C'est la dernière fois que nous nous parlons.

En voyant l'écran virer au noir, Bullard comprit que Vasquez avait mis fin à la transmission. Il n'avait pas l'habitude qu'on lui raccroche au nez, mais après tout, c'était le prix à payer pour travailler avec un artiste. Tous les mêmes : égocentriques, avares et fantasques.

Et, dans son domaine, Vasquez était un véritable artiste.

28

D'Agosta arrêta sa Ford Taurus devant une grille rouillée en se demandant s'il ne s'était pas trompé de route. Il avait plus d'une heure de retard, la paperasserie à remplir suite au cirque de la veille lui avait pris toute la matinée.

La grille était entrouverte et une allée de gravier apparaissait entre deux piliers de pierre à moitié écroulés, son tapis d'herbes folles signalant le passage récent d'une voiture. Pas de doute, c'était bien là, ainsi que le confirmait une plaque usée par le temps sur laquelle on pouvait encore lire le mot *Ravenscry*.

D'Agosta descendit de voiture et repoussa la grille qui grinça dans le silence, puis il se remit au volant et suivit consciencieusement la trace du véhicule qui l'avait précédé. L'allée serpentait à travers un petit bois de hêtres dont les troncs, tordus par le temps, montaient la garde le long du chemin. Le sergent déboucha enfin sur une ancienne pelouse parsemée de fleurs sauvages derrière laquelle se dressait la façade d'une demeure austère. Avec ses nombreuses cheminées et ses fenêtres aveuglées par de lourds volets, le bâtiment avait tout d'un manoir hanté. D'Agosta jeta un coup d'œil aux instructions de Pendergast et contourna la vieille bâtisse en direction d'un moulin à eau que l'on apercevait de l'autre côté d'un jardin abandonné. La Rolls de l'inspecteur était garée là et il se rangea à côté. Proctor, le chauffeur de Pendergast, était penché au-dessus du coffre de la grosse auto. Il releva la tête, s'inclina légèrement et fit signe au sergent de suivre le chemin longeant la rivière.

D'Agosta aperçut un peu plus loin deux personnes en grande conversation. Si sa silhouette élancée et son éternel costume noir trahissaient Pendergast, la jeune femme à l'ombrelle devait être sa protégée. Comment s'appelait-elle, déjà ? Constance !

Le murmure de l'eau et le concert des oiseaux dans les hêtres n'avaient pas suffi à couvrir les pas de D'Agosta. Pendergast se retourna et lui fit signe d'approcher.

— Vincent ! Vous avez trouvé sans peine, je l'espère ? Merci à vous d'avoir accepté de venir jusqu'ici.

Les yeux de Constance étaient dissimulés derrière une paire de lunettes de soleil opaques. Un sourire grave aux lèvres, elle lui tendit une main que D'Agosta serra en marmonnant une formule de politesse. Il aurait été bien en peine de dire pourquoi, mais elle l'intimidait autant que sa grand-mère, lorsqu'il était enfant.

D'Agosta prit le temps de regarder le décor qui l'entourait. Le moulin ne fonctionnait plus depuis longtemps et l'eau de la rivière s'engouffrait dans d'étranges écluses de pierre.

— Où sommes-nous ? demanda-t-il.

— Cette propriété appartient à ma grand-tante Cornelia qui se trouve malheureusement dans une institution. J'ai souhaité faire découvrir cet endroit à Constance afin qu'elle puisse profiter du bon air.

— M. Pendergast est convaincu que ma santé est fragile, ajouta Constance avec un léger sourire, et il fait cela pour mon bien.

— Belle propriété, commenta D'Agosta.

— Le moulin à eau que vous apercevez ici a été transformé en élevage de truites à la fin du XIXe siècle, expliqua Pendergast. Chaque année, on déversait dans la Dewing plusieurs milliers de truites, et les gardes-chasse s'assuraient que les bois regorgeaient de dindes sauvages, de chevreuils, de faisans, de cailles et autres ours sauvages. Chaque dimanche, ces terres servaient de cadre à des massacres dont les membres de ma famille et leurs amis étaient les auteurs impitoyables.

— La pêche devait être fabuleuse, réagit D'Agosta en lançant un regard nostalgique à la rivière dans son lit de cailloux ronds, aux trous d'eau qui devaient regorger de truites. Comme pour lui donner raison, quelques poissons trouèrent la surface sous ses yeux.

— J'avoue n'avoir jamais été attiré par la pêche, s'excusa Pendergast. La chasse me séduit davantage.

— Qu'est-ce que vous n'aimez pas dans la pêche ?

— Je trouve la chose fastidieuse au possible.

— Fastidieuse ? Si vous le dites...

— Après la mort soudaine du mari et des enfants de ma tante Cornelia, le personnel a déserté la maison. Ma tante s'est trouvée contrainte de quitter les lieux à son tour, de sorte que Ravenscry se trouve aujourd'hui à l'abandon, expliqua Pendergast avant de changer de sujet de conversation. Vincent, j'ai souhaité vous faire venir ici afin de réfléchir à notre enquête dans un cadre propice à la méditation. De vous à moi, cette affaire me déconcerte. Au stade où nous nous trouvons, j'aurais cru tenir l'une des extrémités de l'écheveau, mais il n'en est rien.

— C'est une enquête difficile, concéda D'Agosta, ne sachant trop s'il pouvait parler ouvertement en présence de la jeune femme.

— Sentez-vous libre de vous exprimer à votre guise devant Constance, le rassura Pendergast.

La jeune femme sourit d'un air faussement grave alors qu'ils repartaient en direction des voitures.

— Passons en revue les éléments dont nous disposons, si vous le voulez bien. Nous sommes en présence de deux meurtres, tous deux inexplicables puisqu'il a été impossible de déterminer le *modus operandi* de l'assassin, sans parler des références méphistophéliques retrouvées sur place. Nous savons qu'il existait un rapport entre les deux victimes et Bullard, sans que nous ayons pu en démontrer la nature.

— Le capitaine Hayward m'a été d'une aide précieuse dans ce domaine. Grâce à elle, nous avons pu obtenir les relevés téléphoniques et les relevés de cartes bancaires des victimes, de même que le détail de leurs frais de déplacement depuis dix ans. Nada. À croire qu'ils ne se sont jamais rencontrés. Quant à Bullard, la plupart des fichiers informatiques saisis sur son yacht étaient cryptés, impossible de les décoder. Hayward a pourtant trouvé un truc intéressant : une référence à Ranier Beckmann dans un relevé internet retrouvé sur le mouchard de son ordinateur. Bullard cherchait apparemment à lui mettre la main dessus, lui aussi.

— Vous m'avez pourtant dit que Bullard affirmait ne pas connaître ce Beckmann lorsque vous l'avez interrogé à son club, n'est-ce pas ? Il nous cache quelque chose. On le sent sur la défensive. Je dirais même qu'il est inquiet. Mais de quoi ?

— Il a peur d'être arrêté. En ce qui me concerne, Bullard est le suspect numéro un, d'autant qu'il n'a aucun alibi digne de ce nom pour le meurtre de Grove. Il prétend qu'il se baladait dans la baie avec son yacht cette nuit-là, sans équipage. Il a très bien pu prendre la mer, jeter l'ancre au large de Southampton et tuer Grove.

— C'est possible, même si son absence d'alibi au moment des meurtres me semble plaider en sa faveur. En outre, pour quelle raison aurait-il tué Grove et Cutforth ? Et pourquoi toute cette mise en scène diabolique ?

— Il a peut-être un sens de l'humour macabre.

— Si l'on excepte son penchant malsain pour les attitudes de gangster, l'homme me semble dénué d'humour. Il ne prendrait pas de tels risques pour une simple plaisanterie.

— Ou bien alors il veut faire passer un message.

— Soit, mais à qui ? Et pour quelle raison ?

— Aucune idée. Maintenant, si ce n'est pas Bullard, pourquoi pas un illuminé quelconque qui se croit revenu au temps de l'Inquisition ?

— C'est une deuxième possibilité, concéda Pendergast avant d'ajouter après un court silence : Vous semblez oublier qu'il existe une *troisième* possibilité, Vincent.

L'estomac de D'Agosta se contracta. Pendergast n'avait pas l'air de plaisanter. Machinalement, le sergent serra le crucifix qu'il portait autour du cou.

— Où se trouve Bullard à présent ? reprit Pendergast.

— Il a pris la mer ce matin.

— Sait-on où il compte se rendre ?

— En Europe, probablement. En tout cas, il a mis le cap à l'est, pleins gaz. Et ce n'est pas une figure de style. Le moteur de son yacht a dû être trafiqué pour que le bateau se déplace aussi vite. Hayward a mis quelqu'un sur le coup. À moins qu'il n'évite les douanes et l'immigration, ce qui serait surprenant avec un yacht aussi voyant, on sera averti à la minute où il mettra le pied à terre.

— Cette chère Mlle Hayward. M'en veut-elle toujours ?

— On peut dire ça comme ça.

Pendergast eut un petit sourire.

— Et vous, quelle est votre théorie ? demanda D'Agosta.

— Je m'efforce de ne *pas* avoir de théorie.

Un crissement de pneus sur le gravier les interrompit. En se retournant, D'Agosta aperçut une très vieille décapotable de laquelle dépassait un énorme panier à pique-nique en osier, solidement arrimé sur une banquette arrière repliable.

— Qui est-ce ? s'enquit D'Agosta.

— Un autre invité, répliqua mystérieusement Pendergast.

Au même instant, une énorme silhouette descendit de l'auto avec une agilité surprenante. Il s'agissait du comte Fosco, apparemment passé du statut de simple témoin à celui d'ami.

— Que vient-il faire ici ? s'étonna D'Agosta.

— J'ai cru comprendre qu'il avait des informations de tout premier ordre à nous donner. Et comme il s'intéresse à tout ce qui peut passer pour un monument historique dans notre jeune nation, j'ai décidé de le convier à Ravenscry. Je lui devais bien cela suite à son invitation à l'opéra.

Fosco les rejoignit d'un pas alerte en agitant ses petits bras.

— Quel endroit merveilleux ! s'exclama-t-il de sa voix de basse en frottant ses mains gantées de blanc.

Il s'inclina devant Pendergast, puis il se tourna vers D'Agosta.

— Ce bon sergent ! D'Agosta, c'est bien cela ? C'est toujours un plaisir de croiser la route d'un compatriote. Comment allez-vous ?

— Très bien, merci.

D'Agosta s'était défié de ce personnage à l'extravagance voyante dès leur première rencontre au Metropolitan, et ces retrouvailles ne faisaient que confirmer son impression première.

— Je vous présente ma protégée, Constance Greene, déclara Pendergast.

— Votre protégée, dites-vous ? Enchanté, fit-il en s'inclinant et en portant la main de la jeune femme à quelques centimètres de ses lèvres.

Constance hocha la tête en signe de remerciement.

— Je constate que vous partagez avec M. Pendergast le goût des automobiles exotiques, remarqua-t-elle.

— N'est-ce pas ? Nos goûts communs ne s'arrêtent d'ailleurs pas là. Je puis même affirmer sans crainte de me tromper que M. Pendergast est devenu un véritable ami. Nous sommes très différents à bien des égards. J'aime passionnément la musique, ce qui n'est pas son cas. Je suis très attentif à ma toilette alors qu'il s'habille de façon funèbre. Je suis volubile et démonstratif lorsqu'il est laconique et introverti, mais nous partageons un même amour de la peinture, de la littérature, de la gastronomie, du vin et de la culture en général. J'ajouterai qu'à son image, les crimes les plus terribles et les plus inexplicables exercent sur moi une véritable fascination.

Tout sourire, il ajouta :

— Les crimes ne m'intéressent d'ailleurs que lorsqu'ils sont inexplicables. Il est malheureusement rare qu'ils restent inexpliqués bien longtemps.

— Malheureusement ? sourcilla la jeune femme.

— Je disais cela d'un point de vue purement esthétique, répondit le comte en se tournant vers Pendergast. Cette jeune personne est tout à fait exceptionnelle.

Constance l'interrompit.

— En dehors de cette fascination, pour quelle raison vous intéressez-vous tant à cette affaire ?

— Je serais ravi de pouvoir aider l'inspecteur.

— Le comte m'a déjà beaucoup aidé, reconnut Pendergast.

— Vous verrez que je ne m'en tiendrai pas là ! Mais laissez-moi tout d'abord vous dire tout le bien que je pense de cette propriété. Elle appartenait à votre grand-tante, c'est bien cela ? Quel endroit pittoresque ! Un véritable château hanté ! Cette demeure me fait penser à une gravure de Piranesi, *Veduta degli Avanzi delle Terme di Tito*, « Les Ruines des thermes de Titus ». À dire vrai, j'ai un faible pour les bâtiments en ruines. Mon château de Toscane est lui-même dans un état de délabrement avancé. Comme promis, j'ai apporté le déjeuner, poursuivit Fosco. Pinketts ! appela-t-il en tapant dans ses mains.

Son chauffeur, plus anglais que nature, décrocha l'énorme panier à pique-nique et le déposa un peu plus loin. Il étendit une nappe sur une petite table en pierre, à l'ombre d'un gigantesque hêtre pourpre, et disposa des couverts en argent, des verres, plusieurs bouteilles de vin, du fromage, du jambon et du salami.

— Comte, je tiens à vous remercier de tant de gentillesse, dit Pendergast.

— Ma gentillesse ne s'arrête pas là, cher ami. Attendez d'avoir goûté ce Chianti Classico Riserva Villa Calcinaia 97 ! C'est l'un de mes voisins, le comte Capponi, qui le fait dans sa propriété. Mais ce n'est pas tout. Je vous ai apporté un trésor plus précieux que tous les vins, les caviars et les foies gras réunis, si tant est que cela soit possible.

Ses petits yeux noirs pétillaient de plaisir.

— De quoi s'agit-il ?

— Un peu de patience. Tout vient à point qui sait attendre !

Sur ce, le comte se mit en devoir de ranger les victuailles sur la table avec le plus grand soin, puis il déboucha le vin qu'il fit décanter, faisant volontairement durer le plaisir. Enfin, il se tourna vers Pendergast avec un air de conspirateur :

— Par le plus grand des hasards, j'ai fait une découverte de première importance.

Puis, se tournant vers D'Agosta :

— Le nom de Ranier Beckmann vous dirait-il quelque chose, sergent ?

— C'est un nom que nous avons découvert dans l'ordinateur de Bullard.

Le comte hocha la tête comme s'il le savait de longue date.

— Mais encore ?

— Nous savons que Bullard a effectué des recherches sur internet au sujet d'un certain Ranier Beckmann, sans succès. Grove recherchait également ce Beckmann, mais de là à savoir pourquoi...

— Figurez-vous que, lors d'un déjeuner auquel j'assistais hier, je me suis retrouvé à côté de Lady Milbanke. Tout en jouant avec son nouveau collier d'émeraudes, elle m'a raconté que, quelques jours avant sa mort, Jeremy Grove lui avait demandé de lui recommander un détective privé. Il se trouve qu'elle en connaissait un – ce qui n'a rien d'étonnant quand on connaît son goût du scandale. Je me suis donc rendu chez ce monsieur et il m'a appris que Grove l'avait engagé afin de retrouver un certain... Ranier Beckmann !

Satisfait de son petit effet, il marqua une courte pause.

— Grove souhaitait à tout prix retrouver cet homme, mais il n'a pas voulu en dire davantage.

Naturellement, le détective a arrêté ses recherches en apprenant que Grove était mort.

— Très intéressant, murmura D'Agosta.

— Il serait surtout intéressant de savoir si l'on a retrouvé le nom de Beckmann dans les papiers de Cutforth, ajouta Pendergast.

D'Agosta sortit son portable de sa poche et composa le numéro de Laura Hayward.

— Hayward à l'appareil, répondit la voix posée de la jeune femme.

— C'est le sergent D'Agosta. Vinnie. Est-ce que vos hommes ont fini de dresser l'inventaire des affaires de Cutforth ?

— Oui.

— Avez-vous retrouvé quelque part le nom d'un certain Ranier Beckmann ?

— Oui, je crois.

D'Agosta l'entendit fouiller dans ses papiers.

— On a effectivement retrouvé son nom sur la première page d'un petit carnet, écrit de la main de Cutforth.

— Qu'y avait-il d'autre dans ce petit carnet ?

— Rien du tout.

— Merci.

D'Agosta referma son téléphone et fit le compte rendu de son appel.

Pendergast avait les yeux brillants et le visage tendu des grands jours.

— Voilà le fil qui nous manquait, Vincent ! Grove, Cutforth, Bullard. Pourquoi ces trois personnages cherchaient-ils Beckmann ? Le mieux serait de le retrouver nous-mêmes et de voir ce qu'il aurait à nous dire.

— Mon cher ami, j'ai bien peur que cela ne soit très difficile, remarqua le comte.

— Et pourquoi cela ?

— En dépit de ses recherches, le détective privé n'a rien trouvé. Ni adresse, ni famille, ni travail. Rien de rien. À vous de voir ce que vous pouvez en faire, conclut le comte, très content de lui, en leur faisant signe de se mettre à table. Mais assez parlé travail, il est temps de profiter de ce déjeuner. Si vous n'y voyez pas d'inconvénient, mademoiselle, je vous installerai à ma droite. Je suis certain que nous avons beaucoup de choses à nous dire.

29

Avant même de sonner, Harriman savait déjà à quoi ressemblerait le salon de von Menck : des tapis persans partout, des tableaux astrologiques, des étoiles à cinq branches, peut-être même des durgas tibétaines taillées dans des ossements humains. Il comptait sur l'atmosphère de la pièce pour donner du corps à son article, et sa déception ne fut que plus grande en découvrant un living-room banal, presque spartiate avec sa petite cheminée, ses fauteuils en cuir et ses lithographies de ruines égyptiennes. Deux détails trahissaient toutefois l'érudition du maître de maison : des rayonnages vitrés derrière lesquels s'alignaient des milliers de livres, de notes et de manuscrits, ainsi que la statuette Emmy du Meilleur Documentaire de l'année négligemment posée sur le bureau entre un téléphone et un Rolodex à l'ancienne.

Harriman s'installa sur le fauteuil que lui désignait son hôte, espérant que von Menck lui en donnerait pour son argent. Un scientifique pur aurait balayé cette histoire de meurtres diaboliques d'un revers de main, et personne n'aurait pris au sérieux les élucubrations d'un adepte du satanisme de carnaval. À l'inverse, Friedrich von Menck avait le mérite de se situer quelque part entre ces deux extrêmes. Docteur en philosophie de l'université de Heidelberg, docteur en médecine de l'université de Harvard, docteur en théologie de l'université de Cantorbery, ce spécialiste du mysticisme, du paranormal et de l'inexplicable avait toute la crédibilité voulue. Le documentaire qu'il avait consacré aux *crop circles* — ces cercles énigmatiques retrouvés dans certains champs de blé – avait été salué unanimement par la critique au lendemain de sa diffusion sur PBS. Von Menck avait su y glisser ce qu'il fallait de scepticisme et de mystère pour faire peur sans sombrer dans l'anecdotique. Mais son chef-d'œuvre restait bien évidemment le documentaire consacré aux exorcismes de la ville espagnole de Carthagène, pour lequel il avait obtenu un Emmy Award. Lorsqu'il l'avait vu à l'époque, Harriman s'était même demandé, le temps d'un écran publicitaire, si le diable n'existait pas.

Il attendait de von Menck davantage qu'une simple opinion. Lui seul avait la capacité de donner une véritable ampleur à cette histoire de meurtres.

Le professeur s'installa face à Harriman. Ce dernier avait été surpris de constater que le magnétisme personnel de von Menck était aussi palpable dans la réalité qu'à la télévision. Cela tenait à sa voix melliflue, à son visage austère, à ses pommettes saillantes, au modelé fin de son menton.

Après les politesses d'usage, le chercheur alla droit au but.

— Si j'ai bien compris, vous désirez évoquer ces meurtres qui ont défrayé la chronique.

— Exactement, acquiesça Harriman en sortant de sa poche son enregistreur numérique.

— Ce que votre journal appelle « les meurtres diaboliques ».

— Oui.

Harriman crut discerner un soupçon de dédain, voire de réprobation, dans la manière dont son interlocuteur présentait la chose.

— Professeur von Menck, j'aurais souhaité savoir si vous vous étiez fait une opinion au sujet de ces meurtres.

Le savant se cala dans son fauteuil, réunit ses mains en pointe et regarda longuement son interlocuteur avant de lui répondre d'une voix lente et précise.

— Je me suis fait une opinion, en effet.

— Vous permettez que je conserve une trace de cette conversation ? s'enquit le journaliste en posant l'enregistreur sur le bras de son fauteuil.

D'un geste, von Menck lui donna sa bénédiction.

— Je me suis toutefois demandé s'il serait sage de ma part de fournir publiquement mon avis sur la question.

Le cœur d'Harriman s'arrêta de battre. *Et merde ! Ce con a décidé de tourner un documentaire sur le sujet et il va m'envoyer bouler.*

— En fin de compte, poursuivit Von Menck avec un soupir, je me suis dit que les gens avaient le droit de savoir, de sorte que votre appel est tombé à point nommé.

Ouf ! Soulagé, le journaliste mit en marche son petit appareil.

— Dans ce cas, professeur, je vous demanderai de me dire ce que vous pensez de tout ça. Pourquoi ces deux hommes ont-ils été tués de la sorte ?

Nouveau soupir.

— L'identité de ces deux hommes, tout comme la manière dont ils sont morts, n'a que peu d'importance. C'est le *moment* qui compte avant tout.

— Expliquez-vous.

Von Menck se leva de sa chaise et se dirigea vers l'un des rayonnages vitrés qu'il ouvrit afin d'y prendre un objet qu'il déposa sur son bureau, face à son

visiteur. Harriman reconnut une coquille de nautile
déroulant ses cloisons en une spirale parfaite.

— Monsieur Harriman, savez-vous quel est le rapport entre ce coquillage et le Parthénon, les pétales
d'une fleur ou bien encore les tableaux de Léonard
de Vinci ?

Harriman fit non de la tête.

— Eh bien figurez-vous qu'il est l'illustration du
plus parfait des phénomènes naturels, à savoir le
nombre d'or.

— Je ne vous suis pas très bien.

— Il s'agit du rapport mathématique obtenu en
coupant une droite de façon que la proportion entre
le plus petit segment et le plus long segment soit iden-
tique à celle du long segment avec la droite elle-
même.

Harriman prenait des notes du mieux qu'il le pouvait, sans être sûr de bien comprendre.

— Ainsi, le premier segment est 1,618054 fois plus
long que le second. Si l'on procède à l'inverse, le segment court représente 0,618054 % de la longueur du
segment long. Comme vous pourrez le constater, ces
deux nombres sont parfaitement identiques, à
l'exception du premier chiffre. Il s'agit des deux seuls
nombres ayant cette propriété surprenante.

— Oui, bien sûr, opina Harriman qui n'avait
jamais été très fort en maths.

— Ce n'est pas la seule propriété intéressante du
nombre d'or. Si l'on dessine un rectangle à l'aide de
ces deux mêmes segments, on obtient ce que l'on
appelle un rectangle d'or. Le Parthénon a été
construit sur ce modèle, par exemple, mais il est loin
d'être le seul. Les cathédrales et de nombreux
tableaux répondent à ces proportions rectangulaires
parfaites. Et ce n'est pas tout : si vous enlevez à ce
rectangle un coin, quelle que soit sa taille, vous vous

trouvez en présence d'un *autre* rectangle d'or, de dimensions plus réduites. En continuant à l'envi, vous obtiendrez des rectangles d'or de plus en plus petits *à l'infini*.

— Je vois, fit Harriman sans entrain.

— Fort bien. À présent, si vous prenez un grand rectangle d'or, que vous le diminuez progressivement en une infinité de rectangles d'or de dimensions plus réduites et que vous reliez entre eux les centres de tous ces rectangles, vous obtenez une spirale logarithmique parfaite. La même que celle de cette coquille de nautile, ou que celle des graines dans la fleur du tournesol. Vous la retrouvez constamment dans la nature, et même en théorie musicale. Le nombre d'or est l'un des fondements mêmes de l'équilibre naturel des choses.

— Ah oui, d'accord...

— Ce nombre est à l'origine de la structure de l'univers, sans que personne ait jamais pu en expliquer la raison.

Le professeur se leva, reposa le coquillage sur son rayonnage et referma soigneusement la vitre. Harriman s'attendait à tout, sauf à ces élucubrations mathématiques auxquelles il ne comprenait rien. Et s'il n'y comprenait rien, ses lecteurs n'y comprendraient rien non plus. Il perdait manifestement son temps et il lui fallait trouver le moyen de s'éclipser le plus vite possible.

Von Menck reprit place derrière son bureau et demanda au journaliste à brûle-pourpoint :

— Êtes-vous croyant, monsieur Harriman ?

Harriman s'attendait si peu à une telle question qu'il ne sut quoi répondre.

— Je ne vous demande pas si vous appartenez à une confession quelconque. Je voudrais simplement savoir si vous pensez qu'une force suprême gouverne notre univers.

— Je dois vous avouer n'y avoir jamais vraiment réfléchi, répondit Harriman, mais je suppose que oui.

Il était issu d'une famille épiscopalienne, mais il n'avait pas mis les pieds dans une église depuis près de vingt ans, sinon lors de mariages ou d'enterrements.

— Dans ce cas, pensez-vous comme moi, que nos existences ont un sens ?

Harriman arrêta son enregistreur. Il était plus que temps de ficher le camp. S'il avait voulu un cours de religion, il se serait adressé aux Témoins de Jéhovah.

— Sans vouloir vous froisser, professeur, je ne vois pas très bien le rapport de tout cela avec les deux meurtres qui viennent d'avoir lieu.

— Un peu de patience, monsieur Harriman. Mon raisonnement est complexe, mais je ne doute pas que sa conclusion vous estomaque, si vous me permettez cette locution triviale.

Harriman attendit la suite.

— Je m'explique. J'ai passé ma vie à étudier l'inexplicable et j'ai réussi à résoudre bien des mystères. D'autres en revanche, les plus insondables sans doute, restent obscurs à mes yeux.

Prenant une feuille blanche sur son bureau, Von Menck traça quelques signes et tendit la feuille à son interlocuteur qui découvrit deux nombres :

3 243

1 239

— Ces deux nombres, poursuivit le savant en tapotant la feuille, représentent pour moi les deux plus grands mystères de l'univers. Savez-vous à quoi ils correspondent ?

Harriman fit non de la tête.

— Ces dates correspondent aux deux plus grands cataclysmes auxquels a été confrontée la civilisation humaine. En 3243 avant Jésus-Christ, l'île de Santorin a littéralement explosé, provoquant des raz de marée qui ont purement et simplement détruit la civilisation minoenne de la Crète, dévastant l'ensemble du monde méditerranéen. On trouve là l'origine du Déluge et de la légende de l'Atlantide. Passons maintenant à la seconde date, 1239 avant notre ère, qui correspond à la destruction de Sodome et Gomorrhe par le feu et le soufre.

— L'Atlantide ? Sodome et Gomorrhe !

Harriman commençait à penser que von Menck était complètement fêlé, mais le professeur insistait, tapotant à nouveau sa feuille.

— Platon décrit l'Atlantide dans deux de ses dialogues, le *Timée* et le *Critias*. Il se fourvoie sur certains détails, à commencer par la date, qu'il situe aux environs de 9000 avant Jésus-Christ, mais des fouilles récentes effectuées en Crète et en Sardaigne permettent de dater l'événement avec davantage de précision. La légende de la cité perdue de l'Atlantide est devenue tellement galvaudée que beaucoup de gens y voient un simple mythe, contrairement aux archéologues. Platon a décrit l'Atlantide, c'est-à-dire la civilisation minoenne, comme un État puissant obsédé par le commerce, l'argent et le progrès, mais foncièrement dénué de valeurs spirituelles, ce que confirment les fouilles entreprises sur le site de Cnossos. D'après Platon, le peuple atlante avait renié ses dieux au point d'étaler ouvertement ses vices et de remettre en question l'existence de l'ordre divin, préférant idolâtrer le progrès et la technologie. Platon précise que les Atlantes avaient édifié des canaux et une sorte de pierre à feu capable de produire une énergie artificielle.

Von Menck marqua une pause avant d'ajouter :

— Une description qui convient parfaitement à une ville que nous connaissons bien, vous ne trouvez pas ?

— New York !

Von Menck hocha lentement la tête.

— Précisément. À l'apogée de la civilisation atlante, des signes avant-coureurs de la catastrophe sont apparus. Il s'est mis à faire anormalement froid, le ciel restait couvert des jours durant, la terre grondait de façon inquiétante. Puis les gens se sont mis à mourir brusquement, sans raison apparente, dans des circonstances terrifiantes. On raconte qu'un Atlante a été foudroyé « par un éclair venu simultanément du ciel et des entrailles de la terre ». Un autre a littéralement explosé, « sa chair et son sang brusquement volatilisés tandis que se répandait autour de lui une odeur pestilentielle ». Une semaine plus tard survenaient l'explosion et le déluge qui devaient détruire à jamais la ville.

Harriman, intrigué, avait rebranché son enregistreur. Après tout, il ne s'était peut-être pas déplacé pour rien.

— Deux mille quatre ans plus tard, poursuivait Von Menck, la région de la mer Morte située entre Israël et l'actuelle Jordanie était une terre incroyablement fertile. Dans ce lieu qui, soit dit en passant, reste le point émergé le plus bas à la surface du globe, se trouvaient alors les villes de Sodome et de Gomorrhe. Nous ignorons combien elles avaient d'habitants, mais des fouilles archéologiques ont permis de retrouver de vastes cimetières renfermant des milliers de restes humains. De toute évidence, il s'agissait des villes les plus puissantes de leur temps. À l'image de l'Atlantide, ces cités insolentes avaient sombré dans la décadence, la débauche et les turpitudes, ses habitants s'écartant de l'ordre naturel des choses et rejetant Dieu au profit d'idoles terrestres. Ainsi qu'il est écrit dans la Genèse, il ne restait dans tout Sodome ni cinquante, ni vingt, ni même dix justes, et les deux villes périrent peu après dans « une pluie de soufre et de feu, et des cendres enflammées qui s'élevaient de la terre comme la fumée d'une fournaise ». Cette fois encore, des fouilles réalisées dans la mer Morte ont permis de confirmer avec une précision stupéfiante ce qui est écrit dans la Bible. Au cours des jours qui ont précédé le cataclysme, des signes sont apparus aux habitants. Certains furent transformés en statues de feu, d'autres en statues de pierre, et la femme de Loth fut changée en statue de sel.

Von Menck se leva et contourna son bureau afin de se rapprocher de son visiteur.

— Avez-vous visité la mer Morte, monsieur Harriman ?

— Malheureusement non.

— Moi si. À plusieurs reprises. La première fois, peu après avoir pu établir un lien entre la destruction de l'Atlantide et celle de Gomorrhe. De nos jours, la mer Morte porte bien son nom : aucun poisson ne peut y vivre, l'eau y est infiniment plus salée que celle des océans. Rien ou presque ne pousse sur ses rives à cause de l'épaisse croûte de sel qui recouvre tout, mais si vous traversez les plaines désertiques proches de Tell es-Sa'idiyeh où la plupart des chercheurs ont situé Sodome, vous trouverez de nombreuses billes de soufre pur à la surface du sel. Il ne s'agit pas d'un soufre de type rhombique tel qu'on en trouve couramment dans les zones géothermiques, mais d'un soufre monoclinique, c'est-à-dire un soufre blanc, d'une pureté remarquable, soumis à de très hautes températures sur une longue période. Il n'en existe nulle part ailleurs à la surface du globe. Sodome et Gomorrhe n'ont donc pas été rayées de la carte à la suite d'un phénomène géologique quelconque, et leur disparition reste un mystère à ce jour.

Reprenant sa feuille de papier, Von Menck y inscrivit une troisième date en dessous des deux précédentes :

3243

1239

2004

— L'année 2004, monsieur Harriman. Nous revenons au nombre d'or. Calculez par vous-même : 5 247 années séparent 3243 avant Jésus-Christ de l'année 2004, tandis que 3 243 années séparent 1239 avant Jésus-Christ d'aujourd'hui. Dans un cas comme dans l'autre, nous nous trouvons en présence de ce fameux nombre d'or. Vous remarquerez, de plus, que 2 004 années séparaient 3243 de 1239. Simple coïncidence ?

Harriman, hypnotisé par les trois nombres, se demandait s'il avait bien entendu. Tout ça semblait à peine croyable, et même complètement fou, mais cet homme qui le regardait avec résignation n'avait pourtant pas l'air d'un fou.

— Pendant des années, monsieur Harriman, j'ai cherché la preuve que je me trompais. Je me disais que les dates étaient fausses, qu'il devait y avoir une erreur quelque part, mais toutes mes recherches n'ont fait que renforcer ma théorie.

S'approchant d'une étagère, il saisit une grande feuille cartonnée sur laquelle on distinguait une spirale comparable à celle du nautile. À son extrémité extérieure figurait en rouge la mention : 3243 av. J.-C. – Santorin/Atlantide, et à un tiers du déroulé de la courbe était portée l'indication : 1239 av. J.-C. – Sodome et Gomorrhe. D'autres points de la spirale étaient annotés à l'encre noire :

79 av. J.-C. – Éruption du Vésuve et destruction de Pompéi/Herculanum

426 – Chute de Rome, invasion des barbares

1348 – La peste frappe Venise, tuant les deux tiers de sa population

1666 – Grand incendie de Londres

Enfin, à l'endroit précis où la spirale se refermait sur elle-même, s'étalait une troisième indication en rouge :

2004 – ???

— Comme vous pouvez le voir, reprit von Menck en posant le graphique en équilibre sur son bureau, j'ai dressé ici la liste d'un certain nombre de cataclysmes. Tous correspondent précisément à notre spirale logarithmique, conformément au nombre d'or. Quelle que soit la manière dont on s'y prend, nous aboutissons systématiquement à la date de 2004. *Systématiquement*. Que peuvent avoir de commun ces catastrophes ? Chaque fois, elles frappent l'une des grandes cités du globe, célèbre pour sa puissance, sa richesse, son savoir, et sa décadence spirituelle.

D'un geste minutieux, le professeur saisit un crayon de papier dans un gobelet en étain.

— J'aurais aimé m'être trompé, ou bien avoir affaire à une simple coïncidence. J'avais même espéré que l'année 2004 me donnerait tort, mais je ne crois plus à présent au fonctionnement erratique de la nature. Il existe un ordre dans toute chose, monsieur Harriman, et nous portons tous une responsabilité morale au même titre que nous avons une responsabilité. Lorsqu'une espèce naturelle trahit cette responsabilité écologique, un phénomène de purification naturelle se produit inévitablement, qui peut la conduire à disparaître. Ainsi en décide la nature. Mais que se passe-t-il lorsqu'une espèce trahit sa responsabilité morale ?

Retournant son crayon, von Menck l'approcha du centre de la spirale et effaça les trois points d'interrogation qui suivaient 2004.

— Nous avons vu que des signes avant-coureurs étaient apparus lors des catastrophes précédentes. Des événements mineurs, tout du moins en apparence. La plupart du temps, des personnes de moralité douteuse disparaissaient de façon prémonitoire. C'est arrivé à Pompéi à la veille de l'éruption du Vésuve, à Londres au cours des jours qui ont précédé le grand incendie, à Venise avant la peste. C'est précisément pour cette raison, monsieur Harriman, que j'accorde aussi peu d'importance à Jeremy Grove et à Nigel Cutforth en tant que personnes. Ces deux hommes brillaient par leur haine de la morale et de la religion, par leur rejet de toute décence, par leurs excès. À ce titre, ils personnifiaient le monde de concupiscence, de barbarie et de matérialisme dans lequel nous vivons, tout particulièrement à New York. Mais leur disparition n'est qu'un signe avant-coureur de ce qui attend un grand nombre d'entre nous, j'en ai bien peur.

Von Menck reposa calmement le graphique sur son bureau.

— Vous arrive-t-il de lire de la poésie, monsieur Harriman ?

— Non. Plus depuis l'université, en tout cas.

— Peut-être avez-vous conservé en mémoire un poème de W.B. Yeats intitulé « The Second Coming » ?

L'anarchie prend d'assaut le monde...
Les meilleurs ne croient plus à rien, les pires
Se gonflent de passions néfastes

Von Menck se pencha vers Harriman.

— Nous vivons à une époque où l'absence de valeurs morales et notre passion aveugle pour la technologie nous conduisent au rejet de la spiritualité. La télévision, le cinéma, les ordinateurs, les jeux vidéo, l'internet, l'intelligence artificielle sont autant de déités absurdes. Nos leaders sont des hypocrites corrompus dont la piété factice dissimule un agnosticisme coupable. Nos chercheurs se gaussent ouvertement des religions et sacrifient les valeurs de l'âme sur l'autel de la science. On raille quotidiennement l'église et la synagogue, la radio fait assaut de vulgarité et de bassesse, la télé-réalité fait appel à nos instincts les plus vils, tandis que les attentats suicides, le terrorisme et le chantage au nucléaire constituent le décor de nos pauvres vies.

Un long silence s'installa, ponctué par les bips discrets de l'enregistreur numérique.

— Les anciens voyaient la nature sous la forme de quatre éléments, reprit enfin von Menck : la terre, l'air, le feu et l'eau. Certains craignaient les déluges, d'autres redoutaient les tremblements de terre ou les cyclones, d'autres encore tremblaient devant le diable. Pour avoir trahi ses responsabilités morales, l'Atlantide a été engloutie. Le feu s'est abattu sur Sodome et Gomorrhe, et un vent porteur de peste a failli anéantir Venise. Le nombre d'or nous indique une fois de plus la solution.

Cette fois, von Menck s'empara d'un schéma couvert d'annotations complexes dont les lignes convergeaient irrémédiablement vers un point central sur lequel était écrit :

2004 – New York – Le feu

— Vous semblez penser que New York va brûler.

— Pas dans le sens que l'on donne habituellement à ce verbe. New York se consumera de *l'intérieur*, tout comme Grove et Cutforth.

— Pensez-vous qu'il est encore temps d'éviter une telle catastrophe si les gens se tournent à nouveau vers Dieu ?

Von Menck secoua la tête.

— Il est trop tard pour cela. Vous noterez d'ailleurs, monsieur Harriman, que jamais je n'ai employé le mot « Dieu ». Je ne fais pas nécessairement allusion à Dieu, mais plutôt aux forces de la nature, aux lois morales qui régissent l'univers avec une force comparable à celle des forces physiques. Nous avons créé un déséquilibre que la nature se chargera de corriger. Et cela se passera en 2004, insista-t-il en tapant du doigt sur ses schémas. Nous sommes à la veille du cataclysme prédit par Nostradamus, Edgar Cayce, ou encore le saint Jean de l'Apocalypse.

Harriman hocha la tête. Il en avait la chair de poule. En attendant, il tenait un papier génial, à condition que tout ça ne soit pas bidon.

— Professeur, vous avez consacré beaucoup de temps à ces recherches ?

— Je peux même dire qu'il s'agit d'une obsession. Cela fait plus de quinze ans que je sais ce qui nous attend en 2004, mais je me suis contenté d'attendre.

— Êtes-vous réellement convaincu que nous sommes à la veille d'une catastrophe, ou bien s'agit-il seulement d'une théorie ?

— Je vous laisse juge en vous disant simplement ceci : je quitte New York demain.

— Vous quittez New York !

— Oui, je pars pour les îles Galápagos.

— Pourquoi les Galápagos ?

— Ainsi qu'aurait pu vous le confirmer Darwin, il s'agit d'îles extrêmement isolées. Cette fois, je n'ai pas l'intention de réaliser un documentaire et je vous laisse le soin d'informer vos lecteurs, monsieur Harriman, précisa-t-il en désignant l'enregistreur.

— Pas de documentaire ? répéta le journaliste, stupéfait.

— Si ce que je redoute se produit, monsieur Harriman, il n'y aura plus personne pour regarder la télévision.

En prononçant ces mots, le professeur von Menck eut un petit sourire pour la première fois depuis le début de leur entretien. Un sourire d'une infinie tristesse.

30

D'Agosta regarda d'un air perplexe la petite chose indéfinissable noyée dans un bain de sauce au milieu de son assiette. À l'odeur, on aurait dit du poisson. Ça ne risquait pas de le faire grossir, c'était déjà ça. Depuis la mort de Grove dix jours plus tôt, il avait perdu plus de deux kilos en faisant du jogging et de l'exercice, sans parler des heures passées à se muscler les bras et les épaules au stand de tir. Encore deux mois de ce régime et il retrouverait la silhouette qu'il avait en quittant la police de New York.

Proctor s'activait derrière eux, servant les plats et remportant les assiettes avec l'aisance d'un prestidigitateur. Pendergast présidait la tablée, Constance à sa gauche. Elle avait perdu un peu de sa pâleur, sans doute sous l'effet du soleil de la veille. La salle à manger de la vieille demeure de Riverside Drive n'en était pas moins sinistre, avec ses papiers peints vert foncé et ses tableaux aux couleurs sombres. Les fenêtres qui donnaient autrefois sur les eaux de l'Hudson étaient condamnées de longue date et Pendergast ne donnait pas l'impression de vouloir leur rendre un jour leur fonction initiale. Pas étonnant qu'il soit blanc comme un mort, à force de vivre enterré, pensa D'Agosta, qui aurait volontiers troqué ce dîner lugubre, avec sa longue suite de plats étranges, contre des travers de porc au barbecue et une glacière de canettes de bière bien fraîches dans son jardin ensoleillé de Suffolk County. Même le curieux pique-nique de Fosco le jour précédent lui paraissait aujourd'hui plus attrayant. D'une fourchette hésitante, il explora son assiette.

— Vous n'aimez pas les œufs de morue ? s'inquiéta Pendergast. Il s'agit d'une vieille recette italienne.

— Ma grand-mère était de Naples, mais je peux vous dire qu'elle ne m'a jamais servi un truc comme ça de sa vie.

— C'est un plat ligure, me semble-t-il, mais cela n'a guère d'importance. Je comprends fort bien que l'on ne soit pas amateur d'œufs de morue.

Pendergast adressa un signe à Proctor qui retira sans attendre l'assiette du sergent. Quelques minutes plus tard, il posait devant lui une canette de Budweiser glacée et un steak accompagné d'une ravissante saucière en argent dont le contenu sentait divinement bon.

D'Agosta s'empressa d'y faire honneur sous le regard amusé de Pendergast.

— Constance prépare les tournedos bordelaise comme personne. Je tenais celui-ci en réserve, au cas où.

— C'est très gentil de votre part.

— La cuisson du steak vous convient-elle ? demanda la jeune femme. Personnellement, je le préfère *saignant*, comme disent les Français.

— Je ne suis pas très fort en français, mais votre steak est un régal.

Ravie, Constance lui répondit par un sourire.

D'Agosta arrosa une bouchée de viande d'une gorgée de bière, puis il se tourna vers Pendergast.

— Quelle est la suite du programme ?

— Après dîner, Constance nous fera le plaisir d'interpréter à notre intention quelques partitas de Bach. C'est une violoniste accomplie, autant que je puisse en juger, et son violon devrait vous intéresser. Il s'agit d'un vieil Amati déniché dans les collections de mon grand-oncle. Il est en assez bon état, bien qu'il ait perdu un peu de sa chaleur.

— Super, répliqua D'Agosta en toussotant, mais je voulais surtout savoir ce que vous comptiez faire au niveau de l'enquête.

— Ah ! Excusez-moi. Je nous ai fixé une double mission. D'une part, retrouver ce Ranier Beckmann, de l'autre tenter de mieux pénétrer la nature même des deux meurtres. J'ai lancé quelqu'un à la recherche de Beckmann, et Constance devrait nous éclairer de ses lumières dans notre seconde entreprise.

— Aloysius m'a demandé d'effectuer des recherches sur d'anciens cas de CHS, expliqua la jeune femme en s'essuyant délicatement la bouche.

— Des cas de combustion humaine spontanée ? Comme cette Mary Reeser dont vous avez parlé au médecin légiste le soir de la mort de Cutforth ?

— Précisément.

— Vous n'y croyez pas sérieusement ?

— Mary Reeser nous offre le cas le plus célèbre et le mieux documenté, mais son exemple est loin d'être unique. N'est-ce pas, Constance ?

— Célèbre et bien documenté, mais avant tout, extrêmement curieux, répondit-elle en consultant des notes posées à côté d'elle. Le 1er juillet 1951, Mme Reeser, une veuve, s'est endormie sur un fauteuil dans son appartement de St. Petersburg en Floride. Elle a été retrouvée le lendemain matin par une amie qui a senti une odeur de fumée à travers la porte. Lorsque les secours ont forcé l'entrée de l'appartement, ils ont trouvé le fauteuil de Mary Reeser entièrement calciné. Quant à Mme Reeser elle-même, qui pesait près de quatre-vingts kilos de son vivant, il ne restait plus guère que cinq kilos de cendres et d'os. Seul son pied gauche était resté intact, ainsi que le chausson qu'elle portait, mais elle avait entièrement brûlé à partir de la cheville. On a également retrouvé son foie et son crâne, en partie éclaté sous l'effet de la chaleur. Le reste de l'appartement n'avait pas souffert, à l'exception de son fauteuil et d'une prise murale qui avait fondu, provoquant l'arrêt de son réveil électrique à 4 h 20 du matin. Lorsqu'on a voulu rebrancher le réveil sur une autre prise, il s'est remis en marche comme si de rien n'était.

— Incroyable !

— Le FBI a aussitôt été alerté et le dossier établi par leurs soins est extrêmement détaillé, précisa Pendergast. Plus de mille pages d'analyses, de tests et de documents photographiques. Nos experts ont pu déterminer qu'il avait fallu une température supérieure à 1500 degrés pour calciner de la sorte le corps de Mary Reeser. Jamais on n'aurait atteint une telle température si elle avait accidentellement mis le feu à ses vêtements à l'aide d'une cigarette, par exemple. En outre, Mme Reeser ne fumait pas. On n'a retrouvé aucune trace d'essence ou de combustible, aucun court-circuit n'a pu être mis en cause, pas plus que la foudre. Officiellement, l'affaire n'a jamais été classée.

D'Agosta secoua la tête avec incrédulité.

— La CHS n'est pas un phénomène récent, reprit Constance. Dickens rapporte un incident de ce genre dans *La Maison d'Âpre-vent*. La critique l'ayant éreinté à ce sujet, il s'est défendu dans la préface de l'édition de 1853 de son roman, expliquant qu'il s'était fondé sur un cas de CHS bien réel.

D'Agosta, qui s'apprêtait à avaler un nouveau morceau de viande, reposa sa fourchette.

— Au soir du 4 avril 1731, rapporte Dickens, la comtesse Cornelia Zangari née Bandi, originaire de Cesena, en Italie, s'est plainte de « lourdeurs ». Une servante l'a aidée à se mettre au lit et les deux femmes ont passé les heures suivantes en prières et en discussions. Le lendemain matin, n'entendant pas appeler sa maîtresse à l'heure habituelle, la servante a frappé à sa porte et elle a remarqué une odeur nauséabonde. Dans la chambre l'attendait une scène horrible. La comtesse, ou plutôt ce qu'il en restait, reposait à même le sol de pierre à moins de deux mètres de son lit. Son buste s'était entièrement consumé, au point que les os avaient été réduits en cendres. Il ne subsistait plus d'elle que la partie inférieure des jambes depuis le genou, une partie de ses mains ainsi qu'un morceau de la boîte crânienne auquel restait attachée une mèche blonde. Le reste du corps n'était plus que cendres et ossements calcinés. Tout comme ce fut le cas d'affaires similaires, en particulier celle de Mme Nicole à Reims, la mort a été attribuée à une « visite de Dieu ».

— Toutes mes félicitations pour vos recherches, Constance, la remercia Pendergast.

La jeune femme lui adressa un sourire.

— J'ai retrouvé plusieurs ouvrages consacrés à des cas de combustion humaine spontanée dans la bibliothèque. Les morts les plus étranges exerçaient une véritable fascination sur votre grand-oncle, ce qui ne vous surprendra pas. Je ne disposais malheureusement d'aucun livre postérieur à 1954, mais il en existe quelques dizaines d'autres, publiés antérieurement. On note un certain nombre d'éléments récurrents dans toutes ces affaires : tout d'abord, si les extrémités du corps restent souvent intactes, ce n'est pas le cas du torse ; alors que les incendies courants ne déshydratent pas totalement les tissus humains, les exemples de CHS montrent que le sang s'est intégralement évaporé ; le foyer est toujours très localisé, au point que les meubles et les objets alentour restent intacts, même ceux qui sont aisément inflammables. Les spécialistes parlent ainsi d'un « cercle de mort » à l'intérieur duquel il ne reste rien alors que l'extérieur ne semble pas affecté par le feu.

D'Agosta repoussa lentement le steak dont il n'avait pourtant mangé que la moitié. Ces exemples rappelaient ceux de Grove et de Cutforth, à quelques éléments près, et pas des moindres : l'empreinte du pied fourchu et celle du visage hideux, ainsi que la forte odeur de soufre.

Au même instant, quelqu'un frappa à la porte d'entrée.

— Sans doute les gamins du quartier, déclara Pendergast dans le silence qui s'était installé.

Mais on insistait, et les coups se réverbéraient de façon sinistre à travers les couloirs de la vieille demeure.

— Un jeune délinquant ne frapperait pas de la sorte, murmura Constance.

— Dois-je ouvrir ? proposa Proctor en lançant à Pendergast un coup d'œil interrogateur.

— Avec les précautions d'usage.

Moins d'une minute plus tard, le serviteur introduisait dans la pièce un inconnu élancé, aux lèvres minces et au crâne légèrement dégarni. Il portait un costume gris et son nœud de cravate était desserré. Il avait des traits réguliers et s'il n'était ni beau ni laid, son visage trahissait une grande lassitude.

L'homme s'arrêta sur le seuil, fit des yeux le tour de la table et son regard s'arrêta sur Pendergast.

— Oui ? s'enquit ce dernier.

— Je vous demanderai de me suivre.

— Puis-je me permettre de vous demander qui vous êtes, et le but de votre visite ?

— Non.

Un silence gêné suivit sa réponse.

— Comment vous êtes-vous procuré cette adresse ?

L'inconnu observait toujours Pendergast d'un regard inquiétant.

— Suivez-moi, s'il vous plaît. Je ne voudrais pas devoir insister.

— Pourquoi devrais-je vous suivre alors que vous refusez de vous identifier et de me dire ce qui vous amène ici ?

— Mon nom n'a aucune importance. J'ai des informations à vous transmettre. Des informations confidentielles.

Pendergast observa longuement son interlocuteur, puis il sortit calmement son Les Baer 45 de sa veste, s'assura qu'il était chargé et le remit dans son étui.

— Vous y voyez un inconvénient ?

— Aucune importance, répliqua l'inconnu sans s'émouvoir.

— Attendez une petite seconde, intervint D'Agosta en se levant. Je n'aime pas du tout ça, je vous accompagne.

— Je regrette, c'est impossible, répondit l'homme en se tournant vers lui.

— Rien à foutre.

Pour toute réponse, l'homme plongea ses yeux dans ceux de Pendergast, son visage plus impassible que jamais.

Pendergast posa la main sur le bras de D'Agosta.

— Il est préférable que j'y aille seul.

— Pas question ! Vous ne savez rien de ce type, ni ce qu'il vous veut. Je n'aime pas ça.

L'inconnu tourna les talons, suivi de Pendergast, et D'Agosta les regarda s'éloigner d'un air consterné.

31

L'inconnu roulait sur la West Side Highway en direction du nord. Il n'avait pas desserré les dents depuis le départ et Pendergast n'avait pas tenté de le faire parler. Il s'était mis à pleuvoir et de grosses gouttes s'écrasaient sur le pare-brise. Ils arrivaient à la bretelle du George Washington Bridge dont la silhouette illuminée surplombait les eaux noires de l'Hudson lorsque l'homme s'engagea sur une route de service à moitié défoncée. La voiture continua d'avancer en cahotant et s'arrêta au fond d'un cul-de-sac rongé par les mauvaises herbes au pied du pont.

Le conducteur coupa le contact et demanda :

— Vous avez un micro caché sur vous ?

— Non.

— C'est pour vous que je demande ça.

— Vous êtes de la CIA ?

L'homme hocha la tête en regardant droit devant lui.

— Je sais qu'il vous serait très facile de savoir qui je suis. Je veux votre parole que vous n'essaierez pas de le faire.

— Vous l'avez.

L'homme prit un dossier bleu entre les deux sièges et le déposa sur les genoux de Pendergast. Sur le rabat figurait le mot *BULLARD*, assorti de la mention *Classé secret défense*.

— D'où provient ce dossier ? s'enquit Pendergast.

— Ça fait dix-huit mois que j'enquête sur Bullard.

— Pour quelle raison ?

— Vous trouverez tout là-dedans, mais laissez-moi vous donner les grandes lignes. Bullard est le fondateur, président-directeur général et actionnaire majoritaire de la société Bullard Aerospace Industries. BAI est une compagnie privée de taille moyenne, spécialisée dans la recherche aérospatiale, qui conçoit principalement des équipements militaires : des avions, des drones et des missiles. BAI est également l'un des sous-traitants de la NASA pour la navette spatiale. Entre autres projets, la compagnie de Bullard a aidé à la mise au point du revêtement antiradar des avions et des bombardiers furtifs. Bref, une compagnie de haut niveau, qui fait d'énormes profits. Bullard est un type doué, ce qui ne l'empêche pas d'être un personnage peu recommandable, capable d'éliminer ceux qui se trouvent sur son passage, civils *et* militaires.

— Je vois.

— BAI effectue également des recherches pour le compte d'autres pays dont certains ne sont pas exactement des alliés. Le gouvernement suit de près ces transactions par le biais des organismes de contrôle à l'exportation, conformément aux lois en vigueur sur les transferts de technologie. Jusqu'à présent, BAI est resté dans le rang, du moins en ce qui concerne ses installations américaines. Ce n'est pas le cas de l'une de ses usines implantée en Italie. Il y a quelques années, BAI a fait l'acquisition à Lastra a Signa, une banlieue industrielle de Florence, d'une petite fabrique ayant appartenu autrefois à Alfred Nobel.

L'ombre d'un sourire ironique passa sur les lèvres de l'homme.

— En apparence, tout indique qu'il s'agit d'un vieil entrepôt en ruine, mais la partie centrale de l'usine a été transformée en centre de recherche ultrasophistiqué.

La pluie martelait le toit de l'auto au-dessus de leurs têtes et un éclair zébra le ciel, accompagné d'un roulement de tonnerre.

— Nous ne savons pas exactement ce que fait la BAI dans cette usine, mais tout laisse à croire qu'ils travaillent pour le compte des Chinois. L'an dernier, nous avons décelé plusieurs tests de missiles balistiques au-dessus du désert de Lop Nur. Il s'agit d'armes d'un type inédit, conçues pour percer le bouclier anti-missiles américain.

Pendergast hocha la tête.

— La spécificité de ce nouveau missile tient à son aérodynamisme et à son revêtement qui le rendent totalement invisible des radars. En outre, il ne laisse derrière lui aucun sillage thermique détectable à l'aide d'un Doppler. Mais il y a un hic : jusqu'à présent, ce nouveau missile chinois ne fonctionne pas, il explose systématiquement à sa rentrée dans l'atmosphère. Et c'est là que BAI intervient. Nous pensons que les Chinois ont demandé à la boîte de Bullard de les aider à résoudre leur problème et que ces recherches ont lieu dans l'usine de Florence.

— Comment peuvent-ils résoudre le problème ?

— On ne sait pas. Il semble que les explosions soient dues à un pic de résonance lors de la rentrée dans l'atmosphère. Pour rester invisible, le missile possède une forme si particulière qu'il peut à peine voler. Nous avons rencontré des problèmes similaires avec notre bombardier furtif, mais on a pu en venir à bout grâce à des recherches informatiques très poussées, doublées de tests en soufflerie aérodynamique. La différence avec ce missile est qu'il vole à une vitesse nettement supérieure, qu'il est balistique et qu'il se trouve face à des radars nettement plus sophistiqués. La solution se trouve probablement du côté de formules telles que les transformées de Fourier ou les valeurs propres, ce genre d'algorithmes. Vous me suivez ?

— Dans les grandes lignes.

— Pour simplifier, il s'agit de recherches liées aux calculs de vibrations et de résonance. Le missile doit avoir une aérodynamique parfaite tout en ayant une surface noire non visible par les radars. La moindre courbe, le moindre angle provoquerait des turbulences détectables sur un Doppler, et si quelqu'un peut résoudre le problème, c'est bien BAI.

— Vous m'autorisez à conserver ce dossier ?

— Il est pour vous.

— Pourquoi moi ?

Pour la première fois depuis le début de leur conversation, l'homme se tourna vers Pendergast. Derrière son masque imperturbable se dissimulait une lassitude infinie.

— Toujours la même histoire. Comme n'importe quelle agence gouvernementale, la CIA n'est pas exempte de pressions politiques. Bullard a des amis très haut placés à Washington et on m'a donné l'ordre d'arrêter mon enquête. Il a récolté des millions de dollars pour la réélection d'une demi-douzaine de sénateurs clés et de représentants au Congrès, sans parler du président. On nous a fait comprendre que la CIA n'avait aucune raison de s'intéresser à un citoyen modèle alors qu'il y a tant de terroristes de par le monde. Vous connaissez la chanson.

Pendergast hocha la tête silencieusement.

— Mais je m'en fous. Ce salaud est un traître, au même titre que les compagnies américaines qui vendent des technologies sensibles à l'Iran ou à la Syrie

270

prétendument pour en faire un usage civil. Si Bullard arrive à ses fins, les États-Unis auront dépensé cent milliards de dollars pour mettre au point un bouclier anti-missiles qui sera périmé avant même d'être installé. Le jour où ça se produira, c'est la CIA qui trinquera car le gouvernement aura oublié comme par hasard qu'il a ordonné l'arrêt de notre enquête. Le Congrès exigera l'ouverture d'une enquête parlementaire sur nos manquements présumés et nous serons les dindons de la farce, une fois de plus.

— Je puis vous dire que nous connaissons également cela au FBI.

— J'ai passé dix-huit mois à enquêter sur Bullard et je n'ai pas l'intention de m'arrêter au beau milieu du gué. Je compte sur vous pour coincer ce salaud. Je ne voudrais pas que New York soit détruit un jour par un missile sous prétexte qu'une poignée de parlementaires se sont fait graisser la patte par un industriel.

— Pourquoi m'avoir choisi ? demanda Pendergast.

— À cause de votre réputation, même si vous appartenez au FBI, répondit l'homme avant d'ajouter avec un sourire cynique : Et je dois dire que j'ai beaucoup aimé la manière dont vous avez coincé Bullard l'autre jour. Il fallait des couilles pour faire un truc comme ça et le traiter comme un vulgaire criminel, mais je peux vous dire que vous vous êtes fait quelques ennemis au passage.

— Je le regrette, mais ce ne sera ni la première, ni la dernière fois.

— À votre place, je regarderais où je mets les pieds.

— C'est bien ce que je compte faire.

— Vous ne trouverez aucune preuve dans ce dossier, Bullard n'est pas du genre à laisser traîner des trucs compromettants. Vous savez ce qu'il vous reste à faire.

L'homme remit le contact, alluma ses phares, fit demi-tour et repartit en sens inverse sans un mot.

Arrivé à la bretelle de la 145e Rue, alors que les gratte-ciel de Midtown se découpaient dans la nuit, il reprit la parole :

— Vous ne m'avez jamais vu, je ne vous ai jamais rencontré et cette conversation n'a jamais eu lieu. Ce dossier ne porte aucune trace d'origine, et même s'il atterrissait un jour à la CIA, personne ne pourrait savoir d'où il vient.

— Ne risque-t-on pas de vous soupçonner malgré tout ? Il s'agit de votre enquête.

— Je suis assez grand pour me débrouiller tout seul, répondit-il en s'arrêtant à quelques centaines de mètres de la maison de Pendergast.

Au moment où ce dernier descendait de voiture, l'homme se pencha vers lui :

— Inspecteur ?

Pendergast se retourna.

— Si vous n'arrivez pas à le coincer, tuez-le.

32

Le dénommé Vasquez examina longuement la petite pièce dans laquelle il comptait passer les prochains jours. Quelques minutes auparavant, son visage s'était brusquement tendu lorsque la porte s'était ouverte de l'autre côté de la rue. Il ne s'y attendait pas et il avait hésité à tirer, mais un coup d'œil à travers la lunette lui avait indiqué que sa cible n'était pas seule. Repoussant son fusil, Vasquez avait noté sur son carnet : 22 : 31 : 04 tandis que les deux silhouettes s'éloignaient et montaient dans une voiture garée un peu plus loin. Une Chevrolet banalisée appartenant manifestement à une agence fédérale.

Au moment où l'auto s'éloignait, Vasquez avait vu une tache blanche sur le seuil de la porte et il avait tout juste eu le temps d'apercevoir un personnage en smoking refermer la porte. On aurait dit un majordome. Que pouvait bien faire un majordome dans un quartier pareil ?

Mais Vasquez avait le temps. Un boulot comme celui-ci ne se règle pas à la va-vite, sans compter qu'on n'est jamais trop prudent. Il reposa son carnet et se mit en devoir de nettoyer l'ancien logement social abandonné où il s'était installé. Des aiguilles et des capotes usagées traînaient dans un coin, à côté d'un matelas éventré, posé à même le sol. À en juger par l'énorme tache sombre qui souillait la toile, on aurait pu croire qu'il avait servi de lit de mort à un pauvre bougre quelconque. Des cafards, dérangés par le faisceau de sa lampe sourde, s'enfuirent dans tous les coins avec un bruit de feuilles mortes. Vasquez n'en était pas à ça près et ce local lui convenait parfaitement. À bien y réfléchir, il avait rarement déniché une planque aussi pratique. Il remit en place le petit carré de contreplaqué découpé dans la planche qui aveuglait l'unique fenêtre de la pièce et poursuivit ses préparatifs.

L'endroit était situé idéalement, juste en face du 891 Riverside Drive où vivait sa cible. L'entrée de la vieille bâtisse se trouvait trois étages plus bas, de l'autre côté de la 137e Rue, au bout d'une allée en demi-lune traversant un portail de brique et de marbre. De là où il était, Vasquez apercevait juste le haut de la porte qu'empruntait sa cible lors de ses allées et venues. Il n'avait utilisé aucune autre entrée jusqu'à présent, mais cela faisait à peine douze heures que Vasquez se trouvait en embuscade.

Le contrat rêvé. Dans ce coin paumé de Harlem, ni concierge indiscret, ni caméra vidéo, ni vieille fille prête à appeler la police au premier miaulement de chat. Ici, même les coups de feu passaient inaperçus la plupart du temps. Vasquez avait eu de la chance de dénicher cet immeuble abandonné juste en face de son objectif, avec une entrée en sous-sol donnant directement sur la 136e Rue.

Sa cible, un type du FBI, avait des habitudes bien établies que Vasquez n'aurait plus qu'à détailler sur son carnet au cours des prochains jours. La chasse à l'homme n'est pas très différente de celle des animaux : le succès dépend de la capacité du chasseur de connaître les habitudes du gibier. D'ici à quelques jours, le comportement de sa victime n'aurait plus de secrets pour lui. Il saurait quand il entrait et sortait, qui d'autre vivait dans la vieille maison, comment elle était protégée. À force de patience, il finirait par se familiariser avec la psychologie de sa cible. Même les gens qui changent constamment d'habitudes pour échapper à des assassins éventuels obéissent à des schémas récurrents. À l'aune de ses premières observations, Vasquez savait déjà que sa future victime était un individu d'une prudence exceptionnelle et d'une intelligence supérieure à la moyenne, mais il est vrai que c'était une habitude chez lui de prêter à ses proies des qualités supérieures aux siennes. Il en avait tué de toutes sortes : des agents fédéraux, des diplomates, des gangsters, des chefs d'État de républiques bananières, même des médecins. Depuis vingt-deux ans qu'il faisait ce métier, il savait d'expérience qu'il ne faut jamais sous-estimer l'adversaire.

Sans prendre la peine de vider la pièce, Vasquez déroula sur le sol des rouleaux de toile imperméabilisée qu'il remonta sur les murs et qu'il fixa à mi-hauteur avec du gaffer. Une odeur de tissu caoutchouté lui monta aux narines. Puis il disposa autour de lui ses outils, s'assurant qu'il n'avait rien oublié. Sa vérification terminée, il saisit son fusil Remington M21 dont il retira le magasin afin de contrôler qu'il n'avait pas oublié de le charger à l'aide de cartouches 7,61x51. Le fusil était de conception ancienne, mais Vasquez se méfiait des derniers gadgets à la mode, préférant de loin une arme fiable, simple et précise. Il remit le magasin en place, engagea une cartouche dans la chambre et vérifia la lunette télescopique. Satisfait, il reposa le fusil et disposa sur la toile de caoutchouc une pile de saucissons et assez de bouteilles d'eau pour tenir cinq jours. Il sortit ensuite son ordinateur portable et une douzaine de batteries chargées, puis il s'assura que ses lunettes à infrarouge fonctionnaient correctement. Enfin, il installa dans un coin de la pièce un lavabo et un sanibroyeur en s'éclairant à la lueur de sa torche. Tout était prêt, et personne ne risquait plus de venir le déranger. Il avait pris la précaution de refermer la porte à clé et de la condamner en la vissant au chambranle à l'aide d'un tournevis à pile avant d'aveugler les interstices avec du gaffer, la petite fenêtre de ce qui avait servi autrefois de salle de bains se chargeant d'alimenter la pièce en air frais.

Vasquez éteignit sa lampe et retira le carré de contreplaqué, découvrant un orifice assez large pour laisser passer le canon et la lunette de son fusil, puis il déplia un pied qu'il fixa à l'avant de la crosse et dirigea le canon de l'arme vers la porte de la vieille demeure, à hauteur d'homme. Prenant alors un télémètre à pointeur laser, il visa la porte et le lecteur lui indiqua une distance de 30,66 mètres. Un véritable jeu d'enfant avec un M21, capable d'atteindre sa cible à cinq cents mètres. Quelques ultimes réglages et tout serait prêt.

Vasquez appliqua son œil à la lunette. La vieille maison, ses fenêtres soigneusement obturées, dressait sa masse sombre dans la nuit. Pour que toutes les ouvertures soient condamnées, il devait s'y passer des choses bizarres, mais Vasquez n'en avait cure. Il avait un boulot précis à faire en un temps donné, et peu lui importaient les raisons de son commanditaire anonyme maintenant que les deux millions de dollars se trouvaient sur son compte.

Il reprit sa veille. Il aimait se comparer à un naturaliste étudiant les habitudes des animaux sauvages. Il avait l'intelligence et la patience requises pour passer des semaines en pleine jungle à observer et prendre des notes, à ceci près que rien n'égale le plaisir du chasseur à l'heure de la curée.

33

À l'exception du bureau des inspecteurs de garde à l'étage inférieur, les locaux de la brigade criminelle étaient silencieux. D'Agosta regarda sa montre et constata qu'il était minuit passé. Hayward travaillait encore dans son bureau dont la porte, grande ouverte, laissait filtrer de la lumière. Quand on sait qu'à New York la plupart des meurtres sont commis la nuit, on pouvait s'étonner de trouver le service aussi calme. *C'est comme partout,* se dit D'Agosta, *le pékin moyen a horreur de se taper des heures supplémentaires.*

Il approcha silencieusement de la porte et tendit l'oreille. Un bruit de clavier lui indiqua qu'elle travaillait sur son ordinateur. Il n'avait jamais vu un flic aussi ambitieux que cette fille-là, et ça lui faisait un peu peur.

Il frappa à la porte.

— Entrez.

Contrairement à l'immense majorité des autres capitaines, soucieux d'afficher leur supériorité hiérarchique dans des bureaux immaculés, Laura Hayward vivait au milieu d'un véritable capharnaüm. Des piles de dossiers s'amoncelaient sur les tables et les chaises, et le scanner radio qui crachait ses informations en continu peinait à couvrir le ronronnement d'une imprimante laser posée dans un coin.

— Tiens ! Qu'est-ce qui vous amène, si tard ? demanda la jeune femme en levant les yeux.

D'Agosta s'éclaircit la gorge car sa mission n'était pas des plus facile. Pendergast, après avoir disparu sans explication en compagnie de l'inconnu, l'avait rejoint dans sa chambre d'hôtel une demi-heure plus tôt. Sans révéler à D'Agosta les détails de son entrevue, il lui avait demandé d'intervenir auprès de Hayward, conscient que seul le sergent pouvait obtenir gain de cause.

— C'est au sujet de Bullard, commença-t-il.

Hayward poussa un grand soupir.

— Débarrassez une chaise de tout ce bazar et asseyez-vous.

D'Agosta s'exécuta tout en observant la jeune femme du coin de l'œil. Elle avait défait le bouton de son col, retiré sa casquette et détaché ses cheveux qui lui tombaient en boucles noires jusqu'au milieu du dos. Même dans une telle pagaille, elle conservait une certaine fraîcheur. Elle le regardait avec un mélange d'amusement et de… de quelque chose d'indéfinissable. De l'affection, peut-être ? Mais non, son imagination lui jouait des tours.

D'Agosta sortit le dossier de la CIA et le posa sur le bureau.

— Pendergast a réussi à se procurer ceci, mais ne me demandez pas comment, je n'en ai aucune idée.

Hayward le prit machinalement et le reposa aussitôt, affolée.

— Mais enfin, Vinnie ! C'est un dossier classé secret défense !

— Et alors ?

— Je refuse de le lire, je ne l'ai même jamais vu. Remportez-moi ça tout de suite.

— Je vais vous dire en deux mots ce que contient ce…

— Pas question !

D'Agosta, ne sachant plus que faire, décida de se jeter à l'eau.

— Pendergast veut que vous mettiez Bullard sur écoute.

Hayward le regarda avec des yeux ronds pendant au moins dix secondes avant de retrouver sa langue.

— Pourquoi diable ne demande-t-il pas au FBI de le faire ?

— Il ne peut pas.

— Mais enfin, il ne fait donc jamais rien comme tout le monde ?

— Bullard est trop puissant. Le FBI dépend du gouvernement et jamais Pendergast n'obtiendra gain de cause. Vous, en revanche, vous n'auriez aucun problème à obtenir l'autorisation de mettre Bullard sur écoute.

— En me servant d'un dossier classé secret défense, peut-être ? Et puis quoi encore ! s'énerva-t-elle en se levant d'un bond.

— Bien sûr que non, mais l'enquête sur les meurtres vous fournirait un excellent alibi.

— Vincent, vous êtes cinglé ou quoi ? Je n'ai *rien* contre Bullard. Aucun témoin, aucun mobile, pas même la preuve qu'il connaissait les victimes.

— Si, vous avez les coups de téléphone.

— Les coups de téléphone ! N'importe qui a le droit de passer un coup de téléphone, s'exclama-t-elle en faisant les cent pas derrière son bureau.

— On a retrouvé dans son ordinateur des tonnes de fichiers codés. C'est bien la preuve qu'il a quelque chose à cacher.

— Même moi, j'envoie à ma mère des e-mails cryptés ! Ce n'est pas une *preuve*, Vincent ! Si je voulais que cette histoire fasse la une du *Times* et qu'on nous accuse une fois de plus de violer les droits des citoyens, je ne m'y prendrais pas autrement. Et puis vous savez aussi bien que moi qu'on n'obtient pas aussi facilement l'autorisation de mettre quelqu'un sur écoute. Il faut pouvoir prouver que c'est le dernier recours possible.

— Vous devriez jeter un œil à ce dossier. Tout semble indiquer que Bullard fait du transfert de technologies sensibles avec les Chinois.

— Je vous ai déjà dit que je ne voulais rien savoir.

— Il a monté une usine en Italie dans laquelle il met au point pour le compte des Chinois des missiles capables de percer notre futur bouclier anti-missiles.

— Le NYPD n'a rien à voir là-dedans.

— À force de financer les campagnes électorales des uns et des autres, Bullard a des amis très haut placés à Washington, de sorte que ni la CIA ni le FBI ne veulent rien savoir.

Hayward, rouge de contrariété, tournait dans la pièce comme un lion en cage, sa crinière noire au vent.

— Écoutez-moi, Laura. Nous sommes tous les deux des gens normaux. Ce salaud de Bullard vend des trucs dangereux au plus offrant et tout le monde s'en fout. Tout ce que je vous demande, c'est de servir au juge une fable quelconque, même s'il faut tordre le bras au règlement.

— Justement, Vincent. Ce n'est pas pour rien que le règlement existe.

— Peut-être, mais il arrive un moment où ce qui est *juste* passe avant le règlement.

— Ce qui est juste, c'est de suivre le règlement.

— Pas dans un cas comme celui-ci. New York reste la cible privilégiée de tous les terroristes, et Dieu sait à qui Bullard va vendre ses services. Le jour où ses technologies se négocieront au marché noir, allez savoir ce qui se passera.

Hayward poussa un soupir.

— Écoutez. Je suis capitaine dans ce service, et rien d'autre. Les États-Unis ne manquent pas d'espions, de diplomates et de scientifiques pour s'occuper de Bullard et de ses semblables.

— C'est vrai, mais c'est à vous que revient la décision aujourd'hui. À en croire ce dossier, il se prépare quelque chose d'important. Je ne vous demande pas la lune, Laura. Bullard se trouve actuellement au milieu de l'Atlantique, mais nous avons son numéro de téléphone satellite et la liste de ses principaux correspondants dans ce dossier.

— Il est impossible de mettre un téléphone satellite sur écoute.

— Je sais, mais il est facile de surveiller les lignes de tous ses petits copains et d'enregistrer les conversations qu'il aura avec eux.

— Tout ça ne servira à rien si jamais il appelle quelqu'un dont on n'a pas le numéro.

— Ce sera toujours mieux que rien.

Hayward poursuivit quelques instants ses allers et retours, puis elle s'arrêta devant D'Agosta.

— Cette histoire ne me regarde pas et ma réponse est non.

D'Agosta tenta vainement de sourire. Il aurait dû s'y attendre. On ne fait pas une carrière aussi fulgurante au sein de la police new-yorkaise en prenant des risques.

Il leva les yeux et vit que Hayward le regardait fixement.

— Vous faites une drôle de tête, Vincent.

Il haussa les épaules.

— Il faut que j'y aille.

— Je sais ce que vous pensez.

— Alors ça m'évitera d'avoir à vous le dire en face.

Le visage de la jeune femme s'empourpra.

— Vous pensez que je suis une petite arriviste, c'est bien ça ?

— C'est vous qui l'avez dit.

— Vous êtes un beau sale con, si vous voulez que je vous dise. J'ai avalé des tonnes de couleuvres tout au long de ma carrière, sans parler des salopards qui me faisaient chier sous prétexte que j'en faisais trop. Quand un mec est ambitieux, c'est une qualité. Quand c'est une fille, on la traite de pute et d'arriviste.

D'Agosta sentit la moutarde lui monter au nez. Avec les bonnes femmes, ça tourne toujours autour de la rivalité avec les hommes.

— Arrêtez de vous raconter des histoires ! Aujourd'hui, ou bien vous faites votre devoir, ou bien vous vous protégez derrière le règlement. Je constate que vous avez choisi votre camp. Pas de problème. C'est pas moi qui vous empêcherai de devenir préfet de police.

D'Agosta se leva, ramassa les dossiers qu'il avait retirés de la chaise avant de s'asseoir et les remit en place, puis il reprit le classeur Bullard.

En se retournant, il s'aperçut qu'elle lui bloquait la porte.

Il attendit calmement qu'elle veuille bien se pousser. Comme elle ne bougeait pas, il finit par dire :

— Je voudrais m'en aller.

Il fit un pas dans sa direction, mais elle n'avait pas l'air décidée à le laisser passer. Ils étaient près à se toucher.

— C'était salaud de me dire ça, déclara-t-elle, toujours furieuse.

Il voulut la contourner, mais elle l'en empêcha.

— Écoutez, poursuivit-elle. J'aime autant ce pays que n'importe qui d'autre. J'ai toujours fait du bon boulot ici, j'ai mis tout un tas de salauds derrière les barreaux. Et si j'ai pu le faire, c'est précisément parce que j'ai toujours respecté le règlement, alors pas la peine de me faire la leçon.

D'Agosta ne répondit pas. Le souffle court, il sentait sa colère, son parfum, son odeur, ne voyait plus que ses yeux bleus et sa peau laiteuse. Il fit un pas et leurs corps se touchèrent. Il y eut comme une étincelle. Ils restèrent un moment sans bouger, tandis que leur exaspération réciproque laissait place à autre chose. Il se pencha, ses lèvres rencontrèrent celles de la jeune femme dont il sentait les seins tendus contre sa poitrine.

Elle lui posa la main sur la nuque et il l'enlaça. Incapable de contenir plus longtemps son désir, il fit glisser sa bouche sur son menton, le long de son cou, de ses épaules. Elle se lova contre lui en poussant un soupir et son souffle chaud lui caressa la joue tandis qu'elle lui mordillait ardemment le lobe de l'oreille, puis elle l'attira en direction de son bureau et il la suivit sans que leurs hanches se quittent. D'une main, D'Agosta déboutonna la chemise de la jeune femme et dégrafa son soutien-gorge, révélant deux seins ronds. Dans le même temps, les mains de Hayward quittaient ses épaules et fouillaient sa poitrine, son ventre, jusqu'à la ceinture de son pantalon qu'elle défit avant de descendre sa fermeture Éclair. Libérant son sexe, elle le caressa avec douceur. D'Agosta, le souffle coupé, glissa ses mains sous sa jupe. Elle bascula tandis qu'il la pénétrait, le dos et les hanches tendus. Le temps sembla s'arrêter et ils restèrent quelques instants sans bouger, les yeux dans les yeux. La jeune femme entrouvrit la bouche, rejeta la tête en arrière et poussa un gémissement de plaisir. Enroulant ses bras autour des cuisses de sa compagne, il entama un mouvement de va-et-vient de plus en plus effréné, sans se soucier des piles de dossiers qui tombaient par terre...

Soudain, leur étreinte s'arrêta dans un instant de jouissance partagée. Les cheveux en bataille, secouée par une série de spasmes, Hayward s'accrochait à lui et ils restèrent une éternité sans bouger. Ce n'est qu'à l'instant où elle le repoussait doucement après l'avoir embrassé que D'Agosta prit conscience de la situation. Il se retourna afin de dissimuler son désarroi et se rhabilla tant bien que mal. Il aurait été bien incapable de dire comment c'était arrivé. Jamais de sa vie il n'avait éprouvé une attirance aussi soudaine pour quelqu'un, et il ne savait pas s'il devait s'en réjouir ou s'en inquiéter.

Derrière lui, un petit rire le rappela à la réalité.

— Pas mal, commenta-t-elle d'une voix rauque. Je veux dire, pour un loser dépressif et bon à rien. La prochaine fois, ce serait mieux si on pensait à fermer la porte.

En se retournant, il vit qu'elle le regardait en souriant à travers ses mèches sombres, le teint animé. Sa poitrine se soulevait au rythme de sa respiration.

— Tu sais ce qui me plaît chez toi, Vincent ? demanda-t-elle en rabattant sa jupe.

— Non.

— C'est ton sens de la justice. Tu es quelqu'un d'intègre.

D'Agosta se passa la main dans les cheveux, perplexe. Après ce qui venait de se produire, il ne voyait pas très bien où elle voulait en venir.

— Tu as gagné, je vais faire mettre Bullard sur écoute. En réfléchissant bien, je trouverai sûrement un moyen.

Interdit, il balbutia :

— Mais ce n'était pas pour ça que...

Elle le fit taire un posant un doigt sur sa bouche.

— Je sais bien. C'est à cause de ton intégrité que je vais mettre Bullard sur écoute. Pas pour le reste.

Un sourire aux lèvres, elle ajouta :

— Je crois qu'on s'y est pris à l'envers. Tu sais ce qui serait bien ? Que tu m'invites un de ces soirs dans un lieu romantique pour un dîner en tête à tête.

34

La salle des écoutes, au treizième étage du Manhattan Federal Building, était d'une banalité affligeante. D'Agosta en avait connu des dizaines, avec les mêmes néons, la même moquette de couleur indéfinissable, les mêmes bureaux cloisonnés, la même atmosphère déprimante.

Il regarda autour de lui, ne sachant s'il devait se réjouir de retrouver Laura Hayward dans un cadre aussi sinistre, mais la jeune femme avait préféré se faire représenter par l'un de ses inspecteurs, un dénommé Mandrell. C'était d'ailleurs lui qui l'avait appelé à l'heure du déjeuner afin de lui annoncer que l'autorisation de mise sur écoute avait été accordée. Le FBI, officiellement chargé de l'opération, gardait ainsi les mains propres puisque la demande émanait du NYPD.

— Bonjour sergent, fit Mandrell en lui serrant la main. Tout est prêt. Savez-vous si l'inspecteur Pendergast...

— Me voici, répondit Pendergast en pénétrant dans la pièce.

Son élégant costume noir luisait à la lumière des néons. Pendergast était toujours tiré à quatre épingles et D'Agosta se demanda combien de tenues identiques il pouvait bien avoir dans ses placards.

— Inspecteur, je vous présente le sergent Mandrell du 21ᵉ District.

— Enchanté, répondit Pendergast en serrant brièvement la main qui lui était tendue. Je vous demanderai de bien vouloir excuser mon retard, mais j'ai bien peur de m'être perdu au détour d'un couloir. Ces locaux tiennent du labyrinthe.

Un labyrinthe, le Federal Building ? Étrange... d'autant que si Pendergast avait un bureau, c'était forcément quelque part dans cet immeuble.

— Par ici, les invita Mandrell en ouvrant le chemin.

— Excellent travail, murmura Pendergast à D'Agosta. Je ne manquerai pas de remercier personnellement le capitaine Hayward qui s'en est fort bien tirée.

C'est le cas de le dire, pensa D'Agosta en souriant intérieurement. Ses aventures de la veille lui paraissaient presque irréelles. Il avait résisté toute la matinée à la tentation de téléphoner à la jeune femme, espérant qu'elle serait toujours d'accord pour le dîner dont elle lui avait parlé. Cette histoire risquait de compliquer sérieusement leurs relations professionnelles, mais il s'en fichait complètement.

— Nous y sommes, déclara Mandrell en leur faisant signe d'entrer dans un petit bureau semblable en tous points à ceux qu'ils avaient entraperçus en chemin : une table, des chaises, une étagère et un poste informatique équipé de haut-parleurs.

Une jeune femme blonde aux cheveux courts pianotait sur son clavier.

— Je vous présente l'agent Sanborne, poursuivit Mandrell. C'est elle qui est chargée de relever les appels de Jimmy Chait, le bras droit de Bullard aux États-Unis. D'autres agents font la même chose dans les bureaux voisins avec une demi-douzaine d'autres adjoints de Bullard. Sanborne, je vous présente le sergent D'Agosta de la police de Southampton et l'inspecteur Pendergast du FBI.

Les yeux de la jeune femme s'agrandirent en entendant le nom de Pendergast.

— Rien de neuf ? lui demanda Mandrell.

— Rien d'important. Chait a passé un coup de fil tout à l'heure à l'un de ses collègues, et j'ai cru comprendre qu'ils attendaient incessamment un appel de Bullard.

Mandrell se tourna vers D'Agosta.

— Quand avez-vous assisté à une écoute pour la dernière fois, sergent ?

— Ça fait un bail.

— Alors je vais vous expliquer comment ça fonctionne. Tout est piloté par ordinateur aujourd'hui, à raison d'une cabine par ligne surveillée. La ligne concernée est aiguillée sur cette interface et les conversations sont enregistrées numériquement sur un disque dur. Plus besoin de bande magnétique. Sanborne transcrit les conversations au fur et à mesure sur son clavier.

Le système n'avait plus rien à voir avec celui qu'avait connu D'Agosta lorsqu'il était entré dans la police au milieu des années quatre-vingt.

— Vous avez parlé de relations avec des partenaires chinois. Pensez-vous que nous aurons besoin d'un interprète ? interrogea Mandrell.

— J'en doute, répliqua Pendergast.

— De toute façon, on a quelqu'un en cas de besoin.

Tandis que Mandrell et sa jeune collègue s'affairaient autour de l'écran, Pendergast prit D'Agosta à part.

— Vincent, murmura-t-il. Je n'ai pas encore eu le temps de vous l'annoncer, mais nous avons fait une découverte de la plus haute importance.

— Ah bon ?

— Il s'agit de Beckmann.

— Beckmann ? répéta D'Agosta, les yeux brillants.

— Nous savons où il se trouve.

— Génial. Quand avez-vous découvert ça ?

— Tard cette nuit, après vous avoir envoyé chez le capitaine Hayward.

— Pourquoi ne pas m'avoir appelé ?

— J'ai tenté de vous prévenir aussitôt, mais ça ne répondait pas à votre hôtel et votre téléphone portable était débranché.

— Ah oui, c'est vrai, désolé, balbutia D'Agosta.

Il détourna la tête afin que Pendergast ne le voie pas rougir, mais un bip informatique lui évita des questions embarrassantes.

Une fenêtre s'anima sur l'écran et des chiffres se mirent à défiler sous leurs yeux.

— Chait reçoit un appel, expliqua Sanborne en désignant l'ordinateur. Vous voyez ?

— De qui s'agit-il ? demanda D'Agosta.

— Le numéro va apparaître. Je vais brancher les haut-parleurs.

— Allô, Jimmy ? fit une voix aiguë. Jimmy, tu m'entends ?

La jeune femme entama sa transcription.

— Il s'agit de son numéro de téléphone personnel. Probablement sa femme.

— Oui ? répondit une voix avec un fort accent du New Jersey. Qu'est-ce que tu veux ?

— Quand penses-tu rentrer ?

— J'ai une urgence.

On percevait très nettement un grondement derrière la voix, sans doute le bruit du vent.

— Ah non, Jimmy ! Tu sais très bien que les Fingerman viennent cet après-midi discuter des vacances d'hiver à Kissimmee.

— Écoute, j'ai autre chose à foutre. T'as pas besoin de moi pour t'occuper de ça.

— Ne me parle pas sur ce ton ! Et je n'ai peut-être pas besoin de toi pour ça, mais j'ai besoin de toi pour prendre des saucisses et des poivrons chez DePasquale en passant. Je n'ai plus rien à la maison.

— T'as qu'à bouger ton gros cul et préparer quelque chose à bouffer.

— Écoute, tu...

— Je rentre quand je veux, un point c'est tout. Maintenant fous-moi la paix, j'attends un appel, gronda-t-il en raccrochant.

Dans le petit bureau, le claquement des doigts de Sanborne sur le clavier rythmait le silence.

— Charmant couple, commenta D'Agosta avant de prendre Pendergast à part. Comment avez-vous fait pour mettre la main sur Beckmann ?

— J'ai eu recours aux services d'un ami handicapé qui n'a pas son pareil lorsqu'il s'agit de dénicher des informations introuvables.

— C'est une perle, votre copain. Personne n'avait réussi à trouver quoi que ce soit sur Beckmann jusqu'ici. Alors, où se cache-t-il ?

Un bip leur signala l'arrivée d'un nouvel appel.

— Appel entrant ou sortant ? demanda Mandrell.

— Entrant, mais c'est un numéro anonyme, rien ne s'affiche sur mon écran.

— Oui ? fit au même moment la voix de Chait sur les haut-parleurs.

— Chait, répliqua une voix bourrue que D'Agosta reconnut sans peine.

Chait avait également identifié la voix.

— Oui, monsieur Bullard, répondit-il sur un ton servile.

Bullard doit se servir de son téléphone satellite, remarqua D'Agosta. C'est pour ça que le numéro ne s'affiche pas.

— Aucune importance, s'exclama Mandrell en désignant une série de chiffres sur l'écran. Vous voyez ça ? Il s'agit de l'émetteur le plus proche du portable de Chait, et ça devrait nous permettre de déterminer exactement où il se trouve.

Prenant sur l'étagère un gros annuaire, il le feuilleta rapidement.

— Tout est prêt ? interrogea la voix de Bullard.

— Oui, monsieur. Les hommes ont reçu vos instructions.

— N'oubliez pas, je ne veux pas de conneries. Contentez-vous de suivre mes ordres à la lettre.

— Bien sûr, monsieur Bullard.

Mandrell leva les yeux de son annuaire.

— Chait se trouve à Hoboken, dans le New Jersey.

— Tout se passe comme prévu, poursuivit Bullard. Les Chinois seront là.

— Où ? lui demanda Chait.

— Dans le parc, comme prévu initialement.

Mandrell agrippa le bras de D'Agosta.

— Regardez ! Chait vient de changer d'émetteur !

— Ça veut dire quoi ?

— Ça veut dire qu'il se déplace, rétorqua Mandrell en feuilletant son annuaire. Voilà ! Il se trouve à présent à Union City.

— Il n'irait pas aussi vite s'il utilisait les transports en commun, fit remarquer Pendergast. Il doit être en voiture.

Il fut interrompu par la voix de Bullard.

— Souvenez-vous. Ils vont exiger un rapport sur l'avancement des travaux en échange du paiement. Vous savez ce qu'il vous reste à faire.

— Oui, monsieur.

Pendergast avait sorti son portable de sa poche et il composa un numéro à la hâte.

— Chait se rend à un rendez-vous. Il faut impérativement le faire suivre afin de ne pas perdre sa trace.

— Vous m'appellerez pour me faire votre rapport tout de suite après la rencontre, recommanda Bullard.

— Je vous rappelle d'ici une heure et demie.

— Pas de conneries, hein Chait ?

— Bien sûr, monsieur.

Un clic suivi de parasites et d'un bip leur indiqua que l'appel avait pris fin.

— Il vient de passer sur un nouvel émetteur, s'exclama Mandrell en scrutant l'écran.

D'Agosta se tourna vers Pendergast.

— Il lui a promis de le rappeler d'ici une heure et demie. Qu'est-ce que ça signifie ?

Pendergast referma son portable et le glissa dans sa poche.

— Cela signifie que le rendez-vous doit avoir lieu dans l'intervalle. Venez, Vincent. Pas une minute à perdre.

35

D'Agosta s'engagea en trombe sur la bretelle à la sortie du George Washington Bridge et rejoignit le New Jersey Turnpike. La circulation était plus fluide sur l'autoroute et il alluma le gyrophare calé sur le tableau de bord, derrière le pare-brise, avant d'actionner sa sirène. Il bifurqua rapidement sur l'I-80 en direction de l'ouest et appuya sur l'accélérateur. Le moteur de la voiture rugit et l'aiguille se cala sur cent soixante.

— Bravo, murmura Pendergast.

La radio se mit à grésiller.

— Brigade 602. Objectif en vue. Il s'agit d'un car télé équipé d'une parabole appartenant à la chaîne WPMP de Hackensack. Le véhicule roule sur l'I-80 en direction de l'ouest à hauteur de la sortie 65.

D'Agosta accéléra encore et la voiture atteignit les deux cents à l'heure.

Pendergast saisit le micro de la radio :

— Nous sommes à quelques kilomètres derrière vous. Restez sur une autre file et veillez à ne pas vous faire repérer. Terminé.

Tout était allé très vite. Pendergast avait demandé à une voiture fédérale de prendre Chait en chasse, puis il avait réquisitionné un véhicule dont D'Agosta avait pris le volant. Par chance, il n'y avait pas grand monde sur la West Side Highway et ils avaient pu quitter Manhattan en moins de dix minutes.

— Où se rend-il, à votre avis ? demanda D'Agosta.

— Bullard a parlé d'un parc, mais nous n'en savons pas davantage.

Du coin de l'œil, D'Agosta vit Pendergast enlever sa ceinture. Il se pencha et frotta ses mains sur le tapis de sol afin de les salir. Le sergent, surpris, hésita à lui demander ce qu'il fabriquait.

— L'objectif quitte l'autoroute par la sortie 60, couina la radio. Nous continuons à le suivre.

D'Agosta s'engagea à son tour sur la bretelle moins d'une minute plus tard.

— L'objectif continue sur McLean Boulevard en direction du nord.

— Ils vont vers Paterson, expliqua D'Agosta.

Il était passé des dizaines de fois à côté de la petite ville sans jamais s'y arrêter. Une bourgade ouvrière qui avait connu son heure de gloire à la fin du XIXe siècle. Drôle de destination.

— Paterson, répéta Pendergast d'un air songeur en frottant ses mains sales sur son cou et son visage. Le lieu de naissance de la révolution industrielle américaine.

— Vous parlez d'un lieu de naissance ! Un patelin triste à mourir, oui !

— Cette ville possède néanmoins un passé prestigieux, Vincent. Certains vieux quartiers sont même très beaux, mais je doute que nous ayons l'occasion de les visiter.

— L'objectif quitte McLean, reprit la radio. Il tourne à gauche sur Broadway.

D'Agosta remonta McLean Boulevard en flèche, faisant usage de sa sirène afin de brûler deux feux. Sur leur droite, le soleil d'automne se reflétait sur les eaux sombres de la Passaic. Au moment de s'engager sur Broadway, il coupa la sirène afin de ne pas alerter Chait qui ne devait plus être très loin.

— Sergent, s'écria brusquement Pendergast. Prenez à droite en direction de ce petit centre commercial, je vous prie. Une course urgente.

D'Agosta lui lança un regard surpris.

— Mais... nous n'avons pas le temps.

— Je vous assure que si.

D'Agosta haussa les épaules. Après tout, c'était lui qui commandait, Hayward ayant clairement insisté pour que le FBI assume la responsabilité de l'opération. Pendergast attendait sans doute le dernier moment pour avertir la police locale. Il ne s'agissait pas qu'ils fassent tout capoter avec leurs gros sabots.

Le centre commercial se limitait à quelques boutiques miteuses regroupées autour d'un parking truffé de nids-de-poule. À quoi pouvait donc bien jouer Pendergast ?

— Là-bas, Vincent. Tout au bout.

D'Agosta freina brutalement devant le dernier bâtiment, à côté d'une benne jaune fatiguée. L'auto n'était pas encore arrêtée que Pendergast sautait à terre et se précipitait à l'intérieur du magasin. D'Agosta poussa un juron et donna un coup de poing sur le volant, trouvant que Pendergast dépassait les bornes.

— L'objectif se dirige vers Eastside Park, grésilla la radio. On dirait qu'il y a un rassemblement quelconque. Apparemment, il s'agit d'un concours de fusées télécommandées.

D'Agosta entendit des cris et vit Pendergast sortir précipitamment du magasin en serrant contre lui une pile de vieux vêtements et une paire de souliers éculés, pourchassé par une femme obèse qui poussait des hurlements.

— À l'aide ! Police ! Vous devriez avoir honte !
Voler l'Armée du Salut !

— Avec tous mes compliments, chère madame,
répondit Pendergast en lançant à sa poursuivante un
billet de cent dollars.

Il s'engouffra sur le siège arrière et D'Agosta
démarra sans attendre dans un nuage de fumée et de
caoutchouc brûlé.

— Ce petit détour nous aura à peine fait perdre
deux minutes, se justifia Pendergast.

Dans son rétroviseur, D'Agosta le vit ôter sa veste
et dénouer sa cravate.

— Peut-être, mais ce sont les deux minutes qui ris-
quent de nous manquer.

— Il faudra que je pense à envoyer à cette dame
de l'Armée du Salut un petit quelque chose afin de
me faire pardonner.

— Chait va vers Eastside Park.

— Fort bien. Faites le tour du parc, si vous le voulez bien, et dirigez-vous vers l'entrée sud. J'ai encore
besoin de quelques instants.

D'Agosta longea un mur d'enceinte en béton derrière lequel on apercevait des taches de verdure et il
tourna à gauche sur Derrom, une avenue bordée de
vieilles maisons parfaitement entretenues datant de
l'époque où Paterson regardait fièrement l'avenir. Le
contraste était frappant avec Broadway dont les
immeubles se trouvaient dans un état de délabrement avancé.

Derrière lui, D'Agosta entendit Pendergast réciter :

Endormi pour l'éternité,
Ses rêves hantent la ville où il s'entête à errer,
Incognito.

D'Agosta sursauta en apercevant un inconnu dans son rétroviseur. Il mit quelques instants à reconnaître un Pendergast littéralement métamorphosé par un déguisement improvisé à la hâte.

— Avez-vous déjà lu le livre *Paterson*, du poète William Carlos Williams ? lui demanda le vagabond installé sur la banquette arrière.

— Jamais entendu parler.

— Quel dommage ! Écoutez plutôt :

Immortel, il reste immobile et quasiment
invisible, mais il respire pourtant et la délicatesse de
ses machinations
animées par le murmure de la
rivière
donne vie à un millier d'automates.

D'Agosta leva les yeux au ciel en grommelant des paroles inintelligibles. Poursuivant sa route, il tourna une nouvelle fois à gauche et pénétra dans le parc que gardait une statue de Christophe Colomb.

Eastside Park était un immense carré de verdure agrémenté de grands arbres, encadré de tous côtés par des propriétés. D'Agosta s'engagea sur l'allée qui faisait le tour du parc. Des bancs s'espaçaient le long du chemin jusqu'à une fontaine protégée par une grille en fer forgé. Parmi les voitures qui stationnaient là, bloquant quasiment le passage, D'Agosta identifia sans peine le véhicule du FBI qui les avait précédés. Le car télé se trouvait un peu plus loin, garé sur la pelouse entre une rangée de courts de tennis et un terrain de base-ball. Des enfants s'affairaient autour de fusées télécommandées sous le regard d'une demi-douzaine d'adultes. Debout à côté du car, un cameraman filmait la scène.

— Le cadre idéal pour une rencontre discrète, Vincent, commenta Pendergast. Avec ces cris d'enfants et le bruit des fusées, aucun risque d'être écouté, même à l'aide d'équipements sophistiqués. Ce cameraman est manifestement chargé de surveiller les alentours, et le téléobjectif de sa caméra lui permet d'observer les allées et venues suspectes sans attirer l'attention. Je constate que Bullard a parfaitement formé ses hommes. Mais arrêtez-vous ici si vous le voulez bien, Vincent. J'aperçois un groupe de Chinois.

Dans le rétroviseur, D'Agosta vit surgir une grosse Mercedes noire dont la présence était parfaitement incongrue dans ce cadre familial. La limousine s'arrêta sur la pelouse, de l'autre côté des courts de tennis. Deux armoires à glace au crâne rasé, les yeux dissimulés derrière des lunettes noires, descendirent de la Mercedes et observèrent longuement autour d'eux avant d'inviter un petit homme à descendre de voiture. Sans attendre, l'homme se dirigea vers le car télé.

— Ces messieurs regardent trop la télévision, remarqua Pendergast.

D'Agosta redémarra afin d'aller se garer près de l'entrée du parc, à l'abri des regards.

— Si j'avais su, je n'aurais pas mis mon uniforme, bougonna D'Agosta.

— Bien au contraire ! Votre uniforme est le meilleur garant de votre anonymat. Jamais ils ne penseront à se méfier de vous. Je vais tenter de m'approcher au plus près afin d'en apprendre davantage. En attendant, allez vous acheter un donnut et un café là-bas, suggéra-t-il en désignant une cafétéria miteuse sur Broadway. Ensuite, revenez tranquillement vous promener par ici. Asseyez-vous sur un banc près du terrain de base-ball, par exemple. Vous disposerez ainsi d'une ligne de tir dégagée en cas d'urgence. Je préférerais éviter une fusillade avec tous ces enfants, mais nous devons parer à toute éventualité.

D'Agosta hocha la tête.

Pendergast se rougit les yeux en les frottant à l'aide de ses mains sales, puis il descendit de voiture et se dirigea vers la fontaine. Avec son vieux manteau brun tout taché, son pantalon trois fois trop grand et ses Hush Puppies éculées, on aurait dit un clochard alcoolique. Il suffisait de le voir avancer d'un pas traînant, le regard furtif, pour comprendre que l'inspecteur était un acteur né.

D'Agosta descendit à son tour de voiture afin d'aller s'acheter un café comme convenu. Quelques minutes plus tard, il était de retour dans le parc. Arrivé au terrain de base-ball, il vit le plus petit des trois Chinois pénétrer dans le car de la télévision tandis que ses acolytes se postaient à quelques pas de là, les bras croisés.

On entendit le sifflement caractéristique d'une fusée qui décollait, suivi d'applaudissements, et tous les regards se tournèrent vers le ciel. Dans un claquement sonore, l'engin miniature entama sa descente et un petit parachute rouge et blanc s'ouvrit comme une corolle.

D'Agosta s'assit sur un banc, face au car. Il retira le couvercle de son gobelet de café et fit semblant de s'intéresser aux fusées. Soudain, le cameraman appela les enfants et leur demanda de se réunir face à son objectif, comme s'il voulait les filmer.

En tournant légèrement la tête, D'Agosta vit Pendergast s'arrêter devant une poubelle, récupérer un vieux bulletin de tiercé et s'approcher du cameraman, sans doute avec l'intention de lui réclamer une pièce. L'homme fronça les sourcils, secoua la tête et lui fit signe de le laisser tranquille. Puis, se retournant vers les enfants, il leur ordonna de s'aligner avec leurs fusées face à la caméra, sous le regard inquiet de D'Agosta.

Pendergast s'était assis sur un banc tout à côté du car et il remplissait son bulletin de tiercé à l'aide d'un vieux crayon, entourant des noms de chevaux.

Au moment où D'Agosta s'y attendait le moins, il se leva et frappa à la porte du car.

Le cameraman accourut aussitôt, l'air furieux, et le repoussa brutalement. La porte du car s'ouvrit, on entendit des éclats de voix, puis elle se referma. Le cameraman fit signe à Pendergast de s'éloigner, mais au lieu de lui obéir, l'inspecteur retourna sur son banc et se perdit dans la contemplation de son bulletin de tiercé.

De l'autre côté du terrain de base-ball, deux agents du FBI en civil discutaient en marchant. Les gardes du corps chinois, trop occupés à surveiller le car, ne semblaient pas les avoir remarqués. Tout comme le cameraman qui n'en finissait plus de filmer le groupe de gamins, on aurait dit qu'ils attendaient quelque chose.

Que se passerait-il si les deux brutes au crâne rasé sortaient leurs armes et ouvraient le feu sur le car ? Sans le savoir, ces gamins servaient de boucliers humains aux hommes de Bullard.

D'Agosta lâcha son gobelet de café et se leva, l'arme à la main. Au même instant, la porte du car s'ouvrit à la volée et le petit Chinois sortit précipitamment. Il adressa un signe discret à ses sbires et commença à courir.

Voyant les deux gardes du corps sortir des Uzis, D'Agosta mit un genou à terre, prit son pistolet à deux mains, visa soigneusement et fit feu, manquant sa cible de peu.

En l'espace d'un éclair, le parc se transforma en champ de bataille alors que les premières balles jaillissaient des armes semi-automatiques. Les gamins se dispersèrent dans tous les sens et les parents se mirent à hurler. Certains tentaient de fuir, d'autres se couchaient par terre tandis que le cameraman sortait à son tour un pistolet mitrailleur. Il n'eut pas le temps de s'en servir. Fauché par une grêle de balles, il s'écrasa contre le car de la télévision.

D'Agosta atteignit l'un des Chinois au genou. Surpris, son collègue se retourna et tira une rafale en direction du sergent, mais Pendergast, tout en protégeant deux enfants de son corps, abattit l'homme d'une balle en pleine tête. Son fusil mitrailleur vola dans les airs en continuant à cracher le feu et plusieurs projectiles s'enfoncèrent dans l'herbe en soulevant des nuages de terre, à quelques centimètres de Pendergast. L'inspecteur se trouva brusquement projeté en arrière et une tache sombre se dessina sur la manche de son manteau. Heureusement, il avait eu le temps d'écarter les deux enfants.

— Pendergast ! hurla D'Agosta.

Le Chinois touché à la jambe, refusant de s'avouer vaincu, tira en direction du car, faisant sauter la peinture dans un bruit de tôle froissée. Une rafale tirée depuis l'habitacle du véhicule le fit taire, et le car démarra en trombe dans un long crissement de pneus.

— Arrêtez-les ! cria Pendergast à l'adresse des deux agents qui couraient derrière la camionnette.

Le plus petit des trois Chinois s'engouffra dans la Mercedes qui démarra sur les chapeaux de roue. Les deux agents prirent aussitôt pour cible la limousine dont les pneus arrière éclatèrent au moment où elle atteignait l'allée, mais une balle avait dû atteindre le réservoir car la Mercedes explosa avec un grondement mat. Une énorme boule de feu monta à l'assaut du ciel et le véhicule alla s'écraser dans un bosquet. La portière du conducteur s'ouvrit, laissant passer une silhouette en flammes qui tituba avant de s'écrouler face contre terre. Le car télé en avait profité pour s'éloigner et il disparut rapidement dans le dédale des rues avoisinantes.

La plus grande confusion régnait dans le parc où parents et enfants hurlaient en courant dans tous les sens. D'Agosta se précipita vers Pendergast et fut soulagé de le voir se redresser. Les deux gardes du corps chinois étaient morts et le cameraman, quasiment coupé en deux par la rafale qu'il avait reçue, était à l'agonie. Par miracle, personne d'autre n'avait été touché.

D'Agosta s'agenouilla près de son collègue.

— Pendergast, comment vous sentez-vous ?

Le visage livide, incapable de parler, l'inspecteur lui adressa un petit signe de la main.

L'un des agents du FBI arrivait à son tour.

— Il y a des blessés ?

— Oui, Pendergast. Quant au cameraman, on ne peut plus rien pour lui.

— Les secours ne vont pas tarder.

Faisant écho aux paroles de l'agent, des sirènes résonnèrent dans le lointain.

Pendergast aida l'un des enfants qu'il avait protégés, un petit garçon de huit ans, à se relever. Son père se précipita et le prit dans ses bras.

— Vous lui avez sauvé la vie ! Vous lui avez sauvé la vie ! répétait-il fébrilement.

D'Agosta aida à son tour Pendergast à se mettre debout. Une large tache de sang maculait tout un côté de sa chemise.

— Une simple égratignure, mais cela m'a coupé le souffle un instant, se contenta de déclarer l'inspecteur.

Les habitants des maisons voisines commençaient à converger en direction du parc d'un pas hésitant et un attroupement se forma autour de la carcasse en feu de la Mercedes. La police locale venait d'arriver et des flics en uniforme s'activaient dans tous les sens, délimitant un périmètre de sécurité.

— Ces salauds de BAI s'attendaient à ce que les choses tournent mal, gronda D'Agosta.

— En effet, mais cela n'a rien d'étonnant.

— Que voulez-vous dire ?

— J'en ai entendu assez pour comprendre que les hommes de Bullard souhaitaient annuler le marché.

— L'annuler ?

— C'est d'autant plus curieux qu'ils étaient sur le point de réussir. En tout cas, cela explique ce lieu de rendez-vous. Ils se doutaient que leurs interlocuteurs chinois ne seraient pas contents, et ils comptaient sur les enfants pour leur servir de bouclier.

D'Agosta contempla le carnage d'un œil amer.

— Hayward va sûrement nous féliciter.

— Elle aurait toutes les raisons de le faire. Si nous n'avions pas surpris cette conversation téléphonique et si nous n'avions pas été là, les choses auraient tourné autrement plus mal.

D'Agosta tourna la tête en direction de la Mercedes en flammes que les pompiers tentaient d'éteindre.

— Vous voulez que je vous dise ? Cette affaire me paraît de plus en plus étrange.

36

Wayne P. Buck Jr, assis au comptoir du Last Gasp, un restaurant routier de Yuma en Arizona, versa un peu de lait dans son café. Devant lui s'étalaient les restes de son petit déjeuner. De l'autre côté de la vitre tapissée de chiures de mouche, le rugissement d'un camion citerne qui s'éloignait en direction de Narstow lui fit tourner la tête.

Celui que l'on surnommait le révérend Buck trempa les lèvres dans sa tasse, puis il acheva ses flocons d'avoine avec sa méticulosité coutumière, raclant les parois du bol à l'aide de sa petite cuillère. Il avala une nouvelle gorgée de café, reposa la tasse sur sa soucoupe et se pencha sur l'épaisse liasse de journaux posée sur le comptoir à côté de lui.

Il coupa la ficelle qui retenait les journaux à l'aide de son canif. C'était le meilleur moment de la journée pour Buck qui devait cet instant de bonheur à un camionneur dont il avait obtenu la guérison par simple imposition des mains quelques mois auparavant lors d'un rassemblement évangéliste. Depuis, le routier laissait tous les matins une pile de journaux à son intention devant le Last Gasp. Il ne s'agissait jamais des mêmes journaux. La veille, par exemple, Buck avait eu la surprise de tomber sur un exemplaire du *New Orleans Time – Picayune* au milieu d'éditions récentes du *Phœnix Sun* et du *Los Angeles*

Times. Mais ce matin-là, le révérend Buck avait comme une prémonition.

Il vivait à Yuma depuis près d'un an, portant la bonne parole aux routiers, aux serveuses, aux cuistots, aux travailleurs saisonniers et à toutes les âmes en perdition de passage dans cet endroit oublié du monde. Sa mission divine pour seule récompense, il n'aurait jamais pensé à se plaindre de son sort, conscient que, s'il se trouve autant de pécheurs de par le monde, c'est bien parce que personne ne prend la peine de leur parler. Buck remédiait à cet état de fait en leur lisant les Écritures afin de les préparer à une apocalypse imminente. Le jour, il entreprenait individuellement les routiers qui venaient s'asseoir au comptoir du Last Gasp, le temps d'un sandwich et d'un arrêt pipi. Le soir, il s'adressait aux habitués qu'il réunissait par groupes de deux ou trois autour de l'une des tables de pique-nique à l'arrière du bâtiment. Le dimanche matin, enfin, il réunissait une vingtaine de ses ouailles dans la salle de réunion des Elks. Sinon, il n'hésitait pas à porter la bonne parole aux Indiens lorsqu'une bonne âme acceptait de le conduire dans la réserve. Et lorsqu'il avait affaire à des malades, il priait avec eux et prenait le temps de les écouter avant d'alléger leurs souffrances par une parabole ou quelques paroles tirées des Évangiles. En échange de ses services, les gens lui donnaient un peu d'argent ou bien à manger, parfois même un lit pour la nuit, et Buck était content.

Il sentait pourtant que sa mission à Yuma tirait à sa fin et que l'on avait besoin de lui ailleurs. Le monde est si vaste, les pécheurs si nombreux... Chaque jour qui passait écourtait d'autant sa mission. *Je vous dis en vérité que vous n'aurez pas achevé d'instruire toutes les villes d'Israël avant que le Fils de l'homme vienne.*

Buck croyait aux signes, sachant que rien de ce qui arrive sur cette terre n'est le fruit du hasard. Il n'avait fait qu'obéir à Dieu, l'année précédente, en quittant Broken Arrow en Oklahoma pour s'installer à Borrego Springs en Californie, jusqu'à ce qu'un autre signe divin le conduise à Yuma quelques mois plus tard. Un jour, la semaine prochaine ou le mois prochain, Dieu lui adresserait un nouveau signe.

Le révérend prit le premier journal qui lui tombait sous la main, une édition du *Sacramento Bee* datant du dimanche précédent. Il feuilleta rapidement les pages nationales et locales, persuadé de n'y trouver que des meurtres, des viols, des affaires de mœurs et de corruption. Buck en avait suffisamment lu pour plusieurs centaines de sermons. Les petits entrefilets et les encadrés l'intéressaient davantage, ceux que les agences de presse diffusent pour amuser les lecteurs. Les deux frères du même village qui ne se parlent plus depuis quarante ans, le campement de mobile homes dont les enfants ont tous fugué dans un même élan, autant d'histoires banales susceptibles d'alimenter ses prêches.

Buck reposa le *Bee* et prit *USA Today* au moment où Laverne, la serveuse, arrivait avec sa cafetière.

— Un peu de café, révérend ?

— Une dernière tasse, merci infiniment.

Buck pratiquait la modération en toutes choses. Si la première tasse de café était une bénédiction et la deuxième une faiblesse, la troisième relevait du péché. Il jeta un rapide coup d'œil à son journal, le reposa et saisit un exemplaire du *New York Post* de la veille. Le révérend lisait rarement le *Post* pour lequel il avait le plus grand mépris, sachant qu'il s'agissait de la voix la plus criarde de la Babylone moderne. Il s'apprêtait à le mettre de côté lorsqu'un gros titre retint son regard :

LA DESTRUCTION
Un savant réputé affirme que les deux meurtres récents
annoncent la fin du monde
par Bryce Harriman

Buck tourna la première page lentement et entama la lecture de l'article :

25 octobre 2004 – Un savant bien connu des milieux scientifiques nous annonçait hier la destruction imminente de New York, annonciatrice de la fin du monde.

Le professeur Friedrich von Menck, diplômé de l'université de Harvard et auteur d'un documentaire récompensé par un Emmy Award, voit dans la disparition récente de Jeremy Grove et Nigel Cutforth les « signes avant-coureurs » d'une catastrophe planétaire.

Le professeur von Menck a consacré les quinze dernières années de sa vie à la recherche d'équations mathématiques permettant de relier entre elles les grandes catastrophes du passé. Quelle que soit la méthode employée, la date de 2004 revient inexorablement dans ses prévisions.

La théorie de von Menck s'appuie sur ce que l'on appelle communément le nombre d'or, une formule que l'on retrouve aussi bien dans la nature que dans l'architecture et les arts, qu'il s'agisse du Parthénon ou des œuvres de Léonard de Vinci. En appliquant cette formule au cours de l'histoire, von Menck obtient des résultats pour le moins inquiétants.

Ses recherches ont permis de démontrer que la plupart des désastres ayant marqué le cours de l'histoire respectaient la logique du nombre d'or :

79 : Pompéi
426 : Le sac de Rome
877 : La destruction de Pékin par les Mongols

1348 : La Peste Noire
1666 : Le grand incendie de Londres
1906 : Le tremblement de terre de San Francisco

Ces événements ne sont d'ailleurs pas les seuls à respecter cette logique. Il semble que ces catastrophes frappent systématiquement des villes de première importance, connues pour leur opulence, leur puissance et leur spiritualité décadente. Chacun de ces cataclysmes ayant été précédé de signes discrets, mais réels, von Menck voit dans la disparition mystérieuse de Grove et Cutforth des signes avant-coureurs de « la destruction de New York par le feu ».

Interrogé sur ce point, Von Menck insiste : « Il ne s'agira pas d'un incendie ordinaire, mais d'un feu destructeur d'une grande intensité. Un feu intérieur. » Le savant cite à l'appui de ses affirmations des passages de l'Apocalypse, les écrits de Nostradamus ainsi que ceux de voyants tels que Mme Blavatsky ou Edgar Cayce.

Le professeur von Menck a pris la décision de quitter New York aujourd'hui même à destination des îles Galápagos, n'emportant avec lui que ses manuscrits et quelques livres.

Buck reposa son journal, le visage transfiguré. Un étrange frisson lui parcourut la colonne vertébrale. Si ce von Menck ne se trompait pas, il avait tort de croire qu'il échapperait au désastre en se réfugiant dans une île lointaine. Un passage de l'Apocalypse de saint Jean qu'il citait souvent à ses ouailles lui revint en mémoire : *Et les rois de la terre, les princes, les riches se cachèrent dans les cavernes et dans les rochers des montagnes. Parce que le grand jour de Sa colère est arrivé, et qui pourra subsister en Sa présence ?*

Buck porta sa tasse à ses lèvres, mais il ne sentait même plus le goût du café et il la reposa sur sa soucoupe. Il savait depuis toujours qu'il assisterait à la fin du monde. Il avait toujours cru aux signes et il se demanda si celui-ci n'était pas d'une nature différente.

Un signe d'une importance capitale.

Dans le chapitre 22 de l'Apocalypse, il est écrit : *Je m'en vais venir bientôt...*

Pouvait-il s'agir du moment qu'il attendait depuis si longtemps ? N'est-il pas écrit dans l'Apocalypse que les méchants et tous ceux qui portent sur leur front la marque du malin seront sacrifiés les premiers, par vagues successives ?

Buck prit le temps de relire l'article. New York. Mais bien sûr ! C'est là que tout allait commencer ! Que tout avait *déjà* commencé, avec ces deux premières victimes. Un avertissement de Dieu aux appelés, afin qu'ils diffusent autour d'eux un message de repentir tant qu'il en était encore temps. La colère de Dieu ne s'abattrait pas sur les hommes sans un avertissement. *Qui a des oreilles entende...*

Je m'en vais venir bientôt... Certes, je vais venir bientôt...

Mais de là à partir pour New York... Buck n'avait jamais été plus loin que le Mississippi, il n'avait jamais connu de ville plus grande que Tucson. Pour lui, la Côte Est était une Babylone moderne, une terre de perdition dont New York était la vitrine infernale. Et pourtant... Pouvait-il s'agir d'un appel divin ? Dieu pouvait-il l'avoir choisi, *lui* ? Était-ce la mission qui l'attendait ? Aurait-il le courage et la force de la mener à bien ?

Un coup de frein de l'autre côté de la vitre le ramena brusquement à la réalité. Buck tourna la tête et vit un Greyhound s'arrêter sous ses yeux. Les mots *New York City* s'affichaient en grosses lettres au-dessus du pare-brise.

Buck s'approcha à l'instant où le car allait repartir.

— Oui, monsieur ? lui demanda le chauffeur.

— Combien coûte un aller pour New York ?

— Trois cent vingt dollars, en liquide seulement.

Buck ouvrit son portefeuille et compta toute sa fortune sous le regard impatient du chauffeur.

Il avait exactement 320 dollars.

Avec pour tout bagage le *New York Post* de la veille, le révérend Buck s'installa au fond du Greyhound dans le sillage duquel s'effaçaient les dernières maisons de Yuma.

37

Vasquez remit en place le petit morceau de bois dissimulant son ouverture et alluma sa lampe sourde. Il était minuit passé. Il s'étira et avala goulûment une longue gorgée d'eau avant de s'essuyer la bouche du revers de la main. Globalement, l'opération se déroulait convenablement, sinon que sa cible n'avait pas d'horaires réguliers. Il allait et venait à n'importe quelle heure du jour et de la nuit, à une exception près : chaque soir à 1 heure du matin, on le voyait sortir de la vieille demeure et traverser Riverside Drive à hauteur de la 137e Rue afin de faire un petit tour dans Riverside Park dont il revenait invariablement vingt minutes plus tard. Une sorte de promenade de santé avant d'aller dormir.

Au cours des dernières quarante-huit heures, Vasquez avait pu se rendre compte qu'il avait affaire à un personnage étrange. Son client était différent des autres, ne serait-ce que dans son apparence, avec son éternel costume noir, son teint excessivement pâle, sa démarche féline, souple et feutrée, son assurance tranquille. On ne s'amuse pas à se promener dans Riverside Park en plein milieu de la nuit à moins d'avoir un grain. Ou un flingue. À deux reprises, il avait vu les membres d'un gang du quartier disparaître sans demander leur reste en apercevant son client. Un signe qui ne trompe pas.

Vasquez mâchonna lentement un morceau de saucisson sec en relisant ses notes. La vieille demeure comptait quatre occupants : Pendergast, un majordome, une vieille gouvernante qu'il n'avait aperçue qu'une seule fois, ainsi qu'une jeune femme habillée à l'ancienne qui n'était ni la fille ni la petite amie de sa cible, à en juger par leurs rapports cérémonieux. Sans doute une assistante quelconque. Sinon, Pendergast recevait régulièrement la visite d'un flic légèrement bedonnant avec une calvitie naissante, qui portait un écusson de sergent de la police municipale de Southampton sur la manche de sa chemise. À l'aide de son ordinateur et d'un modem sans fil, Vasquez n'avait eu aucun mal à l'identifier : il s'agissait d'un certain Vincent D'Agosta. Le type même du flic fiable et sans surprise.

Enfin, un curieux personnage affublé d'une longue crinière blanche avait frappé à la porte de la vieille maison tard un soir. Il marchait en crabe et tenait un livre sous le bras. Probablement un employé quelconque.

Vasquez souhaitait profiter de la promenade nocturne de Pendergast pour l'abattre à l'instant où il franchirait le porche donnant sur la rue. Il avait passé des heures à imaginer la scène dans sa tête en tenant compte de tous les paramètres. En supposant que la première balle pénètre le crâne en biais, elle dévierait légèrement de sa course du fait de la courbure de la boîte crânienne et ressortirait sur le côté. Sous le choc, Pendergast pivoterait sur lui-même. Un second projectile le frapperait alors de plein fouet, accentuant le pivotement. Cela donnerait l'impression aux témoins éventuels que le tireur se tenait embusqué plus haut dans la rue et les recherches se concentreraient ailleurs, même en cas de réaction immédiate. De toute façon, Vasquez n'avait pas l'intention de faire de vieux os et il se retrouverait dans la 136e Rue, à moins de cinq minutes de la station de métro, avant même que sa cible s'écroule, ou presque. Dans un quartier comme celui-ci, personne ne prêterait attention à lui, on le prendrait pour un Portoricain pressé de rentrer chez lui.

Vasquez se coupa un autre morceau de saucisson. Son intuition lui disait toujours quand le moment était venu. Il était minuit vingt et Vasquez était prêt.

Il se déshabilla et enfila les vêtements qu'il comptait utiliser dans sa fuite : un survêtement largement ouvert sur son torse nu, une grosse chaîne en or autour du cou, des chaussures de sport, une petite moustache, un portable à la ceinture... bref, le parfait attirail du chat de ghetto latino.

Vasquez éteignit sa lampe, retira le petit carré de bois, engagea le canon de son fusil à travers l'ouverture et s'installa confortablement, la joue calée contre la crosse spécialement conçue pour résister aux variations hygrométriques. Avec d'infinies précautions, il dirigea son arme sur l'endroit précis où apparaîtrait la tête de sa cible, juste derrière le mur de brique dans lequel s'ouvrait le porche. Une fois là, son client échangeait toujours quelques mots avec son majordome. Sans doute lui recommandait-il de bien verrouiller la porte derrière lui. En tout cas, il s'arrêtait entre dix et vingt secondes, une éternité pour un tireur d'élite tel que Vasquez.

Vasquez ressentit brusquement un petit pincement au creux de l'estomac. Ce n'était pas la première fois qu'il se demandait si tout ça n'était pas un peu trop facile. Ce petit tour réglé comme une horloge, ce temps d'arrêt avant de franchir le porche... L'autre soupçonnait-il qu'on l'observait ? Vasquez eut un petit sourire contraint. Il était toujours pris d'une légère crise d'angoisse au moment de passer à l'action. Comment son client aurait-il pu s'apercevoir de sa présence ? S'il s'était su traqué, jamais il ne se serait exposé avec un tel sang-froid.

Il glissa lentement l'œil droit dans la lunette. Une lunette spéciale, équipée d'un compensateur de trajectoire réglable en fonction du vent. Tout était prêt. À travers la mire, il voyait le point précis où apparaîtrait la tête de sa cible. Tout irait vite et sans bavure, comme toujours. Le temps que le majordome appelle la police, Vasquez aurait eu dix fois le temps de s'éclipser. On finirait par retrouver son antre, mais cela n'avait aucune importance. Les flics possédaient déjà son ADN, mais ça ne leur avait jamais servi à rien. Le temps qu'ils se mettent en chasse et il serait chez lui, en train de déguster un citron pressé sur la plage.

Les minutes s'écoulaient et Vasquez attendait sans bouger. Une heure moins cinq... Une heure moins trois... Une heure !

La porte s'ouvrit et la silhouette de Pendergast apparut sur le seuil, comme prévu. Il fit quelques pas et se retourna en direction de son majordome.

Tout doucement, Vasquez fit peser son doigt sur la détente.

Il allait tirer lorsqu'il vit un éclair de lumière un peu plus loin dans la rue, suivi d'un bruit de verre cassé. Hésitant, Vasquez retira son œil de la lunette. Rien de grave, juste l'ampoule d'un réverbère qui venait de claquer, à moins qu'un gamin ne se soit amusé à la déquiller avec une carabine à air comprimé.

Tout était rentré dans l'ordre et son client traversait la rue en direction de Riverside Park.

Vasquez s'écarta du fusil, laissant tout son être se détendre. Le coup était raté pour ce soir. À moins de le tuer au retour ? Non, trop aléatoire. Pendergast marchait vite et il risquait de rater son coup. On ne lutte pas contre le destin. Et lui qui s'imaginait un peu plus tôt que tout se déroulait trop facilement !

Il en serait quitte pour rester là vingt-quatre heures de plus, mais au prix où il était payé, il n'en était pas à un jour près.

38

Installé à l'arrière de la Rolls, D'Agosta ne disait mot. À l'avant, Pendergast discutait avec son chauffeur de l'équipe des Red Sox de Boston, faisant preuve d'une science insoupçonnée. D'Agosta avait toujours eu la prétention de s'y connaître en baseball, mais les deux hommes évoquaient le championnat de 1916 avec un luxe de détails qui le laissait pantois.

— Où devons-nous rencontrer ce Beckmann ? finit-il par demander.

— À Yonkers, lui répondit Pendergast en se retournant brièvement.

— Vous croyez qu'il acceptera de nous parler ? S'il est aussi coopératif que Bullard et Cutforth, ça promet !

— Je crois, au contraire, qu'il se montrera des plus éloquent.

Pendergast reprit sa discussion avec Proctor et D'Agosta se plongea dans la contemplation du paysage, se demandant si le rapport rédigé suite à leurs aventures de la veille avec les Chinois était complet. Jamais il n'avait usé autant de formulaires au cours d'une enquête.

La Rolls avait quitté Manhattan par le Willis Avenue Bridge et se frayait à présent un chemin à travers la circulation de ce samedi matin sur le Major Deegan Expressway. Proctor s'engagea sur le Mosholu Parkway et ils pénétrèrent dans le comté de Westchester en traversant un réseau dense de banlieues. Comme à son habitude, Pendergast ne s'était pas étendu sur leur destination exacte. Après quelques kilomètres de barres HLM sinistres, d'usines vieillissantes et de stations-service, ils sortirent sur Yonkers Avenue. D'Agosta se demanda ce qui avait pu pousser Beckmann à s'installer dans un coin pareil. À tous les coups, il devait habiter l'une de ces maisons rénovées sur les bords de l'Hudson.

Mais, contrairement à ce qu'il imaginait, Proctor tourna le dos à la rivière et bifurqua en direction de Nodine Hill. Les noms de rue défilaient devant D'Agosta : Prescott Street, Elm Street... La rue des ormes ! En fait d'ormes, on apercevait des rangées de ginkgos dont le maigre feuillage peinait à dissimuler des rangées de maisons grises. De rue en rue, le quartier se faisait plus lugubre. Des alcooliques et des drogués, assis par grappes sur les marches des maisons, regardaient passer la Rolls d'un œil atone dans le froid de cette journée sans soleil. Des graffitis illisibles recouvraient les murs et jusqu'aux troncs d'arbre. Ici et là, des terrains vagues coincés entre deux pâtés de maisons contribuaient à renforcer l'identité trouble de cette jungle urbaine.

— Prenez à gauche.

La voiture pénétra dans un cul-de-sac et s'arrêta tout au bout de la rue devant un bâtiment délabré. Laissant la Rolls à la garde de Proctor, D'Agosta suivit Pendergast vers un mur abondamment tagué dans lequel se découpait une vieille porte rouillée.

Pendergast tourna la poignée, mais la porte était verrouillée. Il se baissa, examina la serrure à l'aide d'une lampe-stylo, et sortit de sa poche une tige métallique qu'il glissa dans la serrure.

— Vous allez la crocheter ? demanda D'Agosta.

— À ma façon, répliqua Pendergast en se redressant.

Il sortit son arme de service de son étui et tira deux fois dans la serrure, déclenchant un bruit de tonnerre qui se répercuta longtemps le long des façades lépreuses.

— Mais... je croyais que vous vouliez la crocheter !

— C'est ce que je viens de faire. Il s'agit du seul moyen efficace lorsque le pêne est définitivement soudé par la rouille, expliqua-t-il en rengainant son pistolet. Il y a des années que cette porte n'a pas été ouverte.

D'un coup de pied, il fit pivoter le battant qui s'ouvrit péniblement.

D'Agosta jeta un regard étonné à travers l'ouverture. Au lieu du terrain vague auquel il s'attendait, il découvrit plusieurs hectares d'une prairie vallonnée cernée par des immeubles en état de décrépitude avancée. Sur un tertre, on apercevait quelques arbres autour des ruines d'un temple grec recouvert de lierre, ses quatre colonnes doriques et son toit écroulé. Une ancienne allée envahie de sumac et bordée d'arbres morts aux silhouettes décharnées conduisait à l'entrée du temple.

— Drôle d'endroit, grommela D'Agosta en frissonnant. Un ancien jardin public ?

— D'une certaine manière, répondit Pendergast en s'engageant sur l'ancien chemin, évitant soigneusement les blocs d'asphalte soulevés par le gel et les fleurs vénéneuses des sumacs.

À le voir avancer avec autant d'aisance, personne n'aurait pu croire qu'il avait été blessé la veille.

Pendergast s'arrêta quelques centaines de mètres plus loin et tira de sa poche une feuille de papier qu'il consulta.

— Par ici, fit-il en s'engageant le long d'une ancienne allée transversale mangée d'orties et de buissons de ronces.

D'Agosta lui emboîta le pas tant bien que mal, son uniforme aussitôt recouvert de pollen. Pendergast avançait lentement en regardant à droite et à gauche tout en suivant les indications portées sur le petit plan qu'il tenait à la main. Il avait l'air de compter, et D'Agosta comprit son manège en découvrant sous les mauvaises herbes des rangées de dalles de granit portant toutes un nom et deux dates.

— Un cimetière ! s'exclama le sergent.

— Plus exactement une fosse commune, précisa Pendergast. C'est là qu'on enterrait autrefois les pauvres, les fous et ceux qui n'avaient pas de famille. Un cercueil de bois blanc, un trou dans la terre, une dalle de granit, une bénédiction à la va-vite, le tout fourni généreusement par l'État de New York. Ce lieu a atteint sa capacité maximale il y a dix ans.

D'Agosta émit un petit sifflement.

— Et Ranier Beckmann, dans tout ça ?

Sans répondre, Pendergast avait repris sa marche entre les buissons en comptant. Soudain, il s'arrêta devant une dalle dont il dégagea les mauvaises herbes avec le pied.

RANIER BECKMAN
1952 – 1995

Une rafale d'un vent glacial coucha les herbes folles tandis qu'un grondement de tonnerre résonnait dans le lointain.

— Mort ! s'écria D'Agosta.

— Tout ce qu'il y a de plus mort, confirma Pendergast en ouvrant son portable et en composant un numéro. Sergent Baskin ? Nous avons retrouvé la sépulture et nous sommes prêts pour l'exhumation. J'ai tous les documents avec moi. Nous vous attendons.

— Vous savez quoi, Pendergast ? commenta D'Agosta en riant. Vous avez le don de la mise en scène.

L'inspecteur referma son portable.

— Je ne souhaitais rien vous dire tant que je n'étais pas absolument certain de retrouver cette tombe. M. Beckmann n'a guère laissé de traces derrière lui et les seules que nous ayons pu retrouver étaient pour le moins douteuses. Ainsi que vous avez pu le constater, son patronyme a même été écorché sur sa pierre tombale.

— Mais pourquoi m'avoir dit que Beckmann allait se montrer éloquent ?

— Parce que c'est la vérité. Si les morts ne peuvent plus parler, il n'en est pas de même de leur dépouille qui se montre parfois fort bavarde. Je suis convaincu que le corps de Ranier Beckmann nous apprendra bien des choses.

39

Locke Bullard, debout sur le pont supérieur du *Stormcloud*, respirait à pleins poumons l'air vif de l'océan. Le yacht trépidait sous ses pieds de toute la puissance de ses moteurs et la brise balayait son visage sous l'effet de la vitesse.

Bullard scrutait l'horizon, un cigare entre les doigts, les poings serrés sur le bastingage. La mer était d'huile, le temps radieux, et l'on aurait pu croire que le bateau finirait par s'abîmer à l'endroit où l'eau et le ciel se rejoignaient. Au plus profond de son être, l'industriel le souhaitait presque. L'idée de disparaître, d'en finir avec tout, n'était pas sans attrait.

Il lui suffisait de se laisser glisser dans l'eau à l'arrière du yacht. Son steward ne s'apercevrait même pas de son absence, car il avait passé le plus clair de son temps enfermé dans sa cabine sans voir personne, sinon lorsqu'on lui apportait ses repas.

Bullard était animé d'un tremblement incontrôlable. Les muscles tendus, sous le coup d'une émotion intense, il éprouvait un curieux mélange de rage, de regret, de peur et d'étonnement. Lui qui avait passé sa vie à monter les coups les plus audacieux, à se jouer de ses concurrents, à prévoir toutes les éventualités, comment pouvait-il en être arrivé là ? Il se rassura en se disant qu'il avait au moins réussi à se débarrasser de ce Pendergast, ce qui ne saurait tarder, si ce n'était déjà fait.

Maigre consolation.

Du coin de l'œil, il vit la silhouette élancée de son steward qui lui adressait un salut respectueux depuis l'écoutille.

— Monsieur ? La vidéo-conférence doit avoir lieu dans trois minutes.

Bullard hocha la tête, plongea à nouveau son regard dans le bleu confondu de la mer et du ciel, se racla la gorge et cracha dans l'eau avant de jeter son cigare, puis il rejoignit la cabine.

La minuscule salle de vidéo-conférence pouvait tout juste accueillir deux personnes, et un technicien était penché sur un clavier. Pourquoi faut-il que ces types-là aient tous des barbichettes et des têtes de fouine ? L'homme se leva si précipitamment qu'il se cogna la tête contre la cloison.

— Tout est prêt, monsieur Bullard. Vous n'avez plus qu'à...

— Dehors.

L'homme s'exécuta, et Bullard verrouilla la porte derrière lui. Il s'installa devant l'écran, entra son mot de passe, attendit une première autorisation et entra un second code d'accès. Deux images apparurent simultanément sur l'écran : à gauche celle de Martinetti, le P-DG de Bullard Aerospace Industries en Italie ; à droite celle de Chait, son bras droit aux États-Unis.

— Comment ça s'est passé hier ? demanda Bullard.

Voyant Chait hésiter, il comprit tout de suite que les choses avaient mal tourné.

— Nos invités sont arrivés avec des pétards. Ils voulaient faire la fête.

Bullard hocha la tête. Cela ne l'étonnait pas outre mesure.

— Quand ils se sont aperçus qu'il n'y aurait pas de gâteau, le bal a commencé. Williams a été obligé de nous quitter précipitamment et nos invités sont partis avec lui.

Donc les Chinois avaient eu Williams avant de se faire descendre.

— Autre chose. Des pique-assiette se sont également invités.

Bullard sentit son estomac se nouer. Qui avait osé ? Pendergast ? Ce type-là était un véritable danger public, il était temps que ce con de Vasquez lui fasse son affaire. Mais comment Pendergast avait-il pu être au courant du rendez-vous ? Les fichiers en mémoire sur son disque dur étaient illisibles et il ne voyait pas comment quelqu'un aurait pu les décrypter.

— À part ça, tout le monde est rentré sagement à la maison.

Bullard n'écoutait plus. Il devait absolument comprendre ce qui s'était passé. Ou bien ses téléphones étaient sur écoute, ou bien les fédéraux avaient réussi à introduire une taupe dans son sérail. Probablement la première solution.

— Il y a peut-être un oiseau dans l'arbre, suggéra Bullard en utilisant un code mis au point avec ses collaborateurs.

Comme Chait ne répondait pas, il s'adressa au directeur de sa filiale italienne :

— L'objet est-il prêt ?

— Oui, monsieur, répliqua l'autre, manifestement mal à l'aise. Puis-je me permettre de vous demander...

— Non, vous ne pouvez rien vous permettre ! aboya Bullard, hors de lui.

Sur la moitié droite de l'écran, Chait écoutait la conversation, le visage impassible.

— Monsieur...

— Il n'y a pas de monsieur ! Vous me donnez l'objet à mon arrivée et c'est tout. C'est la dernière fois que vous m'en parlez, et ça vaut pour les autres aussi.

L'Italien pâlit, sa pomme d'Adam montait et descendait au rythme de sa peur.

— Monsieur Bullard, après tout ce que nous avons fait et tous les risques que nous avons pris, j'ai le droit de savoir pourquoi vous renoncez à ce projet. Je vous le demande respectueusement en tant que directeur de votre filiale. Je ne pense qu'au bien de la société, comme vous...

Bullard sentit une bouffée de rage l'envahir.

— Pauvre connard, qu'est-ce que je viens de vous dire ?

Martinetti se tut. Sur l'écran, le visage de Chait trahissait son trouble. Il se demandait clairement si son patron n'était pas en train de devenir fou.

— La société, c'est moi ! hurla Bullard. Moi seul décide ce qui est bon pour la société ou pas. Encore une seule remarque et *ti faccio fuori, bastardo*. Tu entends ? Je te tue !

Il devait savoir qu'aucun Italien digne de ce nom n'accepterait d'être traité de la sorte.

— Monsieur, je vous demanderai d'accepter ma démission...

— Démissionne tant que tu veux, pauvre enculé ! Bon débarras ! hurla Bullard en tapant du poing sur son clavier à plusieurs reprises.

Soudain, l'écran s'éteignit et Bullard resta longtemps dans l'obscurité. Les fédéraux avaient eu vent du rendez-vous de Paterson. Ils étaient donc au courant de ses liens avec les Chinois. Il y a quelques semaines encore, il aurait été catastrophé, mais ça n'avait plus d'importance à présent, puisqu'il avait décidé de ne transférer aucune technologie sensible à l'ennemi. Les fédéraux n'avaient rien contre lui et ils en seraient pour leurs frais. De toute façon, Bullard s'en foutait, il avait mieux à faire en ce moment.

Il était parti juste à temps. Grove et Cutforth... Grove, Cutforth, et peut-être aussi Beckmann. Tant pis pour eux, mais lui au moins était en vie, et c'était tout ce qui comptait.

Bullard s'aperçut qu'il avait des palpitations. Vite, de l'air. Se levant précipitamment, il ouvrit la porte et se rua vers le pont supérieur. Quelques instants plus tard, il contemplait à nouveau le ciel et la mer.

Si seulement il avait pu disparaître à l'horizon...

40

D'Agosta tourna la tête en entendant le grésillement nasillard d'une radio. La végétation était trop dense pour qu'il voie quoi que ce soit, sinon des taches bleues intermittentes à travers les buissons, mais la tête et les épaules d'un agent ne tardèrent pas à émerger des herbes folles. Le flic l'aperçut et se retourna. Deux médecins portant une boîte en plastique marchaient derrière lui, suivis par deux ouvriers en bleu de travail chargés d'outils. Un photographe fermait la marche.

Le flic, un sergent de la police de Yonkers au visage grave, se tailla un chemin à travers les broussailles.

— Pendergast ?

— C'est moi. Enchanté de faire votre connaissance, sergent Baskin.

— Merci. La tombe ?

— Il s'agit de celle-ci.

Pendergast sortit une liasse de papiers de la poche de sa veste et les tendit au sergent qui les examina, les signa et en conserva un exemplaire avant de rendre les originaux à Pendergast.

— Désolé, mais j'aurais besoin d'une pièce d'identité.

D'Agosta et Pendergast lui montrèrent leurs badges.

— Parfait.

Le sergent se tourna vers les deux types en bleu de travail, occupés à déballer leur matériel.

— À vous, les gars.

À l'aide d'un levier, les ouvriers commencèrent par soulever la dalle de granit qu'ils déposèrent un peu plus loin, puis ils entreprirent de défricher une petite clairière sur laquelle ils étendirent de vieilles bâches. Ils découpèrent ensuite avec leurs bêches des carrés de terre qu'ils empilèrent soigneusement sur l'une des bâches.

D'Agosta en profita pour demander à Pendergast :

— Comment avez-vous fait pour le retrouver ?

— J'ai tout de suite compris qu'il n'était plus en vie. Je me suis également douté qu'il devait s'agir de son vivant d'un malade mental ou d'un SDF. C'était la seule explication plausible puisqu'on ne parvenait pas à retrouver sa trace, même sur internet. Mais je n'étais pas tiré d'affaire pour autant et la tâche s'annonçait rude, y compris pour Mime, ce collègue dont je vous ai parlé qui a le don de dénicher les informations les plus obscures. En fin de compte, nous avons appris que Beckmann avait fini dans la rue, sous des identités changeantes, errant de foyer en asile de nuit à Yonkers et dans les environs.

La couche d'herbe dégagée, les ouvriers avaient commencé à creuser sous le regard des deux médecins qui discutaient en fumant une cigarette. Un nouveau grondement de tonnerre se fit entendre, et une petite pluie fine se mit à crépiter sur les buissons.

— Il semblerait que M. Beckmann ait eu une jeunesse bien différente de la fin de son existence, poursuivit Pendergast. Fils d'un dentiste et d'une mère au foyer, il a fait de brillantes études, mais ses parents sont morts lorsqu'il était en première année à l'université. Son diplôme obtenu, Beckmann ne savait pas quoi faire de sa vie. Il a passé plusieurs mois en

Europe, puis il est rentré aux États-Unis où il a vivoté quelque temps comme brocanteur sur les marchés aux puces. Il a rapidement sombré dans l'alcoolisme, mais il semble que ses problèmes étaient davantage d'ordre mental que physiologique. Beckmann était un pauvre hère, et il a fini sa vie dans ce taudis.

Du doigt, l'inspecteur montrait au sergent l'un des immeubles riverains du cimetière.

Les ouvriers creusaient toujours, maniant leurs bêches avec une économie de mouvements et une précision remarquables. Devant eux, le trou s'agrandissait de minute en minute.

— De quoi est-il mort ?

— Le certificat de décès fait état de métastases cancéreuses au niveau du poumon. Un cancer non traité. Mais nous en saurons davantage d'ici peu.

— Vous n'y croyez pas ?

Pendergast eut un petit sourire.

— Disons que je suis sceptique.

L'une des bêches s'arrêta avec un bruit mat sur une planche et les ouvriers dégagèrent rapidement le couvercle d'un cercueil avec des truelles. À vue de nez, D'Agosta calcula que la bière reposait à un mètre en dessous de la surface du sol. On était loin des six pieds sous terre réglementaires. Le gouvernement fait même des économies avec les morts.

— Photo, commanda le sergent Baskin.

Les fossoyeurs sortirent du trou tandis que le photographe, perché au bord de la fosse, prenait des clichés du cercueil sur toutes les coutures. Son travail achevé, il céda la place aux ouvriers qui glissèrent des câbles de nylon sous le cercueil.

— C'est bon, vous pouvez le remonter.

Les médecins se joignirent à la manœuvre et le cercueil, dégageant une forte odeur d'humus, fut déposé sur l'une des bêches.

— Le couvercle, ordonna le sergent avec son laconisme habituel.

— Ici ? s'étonna D'Agosta.

— C'est le règlement. Pour vérifier.

— Vérifier quoi ?

— L'âge, le sexe, l'état général... Mais surtout pour voir s'il y a bien un cadavre dans le cercueil.

— Je comprends.

— Ça arrive, expliqua l'un des ouvriers. L'an dernier, à Pelham, on a sorti du trou un macchabée et vous savez ce qu'on a trouvé ?

— Non, répondit D'Agosta sans conviction.

— *Deux* macchabées et un singe mort ! On s'est dit que ça devait être un joueur d'orgue de Barbarie qui avait eu des ennuis avec la Mafia.

Il éclata d'un gros rire en donnant des coups de coude à son collègue qui s'esclaffa à son tour.

Les deux hommes s'attaquèrent au couvercle qu'ils ouvrirent à l'aide de burins. Le bois vermoulu céda facilement, et une odeur de moisissure et de formol s'éleva du cercueil. D'Agosta s'avança, un sentiment de curiosité morbide le disputant à la nausée qu'il sentait monter en lui.

Un corps lui apparut dans la lumière grise et le crachin.

Le cadavre, les mains croisées sur la poitrine, reposait sur un lit de tissu vomissant sa paille. Les restes figés d'un liquide brun indéfinissable tachaient le fond du cercueil. Le corps s'était ratatiné sur lui-même, comme si l'air s'était évaporé avec la vie, ne laissant que la peau sur les os. Les genoux, les coudes et le bassin avaient même traversé les vêtements noirs du mort. Les mains, brunes et racornies, avaient perdu leurs ongles, laissant apparaître les os aux extrémités des doigts. Les yeux avaient disparu des orbites noires et la bouche craquelée s'étirait en un sourire sardonique.

Le sergent Baskin se pencha afin d'examiner le corps avant d'énoncer son verdict :

— Homme de race blanche, une cinquantaine d'années, cheveux bruns... Un mètre quatre-vingts, ajouta-t-il en déployant un mètre à ruban. Apparemment, ça correspond.

Malgré l'état de décomposition avancée dans lequel il se trouvait, le corps ne semblait pas avoir subi le même sort que Grove et Cutforth.

— Vous pouvez l'emmener à la morgue, murmura Pendergast.

Le sergent le regarda.

— Faites pratiquer une autopsie détaillée. Je veux savoir de quoi cet homme est réellement mort.

41

Bryce Harriman pénétra dans le bureau de Rupert Ritts. Contrairement à ses habitudes, le directeur de la rédaction du *Post*, un personnage bilieux à tête de rat, l'accueillit avec un large sourire.

— Ce vieux Bryce ! Assieds-toi donc !

Ritts avait une voix criarde et grinçante. On aurait pu croire qu'il était sourd si ses oreilles de fouine n'avaient eu le don de capter le moindre murmure de ses collaborateurs, surtout lorsqu'il était question de lui. Plus d'un rédacteur en chef avait été viré sans autre forme de procès pour avoir osé appeler Ritts par son surnom, à l'autre bout de l'immense salle de rédaction. Un surnom facile, puisqu'il suffisait de remplacer le *i* de son patronyme par un *a* fort approprié qui agaçait souverainement l'intéressé. Ce sobriquet devait lui coller à la peau depuis la maternelle, et Ritts ne s'en était manifestement jamais remis.

Harriman détestait son patron avec une constance proportionnelle à son aversion pour le *New York Post*. À dire vrai, il avait physiquement honte de travailler pour un tel torchon.

Il redressa sa cravate en s'installant du mieux qu'il le pouvait sur la mauvaise chaise en bois que Ritts réservait sciemment à ses visiteurs. Le directeur de la rédaction fit le tour de son bureau et s'y appuya en allumant une Lucky Strike. Ritts se donnait volontiers des airs de dur à cuire de la vieille école : il buvait comme un trou, parlait comme un charretier, et fumait comme un pompier avec d'autant plus de gourmandise que c'était strictement interdit dans l'enceinte du journal. Harriman le soupçonnait de dissimuler un petit verre et une bouteille de mauvais bourbon au fond d'un tiroir. Avec son accent de Flatbush à couper au couteau, ses pantalons en tergal, ses chaussettes bleues et ses souliers bruns éculés, Ritts était la personnification même de l'abomination aux yeux de Harriman qui avait fréquenté les meilleures écoles privées tout au long de sa scolarité avant de faire des études supérieures dans une université de l'Ivy League.

Ritts n'en était pas moins son patron.

— Génial, ton papier sur Menck, Harriman ! Une putain de perle, mon petit vieux.

— Merci, monsieur.

— Tu sais que tu as eu un éclair de génie en dégotant ce mec avant qu'il parte pour les îles Vierges.

— En fait, il partait pour les Galápagos.

— C'est pareil. Je dois tout de même t'avouer que j'ai eu des doutes en lisant ton papier. Je me suis dit que c'était encore un de ces trucs New Âge, mais il faut croire que ça plaît aux lecteurs. Les ventes en kiosque ont grimpé de huit pour cent.

— Super.

Depuis qu'il était au *Post*, Harriman n'entendait parler que des ventes et du tirage. Au *Times* où il travaillait précédemment, la notion même de vente était considérée comme inconvenante.

— Super ? Fabuleux, tu veux dire ! C'est ça, le journalisme : le respect des lecteurs. Si seulement certains de tes collègues pouvaient en prendre de la graine.

332

Avec sa voix de crécelle, toute la rédaction devait l'entendre et Harriman se tortilla sur sa chaise.

— Pile au moment où ces histoires de meurtres diaboliques commencent à s'essouffler, tu nous trouves ce Menck. Chapeau, mon vieux ! Pendant que tous les autres baveux de la ville attendent un nouveau macchabée en se tournant les pouces, tu trouves le moyen de *faire* l'actualité.

— Je vous remercie, monsieur.

Ritts aspira une dernière bouffée avant d'écraser sa cigarette sur le plancher où l'attendaient une dizaine de mégots aplatis. Il recracha un nuage de fumée avec un soufflement rauque d'emphysémateux et alluma une nouvelle Lucky Strike en regardant Harriman de la tête aux pieds.

De plus en plus mal à l'aise, ce dernier se demanda si quelque chose clochait dans sa tenue. Il était pourtant tiré à quatre épingles, comme toujours, et ne commettait jamais la moindre faute de goût dans le choix de ses chemises, de ses costumes, de ses mocassins. Il voyait mal ce poulbot de Ritts lui faire la moindre remarque à ce sujet.

— Le *National Enquirer* s'est emparé du sujet, *USA Today*, *Regis* et *Good Day in New York* s'y sont mis aussi. Ça sent le scoop, mon petit Harriman. Bien joué. Je crois même que je vais te nommer envoyé spécial du service Faits Divers.

Harriman s'y attendait si peu qu'il dut se retenir de ne pas sourire aux anges comme un idiot face à ce con de Ritts.

— Je vous remercie infiniment, monsieur Ritts. Je suis très sensible à cet honneur.

— C'est ce qui arrive quand on fait augmenter les ventes de huit pour cent en une semaine. Tu prends tes fonctions tout de suite, avec une augmentation de dix mille dollars par an en prime.

— Encore merci.

Le directeur de la rédaction semblait prendre un malin plaisir à regarder Harriman dont il détaillait la cravate, la chemise rayée et les chaussures d'un regard amusé.

— Tu sais, Harriman, tu as vraiment tapé dans le mille. Grâce à toi, des dizaines de cinglés attendent le jugement dernier en face de l'immeuble de Cutforth.

Harriman hocha la tête.

— Pour l'instant, ça reste bon enfant. Ils allument des bougies en chantant des cantiques, ce genre de conneries. Mais il ne faudrait pas que ça s'arrête. Tu vas nous faire un papier sur tous ces gens, sans te foutre de leur gueule, histoire que tous ceux qui ont loupé le coche rappliquent dare-dare. En se débrouillant bien, on peut faire monter la mayonnaise, peut-être même attirer l'attention de la télé. Avec un peu de chance, on aura droit à des manifestations. Tu vois où je veux en venir ? Comme je le dis toujours, le *Post* n'a pas l'habitude d'attendre l'actu. Au besoin, on la fait nous-mêmes.

— Compris, monsieur Ritts.

— Et si je peux te donner un petit conseil, de toi à moi...

— Volontiers.

— Oublie tes cravates en soie et tes mocassins de gosse de riches. Tu te fringues comme un journaliste du *Times*. N'oublie pas que tu travailles pour le *Post*. Ici, on s'amuse. Tu ne voudrais quand même pas te retrouver chez ces coincés du cul, hein ? Allez, je ne te retiens pas, tes intégristes t'attendent. Tu as touché le gros lot, mais il s'agit de faire monter la sauce. Trouve-moi des types qui ont de la gueule, et surtout trouve-moi leur leader.

— Et s'il n'y a pas de leader ?

334

— Tu n'as qu'à en inventer un. Tu le mets sur un piédestal et tu lui colles une médaille. Tout ça sent le scoop, et je peux te dire qu'en trente ans de métier mon flair ne m'a jamais trompé.

— Très bien. Je vous remercie, monsieur Ritts.

Harriman tentait désespérément de dissimuler son mépris.

Ritts tira sur sa cigarette avec un chuintement écœurant, puis il écrasa son mégot par terre.

Il toussa et un grand sourire illumina son visage en lame de couteau, dévoilant des dents jaunies.

— Allez, Harriman ! Au boulot ! grinça-t-il.

42

Vasquez se coupa un morceau de saucisson bœuf/piment qu'il mastiqua consciencieusement avant de boire une gorgée au goulot de sa bouteille d'eau, puis il retourna aux mots croisés du *Times* de Londres. Il réfléchit longuement, noircit quelques cases, gomma l'une de ses réponses précédentes et reposa le journal en soupirant.

Il avait toujours un petit pincement nostalgique au moment de conclure un contrat, à l'idée de quitter définitivement le nid douillet qu'il s'était soigneusement fabriqué. En même temps, il était impatient de retrouver la lumière du soleil, de remplir ses poumons d'air pur, d'entendre la rumeur des vagues sur la plage. Curieusement, il ne se sentait pourtant jamais aussi libre que lorsqu'il s'enfermait volontairement dans un réduit tel que celui-ci en attendant de donner le coup de grâce.

Il vérifia une dernière fois son matériel, posa son œil dans l'ouverture de la lunette télescopique, corrigea l'angle de tir de façon infinitésimale et s'assura que le *flash hider* était bien en place afin de ne pas risquer d'être trahi par l'éclair de la déflagration au moment où il tirerait. Plus que quelques minutes. Le chargeur de son arme contenait quatre projectiles et un cinquième se trouvait déjà dans le canon, mais deux balles lui suffiraient. Comme la veille, il se déshabilla et enfila son déguisement.

Une heure moins cinq. Il jeta un dernier coup d'œil à tout ce qu'il allait devoir laisser derrière lui. Combien de fois avait-il eu le temps de terminer les mots croisés du *Times* ? Il colla son œil dans le viseur et attendit.

De l'autre côté de la rue, la porte s'ouvrit. Vasquez retint son souffle afin de ralentir les battements de son cœur en voyant la tête et les épaules de Pendergast apparaître dans la mire. Le majordome restait invisible, il devait se tenir trop en retrait pour que Vasquez puisse apercevoir sa silhouette, mais il était bien là car Pendergast s'était retourné et discutait avec lui. Ce n'était pas plus mal car il serait d'autant plus difficile de déterminer la trajectoire de la balle s'il visait la nuque.

Évitant de respirer pour mieux compter les battements de son cœur entre les coups de feu, Vasquez appuya sa joue contre la crosse du fusil et pressa doucement sur la détente. L'arme sauta entre ses mains. Il la réarma en un éclair, visa et tira une seconde fois.

La première balle avait fait mouche. Sa cible s'était à moitié retournée sous le choc et le projectile suivant avait pénétré la boîte crânienne juste au-dessus de l'oreille, la faisant exploser. Pendergast s'écroula lourdement sur le seuil de la maison et sa silhouette s'effaça dans la pénombre.

Avec une rapidité acquise à force d'années d'expérience, Vasquez acheva ses ultimes préparatifs dans le noir. Il glissa son fusil et son ordinateur dans un sac qu'il jeta sur son épaule et enfila les lunettes infrarouges qui allaient lui permettre de sortir de l'immeuble sans encombre. Il prit le temps de replacer le carré de bois dans le contreplaqué de la fenêtre, se rua sur la porte, retira les quatre vis qui la condamnaient à l'aide d'un tournevis sans fil, arracha le gaffer qui aveuglait le chambranle, ouvrit la porte et sortit silencieusement sur le palier.

Une puissante lumière envahit le champ de vision de ses lunettes à infrarouge, l'aveuglant complètement. Il arracha ses lunettes et saisit l'arme de poing qu'il portait par précaution, mais son adversaire, plus rapide que lui, le plaqua contre le mur et fit voler son pistolet.

Vasquez voulut frapper son agresseur de toutes ses forces. Le coup, mal ajusté, n'empêcha pas l'autre de riposter en lui enfonçant les côtes. Il frappa à nouveau et fit tomber cette fois son assaillant en qui il venait de reconnaître le flic de la police de Southampton. Vasquez, enragé, sortit son couteau et se rua sur le sergent qu'il visa au cœur. D'un coup de pied magistral, l'autre lui brisa l'avant-bras. Vasquez s'écroula sous l'effet de la douleur et le flic lui sauta dessus.

Bloqué à terre, il aperçut soudain à la lueur de la lampe de poche la silhouette de l'autre. Pendergast. L'homme qu'il venait d'abattre.

Hébété, il tenta de comprendre ce qui avait pu se passer, réfléchissant à la vitesse de la lumière.

C'était un piège. Ils savaient depuis le début qu'il les surveillait. Pendergast avait joué son rôle à merveille et Vasquez avait abattu un mannequin quelconque. *Madre de Dios*.

Vasquez ne parvenait pas à croire qu'il avait pu échouer aussi lamentablement.

Pendergast le regardait fixement, les sourcils froncés. Soudain, il écarquilla les yeux, comme s'il venait de comprendre.

— Attention ! Sa bouche ! s'écria-t-il.

D'Agosta tenta de lui glisser un morceau de bois entre les dents, comme on apprend à le faire aux chiens enragés et aux épileptiques. Peine perdue. Plutôt que de dissimuler une capsule de cyanure dans une dent, Vasquez s'était fait implanter une aiguille et une ampoule dans une prothèse lorsqu'une balle avait emporté la dernière phalange de son petit doigt, des années auparavant. Il serra le poing et sentit l'ampoule se briser tandis que l'aiguille pénétrait dans la paume de sa main. La douleur de son bras cassé s'effaça instantanément, remplacée par une torpeur irréelle.

Le jour où je raterai mon coup, c'est que je serai mort...

43

Un taxi s'arrêta dans la cour du Helmsley Palace, et D'Agosta descendit afin d'ouvrir la portière de Laura Hayward. La jeune femme sortit à son tour, son regard s'attarda sur la façade chargée de l'édifice et sur les guirlandes de lumière accrochées aux arbres.

— C'est ici que tu m'emmènes dîner ?

— On va au Cirque 2000, répondit D'Agosta en faisant oui de la tête.

— Mais... je ne parlais pas d'un endroit aussi chic quand je t'ai demandé de m'emmener dîner quelque part.

— Et pourquoi pas ? Tant qu'à entamer une histoire ensemble, autant le faire bien, répliqua D'Agosta en lui prenant le bras.

Hayward savait pertinemment que le Cirque 2000 était le restaurant le plus cher de New York. Elle n'avait jamais vraiment aimé qu'un homme dépense de l'argent pour elle, de peur de se sentir achetée, mais la réponse de Vinnie D'Agosta la rassurait.

Leur avenir... Où allait-elle chercher un truc pareil ? Ce n'était jamais qu'un premier rendez-vous. Enfin presque. En plus, D'Agosta avait une femme et un fils au Canada. C'est vrai qu'il lui plaisait et que c'était un flic hors pair, mais de là à parler d'avenir...

On était dimanche soir, mais le restaurant était bondé. Ils furent accueillis par l'un de ces maîtres d'hôtel qui ont le don de paraître serviles tout en se montrant dédaigneusement hautains. Il avait l'immense regret de les informer que, malgré leur réservation, leur table n'était pas encore prête et que, s'ils voulaient bien se donner la peine de s'installer confortablement au bar, il viendrait les chercher d'ici une demi-heure, quarante minutes au grand maximum.

— Je vous demande pardon ? s'enquit D'Agosta d'un air menaçant.

— C'est-à-dire que nous avons une grande tablée et... Je vais voir ce que je peux faire.

— Vous allez voir ce que vous pouvez faire, ou bien vous comptez vraiment faire quelque chose ? insista D'Agosta avec un sourire carnassier.

— Je ferai de mon mieux, monsieur.

— Le mieux que vous ayez à faire, c'est de vous arranger pour que notre table soit prête dans un quart d'heure. Nous sommes d'accord ?

— Bien sûr, monsieur, évidemment, balbutia le maître d'hôtel, conscient d'avoir perdu la partie. En attendant, ajouta-t-il d'une voix faussement enjouée, je vais demander que l'on vous serve une bouteille de champagne avec les compliments de la maison.

D'Agosta prit le bras de sa compagne et ils rejoignirent un bar décoré de néons aux couleurs agressives. Un vrai cirque, se dit Hayward en jetant autour d'elle un regard amusé.

Le temps de s'installer et un serveur leur apportait deux menus, deux verres et une bouteille de Veuve Clicquot dans un seau à glace.

— Plutôt efficace, ton entrée en matière, remarqua Hayward en riant.

— Si je n'arrive pas à faire peur à un maître d'hôtel, je ne vois pas l'intérêt d'être flic.

— Il s'attendait à ce que tu lui donnes un pourboire.

D'Agosta lui lança un coup d'œil furtif.

— Tu crois ?

— Mais tu t'en es parfaitement tiré, sans débourser un sou.

— La prochaine fois, je lui donnerai cinq dollars, grommela D'Agosta.

— Tu plaisantes ! Ce serait pire que de ne rien lui donner du tout. Dans ce genre d'endroit, personne ne donne jamais moins de vingt dollars.

— Putain, ça doit être dur d'être rupin ! Un toast ? suggéra-t-il en levant son verre.

Elle l'imita tandis qu'il marquait une hésitation :

— À... À la police de New York.

Hayward, soulagée, avait craint un instant qu'il ne se lance sur un terrain plus glissant. Elle trempa les lèvres dans son verre et vit que son compagnon étudiait le menu. Il avait perdu du poids depuis leurs retrouvailles la nuit du meurtre de Cutforth. Il ne racontait donc pas d'histoires lorsqu'il prétendait faire de l'exercice tous les jours et s'entraîner au stand de tir du 27e District. Avec son menton volontaire, ses cheveux noirs et ses yeux bruns, il avait un très joli visage. C'était surtout un type bien, une espèce en voie de disparition à New York. Solide comme un roc et droit comme un I, ainsi qu'elle avait pu s'en apercevoir l'autre soir dans son bureau...

Hayward se cacha derrière son menu afin qu'il ne la voie pas rougir. Horrifiée, elle découvrit que le plat le moins cher, la paupiette de bar, coûtait 39 dollars. Les entrées n'étaient guère plus abordables : 23 dollars pour la moins chère, des pieds et joues de cochon braisés, non merci. En cherchant quelque chose à moins de 20 dollars, elle finit par trouver dans la carte des desserts un donut à 10 dollars ! Se faisant une raison, elle choisit en s'efforçant d'oublier les prix.

En face d'elle, Vincent étudiait la carte des vins et elle constata qu'il n'avait pas l'air de s'émouvoir. On aurait même dit qu'il se trouvait dans son élément.

— Du blanc ou du rouge ? demanda-t-il.

— Je comptais prendre du poisson.

— Du blanc, alors. Je te propose un cakebread chardonnay, décida-t-il en refermant le menu. C'est plutôt amusant, tu ne trouves pas ?

— C'est la première fois de ma vie que je dîne dans un endroit pareil.

— Moi aussi, si tu veux tout savoir.

Lorsqu'on leur annonça que leur table était prête un quart d'heure plus tard, la moitié de la bouteille de champagne s'était évaporée et Hayward avait perdu ses complexes. Le maître d'hôtel les installa dans la grande salle où les attendait un curieux mélange de meubles Napoléon III à dorures, de brocarts à ramages et de lustres en cristal, le tout éclairé par des néons suspendus et égayé par des compositions florales gigantesques. La table d'à côté était occupée par des convives bruyants et vulgaires originaires du Queens, à en juger par leur accent. Hayward aurait préféré des voisins de table plus calmes, mais elle voyait mal le maître d'hôtel refuser de les servir à cause de leur accent.

D'Agosta passa la commande avec beaucoup de naturel, au grand étonnement de sa compagne qui n'en revenait pas de le voir aussi à l'aise dans ce cadre guindé.

— Comment se fait-il que tu connaisses aussi bien la haute cuisine ? demanda-t-elle.

— Tu plaisantes ? sourit-il. Je ne connaissais pas la moitié des plats sur le menu. J'y suis allé au flan.

— Je m'y suis laissé prendre.

— Ça doit être Pendergast qui déteint sur moi.

Elle le poussa du coude.

— C'est pas Michael Douglas à la table du coin ?

Il se retourna.

— Si, se contenta-t-il de répondre.

— Et regarde qui est là, poursuivit-elle en lui indiquant du menton une jeune femme, attablée seule devant une assiette de frites qu'elle trempait consciencieusement dans du ketchup.

D'Agosta fronça les sourcils.

— Je suis sûr de l'avoir déjà vue quelque part. Qui est-ce ?

— Mais enfin, Vinnie ! Tu devrais sortir un peu. C'est Madonna !

— Ah bon ! Alors, elle a dû se teindre les cheveux, je ne la reconnaissais pas.

— Ça ferait une scène super dans un roman. Pourquoi pas dans ton prochain ?

— Il n'y aura pas de prochain.

— Pourquoi pas ? J'ai adoré tes deux bouquins. Tu as vraiment du talent, tu sais.

Il secoua la tête.

— J'ai peut-être du talent, mais je n'ai pas le don qu'il faut.

— Quel don ?

— Celui de gagner du fric, répliqua-t-il.

— Il y a plein de gens qui n'ont jamais réussi à publier un livre de leur vie, et tu en as publié deux. Des bons livres, en plus. Tu aurais tort de renoncer, Vinnie.

Il secoua à nouveau la tête.

— Franchement, je préférerais qu'on parle d'autre chose.

— Comme tu veux, mais on en reparlera. Sinon, j'avais une question à te poser. Je sais bien qu'on avait décidé de ne pas parler boulot, mais comment Pendergast a-t-il pu savoir que ce Vasquez voulait le descendre ? Ce type-là était un pro recherché par Interpol depuis dix ans.

— J'ai eu du mal à y croire, moi aussi, mais la façon dont il m'a expliqué les choses était parfaitement logique. Nous sommes convaincus que le commanditaire de Vasquez n'était autre que Bullard. Déjà quand je l'avais interrogé la première fois, il m'avait collé deux tueurs aux trousses. Pendergast s'est dit que jamais Bullard ne laisserait personne lui mettre des bâtons dans les roues et qu'il était le prochain sur sa liste. Il s'est donc demandé comment s'y prendrait un professionnel. Le meilleur moyen de l'abattre était encore de se planquer dans l'immeuble en ruine situé en face de chez lui. Le lendemain du jour où nous avons procédé à l'interrogatoire de Bullard, au One Police Plaza, Pendergast s'est mis à observer la maison d'en face avec une longue-vue. Assez rapidement, il a remarqué que quelqu'un avait découpé un trou dans un des panneaux de contreplaqué aveuglant les fenêtres, et le tour était joué ! Il m'a aussitôt mis au courant de son plan. Il voulait sortir tous les soirs à heure fixe pour inciter l'assassin à choisir un créneau horaire bien précis.

— De là à savoir quand l'autre frappera, il faut avoir les nerfs solides.

— Chaque fois qu'il sortait de chez lui, Proctor observait la fenêtre du tueur à la longue-vue. Un soir, j'ai même dû tirer sur un réverbère au moment critique, et on s'est douté qu'il recommencerait le lendemain. Hier soir, nous avons utilisé un mannequin que Proctor a sorti au bon moment en veillant à ce que seule la nuque soit visible.

— Pourquoi avoir pris un tel risque ? Pourquoi ne pas être allé cueillir Vasquez avant ?

— Le type s'était barricadé et il ne se serait pas laissé faire. Il était nettement plus vulnérable au moment de prendre la fuite, et il est tombé dans le piège.

Hayward hocha la tête.

— Voilà qui explique pas mal de choses.

— Dommage qu'il se soit suicidé.

Pas moins de trois serveurs apportèrent leurs entrées, tandis qu'un sommelier s'occupait de servir le vin et qu'un cinquième larbin remplissait leurs verres à eau.

— À mon tour de te poser une question, reprit D'Agosta. Comment as-tu fait pour devenir capitaine ? Aussi jeune, je veux dire.

— C'est pas très sorcier. Quand j'ai compris comment fonctionnait le système, j'ai décidé de passer une maîtrise de psychologie criminelle à l'université de New York. Aujourd'hui, tu ne fais plus rien sans diplôme. En plus, ça aide d'être une femme.

— Discrimination positive ?

— Je préfère dire que c'est une façon de rattraper le temps perdu. Quand le préfet Rocker a pris la décision de féminiser les services, les filles dans mon genre ont sauté sur l'occasion. Depuis le temps qu'on nous brimait, les cadres du NYPD se sont aperçus avec horreur qu'il n'y avait aucune femme aux postes les plus élevés et ils ont tout fait pour rattraper le retard. Je me suis trouvée au bon endroit au bon moment, et comme j'avais les diplômes qu'il fallait, on m'a nommée capitaine.

— Tu veux dire que l'ambition et le talent n'ont rien eu à voir là-dedans ?

— Je n'ai pas dit ça, répondit-elle avec un petit sourire.

— Ça m'étonnait aussi, fit D'Agosta en portant son verre de vin à ses lèvres. De quel coin es-tu ?

— Je suis originaire de Macon, en Géorgie. Mon père était soudeur et ma mère ne travaillait pas. J'avais un frère aîné qui est mort au Viêtnam quand j'avais huit ans. Tué par erreur par une unité de chez nous.

— Je suis désolé.

Hayward secoua la tête.

— Mes parents ne s'en sont jamais remis. Papa est mort un an plus tard et Maman l'année suivante. Cancer, tous les deux, mais j'ai toujours pensé qu'ils étaient morts de chagrin. Mon frère représentait tout pour eux.

— J'imagine que ça n'a pas dû être facile.

— De l'eau a coulé sous les ponts depuis, et j'ai surtout eu la chance d'être élevée par une grand-mère formidable à Islip. Ça m'a aidée à comprendre qu'on est toujours plus ou moins seul dans la vie et qu'on ne peut compter que sur soi-même.

— On dirait que tu as retenu la leçon.

— C'est un jeu comme un autre.

D'Agosta hésita.

— Dis-moi... c'est vrai ce qu'on dit, que tu veux devenir préfet ?

Un sourire énigmatique aux lèvres, elle leva son verre.

— À ton retour à New York, Vinnie.

— Avec plaisir. Si tu savais à quel point cette ville m'a manqué.

— Tu le disais toi-même l'autre jour, la plus belle ville au monde pour un flic.

— Quand j'étais lieutenant, à l'époque des meurtres du musée, je ne me rendais pas compte de la chance que j'avais. Je me disais que ce serait chouette de partir vivre à la campagne. L'air pur, les petits oiseaux, les arbres qui changent de couleur en automne. Je me disais que j'irais pêcher tous les dimanches. Mais tu sais quoi ? La pêche, ça finit par être chiant, les oiseaux te réveillent à l'aube et, au lieu d'aller dîner au Cirque 2000, tu te retrouves chez « Betty Daye – Restaurant familial » à Radium Hot Springs.

— Où tu peux facilement nourrir une famille de quatre personnes pour le prix d'un donut ici !

— Peut-être, mais qui a envie d'un blanc de poulet à 4,99 dollars quand tu peux te contenter d'un magret de canard au piment d'Espelette à 41 dollars ?

Hayward éclata de rire.

— C'est ça que j'aime à New York, tout est toujours démesuré. Regarde, ce soir on dîne à côté de Michael Douglas et de Madonna.

— C'est vrai que New York est une ville de fous, mais on ne s'y ennuie jamais.

Elle but une gorgée de vin et un serveur se précipita pour remplir son verre. Elle attendit qu'il se soit éloigné et demanda :

— Il y a vraiment un patelin qui s'appelle Radium Hot Springs, ou tu viens de l'inventer ?

— Vrai de vrai, j'y suis passé.

— À quoi ça ressemble ?

— Je plaisante, mais c'est une gentille petite ville à l'ancienne. En plus, les Canadiens sont extrêmement sympa. Le problème, c'est que je ne me sentais pas chez moi, j'avais l'impression d'être un étranger en exil. Et puis c'était trop calme pour moi, je n'arrivais pas à me concentrer avec tous ces oiseaux dans les arbres. Moi, il me faut des gaz d'échappement et un bon embouteillage en plein Manhattan pour me sentir dans mon élément.

Leur conversation fut interrompue par une armée de serveurs en gants blancs qui apportaient leurs plats.

— Je crois que j'arriverai sans mal à me faire à la vie de château, déclara D'Agosta en dégustant une gorgée de chardonnay entre deux bouchées de magret de canard.

— Il n'y a pas à dire, Vinnie, tu sais y faire, lui fit écho Hayward dont les coquilles Saint-Jacques à l'étuvée étaient un délice.

44

Les effluves d'alcool à 90°, de formol et de Dieu sait quoi d'autre se chargèrent de dissiper la gueule de bois de D'Agosta. Il était 11 h 30 passées lorsqu'il avait quitté le restaurant en compagnie de Laura Hayward la veille au soir. Sur les conseils du sommelier, ils s'étaient laissé tenter au dessert par une demi-bouteille de vin blanc liquoreux, un château d'yquem 1990 qui lui avait coûté une semaine de salaire. Il fallait bien reconnaître que le jeu en valait la chandelle.

Le contraste n'en était que plus violent ce matin, dans cette ambiance de corps en décomposition, d'unités réfrigérées et de meubles en acier brossé d'une propreté indécente. Sans parler du clou du spectacle : le cadavre, exposé sur une vieille table en marbre sous la lumière crue d'un projecteur. L'autopsie était terminée et le corps – ou plutôt ce qu'il en restait – reposait au milieu d'un cortège funèbre d'organes ratatinés, soigneusement découpés et déposés dans des boîtes en plastique : le cerveau, le cœur, les poumons, le foie, les reins et quelques autres masses informes sur lesquelles D'Agosta évitait de se poser trop de questions.

Le corps, abondamment visité par diverses espèces d'insectes, avait fini par se dessécher et une forte odeur de terre avait remplacé les odeurs de putréfaction habituelles. D'Agosta se félicitait pourtant d'avoir sauté le petit déjeuner.

Le médecin légiste feuilletait les documents attachés à son clipboard, ses grosses lunettes rondes à monture noire sur le bout du nez. Avec ses cheveux poivre et sel et ses formules lapidaires, il n'était pas du genre bavard.

— Bien, bien, dit-il en fronçant les sourcils.

— À en croire l'acte de décès, le patient serait décédé des suites d'un cancer du poumon, remarqua Pendergast en tournant autour du cadavre comme un vautour.

— Je sais, rétorqua sèchement le médecin. C'est *moi* qui ai signé les papiers à l'époque. Merci à vous de m'obliger à autopsier le corps aujourd'hui.

— Je vous en suis infiniment reconnaissant.

Le médecin hocha machinalement la tête et se replongea dans la lecture de son dossier.

— J'ai donc procédé à une autopsie complète du cadavre et le laboratoire vient de me transmettre les résultats d'analyse. Je serais toutefois curieux de savoir ce que vous recherchez précisément.

— Chaque chose en son temps. Tout d'abord, pouvez-vous confirmer qu'il s'agit bien du corps de Ranier Beckmann ?

— Aucun doute là-dessus. L'identification dentaire est formelle.

— Parfait. À présent, je vous écoute.

— Je commencerai par vous faire un résumé de mon diagnostic initial, tel qu'il figure dans le dossier, commença le médecin en feuilletant ses notes. Le patient, un certain Ranier Beckmann, est arrivé en ambulance au service des urgences le 4 mars 1995. Il présentait tous les signes d'un cancer avancé. Les analyses ont confirmé l'existence, au niveau du poumon, d'une tumeur cancéreuse épithéliale et de nombreuses métastases. Aucun espoir de guérison. Le cancer s'était généralisé et la mort était une question de jours. M. Beckmann n'a plus quitté l'hôpital et il est décédé deux semaines plus tard.

— Pouvez-vous confirmer qu'il est bien mort à l'hôpital ?

— Absolument. Je l'ai vu tous les jours jusqu'à sa mort.

— Nous parlons d'événements qui se sont produits il y a près de dix ans. Votre mémoire ne peut pas vous tromper ?

— Non, répondit fermement le médecin en regardant Pendergast par-dessus ses lunettes.

— Continuez, je vous en prie.

— L'autopsie a été réalisée en deux étapes. J'ai souhaité tout d'abord m'assurer de la cause du décès, aucune autopsie n'ayant été pratiquée à la mort du patient. Il n'y avait aucune raison d'en faire une : la cause était évidente, pas de demande de la famille, aucune raison de suspecter un acte criminel. La collectivité ne s'amuse pas à réclamer des autopsies pour le plaisir.

Pendergast hocha la tête.

— Conformément à votre requête, j'ai ensuite recherché toute autre pathologie, blessure ou présence de substance toxique.

— Votre verdict ?

— Beckmann est bien mort des suites d'un cancer.

Pendergast regardait le médecin d'un air sceptique. Sans se laisser impressionner le moins du monde, le praticien poursuivit d'une voix calme :

— Il avait au poumon gauche une tumeur de la taille d'un pamplemousse, ainsi que des métastases importantes au niveau des reins, du foie et du cerveau. Ce qui me surprend le plus, c'est qu'il ne soit pas arrivé aux urgences plus tôt car il devait souffrir terriblement.

— Continuez, fit Pendergast d'une voix douce.

— Outre son cancer, le patient était atteint d'une cirrhose du foie avancée, il avait des problèmes cardiaques ainsi que toute une série d'autres affections chroniques liées à l'alcoolisme et à la malnutrition.

— Quoi d'autre ?

— C'est tout. Aucune drogue, aucune toxine dans le sang ou les tissus. Aucune blessure, aucune pathologie anormale. Du moins à ce stade, au bout de presque dix ans, en sachant que le corps a été embaumé.

— Aucune trace de chaleur ?

— De chaleur ? Que voulez-vous dire ?

— Aucune indication que le corps ait été soumis à des températures extrêmes au moment de la mort ?

— Pas du tout. De telles températures auraient entraîné des modifications cellulaires importantes. J'ai examiné près d'une cinquantaine d'échantillons de tissus prélevés sur le corps et je n'ai rien relevé de semblable. Quelle drôle de question, monsieur Pendergast.

Pendergast insista :

— Le cancer du poumon est quasiment toujours provoqué par la cigarette, c'est bien cela ?

— Absolument.

— Vous n'avez aucun doute qu'il soit bien mort d'un tel cancer, n'est-ce pas, docteur ?

Le médecin, exaspéré par le scepticisme affiché de l'inspecteur, saisit sur la table d'autopsie les deux moitiés d'une masse brunâtre desséchée et les brandit sous le nez de Pendergast.

— Voici la preuve de ce que j'avance, monsieur Pendergast ! Si vous ne me croyez pas, vous pouvez croire cette tumeur ! Prenez-la, et vous verrez si je raconte des histoires. C'est elle qui a tué Beckmann, et rien d'autre !

Le retour jusqu'à la Rolls fut silencieux. Pendergast, qui avait choisi de se rendre à Yonkers sans chauffeur, se glissa derrière le volant et démarra. Il attendit d'avoir laissé la ville derrière eux avant de prendre la parole.

— Vincent, ne vous avais-je pas dit que Beckmann se montrerait éloquent ?

— Peut-être, mais j'ai surtout trouvé qu'il sentait mauvais.

— Je dois avouer que ce qu'il nous dit me surprend un peu. Il faudra que je pense à écrire à ce bon docteur afin de le remercier.

D'un coup de volant, il s'engagea sur Executive Boulevard, dédaignant la sortie menant au Saw Mill River Parkway.

— On ne retourne pas à New York ? s'étonna D'Agosta.

Pendergast fit non de la tête.

— Jeremy Grove est mort il y a tout juste deux semaines, et Cutforth une semaine plus tard. Nous sommes venus à Yonkers pour avoir des réponses, je ne repartirai pas sans les avoir obtenues.

45

Le bus avançait au pas dans le tunnel embouteillé, et il s'arrêta brièvement à hauteur d'un enchevêtrement de poutrelles métalliques à claire-voie.

Voici donc New York, pensa le révérend Wayne P. Buck en apercevant la silhouette de Manhattan dans le ciel limpide, derrière des rangées d'immeubles noircis.

Buck était traversé par des sentiments contradictoires. Il avait déjà ressenti la même impression de peur mêlée d'excitation deux ans plus tôt à sa sortie de prison, après neuf années passées à Joliet pour meurtre sans préméditation. Il avait connu le cycle habituel de la déchéance : la délinquance, les petits boulots, l'alcool, les vols de voiture, les hold-up, jusqu'à ce jour fatidique où il avait abattu le patron d'une épicerie de quartier. Le bus se remit en route et Buck revit dans sa tête le film de son arrestation, de son procès au terme duquel il avait écopé de vingt-cinq ans, de son arrivée en prison, menottes aux poings.

Et puis la rédemption, sa conversion à la doctrine évangéliste. Si Jésus avait pardonné à Marie-Madeleine, il saurait bien pardonner à l'alcoolique et au meurtrier, au paria que tout le monde rejetait. Buck s'était passionné pour la Bible qu'il avait lue et relue. Au début, il s'était contenté de quelques mots de réconfort à celui-ci, d'une main tendue à celui-là, ce qui lui permit de gagner le respect et la confiance des détenus.

Au lendemain de sa mise en liberté conditionnelle, Buck avait compris que son rôle pastoral en prison n'était que le début d'une grande aventure, que Dieu avait pour lui de grands desseins. Il avait écumé les bourgades et les petites villes des confins de l'Arizona et de la Californie en prêchant la bonne parole, laissant à Dieu le soin de pourvoir à ses besoins. Il avait mis à profit cette période pour lire Bunyan, puis saint Augustin et enfin Dante dont il avait découvert une traduction, en attendant l'appel du Très-Haut.

Jamais il n'aurait imaginé que le Seigneur puisse l'envoyer dans l'antre du vice et de la débauche. À côté de New York, Las Vegas et Los Angeles faisaient presque figure de paradis. Mais n'était-ce pas là le signe de la grandeur divine ? Si Dieu avait cru bon d'envoyer saint Paul à Rome, la capitale du paganisme, pourquoi n'aurait-il pas envoyé Wayne P. Buck à New York ?

Le Greyhound poursuivait sa course saccadée à travers les embouteillages et les têtes des passagers s'agitaient au rythme des coups de frein. Le chauffeur s'engagea sur une bretelle en spirale au cœur d'un nœud d'autoroutes et Buck pensa tout de suite aux cercles de l'enfer de Dante. Quelques minutes plus tard, le bus pénétrait sous un gigantesque hangar dans lequel régnait une forte odeur de diesel, et le soupir des freins pneumatiques indiqua à Buck qu'il était arrivé à destination.

Le chauffeur grommela des paroles inintelligibles dans un haut-parleur et la portière s'ouvrit en soufflant. Son exemplaire du *Post* pour tout bagage, Buck se sentait libre comme l'air, aussi libre que le jour où il avait franchi les portes de la prison de Joliet six ans plus tôt.

Il suivit la foule en direction des escalators et descendit dans les entrailles d'un immense terminal qu'il traversa rapidement avant de se retrouver dans la rue au milieu des passants. Il observa longuement le décor qui l'entourait, à la fois inquiet et fier de la mission qui l'attendait.

Comme je voyageais à travers le désert... En son temps, Jésus avait passé quarante jours et quarante nuits dans le désert, tenté par Satan. En cette aube du XXIe siècle, New York prenait des allures de désert. Un désert peuplé d'âmes perdues.

Laissant Jésus guider ses pas, il erra à travers la ville. Les trottoirs étaient bondés et personne ne prêtait attention à lui, les gens s'écartaient sur son passage à la manière d'une rivière contournant un rocher. Il traversa une grande avenue et s'engagea dans une rue bordée de buildings impressionnants qui le conduisit à un carrefour entièrement recouvert d'affiches géantes et de néons bariolés : Times Square. Levant les yeux vers le ciel, il fut pris de vertige en regardant les tours de Babel d'acier et de verre qui le cernaient. Il comprenait à présent comment les gens pouvaient se laisser séduire par un tel décor, au point d'y perdre leur âme. Le brouhaha de la circulation et la rumeur de la foule le rappelèrent à la réalité, tandis que les mots de John Bunyan lui revenaient à l'esprit : *Vous demeurez dans une ville de destruction, et je ne la connais que trop bien ; si vous y mourez, vous serez tôt ou tard précipités plus bas que le sépulcre, dans un étang ardent de feu et de soufre. Prenez donc courage, mes chers voisins, et faites plutôt le voyage avec moi.*

Tous étaient perdus.

Non, peut-être pas tous. Buck savait d'expérience qu'il pouvait rester ici et là quelques justes touchés par la grâce divine. *Prenez donc courage, mes chers voisins, et faites plutôt le voyage avec moi.* C'était pour eux qu'il était venu à New York.

Buck arpenta les rues de Manhattan des heures durant. Chaque vitrine, chaque limousine, chaque signe de l'opulence insolente de cette cité maudite l'appelait à la façon d'un chant de sirènes. À peine venait-il de respirer la puanteur d'une poubelle qu'il était happé par le parfum délicat de l'une de ces tentatrices en robe moulante dont il croisait la route. Buck était sûr à présent de se trouver dans le ventre du monstre. Dieu avait sciemment conduit ses pas dans ce désert urbain, et il n'avait pas l'intention de Le décevoir.

Tout son argent étant passé dans l'achat de son billet, il n'avait pas mangé depuis son départ de Yuma. Ce jeûne forcé n'avait fait que le rendre plus opiniâtre, mais il lui fallait impérativement nourrir son corps s'il entendait remplir sa mission divine.

Ses pérégrinations conduisirent Buck au siège de l'Armée du Salut. Il pénétra dans le bâtiment, fit la queue avec les autres et dévora une assiette de gratin de macaronis avec quelques tranches de pain et un bol de café. Tout en mangeant, il sortit de sa poche l'article qu'il lut une nouvelle fois afin de renforcer sa détermination. Son repas terminé, il reprit ses pérégrinations d'un pas plus alerte. En passant devant un kiosque, un gros titre à la une du *New York Post* attira son attention.

LA FIN APPROCHE
Satanistes, Pentecôtistes et Prophètes
du Jugement dernier
Tous réunis sur le lieu du meurtre diabolique

Aucun doute, il s'agissait d'un nouveau message de Dieu. Le hasard n'existe pas dans ce bas monde, et même la course du moineau dans le ciel est guidée par le Divin.

Il porta machinalement la main à sa poche avant de se souvenir qu'il n'avait plus un sou. Il lui fallait impérativement trouver de l'argent, un endroit où passer la nuit et des vêtements propres. Dieu qui habille les fleurs des champs n'allait sûrement pas l'abandonner, mais Buck savait aussi que Dieu aime que l'on prenne parfois des initiatives.

En levant les yeux, il remarqua un bâtiment monumental gardé par deux lions de pierre et surmonté de l'inscription « Bibliothèque Municipale ». Encore un temple de Mammon, regorgeant d'ouvrages immoraux et de livres pornographiques. Tournant précipitamment le coin de la rue, il aperçut près d'un petit jardin public des joueurs solitaires installés devant des échiquiers, attendant le chaland. Intrigué, il s'approcha.

— Voulez jouer ? lui demanda l'un des joueurs.

Buck s'arrêta.

— Cinq dollars, poursuivit l'homme.

— Cinq dollars pour faire quoi ?

— Dix secondes maximum par coup, cinq dollars pour le gagnant.

Conscient que le jeu est un vice, Buck allait passer son chemin lorsqu'il se ravisa. Et si c'était un nouveau signe de Dieu ? Il avait suffisamment pratiqué les échecs en prison pour tenter sa chance, et il prit place devant l'échiquier. Son adversaire bougea sa reine et Buck le contra aussitôt.

Dix minutes plus tard, il lisait le *Post* sur un banc. À en croire l'article, de petits groupes de curieux s'étaient rassemblés face à l'immeuble où le dénommé Cutforth avait été emporté par le diable. Le journaliste précisait même l'adresse : 842 Cinquième Avenue.

La tristement célèbre Cinquième Avenue, dans laquelle battait le cœur impur de New York-la-Diabolique. Tout concordait. Buck déchira l'article et le glissa dans sa poche avec le précédent.

Pas question de se rendre là-bas sans préparation spirituelle. Il n'était pas venu à New York pour prêcher la Bonne Parole, mais pour sauver le monde.

Il lui restait quatre dollars et cinquante cents, pas assez pour se trouver un lit, mais il lui restait quelques heures avant la tombée de la nuit, et Buck ne doutait pas que Dieu l'aide à multiplier cet argent, comme Jésus avait multiplié les pains et les poissons.

46

Le dernier domicile connu de Ranier Beckmann, tel qu'il apparaissait sur son acte de décès, était riverain du cimetière où il avait été enterré. Pendergast ralentit en passant devant un vieil immeuble et gara la Rolls en face d'un magasin de spiritueux, quelques mètres plus loin. Trois vieux clochards assis sur des marches les regardèrent descendre de voiture d'un œil morne.

— Beau quartier, commenta D'Agosta en levant les yeux sur les taudis qui les entouraient.

Des immeubles en brique de cinq étages avec des escaliers à incendie extérieurs mangés par la rouille et des cordes à linge courant d'un bâtiment à l'autre.

— Je ne vous le fais pas dire.

— On pourrait leur demander s'ils savent quelque chose, suggéra D'Agosta en montrant du menton les trois alcooliques qui tétaient l'un après l'autre une bouteille de Night Train, un vin bon marché.

Pendergast lui fit signe d'y aller.

— Quoi ? Pourquoi moi ?

— Parce que vous connaissez mieux que moi le langage de la rue.

— Si vous le dites, grommela D'Agosta.

Il se dirigea vers le magasin d'alcool dont il sortit quelques minutes plus tard avec une bouteille dans un sac de papier kraft.

— Je vois que vous avez pris de quoi amadouer les indigènes, sourit Pendergast.

— Le bon élève suit les préceptes du maître, répliqua D'Agosta.

Pendergast fronça les sourcils.

— Vous ne vous souvenez pas de notre petite excursion souterraine lors de l'affaire des meurtres du métro ? poursuivit D'Agosta. Vous vous étiez muni d'une bouteille comme monnaie d'échange.

— Bien sûr ! Notre petite rencontre avec Mephisto !

Son paquet à la main, D'Agosta s'approcha des trois clochards.

— Comment ça va, les gars ?

Comme les trois hommes ne lui répondaient pas, il insista :

— Je suis le sergent D'Agosta et je vous présente mon collègue, l'inspecteur Pendergast du FBI.

Nouveau silence.

— Je ne suis pas ici pour vous embêter, je me fiche de savoir comment vous vous appelez. Tout ce qu'on cherche, c'est des renseignements sur un certain Ranier Beckmann qui habitait ici autrefois.

Les hommes l'observaient de leurs yeux chassieux. L'un d'entre eux se racla la gorge et laissa tomber un crachat visqueux entre ses souliers usés.

D'Agosta défroissa bruyamment le sac de papier kraft, dévoilant une bouteille d'un liquide ambré dans lequel macéraient des morceaux de fruit.

— Du Rock 'n' Rye ! fit le plus vieux des trois clochards en se tournant vers les autres. Nous avons affaire à un flic qui a de la classe.

— Faut toujours se méfier des flics qui te donnent quelque chose.

D'Agosta jeta un coup d'œil en direction de Pendergast qui observait la scène quelques pas en arrière, les mains dans les poches.

— Écoutez, les gars. C'est pas très sympa de me faire passer pour un con devant un type du FBI. Je vous en prie.

— Évidemment, si tu nous prends par les sentiments... maugréa le vieil homme en se poussant afin de laisser une place au sergent qui s'installa sans grand enthousiasme sur les marches poisseuses.

Le clochard lui prit des mains la bouteille dont il avala une gorgée avant de recracher un morceau de fruit, puis il la tendit à son voisin.

— Viens t'asseoir, camarade, ajouta-t-il à l'adresse de Pendergast.

— C'est gentil, mais je préfère rester debout.

La réponse de l'inspecteur fut accueillie par des gloussements.

— Je m'appelle Jedediah, poursuivit le vieux clochard, mais vous pouvez m'appeler Jed. C'est qui encore, le clampin que tu cherches ?

— Ranier Beckmann, répondit Pendergast.

Les deux autres clochards haussèrent les épaules, mais Jed réfléchit un moment avant de hocher la tête.

— Beckmann... Ça me dit quelque chose.

— Il habitait la chambre 4C. Il est mort d'un cancer il y a bientôt dix ans.

Jed avala une nouvelle gorgée de Rock 'n' Rye afin de se lubrifier les méninges.

— Je me rappelle, maintenant. C'est le type qui jouait tout le temps au gin rummy avec Willie. Willie aussi est mort. Ils passaient leur temps à s'engueuler. Un cancer, tu dis ?

— Savez-vous s'il avait été marié, où il habitait avant de venir ici, ce genre de choses ?

— Je sais qu'il était éduqué. Un type très malin, mais personne venait jamais le voir, je crois pas qu'il avait de la famille. Il avait probablement été marié, et je me suis même dit à un moment que son ancienne copine devait s'appeler Kay.

— Kay ?

— Ouais. Il parlait d'elle quand il était pas content. Surtout quand il perdait aux cartes. « Kay Biskerow ! », il disait toujours. Comme si les choses auraient jamais tourné au vinaigre si elle avait été là.

Pendergast hocha la tête.

— Aurait-il encore des amis dans le quartier ?

— Je vois plus personne. Beckmann était plutôt du genre solitaire. C'était pas un rigolo.

— Je vois.

— Quand quelqu'un meurt par ici, que deviennent ses affaires ? intervint D'Agosta en se tortillant sur ses marches.

— On vide sa piaule et on fout tout en l'air. Sauf quand John décide de garder des trucs.

— John ?

— Un gars qui récupère les trucs des morts. Un mec un peu zarbi.

— Savez-vous si ce John avait conservé les affaires de Beckmann ? s'enquit Pendergast.

— Possible, y'a tellement de trucs chez lui. Vous avez qu'à monter lui demander. Il habite au 6A. Dernier étage, la porte en face de l'escalier.

Pendergast le remercia. Les deux hommes pénétrèrent dans le hall de l'immeuble et s'engagèrent dans l'escalier dont les marches crièrent de manière inquiétante sous leur poids. Au dernier étage, Pendergast posa une main sur le bras du sergent.

— Félicitations pour votre perspicacité. L'idée de vous inquiéter des affaires de Beckmann était excellente. Je vous laisse vous occuper de John ?

— Pas de problème.

La porte du 6A était entrouverte. Il toqua et le battant s'écarta, révélant une montagne de cartons abîmés, de livres moisis et de souvenirs. D'Agosta s'avança, se taillant péniblement un chemin à travers un amoncellement d'objets hétéroclites : des albums de photos usés, un tricycle, une batte de base-ball portant l'autographe d'un joueur.

Dans un coin, un homme aux cheveux blancs reposait tout habillé sur un matelas crasseux sous une fenêtre d'une saleté repoussante. Il les regarda s'approcher sans prendre la peine de se lever.

— C'est vous John ? demanda D'Agosta.

L'homme acquiesça d'un mouvement de tête à peine perceptible.

D'Agosta lui montra son badge. L'homme avait le visage ridé, les joues creuses, des yeux d'un jaune malsain.

— On a une ou deux questions à vous poser et on vous laisse tranquille.

— Oui, répondit l'homme sur un ton d'une infinie tristesse.

— Jed, dans la rue, nous a dit que vous avez peut-être gardé les affaires de Ranier Beckmann, qui vivait ici autrefois.

L'homme le regarda longtemps sans bouger. Enfin, il indiqua de ses yeux malades une pile d'objets.

— Dans le coin. Deuxième carton à partir du bas, marqué *Beck*.

D'Agosta enjamba tant bien que mal le bric-à-brac entassé dans la pièce et finit par exhumer une boîte tachée et moisie, à moitié écrasée sous le poids d'autres cartons.

— Je peux regarder ?

L'homme hocha la tête.

La boîte de Beckmann contenait des livres ainsi qu'un vieux coffret à cigares fermé par des élastiques. Pendergast se pencha par-dessus son épaule.

— *Les Lettres de Florence* de James, murmura-t-il en lisant les titres des ouvrages. *Les Peintres italiens de la Renaissance* de Berenson, *Les Vies des peintres* de Vasari, l'autobiographie de Cellini... Notre Beckmann s'intéressait manifestement à l'art de la Renaissance.

D'Agosta saisit la boîte à cigares dont les élastiques tombèrent en poussière lorsqu'il voulut les retirer. Il souleva le couvercle et une odeur de vieux cigare et de papier lui monta aux narines. À l'intérieur, il découvrit une patte de lapin mangée aux mites, une croix en or, un portrait de Padre Pio, une vieille carte postale du lac Moosehead dans le Maine, un paquet de cartes à jouer graisseuses, une petite voiture Corgi, quelques pièces de monnaie, des boîtes d'allumettes et quelques autres souvenirs.

— On dirait qu'on a mis la main sur le trésor de guerre de Beckmann, commenta-t-il.

Pendergast acquiesça en s'emparant de l'une des boîtes d'allumettes.

— Trattoria del Carmine, lut-il à voix haute.

Il examina une par une les babioles contenues dans la boîte avant de feuilleter le volume de Vasari.

— Un ouvrage de référence. Ah ! Regardez ceci ! s'exclama-t-il en tendant le livre à D'Agosta qui déchiffra sur la page de garde :

À Ranier, mon étudiant préféré
Charles F. Ponsonby Jr.

En saisissant un autre ouvrage, D'Agosta fit tomber une photo qu'il ramassa. Il s'agissait d'un cliché aux couleurs passées de quatre jeunes gens se tenant par le cou devant ce qui ressemblait à une fontaine de marbre.

Pendergast émit un petit bruit.

— Vous permettez ? demanda-t-il.

Le sergent lui tendit la photo et il la regarda longuement avant de la lui rendre.

— Celui qui se trouve tout à droite m'a tout l'air d'être Beckmann. Reconnaissez-vous ses compagnons ?

D'Agosta avait déjà identifié l'énorme tête et les arcades sourcilières épaisses de Locke Bullard, mais il lui fallut quelques instants pour reconnaître Nigel Cutforth et Jeremy Grove.

Les yeux de Pendergast brillaient d'excitation.

— Vincent, voici enfin la preuve que nous recherchions.

Puis, se tournant vers leur hôte, il demanda :

— John, nous autorisez-vous à emporter ces objets ?

— C'est pour ça que je les gardais.

— Comment ça ? s'étonna D'Agosta.

— Je garde tout ce qu'ils ont de plus précieux, en attendant que quelqu'un de leur famille vienne les réclamer.

— Qui ça, « ils » ?

— Ceux qui meurent.

— Leurs familles viennent parfois vous trouver ?

La question resta un moment en suspens.

— Les gens ont tous une famille, finit par déclarer John.

À en juger par l'état de décrépitude dans lequel se trouvaient la plupart des cartons entassés dans la pièce, comment croire que des proches puissent un jour venir les réclamer ?

— Vous connaissiez bien Beckmann ?

L'homme fit non de la tête.

— Il ne parlait pas beaucoup.

— Il lui arrivait de recevoir des gens chez lui ?

— Non, soupira John. On aurait dit qu'il attendait la mort comme une délivrance.

Pendergast mit la petite boîte marquée *Beck* sous son bras.

— Pouvons-nous faire quelque chose pour vous, John ? s'enquit-il d'une voix douce.

L'homme secoua la tête, puis il se tourna vers le mur.

Pendergast et D'Agosta quittèrent la pièce sans mot dire. Une fois dans la rue, ils retrouvèrent les trois clochards.

— Z'avez trouvé ce que vous vouliez ? leur demanda Jed.

— Oui, répondit D'Agosta. Merci.

Le vieil homme lui adressa un petit signe d'adieu en se touchant le front d'un doigt, mais D'Agosta avait une dernière question :

— Que deviendra tout le bazar qui se trouve chez John quand il mourra ?

L'alcoolique haussa les épaules.

— Quelqu'un le foutra en l'air.

— Nous n'avons pas perdu notre temps, remarqua Pendergast en s'installant derrière le volant. Nous savons à présent que Ranier Beckmann a vécu en Italie aux alentours de 1974 et qu'il parlait l'italien.

D'Agosta le regarda, étonné.

— Comment le savez-vous ?

— Ce nom mystérieux qu'il prononçait lorsqu'il perdait aux cartes, Kay Biskerow. En réalité, il ne s'agit pas d'un nom, mais d'une expression. *Che bischero !* En dialecte florentin, cela signifie : Quel abruti ! Seul quelqu'un ayant vécu à Florence était susceptible de connaître une telle locution. Quant à la date de son séjour, les pièces de monnaie conservées dans cette boîte à cigares sont des lires italiennes dont la plus récente date de 1974. Enfin, la fontaine devant laquelle posent nos quatre personnages est manifestement italienne, bien que je sois incapable de l'identifier.

D'Agosta hocha la tête.

— Vous avez trouvé tout ça rien qu'en fouillant cette boîte ?

— Les objets les plus modestes sont parfois les plus parlants, rétorqua Pendergast en démarrant. Vincent, auriez-vous la gentillesse de sortir mon ordinateur de la boîte à gants ? Je serais curieux de savoir ce que va pouvoir nous apprendre le professeur Charles F. Ponsonby Jr.

47

D'Agosta alluma l'ordinateur, se brancha sur internet grâce à une liaison sans fil et tapa « Charles F. Ponsonby Jr. » sur son moteur de recherche. Quelques instants plus tard, il savait tout ou presque sur le titulaire de la chaire d'histoire de l'art à l'université de Princeton.

— Il me semblait bien que ce nom m'était familier, murmura Pendergast. Un spécialiste de la Renaissance italienne, si je ne me trompe. La chance est avec nous puisqu'il enseigne encore, sans doute en qualité de professeur émérite. Si cela ne vous dérange pas, Vincent, recherchez donc ses états de service.

Tandis que la voiture roulait sur le New Jersey Turnpike, D'Agosta détailla à son compagnon la carrière du professeur et la liste de ses publications.

Pendergast le remercia, puis il prit son téléphone et demanda aux renseignements le numéro de l'universitaire.

— Ponsonby accepte de nous recevoir. Sans enthousiasme, je dois l'avouer, annonça-t-il quelques instants plus tard en repliant son téléphone. Nous touchons au but, Vincent. Cette photographie nous apporte la preuve qu'ils se connaissaient tous les quatre. Reste à savoir où ils se sont rencontrés, et pourquoi cette rencontre les a tant marqués.

Pendergast accéléra et D'Agosta le regarda du coin de l'œil. Tous les sens aux aguets, on aurait dit un limier.

Une heure et demie plus tard, la Rolls remontait Nassau Street dont les jolies boutiques faisaient face au campus de l'université de Princeton. Pendergast rangea l'auto le long du trottoir, descendit de voiture et glissa une pièce dans le parcmètre sous les regards ébahis de quelques étudiants. Les deux policiers traversèrent la rue, franchirent les lourdes grilles métalliques de la prestigieuse université et dirigèrent leurs pas vers la façade monumentale de la Firestone Library.

Un petit homme au crâne surmonté d'une tignasse blanche en bataille les attendait devant les portes en verre du bâtiment. Avec sa veste en tweed et son air pédant, il ne lui manquait plus qu'une pipe de bruyère pour correspondre tout à fait au portrait que s'en était fait D'Agosta.

— Professeur Ponsonby ? s'enquit Pendergast.

— Vous êtes cet agent du FBI ? répliqua le petit homme d'une voix aiguë en regardant ostensiblement sa montre.

Tout ça parce qu'on a trois minutes de retard, pensa D'Agosta.

Sans se laisser impressionner le moins du monde, Pendergast serra la main du professeur.

— C'est moi, en effet.

— Vous ne m'aviez pas dit que vous comptiez venir accompagné d'un *policier*.

D'Agosta sentit ses poils se hérisser.

— Je me permets de vous présenter mon collègue, le sergent Vincent D'Agosta.

Le professeur serra à contrecœur la main que lui tendait D'Agosta.

— J'aime autant vous prévenir tout de suite, monsieur Pendergast. Ça me déplaît fortement d'être interrogé par le FBI. N'essayez pas d'obtenir de moi la moindre information par la contrainte.

— N'ayez crainte, je n'en avais nullement l'intention. Dites-moi, professeur, où pourrions-nous discuter tranquillement ?

— Nous n'avons qu'à parler ici sur un banc. J'aime autant ne pas m'afficher dans mon bureau en compagnie d'un agent du FBI et d'un policier, si ça ne vous dérange pas.

— À votre guise.

Le professeur se dirigea d'un pas raide vers un banc placé au pied d'un sycomore et il s'assit en croisant les jambes d'un geste précieux. Pendergast s'installa à côté de lui, et comme il ne restait plus de place, D'Agosta se campa face aux deux hommes, les bras croisés.

Ponsonby sortit de sa poche une pipe de bruyère qu'il entreprit de bourrer après en avoir vidé les cendres.

J'en étais sûr, pensa D'Agosta.

— Par le plus grand des hasards, seriez-vous le Charles Ponsonby qui a récemment reçu le prix Berenson d'histoire de l'art ? demanda Pendergast.

— Oui, c'est bien moi.

Il prit une boîte d'allumettes et alluma sa pipe avec un petit gargouillement.

— Fort bien ! Dans ce cas, vous êtes également l'auteur du nouveau catalogue raisonné de l'œuvre de Pontormo.

— Exact.

— Un ouvrage remarquable.

— Merci.

— J'avoue avoir gardé un souvenir ému de la Visitation de Pontormo dans cette petite église de

Carmignano. Un orange d'une perfection tout à fait unique. Dans votre ouvrage...

— Pourriez-vous me dire ce qui vous amène, monsieur Pendergast ?

Le rappel à l'ordre du professeur jeta un froid. Pour une fois, l'offensive de charme de Pendergast avait fait long feu.

— Je crois savoir que vous avez eu autrefois un étudiant du nom de Ranier Beckmann.

— Vous me l'avez déjà demandé au téléphone. J'ai dirigé son mémoire de maîtrise, en effet.

— J'aurais souhaité vous poser quelques questions à son sujet.

— Pourquoi ne pas vous adresser directement à lui ? Je ne me suis jamais senti l'âme d'un indicateur.

D'Agosta connaissait par cœur ce genre d'oiseaux. Ni la flatterie ni la menace ne peuvent les faire changer d'avis et ils n'ont à la bouche que le respect de la vie privée, le cinquième amendement et autres arguties fallacieuses.

— Ah, je pensais que vous étiez au courant, répliqua Pendergast d'une voix onctueuse. M. Beckmann a connu une fin tragique.

Sa phrase fut suivie d'un silence.

— Non, je ne le savais pas.

Nouveau silence.

— Comment est-il mort ?

C'était au tour de Pendergast de se montrer réticent et il ne répondit pas directement à la question qui lui était posée.

— Nous avons récemment assisté à son exhumation... Mais je ne suis pas certain de devoir vous en dire davantage, car j'ai cru comprendre que vous le connaissiez à peine.

— Celui qui vous a dit ça était mal informé. Ranier était l'un de mes étudiants les plus brillants.

— Comment se fait-il que vous n'ayez pas eu vent de sa mort ?

La question mit le professeur mal à l'aise.

— Nous ne sommes pas restés en contact après sa maîtrise.

— Je vois. Dans ce cas, j'ai bien peur que vous ne puissiez nous être utile, laissa tomber Pendergast en faisant mine de se lever.

— C'était un étudiant exceptionnel, l'un des meilleurs que j'ai eus. J'ai... j'ai été extrêmement déçu qu'il ne veuille pas entamer un troisième cycle. Il souhaitait partir pour l'Europe afin d'entreprendre un long voyage initiatique, loin de toute contingence universitaire. Je lui ai dit qu'il avait tort.

Ponsonby marqua un nouveau silence avant de poursuivre.

— Puis-je vous demander de quoi il est mort et pour quelle raison on a dû l'exhumer ?

— Je suis désolé, mais il s'agit d'informations d'ordre privé auxquelles seuls les proches de M. Beckmann peuvent avoir accès.

— Comme je vous l'ai dit, nous étions très proches. Je lui ai même dédicacé un livre avant son départ, ce qui a dû m'arriver une demi-douzaine de fois en quarante ans de carrière.

— En 1976 ?

— Non, en 1974, s'empressa de corriger le professeur, heureux de marquer un point.

Une idée l'effleura brusquement et il regarda Pendergast d'un œil nouveau :

— Il n'a... il n'a tout de même pas été assassiné ?

— Malheureusement, professeur, à moins d'obtenir la permission d'un membre de sa famille... Mais peut-être connaissez-vous l'un de ses proches ?

Le visage de Ponsonby s'assombrit.

— Non, personne.

Pendergast marqua son étonnement en levant les sourcils.

— Je ne crois pas qu'il se soit entendu avec les siens. Il ne m'a jamais parlé d'eux.

— C'est regrettable. Si je comprends bien, Beckmann s'est envolé pour l'Europe en 1974, peu après l'obtention de son diplôme, et vous n'avez plus jamais entendu parler de lui ? C'est bien cela ?

— Pas tout à fait. Il m'a envoyé une lettre d'Écosse à la fin du mois d'août de cette année-là. Il s'apprêtait à quitter la communauté dans laquelle il se trouvait afin de se rendre en Italie. Je me suis dit que ça lui passerait. À dire vrai, depuis quelques années, je m'attendais presque à voir son nom apparaître dans une revue ou dans une autre. Sincèrement, monsieur Pendergast, je vous serais très reconnaissant si vous pouviez m'en apprendre davantage.

Pendergast hésita.

— C'est-à-dire que je ne sais pas si je dois vraiment... fit-il sans achever sa phrase.

D'Agosta ne put s'empêcher de laisser échapper un sourire. À défaut de parvenir à ses fins par la flatterie, ce diable de Pendergast avait trouvé le moyen de faire manger le professeur dans sa main.

— Dites-moi au moins comment il est mort.

Sa pipe s'était éteinte et Pendergast attendit que son interlocuteur ait pris ses allumettes dans sa poche pour répondre.

— Beckmann était alcoolique et il vivait dans un asile de nuit de Yonkers à sa mort. Il a été enterré dans une fosse commune.

Le professeur en lâcha son allumette de saisissement.

— Mon Dieu ! Comment imaginer une chose pareille ?

— Une fin tragique.

Ponsonby tenta de masquer son trouble en rallumant sa pipe, mais il fit un faux mouvement et ses allumettes s'éparpillèrent sur le banc.

Pendergast l'aida à les ramasser et le professeur les remit une à une dans la boîte d'une main tremblante avant de glisser sa pipe dans sa poche sans prendre la peine de l'allumer. D'Agosta, surpris, remarqua que le vieil homme avait les yeux embués.

— Un étudiant si brillant, répéta-t-il comme pour lui-même.

Pendergast laissa le silence s'installer, puis il sortit de la poche de son costume l'exemplaire de *La Vie des peintres* retrouvé dans les affaires de Beckmann et le tendit à Ponsonby.

Le vieil homme ne réagit pas tout de suite. Soudain, il sursauta.

— Où l'avez-vous trouvé ? s'enquit-il en s'emparant du livre.

— Dans les affaires de M. Beckmann.

— Il s'agit du livre que je lui avais offert.

Au moment où il soulevait la couverture, la photographie des quatre amis s'échappa.

— Qu'est-ce que c'est ? demanda-t-il en la ramassant.

Pendergast ne répondit pas.

— C'est lui, dit Ponsonby en désignant Beckmann. C'est bien lui à l'époque. La photo a dû être prise à Florence cet automne-là.

— À Florence ? réagit aussitôt Pendergast. Elle aurait pu être prise n'importe où en Italie.

— Non, je reconnais la fontaine qui se trouve derrière eux. Il s'agit de la fontaine de la Piazza Santo Spirito, l'un des rendez-vous habituels des étudiants de passage. Et ici, en arrière-plan, vous apercevez le *portone* du Palazzo Guadagni, avec sa petite *pensione*. Leurs vêtements me font dire que la photo a été prise en automne, mais elle aurait tout aussi bien pu l'être au printemps.

Tout en lui reprenant la photo, Pendergast questionna innocemment :

— Les autres jeunes gens sur la photo étaient également des étudiants de Princeton ?

— Non, je ne les ai jamais vus. Il les aura probablement rencontrés à Florence. Comme je vous le disais il y a un instant, les étudiants étrangers se retrouvaient souvent sur la Piazza Santo Spirito. C'est toujours le cas, d'ailleurs.

Il referma le livre. Les traits creusés, il reprit d'une voix cassée :

— Un jeune homme si prometteur...

— Les individus sont tous prometteurs lorsqu'ils arrivent dans ce monde, professeur.

Sur ces mots, Pendergast se leva. Après une courte hésitation, il ajouta :

— Vous pouvez garder ce livre, si vous le souhaitez.

Ponsonby ne l'entendait plus. Les épaules voûtées, il caressait la reliure de l'ouvrage d'une main tremblante.

Ils se trouvaient sur le chemin du retour lorsque D'Agosta prit la parole :

— Vous avez réussi à le faire parler sans même qu'il s'en aperçoive.

Il voyait encore le vieil homme laisser tomber son masque d'arrogance, bouleversé par la mort d'un étudiant qu'il n'avait pas revu depuis trente ans.

Pendergast hocha la tête.

— Plus le sujet se montre réticent, plus ses informations sont importantes lorsqu'on les lui arrache. Le professeur Ponsonby n'a pas échappé à la règle.

Dans l'habitacle de la Rolls, le regard de l'inspecteur étincelait.

— Nos quatre protagonistes se seraient donc rencontrés à Florence au cours de l'automne 1974, résuma D'Agosta.

— Exactement. Mais il leur est arrivé quelque chose de si extraordinaire que deux d'entre eux au moins se sont fait assassiner trente ans plus tard. Vincent, vous connaissez sans doute l'adage selon lequel tous les chemins mènent à Rome ?

— Shakespeare ?

— Tout à fait. Dans le cas présent, tous les chemins semblent mener à Florence. C'est donc là qu'il nous faut aller.

— À Florence ?!!!

— Exactement. Je ne serais pas étonné que Bullard s'y trouve déjà.

— J'ose espérer que vous n'allez pas vous opposer à ce que je vous accompagne.

— Il ne saurait être question d'autre chose, Vincent. Votre flair est infaillible, vous êtes un tireur de première force, et je sais pouvoir vous faire confiance en cas de problème. Puis-je vous demander de bien vouloir sortir l'ordinateur afin de réserver nos billets ? En première classe, si vous n'y voyez pas d'inconvénient, sans préciser de date de retour.

— Quand partons-nous ?

— Demain matin.

48

D'Agosta demanda au chauffeur de taxi de l'arrêter au coin de Riverside Drive et de la 136ᵉ Rue. Il préférait ne pas utiliser les transports en commun depuis son agression, mais il évitait de se faire déposer devant la vieille demeure, par souci de discrétion.

Il empoigna sa valise et tendit 15 dollars au chauffeur.

— Vous pouvez garder la monnaie.

— Pas de problème, répliqua le chauffeur avant de s'éloigner rapidement.

Lorsqu'il avait aperçu D'Agosta devant son hôtel, il espérait sans doute une course lucrative jusqu'à un aéroport et n'avait pas caché son mécontentement en apprenant que son client se rendait à Harlem.

D'Agosta regarda le taxi disparaître au coin de la rue sur les chapeaux de roue, puis il observa les alentours afin de s'assurer qu'aucune mauvaise surprise ne l'attendait derrière une fenêtre, dans le renfoncement d'une porte, dans les zones les plus sombres entre deux réverbères. Rassuré, il souleva sa valise et se mit en route.

Il ne lui avait fallu qu'une demi-heure pour se préparer et il n'avait même pas pris la peine d'avertir sa femme. La prochaine fois qu'il entendrait parler d'elle, ce serait probablement par l'intermédiaire d'un avocat. Son chef à la police de Southampton avait été ravi. MacCready était sur des charbons ardents car l'enquête piétinait, et le départ de D'Agosta allait lui permettre de donner à la presse locale un os à ronger : *Un sergent de la police de Southampton sur une piste en Italie.* Comme le départ avait lieu le lendemain à l'aube, Pendergast lui avait proposé de passer la nuit dans la vieille maison de Riverside Drive.

La perspective de fouler pour la première fois la terre de ses ancêtres ne manquait pas d'attrait, mais D'Agosta regrettait de quitter New York au moment où s'ébauchait sa relation avec Laura Hayward. Lorsqu'il l'avait appelée afin de lui annoncer son départ, elle n'avait pas réagi tout de suite.

— Fais gaffe à toi, Vinnie, avait-elle fini par dire.

La vieille maison de style beaux-arts, auréolée d'un belvédère en fer forgé, dressait sa silhouette dans la nuit. D'Agosta traversa la rue, franchit le portail et remonta l'allée jusqu'à la porte d'entrée. Il frappa et Proctor lui ouvrit sans un mot avant de le conduire jusqu'à la bibliothèque. À la lueur d'un feu de bois, il aperçut Pendergast en train d'écrire, debout dans la pénombre face à une longue table. Seuls les craquements du feu et le crissement de la plume sur le papier meublaient le silence. Constance n'était pas là, mais il lui sembla entendre la plainte d'un violon dans les profondeurs de la maison.

D'Agosta toussota et Pendergast se retourna aussitôt.

— Ah, Vincent ! dit-il en glissant la feuille de papier dans une petite boîte en bois incrustée de nacre posée sur la table.

Il referma délicatement la boîte et la repoussa, comme s'il ne voulait pas que son hôte puisse en voir le contenu.

— Vous prendrez bien quelque chose ? offrit-il. Cognac, calvados, armagnac, Budweiser ?

La voix était inchangée, mais l'œil de Pendergast brillait d'un éclat que D'Agosta ne lui avait jamais vu.

— Rien, merci.

— J'espère que vous ne m'en voudrez pas de prendre moi-même quelque chose. Mais asseyez-vous, je vous en prie.

Tout en parlant, Pendergast se versa deux doigts d'un liquide ambré dans un verre à digestif, et D'Agosta ne put s'empêcher de remarquer une gaucherie inhabituelle chez son compagnon.

— Que vous arrive-t-il ? demanda-t-il à brûle-pourpoint.

Pendergast ne répondit pas immédiatement. Il reposa le carafon et saisit son verre avant d'aller s'asseoir face au sergent dans un canapé en cuir. Les yeux perdus dans le vague, il trempa les lèvres dans son digestif.

— À vous, je peux en parler, prononça-t-il d'une voix grave, comme s'il venait de prendre une décision. Si quelqu'un doit être mis au courant, ce ne peut être que vous.

— Au courant de quoi ?

— La nouvelle m'est parvenue il y a tout juste une demi-heure, poursuivit Pendergast. Cela ne pouvait tomber plus mal, mais je n'y puis rien. Nous nous trouvons trop avancés dans notre enquête pour rebrousser chemin.

— Quelle nouvelle ?

— Celle-ci, répliqua Pendergast en lui montrant d'un mouvement de tête une lettre posée sur la petite table qui les séparait. Vous pouvez la prendre, j'ai pris toutes les précautions nécessaires.

Sans comprendre de quelles précautions il pouvait bien s'agir, D'Agosta déplia la lettre. Il s'agissait d'une feuille d'un papier de lin magnifique, très probablement fabriqué à la main. En en-tête, des armoiries en relief figuraient deux lunes surmontées d'un œil, posées sur un lion couché. D'Agosta crut un instant que la feuille était vierge avant d'apercevoir, d'une jolie écriture à l'ancienne, une simple date au centre de la feuille : *28 janvier*. Les deux mots semblaient tracés à l'aide d'une plume d'oie.

D'Agosta reposa la lettre, perplexe.

— Je ne comprends pas.

— Il s'agit d'une lettre de mon frère Diogène.

— Votre frère ? s'étonna D'Agosta. Je croyais qu'il était mort.

— Il est mort pour moi. Tout du moins, je le croyais jusque tout récemment.

D'Agosta jugea préférable de ne pas insister. Pendergast s'exprimait de façon hésitante, hachée, comme si le sujet lui était infiniment pénible.

— Vincent, reprit l'inspecteur après avoir avalé une gorgée d'armagnac, l'histoire de ma famille est marquée par la folie depuis de nombreuses générations. Une folie parfois inoffensive, voire salutaire dans certains cas. Mais la plupart du temps, je crains que cette folie n'ait pris des formes aussi monstrueuses que cruelles. Il semble malheureusement que ce trait se soit encore accentué avec la présente génération. Mon frère Diogène est à la fois le plus dangereux, le plus fou et le plus brillant de tous les Pendergast. La chose m'est apparue dès mon plus jeune âge. Il est d'ailleurs heureux que nous soyons les ultimes héritiers de notre lignée.

D'Agosta attendait impatiemment la suite.

— Enfant, Diogène se contentait de réaliser certaines... expériences. Il avait ainsi mis au point des appareils d'une grande complexité lui permettant de capturer de petits animaux qu'il se plaisait ensuite à torturer : des souris, des lapins, des opossums. Des appareils aussi ingénieux qu'effroyables. Des usines à souffrance, ainsi qu'il l'a expliqué lorsque nous avons découvert son manège.

Pendergast s'arrêta brièvement avant de reprendre.

— Peu à peu, ses centres d'intérêt ont évolué et les animaux domestiques ont commencé à disparaître. Les chats dans un premier temps, puis les chiens. Il passait des jours entiers dans la galerie des portraits familiaux à regarder les tableaux de nos ancêtres... plus particulièrement ceux qui avaient connu une fin funeste. En grandissant, et à mesure qu'il prenait conscience de la vigilance de son entourage, mon frère a renoncé à ces passe-temps et il est devenu extrêmement renfermé. Il notait ses envies les plus morbides et ses projets les plus atroces dans son journal intime, veillant à le cacher soigneusement. Très soigneusement même, puisqu'il m'aura fallu deux années de surveillance discrète au moment de l'adolescence avant d'en découvrir la cachette. Une seule page m'a suffi. Je n'oublierai jamais ce que j'y ai découvert, et le monde ne m'est plus jamais apparu sous la même lumière depuis. Je me suis empressé de brûler ce journal, cela va sans dire, ce qui m'a valu la haine éternelle d'un frère qui me détestait déjà avant cet épisode.

Pendergast avala une gorgée d'armagnac et repoussa son verre sans le terminer.

— Ma dernière rencontre avec Diogène remonte au jour de ses vingt et un ans. Il venait de toucher sa part d'héritage et il m'a clairement dit son intention de commettre un forfait terrible.

— Il n'a parlé que d'un seul crime ? demanda D'Agosta.

— Il ne s'est pas étendu sur les détails, mais pour qu'il emploie le mot *terrible*...

Pendergast laissa sa phrase en suspens, puis il reprit brusquement.

— Il ne fait guère de doute que cela dépasse l'imaginable. Lui seul, dans sa folie criminelle, est capable de repousser aussi loin les limites du mal. Quant à savoir où, quand, et comment, je n'en ai pas la moindre idée. Il a disparu ce jour-là, emportant toute sa fortune, et je n'ai plus entendu parler de lui jusqu'à tout récemment. Il s'agit de son second avertissement. Le précédent m'est parvenu il y a six mois et la même date y figurait, dont je ne comprenais pas la portée. Aujourd'hui, sa signification me semble évidente.

— Pas à moi.

— Il s'agit d'un compte à rebours. Le crime de mon frère doit avoir lieu dans 91 jours, et c'est un peu comme s'il me jetait son gant et me mettait au défi de l'arrêter.

D'Agosta posa un regard horrifié sur la lettre.

— Que comptez-vous faire ?

— Je n'ai d'autre choix que de mettre un terme à notre enquête le plus rapidement possible afin de pouvoir me consacrer à mon frère.

— Que se passera-t-il si vous parvenez à le retrouver ?

— Je *dois* le retrouver, rectifia Pendergast avec force. Et ce jour-là...

Il marqua un temps de silence avant d'ajouter :

— Ce jour-là, je ferai ce que j'ai à faire.

L'expression de Pendergast était si effrayante que D'Agosta baissa les yeux.

Un long silence s'installa. Au terme d'une éternité, Pendergast sortit de sa léthargie et D'Agosta comprit d'un seul coup d'œil que le sujet était clos.

— En votre qualité d'agent de liaison avec la police municipale de Southampton, reprit Pendergast avec son détachement coutumier, il paraissait logique que vous assuriez également le lien entre le FBI et le NYPD. L'affaire a débuté aux États-Unis et il est fort possible qu'elle s'achève ici. Je me suis donc arrangé avec le capitaine Hayward. Vous resterez en contact régulier avec elle, par téléphone et e-mail.

D'Agosta acquiesça.

— Je suppose que cet arrangement vous convient ? ajouta Pendergast en lui lançant un regard insistant.

— Aucun problème, répondit D'Agosta en faisant de son mieux pour ne pas rougir.

Comment ce diable de Pendergast pouvait-il être au courant ?

— Fort bien, conclut Pendergast en se levant. Il me faut encore faire mes valises et m'entretenir brièvement avec Constance. Elle reste ici afin de veiller sur les collections et de procéder aux recherches si nécessaires. Proctor vous montrera votre chambre. N'hésitez pas à sonner si vous avez besoin de quoi que ce soit.

Sur ces mots, il se leva et tendit la main à son visiteur.

— *Buona notte*, et faites de beaux rêves.

La chambre du deuxième étage réservée à D'Agosta donnait sur l'arrière. Sombre, haute de plafond, tendue de panne de velours et garnie de meubles en acajou, elle sentait le vieux bois et les tissus fanés. Tout ce que détestait D'Agosta. Il préféra ne pas s'attarder sur les paysages, les natures mortes et les études à l'huile accrochés aux murs dans leurs lourds cadres dorés. Les volets intérieurs étaient fermés et aucun bruit ne filtrait de l'extérieur. La chambre était pourtant d'une propreté scrupuleuse, à l'image du reste de la maison. Elle bénéficiait de tout le confort moderne et le grand lit victorien était particulièrement agréable, ainsi qu'il put s'en apercevoir. Les draps étaient propres, les oreillers moelleux et l'édredon en duvet de canard un véritable délice.

Cela n'empêcha pas D'Agosta de peiner à trouver le sommeil. Allongé dans son lit, les yeux grands ouverts, il ne pouvait détacher ses pensées de Diogène Pendergast.

49

La Mercedes roulait à vive allure le long du Viale Michelangelo, sur les hauteurs de Florence. À l'arrière de la limousine, Locke Bullard voyait défiler les murs derrière lesquels se dissimulaient les somptueuses villas de l'élite florentine du XVIIe siècle. La Mercedes traversa le Piazzale et c'est tout juste si Bullard accorda un coup d'œil distrait aux splendeurs qui s'étalaient sous ses yeux : le Duomo, le Palazzo Vecchio, l'Arno... Quelques instants plus tard, la voiture arrivait à la Porta Romana.

— Coupez par la vieille ville, ordonna Bullard.

Le chauffeur montra son *permesso* aux agents en faction devant la porte, et la limousine traversa une suite de ruelles avant de franchir les remparts à travers une nouvelle porte. Les palais Renaissance avaient laissé place à des immeubles du XIXe plus modestes, auxquels succédèrent bientôt des résidences anonymes, puis des barres de béton lugubres. Le quartier dans lequel s'engageait la Mercedes formait un véritable labyrinthe de rues encombrées, entrecoupées d'usines lépreuses. Ici et là, de minuscules jardinets de quelques mètres carrés plantés de vigne offraient de rares taches vertes à la vue.

Une demi-heure plus tard, la limousine s'engageait dans les vieilles rues de Signa, une banlieue industrielle austère implantée dans une zone inondable le long de l'Arno. Des kilomètres de linge pendaient entre les façades dans l'air immobile et seules les collines luxuriantes de Carmignano à l'horizon rappelaient que l'on se trouvait au cœur de la Toscane.

Derrière les vitres fumées de la voiture, Bullard ne desserrait pas les dents, son visage anguleux sans expression, son regard impénétrable. Seule sa mâchoire tendue trahissait son trouble.

La limousine s'enfonça enfin dans une ruelle en cul-de-sac et le chauffeur s'arrêta à côté d'une guérite protégeant l'accès d'un terrain privé. De l'autre côté d'un vieux grillage s'élevaient des bouquets d'arbres, quelques plants de vigne et de curieux monticules recouverts de lierre.

Le garde fit signe au chauffeur que tout était en règle et la Mercedes pénétra dans cet étrange *no man's land*. À mesure que l'auto avançait, on devinait les restes de bâtiments délabrés sous leur manteau de lierre, mais il ne s'agissait nullement de ruines antiques et aucun touriste n'aurait trouvé le moindre intérêt à ces vestiges datant de la première moitié du XXe siècle. Tel un requin en maraude, la Mercedes noire contourna d'anciens dortoirs abandonnés, empruntant des rues bordées d'arbres le long desquelles se dressaient de vieilles façades, puis elle traversa une voie ferrée désaffectée et longea une série de laboratoires en ruines. À moitié effacée par le temps, une inscription peinte sur une vieille cheminée d'usine en brique rappelait le nom de l'ancien propriétaire des lieux : *NOBEL S.G.E.M.*

De prime abord, le site semblait abandonné. Le grillage, vieux et rouillé, n'aurait jamais suffi à dissuader une bande d'adolescents décidés, mais on n'apercevait nulle part de détritus, de graffitis, de bouteilles vides, de traces de feux de camp.

La Mercedes passa sous un ancien porche, contourna d'énormes tas de gravats et s'arrêta devant une nouvelle guérite. Visiblement plus sophistiquée que la précédente, elle offrait le seul passage possible à travers une double rangée de grillages surmontée de rouleaux de fil de fer barbelé et entourée de cellules de détection.

Le garde inspecta longuement la limousine avant de faire coulisser une barrière électronique.

Le contraste était frappant à l'intérieur de la nouvelle enceinte au milieu de laquelle s'élevait un bâtiment ultra-moderne précédé d'une pelouse impeccable, encadrée de massifs soigneusement taillés. Un système d'arrosage automatique faisait naître un arc-en-ciel dans le soleil de Toscane.

Trois hommes attendaient devant le bâtiment de verre et de titanium. La Mercedes s'était à peine arrêtée que l'un d'entre eux, dissimulant mal son agitation, s'approcha et ouvrit la portière.

— *Bentornato, signor Bullard.*

Bullard descendit de voiture en dépliant sa carcasse impressionnante. Ignorant la main qu'on lui tendait, il s'étira longuement, les traits impénétrables.

— Monsieur, nous serions ravis si vous acceptiez de déjeuner avec nous, avant de...

— Où est-il ? l'interrompit Bullard.

Dans le silence gêné qui suivit, l'un des trois hommes s'enhardit :

— Par ici.

Bullard emboîta le pas à ses guides à l'intérieur du bâtiment. Ils empruntèrent un long couloir et passèrent à travers deux portails électroniques que l'un des hommes ouvrit en présentant son œil à un détecteur rétinien.

Soudain, Bullard passa la tête dans l'une des pièces jalonnant le corridor et les trois autres s'arrêtèrent respectueusement. Il s'agissait d'un laboratoire équipé de machines diverses et de tableaux recouverts de formules complexes.

Bullard s'approcha d'une table sur laquelle reposaient des objets ressemblant à des nez d'avion. Tous peints de couleurs différentes, ils étaient soigneusement étiquetés à l'aide de papiers noircis de notes et de formules chimiques. Sous l'empire d'une fureur incontrôlable, Bullard jeta à terre les nez d'avion d'un mouvement rageur, puis il se retourna sans mot dire et quitta la pièce.

Quelques instants plus tard, ils arrivaient devant un troisième sas de cuivre et d'inox, plus épais et plus petit que les précédents.

Une exclamation retentit derrière eux. Bullard se retourna et vit un personnage élégant s'avancer dans sa direction à grands pas, le visage livide.

— Stop ! s'écria-t-il. *Io domando una spiegazione, signor Bullard, anche da Lei.* J'exige une explication.

Drapé dans sa dignité malgré sa petite taille, l'inconnu ne manquait pas d'une certaine noblesse.

Pour toute réponse, Bullard lui envoya un coup de poing dans l'estomac et l'homme s'écroula en poussant un cri rauque. Comme il gémissait en se tenant le ventre à deux mains, Bullard lui donna un coup de pied d'une telle violence qu'un bruit de côtes cassées résonna dans le couloir. Prostré à terre, l'homme se recroquevilla sur lui-même en poussant un long râle.

— Cet homme a été licencié, déclara Bullard, s'adressant à l'un de ses accompagnateurs. M. Martinetti a été pris sur le fait dans nos locaux où il s'était introduit sans autorisation. Il a agressé un gardien et nous avons dû employer les grands moyens avant de parvenir à le maîtriser.

Se tournant vers un employé chargé de la sécurité qui se trouvait là, il ajouta :

— Vous avez entendu ce que je viens de dire ?

— Oui, monsieur, répondit l'autre avec un fort accent américain.

— C'est comme ça que les choses se sont passées.

— Bien, monsieur.

— Appelez du renfort, évacuez-moi cet homme et faites-le arrêter pour s'être introduit ici sans autorisation.

Enjambant son ancien directeur, Bullard s'approcha du détecteur rétinien et présenta son œil. La porte blindée s'ouvrit avec un léger claquement, dévoilant une petite pièce. D'un côté s'alignaient plusieurs unités centrales d'ordinateur enfermées dans des boîtiers transparents. De l'autre, une petite boîte rectangulaire en bois de noyer trônait au milieu d'un fouillis d'appareillages électroniques : un sismographe, des sondes climatiques, des baromètres, des thermomètres et autres hygromètres. Bullard marcha droit sur la boîte qu'il saisit délicatement par la poignée.

— Allons-y, ordonna-t-il.

— Monsieur Bullard, vous ne souhaitez pas voir la chose ?

— Il sera toujours assez tôt. Et si jamais cette boîte était vide, vous pourriez compter les heures qui vous restent à vivre.

— Bien, monsieur.

La tension était palpable. Comme son entourage, mal à l'aise, hésitait à quitter la pièce, Bullard prit les devants. Au moment de franchir le sas, il se retourna.

— Vous venez ?

Les hommes lui obéirent et la porte d'acier se referma derrière eux. Bullard enjamba le corps prostré de Martinetti et se dirigea vers la sortie, franchissant un à un les portails électroniques, suivi de ses collaborateurs dont les talons cliquetaient sur le sol immaculé. Quelques instants plus tard, il rejoignait sa limousine dont le moteur tournait au ralenti. Bullard se glissa sur la banquette sans un regard pour ses hommes et claqua la portière.

— À la villa, dit-il en posant délicatement la précieuse boîte en bois sur ses genoux.

50

Debout à la fenêtre de la suite qu'il occupait au Lungarno Hotel, D'Agosta contemplait les eaux sombres de l'Arno, les façades jaune pâle des palais érigés le long du fleuve et les échoppes biscornues perchées sur le Ponte Vecchio. Il se sentait fébrile et un peu vaseux, sans savoir si ce sentiment de malaise diffus était dû au décalage horaire, à la beauté du décor qui l'entourait, ou bien au fait qu'il visitait pour la première fois la terre de ses ancêtres.

Son père était très jeune lorsqu'il avait quitté Naples avec ses parents afin d'échapper à la famine de 1944 et toute la famille s'était installée sur Carmine Street à New York. Vito, son père, scandalisé par la puissance grandissante de la Mafia, avait décidé d'entrer dans la police. Ses médailles et son badge se trouvaient toujours pieusement rangés dans une vitrine au-dessus de la cheminée. D'Agosta avait grandi sur Carmine Street au milieu d'autres immigrants napolitains. S'il avait hérité de leur langue et de leur religion, l'Italie tenait pour lui du mythe.

Un mythe qu'il allait enfin pouvoir confronter à la réalité.

Il ne s'était pas attendu à être aussi ému. L'Italie n'était-elle pas l'un des berceaux de la peinture, de l'architecture, de la musique, de l'astronomie ? Aucune nation au monde n'avait autant contribué au génie de l'humanité.

Il ouvrit la fenêtre et respira l'air du dehors. Sa femme n'avait jamais compris à quel point il était fier de son héritage, elle avait toujours trouvé ce chauvinisme un peu ridicule. Ce n'était guère étonnant de la part d'une Anglaise. Après tout, qu'avaient fait les Anglais à part écrire des pièces et des poèmes ? L'Italie, en revanche, pouvait s'enorgueillir d'être le berceau de la civilisation occidentale, et D'Agosta se promit de revenir un jour avec son fils.

En frappant à sa porte, le bagagiste interrompit le cours de ses pensées.

— Où dois-je déposer vos valises, monsieur ? lui demanda-t-il en anglais.

D'un geste vague, D'Agosta lui répondit spontanément en italien.

— *Buon giorno guagliòne. Pe'piacère lassàte ì valigè abbecino o liett', grazie.*

Le bagagiste le regarda curieusement.

— Pardon ? demanda-t-il en anglais.

— *Ì valigè, aggia ritt', mettitelè'allà*, répéta D'Agosta, agacé, en désignant le lit.

L'employé déposa les deux sacs de voyage à côté du lit. D'Agosta fouilla ses poches et ne trouva qu'un billet de cinq euros qu'il tendit au jeune homme.

— *Grazie, signore, Lei è molto gentile. Se Lei ha bisogno di qualsiasi cosa, mi dica*, le remercia le bagagiste avant de quitter la chambre.

À part *Grazie, signore*, D'Agosta n'avait pas compris un traître mot de ce que l'autre lui avait dit. Il secoua la tête en se disant que l'accent florentin était décidément bien différent de celui de sa grand-mère.

Il fit le tour de sa suite. Jamais il n'avait rien vu d'aussi beau, d'aussi propre, et d'aussi grand. Un véritable appartement avec sa chambre, un petit salon, une salle de bains tout en marbre et une cuisine équipée d'un mini bar très bien achalandé, sans parler de la vue sur l'Arno, le Ponte Vecchio, la galerie des Offices et le Duomo. La chambre devait coûter une fortune, mais D'Agosta ne se demandait plus depuis longtemps d'où Pendergast tenait sa fortune.

On frappa à nouveau et D'Agosta ouvrit la porte. Cette fois, c'était Pendergast. Curieusement, son éternel costume noir détonnait moins ici qu'à New York. L'inspecteur pénétra sans bruit dans la suite, une liasse de documents à la main.

— Vos nouveaux quartiers vous conviennent-ils, Vincent ?

— C'est un peu petit avec une vue pas terrible sur un vieux pont, mais à la guerre comme à la guerre.

L'inspecteur s'installa sur le canapé et tendit ses papiers à D'Agosta.

— Vous trouverez ici un *permesso di soggiorno*, un permis de port d'arme, un permis d'enquêter en bonne et due forme de la Questura, votre *codice fiscale*, ainsi que divers autres documents que je vous demanderai de bien vouloir signer. Le tout par la grâce du comte.

— Le comte Fosco ? s'enquit D'Agosta en prenant les papiers.

Pendergast hocha la tête.

— La bureaucratie italienne est un modèle de lenteur et le comte s'est arrangé pour faire accélérer les choses.

— Pourquoi ? Il est ici ? demanda le sergent sans enthousiasme.

— Non, mais il est possible qu'il nous rejoigne plus tard.

Pendergast se leva et se dirigea vers la fenêtre.

— On aperçoit d'ici le palais de sa famille, sur l'autre rive du fleuve, à côté du palais Corsini.

— Pas mal, commenta D'Agosta en jetant un coup d'œil en direction d'un édifice médiéval surmonté d'un parapet à créneaux.

— Pas mal en effet. Ce palais appartient à la famille du comte depuis la fin du XIIIe siècle.

On frappa à la porte.

— *Trasite'*, fit aussitôt D'Agosta, trop heureux d'étaler son italien devant Pendergast.

Le valet de chambre tenait entre les mains une corbeille de fruits.

— *Signori ?*

— *Faciteme stù piacère'lassatele ṅgoppa'o'tavule.*

Au lieu de poser les fruits sur la table, le valet de chambre s'enquit en anglais :

— Où dois-je les poser ?

D'Agosta remarqua que Pendergast l'observait d'un œil amusé.

— *O'tavule*, répéta-t-il d'un ton brusque.

Le valet de chambre hésita entre la table et le bureau, et finit par déposer la corbeille sur ce dernier. D'Agosta sentit la moutarde lui monter au nez. Il avait pourtant donné un bon pourboire à cet imbécile. Sans réfléchir, il débita brutalement les phrases que lui disait souvent son père lorsqu'il était en colère :

— *Allòra qual'è ò problema', sì surdo ? Nun mi capisc'i ? Ma che è parl'ò francèse ? Mannaggia'a miseria'.*

Terrorisé, l'employé s'éclipsa sans demander son reste. D'Agosta se retourna vers Pendergast qui avait toutes les peines du monde à ne pas éclater de rire.

— Qu'est-ce qu'il y a de si drôle ? s'écria D'Agosta.

Pendergast recouvra un semblant de sérieux avant de répondre :

— Mon cher Vincent, je ne vous connaissais pas un tel don des langues.

— L'italien est ma langue maternelle.

— L'italien ? Vous parlez donc également italien ?

— Pourquoi dites-vous *également* ? Je parlais quoi, à votre avis ?

— On aurait dit que vous parliez napolitain. On dit souvent que c'est un dialecte, mais il s'agit en vérité d'une langue à part. Une langue passionnante, soit dit en passant, mais tout à fait incompréhensible aux oreilles d'un Florentin.

D'Agosta resta comme pétrifié. Un *dialecte* napolitain ? Bien sûr, certaines familles du quartier de son enfance parlaient un dialecte sicilien, mais il avait toujours été persuadé de parler italien. Non, il ne parlait pas le napolitain, il parlait italien !

Au vu de la mine dubitative de son compagnon, Pendergast poursuivit :

— Lorsque l'unité italienne a été acquise en 1871, on dénombrait pas moins de six cents dialectes à travers la péninsule. On a longtemps débattu afin de savoir quelle langue devait parler la nation italienne émergente. En leur qualité de citoyens de la grande Rome, les Romains entendaient privilégier leur dialecte. Les habitants de Pérouse considéraient que le leur était le plus pur au prétexte que leur université était la plus vieille d'Europe. Quant aux Florentins, ils entendaient privilégier leur langue, c'est-à-dire celle de Dante. Et Dante l'a emporté, conclut-il avec un petit sourire.

— Je ne savais pas.

— Cela n'a pas empêché les gens de continuer à pratiquer leurs dialectes. Lorsque vos parents ont émigré aux États-Unis, une minorité de citoyens italiens parlaient la langue officielle. Ce n'est qu'avec l'arrivée de la télévision que les dialectes ont peu à peu cédé la place à l'italien. Ce que vous pensiez être de l'italien est en réalité le dialecte de Naples, une langue fort riche contenant des traces d'espagnol et de français, malheureusement en voie d'extinction.

D'Agosta dissimulait mal son étonnement.

— Qui sait ? reprit Pendergast. Si d'aventure nos recherches nous entraînent vers le sud, votre science nous éclairera. Pour le présent, que diriez-vous d'aller manger un morceau ? C'est bientôt l'heure du dîner et je connais une petite *osteria* formidable sur la Piazza Santo Spirito où se trouve également une certaine fontaine qui devrait intéresser notre enquête.

Cinq minutes plus tard, les deux hommes marchaient dans les rues du vieux Florence. Ils débouchèrent peu après sur une vaste piazza plantée de marronniers et ceinte sur trois côtés de ravissants palais Renaissance aux façades ivoire, jaune et ocre. La silhouette simple et austère de la Chiesa Santo Spirito dominait la place du côté de l'Arno, et une vieille fontaine de marbre apportait une note de fraîcheur à l'ensemble. Des grappes de jeunes gens armés de sacs à dos discutaient en fumant des cigarettes au milieu de la place.

Pendergast sortit de sa poche la photo de Ranier Beckmann et tourna autour de la fontaine jusqu'à ce que le décor de la place corresponde à l'image. Il resta un long moment à la contempler, puis il la rempocha.

— Les quatre protagonistes se tenaient exactement là, Vincent, dit-il en désignant un point précis. Derrière eux, on aperçoit le Palazzo Guadagni qui a été reconverti en *pensione* pour étudiants. Nous irons y poser quelques questions demain afin de savoir si l'on s'y souvient de nos amis, ce dont je doute. Mais il est l'heure de dîner, et je mangerais volontiers des linguini à la truffe blanche.

— Personnellement, je préférerais un hamburger avec des frites.

Pendergast se tourna vers son compagnon d'un air navré, mais D'Agosta le regardait avec un sourire en coin :

— Je plaisantais.

Ils se dirigèrent vers la terrasse de l'Osteria Santo Spirito où l'on mangeait et buvait avec force discussions.

Pendergast attendit qu'on leur donne une table, puis il fit signe à D'Agosta de s'asseoir.

— Vincent, je dois reconnaître que vous avez perdu du poids.

— Je fais de l'exercice et je me suis remis au tir.

— Vos dons dans ce domaine sont légendaires. Ils pourraient bien nous être utiles lors de la petite aventure prévue demain soir.

— Une aventure ? s'étonna D'Agosta.

Le décalage horaire semblait décupler l'énergie de Pendergast.

— Nous irons à Signa faire une petite visite au laboratoire secret de Bullard. Pendant que vous vous reposiez cet après-midi dans votre chambre, je me suis entretenu avec plusieurs fonctionnaires florentins, espérant consulter leurs dossiers sur les activités de la BAI. Mais même l'influence de Fosco n'a pas suffi. Bullard semble avoir le bras long, et il graisse les pattes qu'il faut. En fin de compte, je n'ai pu obtenir qu'un plan des anciennes usines. Quoi qu'il en soit, il ne nous faut pas compter passer par les filières officielles.

— Il ne se doute sûrement pas que nous sommes ici.

— Aussi comptais-je user de moyens détournés afin de visiter les lieux. Nous nous procurerons tout le matériel nécessaire demain matin.

D'Agosta hocha lentement la tête.

— Ça pourrait être amusant.

— Pas *trop* amusant, tout de même. En vieillissant, Vincent, j'en arrive à préférer une soirée au coin du feu à des échanges de coups de feu.

51

Bryce Harriman remontait la Cinquième Avenue en se frayant un chemin à travers la foule, préoccupé par les meurtres. Ritts avait raison de dire que son article sur von Menck avait fait mouche. Depuis la parution de son papier, il était inondé d'appels. Pas mal de plaisantins, bien évidemment. Après tout, il travaillait pour le *Post*. Il n'empêche que jamais aucun de ses articles n'avait suscité de telles réactions. La caution de von Menck et toute cette histoire de dates qui collaient parfaitement donnaient à l'affaire une aura scientifique qui ne pouvait que séduire un public inculte. Cela dit, Harriman était le premier à reconnaître que cet enchaînement de dates avait quelque chose d'impressionnant.

Il lança un regard d'envie en passant devant le Metropolitan Club, l'un des temples de la vieille nomenklatura locale. C'était *son* monde, ou plutôt celui de ses grands-parents. Harriman arrivait à un âge où il pouvait espérer se faire introniser dans l'un ou l'autre des clubs les plus prestigieux de la ville, avec la bénédiction de son père, mais il craignait que sa fonction au *Post* ne constitue un handicap. Il fallait impérativement qu'il trouve le moyen de retourner au *Times*, et vite.

Et cette histoire pouvait lui donner les moyens d'y parvenir.

Les meilleurs sujets d'actualité sont comme un feu : ils meurent si on ne les alimente pas, et cette affaire commençait à montrer des signes de faiblesse. Harriman avait beau être dans les petits papiers de Ritts, il connaissait suffisamment l'autre pour savoir que sa toute nouvelle promotion dépendait de sa capacité d'entretenir le suspense. Il lui fallait un nouveau rebondissement, quitte à le fabriquer de toutes pièces. Ses derniers articles avaient fait gonfler les rangs des évangélistes, des satanistes, des gothiques et autres adeptes de New Âge qui se retrouvaient chaque matin à l'entrée de Central Park, juste en face de l'immeuble de Cutforth. Des coups et des insultes avaient été échangés et la police avait dû intervenir, mais on sentait bien qu'il manquait à toute cette faune une figure de proue.

Harriman aperçut les premiers attroupements en arrivant à hauteur de la 68e Rue. Rien n'avait changé depuis la dernière fois, sinon que les gens étaient de plus en plus nombreux. Un sataniste en cuir noir, une Bud à la main, insultait un New Ager vêtu d'une aube de chanvre. Une odeur de bière et de marijuana flottait dans l'air, un peu comme dans un concert de rock. Tout au bout, un type en jean délavé et chemise à carreaux haranguait la foule. Harriman était trop loin pour entendre ce qu'il disait, mais son laïus semblait remporter le plus grand succès.

Harriman se faufila au milieu du public afin de voir de quoi il retournait. Il s'agissait manifestement d'un prédicateur, mais sa voix calme et posée n'avait rien des glapissements hystériques des autres illuminés. La foule grossissait de minute en minute à mesure que les badauds venaient l'écouter.

— Vous vivez dans une ville étonnante, disait l'homme. Ça ne fait pas vingt-quatre heures que je suis ici, mais je peux vous dire que je n'ai jamais rien vu de pareil. Ces buildings, ces limousines interminables, ces gens bien habillés... j'en ai pris plein les yeux. C'est la première fois que je viens à New York et vous savez ce qui me frappe le plus ? Plus encore que les paillettes qui brillent à chaque coin de rue, c'est le rythme échevelé de cette ville. Regardez autour de vous, mes amis. Voyez ces piétons qui avancent à toute allure en téléphonant et en regardant droit devant eux. Regardez les gens qui passent en bus ou en taxi. Même quand ils sont à l'arrêt, on dirait qu'ils sont pressés. Et je vais vous dire pourquoi ils sont si pressés. Depuis que je suis arrivé, j'ai beaucoup écouté autour de moi. J'ai dû surprendre plus de mille conversations, et la plupart du temps, les gens parlent tout seuls. À Manhattan, les gens passent des heures au téléphone plutôt que de s'adresser à leurs semblables. Ils ne se préoccupent que d'eux-mêmes. Ils pensent à la réunion du lendemain, au dîner du soir, à leur maîtresse, au collègue qu'ils vont poignarder dans le dos, aux ruses et aux stratagèmes qui constituent leur quotidien. C'est tout juste s'ils sont capables de se projeter jusqu'à leur séjour au Club Med le mois prochain. Combien parmi eux prennent le temps de se demander ce qu'ils feront dans trente ans ou dans quarante ans ? Combien parmi eux prennent le temps de penser à leur propre mort ? Combien parmi eux prennent le temps de se réconcilier avec Dieu ? Ou de réfléchir aux paroles de Jésus telles que les rapporte Luc : *En vérité je vous le dis, cette génération d'hommes ne finira point, que toutes ces choses ne soient accomplies.* Combien sont-ils ? Bien peu, et peut-être même aucun.

Harriman observait attentivement le prédicateur. Il était blond avec une bonne tête d'Américain moyen, mince avec des bras puissants, propre sur lui et rasé de près. Ni tatouages ni piercings, encore moins de blouson de cuir clouté. Contrairement à la plupart de ses semblables, il ne brandissait pas sa bible à tout bout de champ et il avait une façon rassurante de parler aux gens.

— Je ne me suis pas contenté de regarder les passants dans la rue depuis que je suis ici, poursuivait le prédicateur. Je suis entré dans plusieurs églises. Des dizaines d'églises. Je ne pensais pas qu'il puisse y avoir autant d'églises dans une seule ville, aussi grande soit-elle. Mais le plus triste, mes amis, c'est qu'elles étaient toutes vides. Vos églises meurent, elles dépérissent. Même dans la cathédrale Saint-Patrick, la plus belle église que j'aie vue de toute ma vie, je n'ai trouvé qu'une poignée de fidèles perdus au milieu de centaines de touristes. Ce qui m'attriste le plus, mes amis, c'est de constater qu'une capitale intellectuelle et culturelle telle que celle-ci soit aussi pauvre sur le plan spirituel. Un désert spirituel au milieu duquel se dessèchent irrémédiablement nos pauvres âmes. Je refusais de croire toutes ces histoires abominables qu'on lit dans les journaux et qui m'ont conduit jusqu'ici, presque contre mon gré. C'est pourtant la triste vérité, et rien que la vérité. New York s'est détourné de Dieu au profit du culte de Mammon. Regardez-moi celui-ci, ajouta-t-il en montrant du doigt un jeune homme d'une vingtaine d'années en costume rayé, accroché à son téléphone portable. Quand cet homme a-t-il pensé pour la dernière fois à ce qu'il adviendrait de lui le jour de sa mort ? Et elle ? ajouta-t-il en désignant une femme chargée de sacs aux couleurs de Henri Bendel et de Tiffany's qui descendait d'un taxi. Et eux ? s'écria-t-il en pointant un doigt accusateur en direction d'un couple d'étudiants qui marchaient dans la rue, main dans la main. Et vous ? conclut-il en fixant brusquement ceux qui l'écoutaient. Depuis combien de temps n'avez-vous pas pensé à ce qu'il adviendrait de *vous* le jour de votre mort ? Ce jour viendra dans une semaine, dans dix ans, dans cinquante, mais il viendra. C'est Wayne P. Buck qui vous le dit. Ce jour-là, serez-vous prêt ?

Harriman était sous le charme. Ce type-là avait vraiment le don de parler aux gens.

— Que vous soyez un roi de la finance de Wall Street ou un travailleur immigré au cœur du Texas, vous mourrez un jour. La mort n'est pas regardante. Petits et grands, riches et pauvres, elle nous prendra tous. Les gens du Moyen Âge le savaient, nos aïeux le savaient. Que voit-on quand on regarde une vieille tombe ? L'image de la mort ailée, souvent accompagnée des mots *memento mori* : « Souviens-toi que tu es mortel. » Croyez-vous que ce jeune homme y pense souvent ? Si incroyable que ça paraisse, au terme de tous ces siècles de progrès, nous avons fini par perdre de vue cette vérité fondamentale à laquelle nos ancêtres pensaient constamment. Le vieux poète Robert Herrick l'exprimait ainsi :

La vie est courte, les jours s'enfuient
Aussi vite que le soleil ;
Et, tel l'air ou la pluie,
Elle se perd, à nulle autre pareille.

Harriman jubilait intérieurement. Ce Buck était un envoyé du destin. La foule grossissait à vue d'œil, les gens faisaient taire leurs voisins pour mieux entendre la voix douce de cet orateur hors pair qui citait des poètes métaphysiques.

D'un geste discret, le journaliste mit en marche l'enregistreur miniature qu'il avait dans la poche de sa chemise afin de ne pas perdre une parole du nouveau prophète. Pat Robertson, maquillé comme une voiture volée chaque fois qu'il passait à la télé, ne valait pas un clou à côté de ce type.

— Ce jeune homme oublie de se dire que chaque journée sans Dieu est perdue à jamais. Ces deux amoureux oublient qu'ils devront rendre compte de leurs moindres faits et gestes au jour du Jugement dernier. Cette femme qui court les magasins n'a sans doute jamais réfléchi au *véritable* sens de son existence. Sans doute la plupart de ces gens ne croient-ils pas à la vie qui nous attend après la mort, tels ces Romains qui ont assisté les yeux fermés à la crucifixion de notre Seigneur. Et si d'aventure ils pensent à la mort, c'est pour se dire qu'on les mettra dans un cercueil, qu'on les enterrera et que tout sera fini. Eh bien non, mes frères et sœurs. Tout ne sera pas fini. Au cours de mon existence, j'ai été amené à travailler dans une morgue, et je sais de quoi je parle. Quand on meurt, rien n'est fini et tout commence. *J'ai vu de mes propres yeux ce qui arrive aux morts !*

Harriman avait remarqué que la foule observait un silence religieux. Personne ne bougeait. Harriman lui-même retenait son souffle, impatient d'entendre la suite.

— Qui sait si ce jeune homme si pressé, avec son téléphone portable, n'aura pas la chance de mourir en plein hiver. Le froid ralentit les choses, mais tôt ou tard – et généralement plus tôt que tard –, les convives arrivent un à un. À commencer par la mouche, la *Phormia Regina*, qui pond ses œufs dans les cadavres. Des générations se succèdent qui donnent naissance à des dizaines de milliers de vers aussi fébriles qu'affamés. Les larves elles-mêmes produisent une telle chaleur que celles qui sont à l'intérieur du corps rampent vers l'extérieur à la quête d'un peu d'air avant de reprendre leur terrible besogne. En images accélérées, on dirait une ruche bourdonnante. Mais les vers ne sont que les premiers d'une longue suite de convives attirés par les odeurs de la décomposition. Alors, mes amis ? Vous êtes toujours aussi sûrs de reposer en paix ? Vous me direz, qui sait si le jeune homme au téléphone portable ne voudra pas être incinéré afin de préserver son corps des vers et des insectes. Ne nous fait-on pas croire que l'incinération est la seule façon de se débarrasser dignement de nos corps d'hommes ? Eh bien, laissez-moi vous dire, mes frères et sœurs. Savez-vous ce qui se produit lorsque le corps est soumis à une chaleur de plusieurs centaines de degrés ? Ne m'en veuillez pas si je ne vous épargne pas les détails cette fois. Vous allez comprendre pourquoi. D'abord, ce sont les poils qui prennent feu dans un tourbillon de fumée bleue. Ensuite, c'est le corps tout entier qui se raidit, comme un soldat à la parade. Le mort tente alors de se redresser, mais le couvercle du cercueil l'en empêche. La température atteint quatre cents degrés et la moelle se met à bouillir dans la colonne vertébrale qui éclate en mille morceaux. La température monte encore. Cinq cents degrés, sept cents degrés, mille degrés ! Les explosions s'enchaînent entre les parois du four et résonnent comme autant de coups de feu. Les organes explosent les uns après les autres et il faut près de trois heures pour que nos pauvres corps soient enfin réduits en cendres. Vous me direz, mes frères et sœurs, pourquoi ne pas vous avoir épargné tous ces détails ? Parce que Lucifer, le Prince des ténèbres, ne vous épargnera pas non plus.

Croyez-moi, les flammes du crématorium ne sont rien à côté de celles qui attendent l'âme de notre jeune homme pressé au téléphone. Mille ou dix mille degrés, trois heures ou trois siècles, tout ça n'est rien au regard de Lucifer. L'air du crématorium n'est qu'une brise de printemps à côté de ce qui nous attend en enfer. Lorsque vous voudrez vous redresser au milieu de ce lac de soufre incandescent, lorsque vous vous cognerez le crâne contre le plafond de l'enfer et que vous brûlerez à jamais dans des flammes plus ardentes que je ne saurai jamais les décrire, qui entendra vos prières ? Personne. Ce jour-là, il sera trop tard car vous aurez gaspillé votre vie en oubliant de prier Dieu. C'est pour cela que je suis venu ici, mes amis. Tout en haut de cet immeuble magnifique qui nous domine de son insolence, Lucifer nous a montré sa face grimaçante en venant réclamer l'âme de cet homme, de ce Cutforth. L'Apocalypse nous dit qu'aux derniers jours Lucifer répandra ses démons sur la terre. Eh bien Lucifer est parmi nous. Le mort de Long Island et celui d'ici ne sont que les premiers d'une longue liste. Le signe est là, mais il n'est pas trop tard, à condition d'agir tout de suite. La tombe ou l'urne, les vers ou les flammes, vous devez comprendre que cela n'a aucune importance. Lorsque votre âme apparaîtra dans toute sa nudité devant notre juge à tous, que direz-vous ? Je vous le demande en cet instant. Posez-vous la question dans le secret de votre conscience et jugez vous-mêmes. Ensuite, nous prierons ensemble. Nous prierons pour le pardon de nos fautes, pour le temps qui nous reste à vivre dans cette ville maudite.

Machinalement, sans quitter Buck des yeux, le journaliste avait sorti son portable afin d'appeler le service photo. Klein répondit et Harriman lui expliqua à voix basse ce qu'il attendait de lui. Pas question de tomber dans la caricature facile en faisant de Buck un prédicateur quelconque, bien au contraire. Harriman entendait faire du révérend Buck un personnage respectable et crédible.

Le journaliste glissa son portable dans sa poche. Buck ne le savait pas encore, mais il ne tarderait pas à faire la une du *Post*.

52

Une nuit humide et parfumée, rythmée par les stridulations des grillons, était tombée sur la Toscane. D'Agosta avançait derrière Pendergast le long d'une voie ferrée désaffectée courant entre des immeubles de béton lépreux. Il était minuit passé et la lune s'était cachée, plongeant la ville dans une obscurité ouatée.

Les rails s'arrêtaient au niveau d'un grillage à moitié défoncé qui s'enfonçait dans l'ombre. C'est tout juste si l'on devinait dans la nuit les silhouettes de quelques grands arbres de l'autre côté de la clôture.

D'Agosta longea le grillage à la suite de Pendergast sur quelques centaines de mètres, jusqu'à un bosquet au milieu duquel s'ouvrait une clairière tapissée de feuilles mortes et de bogues de châtaignes.

— Préparons-nous ici, proposa Pendergast en posant son sac sur le sol.

D'Agosta fit de même, content de reprendre son souffle. Heureusement qu'il refaisait de l'exercice depuis sa mésaventure de Riverside Park. De son côté, son compagnon était frais comme une rose.

Pendergast ôta son costume qu'il plia soigneusement avant de le ranger dans son sac pendant que D'Agosta faisait de même. Les deux hommes portaient sous leurs vêtements une chemise et un pantalon noirs.

— Tenez, dit Pendergast en tendant à D'Agosta un pot de maquillage sombre.

Tout en se noircissant le visage du bout des doigts, D'Agosta examina la clôture. Rouillée, tordue, trouée par endroits, elle n'avait pas l'air bien méchante. Il retira ses chaussures et enfila des souliers noirs à semelle lisse fournis par Pendergast.

Ce dernier sortit son Les Baer et l'enduisit de maquillage noir sous le regard réprobateur de D'Agosta qui avait toujours eu le respect des belles armes.

— Il vous faudra faire de même, Vincent. Un reflet malencontreux suffirait à nous faire repérer.

D'Agosta sortit son pistolet à contrecœur.

— Vous devez vous demander à quoi rime tout ceci.

— On ne peut rien vous cacher.

— Ce grillage, ainsi que vous devez vous en douter, est trompeur, poursuivit Pendergast en enfilant des gants noirs. Ce site dispose de plusieurs types de protections. La première est purement psychologique, et c'est même ce qui a dû séduire Bullard.

— Que voulez-vous dire ?

Pendergast regarda sa montre.

— Ce complexe industriel abritait autrefois *Il Dinamitificio Nobel*, c'est-à-dire l'une des usines de dynamite d'Alfred Nobel. Ce n'est pas la moindre des ironies que le père du prix Nobel de la paix ait érigé sa fortune sur l'une des inventions les plus cruelles de l'histoire de l'humanité.

— C'est lui l'inventeur de la dynamite ?

— Absolument. Un produit dix-sept fois plus puissant que la poudre qui a révolutionné en son temps l'art de la guerre. Nous sommes tellement habitués aux massacres modernes que nous avons oublié ce qu'était la guerre lorsque l'homme ne disposait que de poudre, de balles et de canons. De nos jours, une seule bombe suffit à tuer des centaines de personnes, à réduire en cendres des immeubles, des ponts, des usines. Depuis l'invention de l'avion, nous sommes capables de raser des quartiers entiers, de rayer des villes de la carte, de tuer des milliers de victimes. Et si nous avons tendance à ne voir que la terreur nucléaire, n'oublions pas que la dynamite et ses dérivés ont fait bien davantage de victimes que la bombe atomique n'en fera jamais.

Tout en parlant, il glissa un chargeur dans son Les Baer.

— Alfred Nobel est l'un des inventeurs de la guerre moderne, reprit-il. Au plus fort de sa gloire, il possédait plusieurs centaines d'usines de dynamite à travers toute l'Europe. Des usines construites sur de vastes espaces dégagés afin de limiter le nombre de victimes en cas d'accident. Et je puis vous dire que les accidents étaient fréquents. Nobel avait également veillé à implanter ses installations dans des régions pauvres afin de disposer à bon compte d'une main-d'œuvre bon marché, corvéable à merci. Cette usine était l'une des plus importantes.

D'un geste ample, il montra l'immense terrain plongé dans l'obscurité, de l'autre côté du grillage.

— Nobel serait probablement considéré comme l'un des pires meurtriers de l'histoire si un curieux incident n'était intervenu. À la mort de son frère en 1888, les journaux européens, croyant qu'il s'agissait de lui, ont titré : « La disparition du marchand de mort ». Ce genre de notice nécrologique a profondément perturbé Nobel qui a brusquement compris à quel point le jugement de l'histoire serait sévère à son endroit. Il a donc décidé de créer les prix qui portent son nom, dont le fameux Nobel de la paix, afin de corriger la chose.

— Apparemment, la manœuvre a réussi, marmonna D'Agosta.

— Ce qui m'amène au sujet qui nous intéresse. Lorsque cette usine a fermé ses portes, des centaines d'ouvriers locaux avaient été tués lors d'explosions et des milliers d'autres avaient été gravement contaminés par les composés chimiques nécessaires à la fabrication de la dynamite, dont certains affectaient le cerveau. Pour cette raison, ce lieu reste maudit et les autochtones ne s'y aventurent jamais. À l'exception du gardien, personne n'a pénétré dans cette zone jusqu'à ce que Bullard la rachète il y a sept ans.

— Si je comprends bien, Bullard compte sur la mauvaise réputation de l'usine pour se protéger. Pas bête.

— Un moyen efficace en ce qui concerne les autochtones, mais ne vous y trompez pas, il ne s'agit pas de la seule mesure de protection. Faute d'avoir pu recueillir le détail des mesures de sécurité prises par Bullard, j'ai apporté quelques outils qui devraient nous être utiles.

Pendergast sortit un havresac qu'il jeta sur son épaule, puis il prit plusieurs tubes d'aluminium qu'il vissa ensemble avant de fixer un disque à l'une des extrémités de la tige. S'approchant de la clôture, il passa l'instrument le long du grillage. Soudain, une diode rouge s'alluma sur le disque.

Pendergast se releva.

— Comme je le craignais, nous sommes en présence d'un champ électromagnétique de soixante hertz.

— Vous voulez dire que ce vieux grillage est électrifié ? demanda D'Agosta.

— Pas le grillage lui-même, mais des sondes ont été enterrées de l'autre côté de la clôture afin d'alerter les équipes de sécurité en cas de franchissement du treillis.

— Comment les désactiver ?

— Nous n'allons pas les désactiver. Suivez-moi.

Après avoir dissimulé leurs sacs dans des buissons, les deux hommes longèrent la clôture à la recherche d'un point faible. Un peu plus loin, de gros trous avaient été grossièrement rebouchés à l'aide de fil de fer. Pendergast se mit à genoux et entreprit de rouvrir la brèche. Puis, passant son détecteur à travers le grillage, il examina le sol de l'autre côté. Des chiffres s'affichèrent sur le cadran lumineux de l'appareil.

Pendergast reposa son détecteur et ramassa sur le sol un morceau de bois à l'aide duquel il retira quelques feuilles mortes et un peu de terre, mettant à nu deux fils, puis il répéta l'opération quelques mètres plus loin. Fouillant son sac à dos, il sortit une paire de pinces crocodiles raccordées à un cadran électronique et brancha les pinces sur les fils électriques.

— Qu'est-ce que vous faites ?

— Je me sers d'un condensateur afin d'imiter la signature électromagnétique d'un couple de sangliers. Il en existe beaucoup dans cette région et les équipes de sécurité de Bullard doivent bien connaître le problème. Allons-y.

Les deux hommes se faufilèrent à travers l'ouverture du grillage que Pendergast referma grossièrement à l'aide de fil de fer avant de détacher ses pinces crocodiles et de recouvrir de feuilles mortes les trous dans la terre. Enfin, il sortit de son sac un petit atomiseur dont il aspergea le sol. Une forte odeur acide monta jusqu'aux narines de D'Agosta.

— De l'urine de sanglier diluée, expliqua Pendergast. Suivez-moi.

Pliés en deux, ils longèrent le grillage en courant et se réfugièrent dans des fourrés quelques dizaines de mètres plus loin.

— Il n'y a plus qu'à attendre l'arrivée des gardes. Cela risque de prendre un certain temps. Respirez lentement et ne bougez surtout pas. Ils sont très probablement équipés de lunettes à infrarouge. Je doute qu'ils s'éternisent ici, persuadés qu'il s'agit de sangliers.

À côté de D'Agosta, Pendergast s'était complètement effacé dans l'obscurité du buisson. Seuls une légère brise et les appels des oiseaux de nuit troublaient le silence. Trois minutes s'écoulèrent, puis cinq.

D'Agosta sentit une fourmi grimper le long de sa cheville. Il allait l'enlever lorsque son compagnon l'arrêta d'un murmure.

— Non !

Sous le pantalon, la fourmi poursuivit son chemin saccadé sur le tibia de D'Agosta et tenta de pénétrer dans sa chaussette. Le sergent faisait de son mieux pour penser à autre chose lorsque son nez commença à le démanger. Depuis combien de temps durait son supplice ? Dix minutes ? Il avait une crampe à une jambe, et il aurait donné n'importe quoi pour changer de position. Son nez le démangeait de plus belle et d'autres fourmis, imitant l'exemple de la première, s'enhardissaient sous son pantalon.

Brusquement, un murmure de voix parvint jusqu'à eux. D'Agosta retint son souffle en apercevant la lueur d'une lampe à travers les feuilles. Les voix se rapprochèrent, accompagnées du grésillement d'un talkie. D'Agosta reconnut des bribes de conversations en anglais et le silence retomba.

Il s'attendait à ce que Pendergast lui donne le feu vert, mais l'inspecteur restait sans bouger. D'Agosta avait mal partout. Il ne sentait plus l'une de ses jambes, complètement ankylosée, tandis que l'autre prenait des allures de fourmilière.

— Tout va bien, fit Pendergast en se relevant.

Soulagé, D'Agosta se releva et se dégourdit les jambes tout en se grattant furieusement le nez avant de se débarrasser des fourmis.

Pendergast jeta un coup d'œil dans sa direction.

— Un jour, Vincent, il faudra que je vous enseigne une technique de méditation fort utile dans les situations de ce genre.

— Je ne dis pas non. J'ai cru que je ne tiendrais jamais.

— Maintenant que nous avons réussi à passer le premier niveau de sécurité, il est temps de s'attaquer au second. Suivez-moi et veillez à marcher dans mes pas.

Tout en traversant un petit bois, Pendergast sondait le sol à l'aide de son détecteur. Les arbres s'espacèrent au bout d'un moment, laissant place à un champ abandonné. Un peu plus loin se dressaient des bâtiments en ruines et de vastes hangars sans toit dont les murs étaient recouverts de lierre.

Pendergast consulta rapidement le petit plan qu'il tenait à la main et il entraîna son compagnon vers l'entrepôt le plus proche. Il régnait à l'intérieur du bâtiment délabré une forte odeur de moisi. Malgré leurs souliers à semelles de caoutchouc, leurs pas résonnaient entre les murs. Ils ressortirent par une porte à l'autre extrémité du bâtiment et se retrouvèrent sur une esplanade gigantesque, cernée de tous côtés par des constructions. Une forêt de mauvaises herbes et de buissons sauvages s'élevait à travers le sol de ciment lézardé.

— Et s'ils avaient des chiens ? murmura D'Agosta.

— Cela fait longtemps qu'on ne lâche plus les chiens. Ils font trop de bruit et leurs réactions sont imprévisibles. Ils seraient capables d'attaquer la mauvaise personne. De nos jours, les chiens servent avant tout à pister l'ennemi. J'ai bien peur que nous n'ayons affaire à quelque chose d'infiniment plus subtil.

Ils traversèrent l'esplanade, faisant fuir au passage des oiseaux nocturnes dissimulés dans les buissons, et s'engagèrent dans une ruelle qui s'enfonçait entre deux rangées de bâtiments en ruines. Pendergast avait réduit l'allure, scrutant chaque mètre de terrain à l'aide d'une lampe sourde. Soudain il se mit à genoux et examina le sol. Il saisit une branche qui traînait là et l'enfonça dans l'herbe. Contre toute attente, la branche fut happée par le vide.

— Un puits, expliqua-t-il. Vous remarquerez qu'on est obligé d'emprunter cette ruelle si l'on veut aller plus loin.

— Un piège ?

— Cela m'en a tout l'air. Un piège aménagé de telle sorte que l'on puisse accuser ces bâtiments en ruines au cas où quelqu'un y tomberait et se tuerait.

— Comment avez-vous fait pour le voir ?

— Il n'y avait aucune trace de sanglier. Nous voici contraints de nous aventurer à travers ces anciens laboratoires. Faites très attention, il n'est pas impossible que des flacons de nitroglycérine aient été savamment disposés çà et là. Il s'agit manifestement du deuxième niveau de sécurité, il nous faudra faire preuve de la plus grande prudence.

Ils s'arrêtèrent sur le seuil de l'un des bâtiments dont Pendergast explora l'intérieur à l'aide de sa lampe. Le sol était jonché de morceaux de verre, de morceaux de métal rouillés, de briques et de carreaux de faïence. Pendergast s'arrêta et fit signe à son compagnon de reculer.

Deux minutes plus tard, ils se retrouvaient à nouveau sur l'esplanade.

— Que se passe-t-il ? s'enquit D'Agosta.

— Trop de morceaux de verre, trop récents pour avoir appartenu à l'ancienne usine. Il s'agit d'un leurre sonore, équipé de capteurs susceptibles de déceler le moindre bruit de pas sur le verre pilé. Je ne serais pas surpris que le bâtiment soit également équipé de détecteurs de mouvement.

L'inquiétude de Pendergast, accentuée par la lueur verdâtre de sa lampe, se lisait sur ses traits.

— Que faire ?

— Retournons voir le puits.

Les deux hommes s'engagèrent à nouveau dans la ruelle. Pendergast avançait lentement en s'aidant d'un bâton. Parvenu au bord du puits, il s'allongea sur le sol, écarta soigneusement les mauvaises herbes et fit courir le faisceau de sa lampe le long des parois du trou. Quelques instants plus tard, il se releva et éteignit sa lampe.

— Attendez-moi, fit-il à son compagnon en s'évanouissant dans l'obscurité.

D'Agosta prit son mal en patience. Accroupi dans le noir, osant à peine respirer, il laissa passer cinq minutes. La solitude commençait à peser sur ses nerfs et son cœur battait à grands coups dans sa poitrine.

Allez, mon vieux, calme-toi.

Soudain, Pendergast réapparut aussi silencieusement qu'il s'était éclipsé, une longue planche à la main. Il la posa au-dessus de l'ouverture et se tourna vers son compagnon :

— Au-delà de ce point, silence absolu sauf en cas d'urgence. Suivez-moi.

D'Agosta hocha la tête.

L'un derrière l'autre, les deux hommes franchirent l'obstacle sur la planche bancale et se retrouvèrent face à un mur de buissons touffus. Pendergast avançait lentement en reniflant, son détecteur à la main. Il alluma un court instant sa lampe, dévoilant un sentier animal s'enfonçant au milieu des broussailles.

On peut dire merci aux sangliers, pensa D'Agosta.

Ils avançaient lentement à travers la végétation, longeant ce qui ressemblait à un mur de protection contre les explosions, à en juger par son épaisseur. Un énorme trou, visiblement causé par une puissante déflagration, confirma cette hypothèse. Les deux hommes suivirent le sentier à travers l'ouverture. Pendergast ouvrait la marche, aussi silencieux qu'un félin, et c'est à peine si D'Agosta distinguait sa silhouette dans le noir.

Le sentier déboucha enfin sur un espace plus dégagé que les champs précédents. Pendergast fit signe à D'Agosta de l'attendre. On apercevait plus loin les silhouettes sombres de nouveaux bâtiments en ruines derrière lesquelles brillait une faible lueur.

Pendergast sortit de sa poche un paquet de cigarettes. Il se retourna, alluma une cigarette en veillant à cacher la flamme entre ses mains au grand étonnement du sergent, puis il avala une longue bouffée et recracha la fumée devant lui.

Moins d'un mètre plus loin, la fumée révéla le rayon bleu d'un laser, installé suffisamment haut pour ne pas être coupé par un sanglier.

Pendergast s'allongea et se mit à ramper sur le sol, faisant signe à D'Agosta de l'imiter.

Tandis qu'ils progressaient à travers les fourrés, Pendergast tirait régulièrement sur sa cigarette et soufflait la fumée au-dessus de sa tête, confirmant la présence d'un réseau dense de faisceaux protégeant le champ. Les bois et les ruines situés sur la périphérie empêchaient de savoir d'où partaient les lasers et, lorsque sa cigarette s'éteignit, Pendergast fut contraint d'en allumer une autre.

Cinq minutes plus tard, ils se trouvaient à l'autre extrémité du champ. Pendergast écrasa sa cigarette, se releva et se dirigea à demi courbé vers un bâtiment dont il franchit le seuil avant d'allumer sa lampe. Le faisceau révéla un long couloir des deux côtés duquel s'ouvraient des pièces fermées par des grilles, à la façon d'une prison. Le plafond et plusieurs cloisons s'étaient écroulés dans un enchevêtrement de poutres et de tuiles cassées.

Pendergast marqua un arrêt en tenant à bout de bras l'un des appareils tirés de son sac à dos, puis il s'avança avec précaution. Le bâtiment avait l'air sur le point de s'écrouler et D'Agosta n'était qu'à demi rassuré en entendant craquer les vieilles poutres au-dessus de sa tête. À mesure qu'ils progressaient, la lueur aperçue un peu plus tôt se précisait à travers les ouvertures disloquées donnant sur l'arrière.

Lorsqu'il parvint enfin devant les anciennes fenêtres, un spectacle surprenant attendait D'Agosta : deux rangées de grillage surmontées de fils de fer barbelés entouraient une vaste pelouse baignée de lumière, face à un cube de verre et de titanium brillant de tous ses feux dans la nuit. À droite, une guérite protégeait une barrière percée à travers la double clôture.

Les deux hommes s'éloignèrent de la fenêtre et Pendergast s'accroupit contre un mur, les yeux perdus dans le vague. Au bout de quelques minutes, il sortit de sa torpeur et fit signe à D'Agosta de le suivre. Courbés en deux, ils longèrent le mur et quittèrent le bâtiment par une porte latérale face à laquelle des groseilliers sauvages poussaient à moins de trois mètres du double grillage.

Quelques instants plus tard, ils rampaient en direction de la clôture lorsque Pendergast s'arrêta brusquement. Des voix venaient rapidement vers eux, accompagnées de lumières aveuglantes. D'Agosta s'aplatit du mieux qu'il le pouvait en espérant que sa tenue noire et son maquillage le rendraient invisible, mais les voix et les lumières se rapprochaient inexorablement.

53

Prostré à terre, D'Agosta n'osait plus respirer tandis que les lumières fouillaient les broussailles autour de lui. Les voix étaient à présent toutes proches, apparemment celles de deux hommes parlant américain qui longeaient l'intérieur de la clôture. Il eut la tentation de relever la tête, mais le faisceau d'une lampe s'arrêta sur son dos et il se pétrifia. Les hommes ne bougeaient plus. Il entendit un craquement, identifia du coin de l'œil la flamme d'une allumette et une odeur de fumée de cigarette parvint jusqu'à lui.

— ... cette espèce de salopard, fit une voix. Si l'on n'était pas si bien payé, je retournerais tout de suite à Brooklyn.

— Au train où vont les choses, on risque de repartir là-bas plus tôt que prévu, répondit la seconde voix.

— Ce gros con a complètement pété les plombs.

L'autre acquiesça d'un grognement.

— Il paraît qu'il habite une villa qui aurait appartenu à Machiavel.

— Qui ça ?

— Machiavel.

— C'est le nouvel arrière des Rams, c'est ça ?

— Laisse tomber.

Le faisceau de lumière quitta brusquement le dos de D'Agosta.

Un mégot de cigarette incandescent décrivit un arc dans l'obscurité et tomba à côté de sa cuisse gauche tandis que les deux hommes poursuivaient leur ronde.

L'attente du sergent se prolongea quelques minutes, jusqu'à ce que Pendergast vienne le rejoindre.

— Vincent, murmura-t-il. La sécurité de cet endroit est infiniment plus sophistiquée que je l'imaginais. Ce système est conçu pour prévenir toute tentative d'espionnage industriel, mais également dans le but d'empêcher la CIA de s'immiscer dans les affaires de Bullard. Inutile de penser nous introduire ici avec les instruments dont nous disposons. Il nous faut retourner sur nos pas et établir un nouveau plan d'attaque.

— Lequel ?

— Je viens de me découvrir une passion soudaine pour Machiavel.

— Compris.

Rebroussant chemin, les deux hommes commencèrent par retraverser le bâtiment en ruines. Le trajet leur parut plus long qu'à l'aller. À mi-chemin, Pendergast s'arrêta :

— Cela sent très mauvais, murmura-t-il.

D'Agosta l'avait également remarqué. Le vent avait tourné et une forte odeur de pourriture leur parvenait des profondeurs du bâtiment. Pendergast remonta légèrement l'un des volets de protection de sa lampe afin d'éclairer le décor qui les entourait. Un petit laboratoire dont le toit s'était effondré apparut à la lueur verdâtre de la torche. D'un enchevêtrement de poutres émergeait un crâne de sanglier aux défenses proéminentes.

— Un piège ? demanda D'Agosta dans un souffle.

Pendergast hocha la tête.

— Un piège destiné à faire croire à un accident.

Faisant courir le faisceau de sa torche autour de lui, il l'arrêta sur une porte.

— Voici le déclencheur. Si l'on franchit le seuil, le toit s'effondre.

D'Agosta fut parcouru d'un frisson en pensant qu'il était passé par là moins de dix minutes plus tôt.

Ils reprirent leur progression à travers le bâtiment, accompagnés par les craquements sinistres des solives au-dessus de leurs têtes. Mais il leur fallait encore retraverser le champ. Pendergast alluma une cigarette et se mit à genoux, avançant prudemment en soufflant de la fumée jusqu'à ce qu'apparaisse dans le noir le premier rayon laser. Faisant signe à D'Agosta de l'imiter, il se mit à plat ventre et les deux hommes commencèrent à ramper.

Lorsque D'Agosta s'autorisa à lever la tête au bout de ce qu'il croyait être une éternité, il s'aperçut qu'ils avaient à peine parcouru la moitié du chemin.

Au même moment, l'herbe s'agita devant eux et une famille de lièvres s'égailla dans toutes les directions en bondissant.

Pendergast s'arrêta, tira sur sa cigarette et souffla un nuage de fumée vers l'endroit où se tenaient les lièvres quelques instants plus tôt, faisant apparaître un entrecroisement de rayons bleutés.

— C'est bien notre chance, murmura-t-il.

— Ils ont déclenché l'alarme ?

— J'en ai bien peur.

— Que faisons-nous ?

— Le mieux est encore de courir.

Sans attendre, Pendergast se releva et traversa le champ à toute vitesse, imité par D'Agosta.

Au lieu d'emprunter le même chemin qu'à l'aller, Pendergast bifurqua en direction d'un petit bois sur leur gauche. D'Agosta atteignait les premiers arbres lorsqu'il perçut dans le lointain des cris et le bruit de voitures en train de démarrer. Quelques instants plus tard, des phares trouaient l'obscurité au niveau du champ, suivis par le faisceau d'un projecteur, tandis que deux jeeps faisaient le tour des bâtiments en ruines sur les chapeaux de roue.

Pendergast et D'Agosta se précipitèrent dans le sous-bois, se frayant tant bien que mal un chemin à travers les ronces et les broussailles. Au bout de cent mètres, l'inspecteur opéra un virage à angle droit, son sac à dos sautant au rythme de sa course. Derrière lui, le cœur battant à tout rompre, D'Agosta faisait de son mieux pour le suivre.

Pendergast changea à nouveau de direction, sans ralentir, et ils émergèrent sur une route désaffectée. Essoufflé, D'Agosta peinait à rattraper Pendergast, mais la peur lui donnait des ailes.

Un projecteur balaya la route sur toute sa longueur, les forçant à se jeter à terre. La lumière s'éloignait à peine que Pendergast reprenait déjà sa course et fonçait dans un taillis tout au bout du chemin abandonné.

Des pinceaux de lumière fouillaient la nuit de l'autre côté des arbres et des voix leur parvenaient.

Profitant de l'abri que leur offrait le taillis, Pendergast sortit son plan et l'étudia à la lueur verte de sa lampe tandis que D'Agosta prenait le temps de souffler, puis ils se remirent en route, à flanc de coteau cette fois. La forêt se faisait plus dense à mesure qu'ils avançaient et on aurait dit qu'ils avaient réussi à mettre de la distance entre eux et leurs poursuivants. Pour la première fois, D'Agosta se prit à espérer.

Les arbres s'espacèrent et D'Agosta aperçut un carré de ciel étoilé. Soudain, la masse sombre d'un mur de brique de huit mètres de haut se dressa devant eux.

— Il ne figure pas sur ma carte, dit Pendergast. Sans doute un mur de protection contre les explosions érigé tardivement.

Il regarda à droite, puis à gauche. On apercevait déjà les lueurs des torches dans le bois qu'ils venaient de traverser. Pendergast suivit en courant le mur qui longeait une petite crête.

Le mur descendait en pente douce un peu plus loin et D'Agosta distingua des éclats de lumière à travers la végétation.

— Il nous faut l'escalader, ordonna Pendergast.

S'aidant du lierre, il se hissa le long de la paroi. D'Agosta saisit à son tour une branche et trouva un appui dans une anfractuosité, mais le lierre se détacha du mur dans un déluge de morceaux de briques et il faillit tomber, se raccrochant à la dernière seconde. Au-dessus de sa tête, Pendergast grimpait comme un chat. Au-dessous d'eux, les lumières se rapprochaient et un autre groupe arrivait par la droite.

— Plus vite ! l'encouragea Pendergast.

D'Agosta voulut saisir une autre branche de lierre, glissa et recommença, battant l'air de sa jambe libre.

Derrière lui, les éclats de voix se précisaient. De son côté, Pendergast allait atteindre le faîte du mur. Un coup de feu claqua, et une balle s'écrasa tout près de lui avec un bruit mat. Ne pas se décourager, trouver du pied un premier appui, puis un autre.

Deux nouvelles détonations retentirent. Tant bien que mal, Pendergast lui agrippa le bras et l'attira vers lui. Des lumières fouillèrent le bas du mur et s'arrêtèrent sur eux.

— Baissez-vous !

D'Agosta n'avait pas attendu l'avertissement de son compagnon pour s'aplatir sur le mur qui devait faire au moins trois mètres d'épaisseur.

— Rampez !

S'aidant des coudes et des genoux, il obéit en veillant à se protéger du mieux qu'il le pouvait derrière la végétation. Une salve d'arme automatique crépita et une grêle de balles siffla au-dessus de sa tête tandis qu'une pluie de feuilles et de branches s'abattait sur lui.

Ils arrivaient de l'autre côté du mur lorsqu'ils aperçurent en contrebas des hommes tenant en laisse des chiens de garde. D'Agosta roula en arrière à l'instant où une nouvelle rafale déchiquetait un buisson à côté de lui.

— Putain !

Allongé sur le dos, les yeux plongés dans les étoiles, il attendait la suite.

Les chiens aboyaient furieusement et l'on criait dans un mélange d'anglais et d'italien des deux côtés. Des projecteurs fouillaient la nuit et D'Agosta comprit à un bruit de feuilles que les hommes avaient entamé l'escalade du mur.

— À mon signal, on se relève et on se met à courir en se tenant baissé, lui chuchota Pendergast à l'oreille.

— Ils vont nous tirer dessus.

— De toute façon, ils ont l'intention de nous tuer.

D'Agosta se redressa, mais l'abondante végétation qui avait envahi cet ancien chemin de ronde l'empêchait d'avancer aussi vite qu'il l'aurait voulu.

Des lumières fouillèrent la nuit et des coups de feu éclatèrent.

— *Non sparate !* cria une voix.

— Ne vous arrêtez pas ! hurla Pendergast.

Mais il était trop tard. Devant eux, plusieurs silhouettes leur barraient le passage en les aveuglant de leurs lampes. D'Agosta et Pendergast se jetèrent aussitôt à plat ventre.

— *Non sparate !* cria la voix. Ne tirez pas !

Tournant la tête, D'Agosta vit qu'un autre groupe d'assaillants s'apprêtait à les prendre à revers. Ils étaient cernés. Baigné dans la lumière crue des torches, D'Agosta ne s'était jamais senti aussi désemparé de toute son existence.

— *Eccoli !* Les voilà !

— Ne tirez pas !

Une voix calme s'interposa soudain :

— Relevez-vous et rendez-vous, sinon vous êtes morts.

54

Installé derrière une table, Locke Bullard regardait fixement les deux hommes enchaînés au mur. Deux salopards en tenues de commando noires. Des Américains, sans aucun doute. Probablement des types de la CIA.

— Nettoyez-leur le visage, ordonna-t-il au chef de la sécurité. J'aimerais savoir à qui j'ai affaire.

L'homme sortit un mouchoir de sa poche et démaquilla les deux prisonniers sans ménagement.

Bullard s'attendait si peu à voir Pendergast et D'Agosta qu'il en resta bouche bée, les yeux écarquillés. Vasquez avait donc échoué, ou alors il avait disparu dans la nature avec son argent, ce qui était plus probable. Mais de là à penser que Pendergast le poursuivrait en Italie et qu'il s'introduirait avec son acolyte dans son centre de recherche... Il avait eu tort de sous-estimer ces deux-là, mais leur intervention tombait très mal.

— Que s'est-il passé ? demanda-t-il au chef de la sécurité.

— Ils ont franchi le périmètre extérieur à hauteur de l'ancienne voie ferrée. Ensuite, ils sont allés jusqu'au deuxième niveau, mais ils se sont fait repérer en entrant dans le champ de nos rayons laser.

— Vous avez pu savoir ce qu'ils cherchaient ? Qu'ont-ils pu entendre ?

— Rien, monsieur. Ils n'ont rien découvert.

— Vous êtes sûr qu'ils n'ont pas pu pénétrer le deuxième niveau de sécurité ?

— Certain, monsieur.

— Vous avez trouvé sur eux des émetteurs ?

— Pas le moindre, monsieur. Et ils n'ont pas pu s'en débarrasser en chemin. Ils sont venus sans rien.

Bullard hocha la tête, prêt à laisser éclater sa colère. Ces deux salauds l'avaient humilié, et il n'avait pas l'intention de se laisser faire.

Il se tourna vers le plus gros des deux. On aurait dit qu'il avait maigri.

— Hé D'Agosta, t'as perdu tes kilos ? T'arrives mieux à baiser, maintenant ?

Pas de réponse. Ce connard le fusillait du regard. Tant mieux.

— Et toi, l'inspecteur de mes deux. Je me demande même si tu fais vraiment partie du FBI. Tu peux me dire ce que tu fous ici ?

Pas de réponse.

— Rien trouvé, pas vrai ?

Il perdait son temps. Ils n'avaient pas réussi à franchir le deuxième niveau de sécurité, encore moins le troisième. Ils n'avaient donc rien pu apprendre d'intéressant. Le mieux était encore de se débarrasser d'eux. Il risquait d'avoir les fédéraux sur le dos, mais on n'était pas aux États-Unis et il ne manquait pas d'amis à la Questura. Et puis ce n'était pas la place qui manquait pour enterrer les corps. Jamais on ne les retrouverait.

Bullard jouait machinalement avec des euros dans la poche de son pantalon lorsqu'il sentit son canif sous ses doigts. Il le sortit et entreprit de se nettoyer les ongles, avant de demander, sans lever les yeux :

— Alors D'Agosta, ta femme s'envoie toujours en l'air avec son vendeur de caravanes ?

— Tu sais quoi, Bullard ? Tu devrais changer de disque. Pour que tu parles de ça tout le temps, c'est toi qui dois avoir un problème.

Bullard réprima une bouffée de rage. Avant de s'en débarrasser, il allait faire payer ce D'Agosta.

— Le tueur que tu nous as envoyé n'était pas à la hauteur, poursuivit D'Agosta. Dommage qu'il se soit suicidé avant de te balancer, mais ne t'inquiète pas, on arrivera à te coincer quand même. Tu finiras en taule. Tu m'entends, Bullard ? Et quand tu seras au trou, je veillerai personnellement à ce que tu serves de pute à tes codétenus. Avec ta gueule, tu devrais plaire aux skinheads.

Bullard dut se faire violence pour se contenir. Vasquez ne s'était donc pas envolé avec son fric. Il avait bel et bien raté son coup.

Après tout, quelle importance ?

Il examina longuement la lame de son couteau, parfaitement aiguisée. C'était le moment ou jamais de voir si elle coupait bien. Avec un peu de chance, l'autre crétin finirait par lui révéler quelque chose d'utile.

— Mettez sa main droite à plat sur la table, ordonna-t-il à ses hommes.

L'un des gardes prit la tête de D'Agosta dans sa grosse main et lui écrasa la figure sur le mur tandis qu'un de ses collègues lui détachait une main et la posait brutalement sur la table, en dépit de la résistance du sergent.

Bullard regarda la chevalière de lycée que D'Agosta portait au doigt. Probablement une école publique de merde du Queens.

— Tu joues du piano, D'Agosta ?

Pas de réponse.

D'un coup de canif, il ouvrit en deux l'extrémité de l'index du policier.

D'Agosta sursauta en étouffant un cri et parvint à retirer son doigt dont le sang commençait à couler. Il voulut se débattre, mais les gardes parvinrent à l'immobiliser, l'obligeant à reposer sa main sur la table.

Bullard était rouge d'excitation.

— Fils de pute ! siffla D'Agosta.

— Tu sais quoi ? répondit l'autre. Je crois que j'aime ça et que je pourrais continuer longtemps.

D'Agosta se débattit de plus belle.

— C'est la CIA qui t'envoie, pas vrai ?

D'Agosta poussa un nouveau grognement.

— Réponds-moi !

— Non !

— Et toi ? demanda Bullard en regardant Pendergast. Tu fais partie de la CIA ? Réponds-moi. Oui ou non ?

— Non, et vous êtes en train de commettre une lourde erreur.

— Bien sûr !

À quoi bon s'emmerder avec ces types-là ? Brusquement, son arrestation mouvementée lui revint en mémoire. Livide de rage, il prit son couteau et découpa soigneusement le bout du doigt qui saignait déjà.

— Saloperie ! hurla D'Agosta. Espèce d'ordure !

Bullard se recula, le souffle court. Il essuya ses mains moites sur la manche de sa veste afin d'avoir une meilleure prise sur son canif. Mais en levant les yeux, il vit à l'horloge murale qu'il était presque 2 heures du matin. Il ne fallait pas qu'il se laisse aller, il lui restait une mission à accomplir avant le lever du jour. Une mission infiniment plus importante.

D'un mouvement de tête, il se tourna vers le chef de la sécurité.

— Tuez-les et faites disparaître leurs armes avec les corps. Vous n'avez qu'à les jeter dans les anciens puits d'aération. Veillez à effacer toute trace de leur présence. Il ne doit rester ni sang, ni cheveu, ni salive, ni ADN. Rien de rien.

— Bien, monsieur.

— Vous...

Pendergast n'eut pas l'occasion d'achever sa phrase car Bullard lui envoya dans l'estomac un uppercut qui le plia en deux.

— Bâillonnez-les. Tous les deux.

Les gardes enfoncèrent des chiffons dans la bouche des prisonniers avant de les ligoter à l'aide de gros scotch.

— Bandez-leur les yeux.

Bullard regarda D'Agosta droit dans les yeux.

— Tu te souviens que je t'avais promis de te rendre la monnaie de ta pièce ? Eh bien c'est fait. Maintenant, ton doigt est aussi petit que ta queue.

D'Agosta se débattait avec l'énergie du désespoir, proférant des paroles inintelligibles tandis qu'on lui bandait les yeux.

— Maintenant, dit Bullard en montrant du menton la table maculée de sang, nettoyez-moi ce chantier et foutez-moi le camp.

55

Bâillonné, les yeux bandés, les mains menottées dans le dos, D'Agosta quitta la pièce encadré par deux gardes. Un cliquetis métallique dans son dos lui indiqua que Pendergast était entraîné à sa suite. À en juger par la forte odeur de moisi, ils avançaient dans un couloir souterrain. L'air glacé et humide collait à ses vêtements, à moins que ce ne soit sa propre transpiration. Son index, traversé par des élancements violents, le brûlait atrocement et son sang coulait dans son dos au rythme des battements de son cœur.

Dans n'importe quel autre contexte, son doigt coupé aurait occupé toutes ses pensées, mais c'est tout juste si la douleur le rappelait à la réalité. Tout était allé si vite. Quelques heures plus tôt, il se prélassait dans une suite luxueuse, profondément ému de faire ses premiers pas en Italie. Tout lui paraissait loin à présent, alors qu'il marchait vers sa mort, un chiffon sale dans la bouche.

À moins de trouver quelque chose très vite, il allait mourir. Quelque chose, mais quoi ? Les sbires de Bullard les avaient entièrement fouillés, et l'arme la plus redoutable de Pendergast, sa langue, avait été réduite à l'impuissance.

D'Agosta aurait voulu se convaincre que le danger était bien réel, oublier la douleur, trouver un moyen de s'échapper à la dernière seconde. Mais il avait beau se creuser la tête, rien de ce qu'il avait pu écrire dans ses romans policiers ou lire dans ceux des autres ne venait à son secours.

La petite troupe s'arrêta et il reconnut le grincement d'une porte rouillée avant d'être brutalement poussé en avant. La chaleur de la nuit et le chant des grillons lui indiquèrent qu'il se trouvait à l'air libre.

Il se remit en route, le canon d'une arme dans les reins. Ils avançaient à présent sur un chemin herbeux et le vent faisait bruisser les feuilles au-dessus de sa tête. Il n'aurait jamais cru que des sensations aussi banales puissent un jour prendre une telle valeur.

— Putain, grommela un des gardes. Je vais foutre mes pompes en l'air, avec cette rosée. Des pompes à deux cents euros, faites sur mesure à Panzano.

Son collègue gloussa.

— Et si tu veux en acheter d'autres, bonjour ! Ce vieux con doit en fabriquer une paire par mois.

— Les missions de merde, c'est toujours sur nous que ça tombe, gronda le premier type en donnant une bourrade à D'Agosta. Ça y est, elles sont complètement trempées, maintenant.

D'Agosta se demanda si Laura Hayward verserait une larme sur son compte. Bizarrement, il aurait donné n'importe quoi pour lui expliquer lui-même comment il était mort. Il se disait que ce serait moins dur comme ça, plutôt que de disparaître sans qu'elle puisse jamais savoir...

— Arrête ton char ! Un peu de cirage et le tour est joué.

— Tu rigoles ou quoi ? Une fois mouillé, le cuir n'est plus jamais comme avant.

— Toi et tes putains de pompes !

— Je voudrais voir ta gueule si t'avais niqué des pompes de deux cents euros.

D'Agosta tenta de se concentrer sur son doigt. Tant qu'il le faisait souffrir, c'est qu'il était en vie. Il ne voulait pas penser à ce qu'il adviendrait lorsque la douleur s'arrêterait...

Il avançait machinalement, un pied devant l'autre, et trébucha dans l'herbe.

— Hé connard ! Fais un peu gaffe où tu vas ! râla son garde en lui mettant une petite tape sur la tempe.

L'air était nettement plus frais et une forte odeur d'humus monta jusqu'à lui. Il se sentait totalement démuni. Pas moyen de faire le moindre signe à Pendergast avec ce satané bandeau.

— Pour aller à la vieille carrière, il faut prendre par là.

— Saloperie de mauvaises herbes !

— Ouais, et fais attention où tu mets les pieds.

D'Agosta fut à nouveau poussé en avant, cette fois à travers l'herbe détrempée.

— C'est un peu plus loin. Fais gaffe, il y a plein de cailloux près du bord, prévint le garde avant d'ajouter en s'esclaffant : Plus dure sera la chute.

Des broussailles fouettèrent les jambes de D'Agosta. Brusquement, son garde l'arrêta.

— Encore dix mètres.

Dans le silence de mort qui l'entourait, D'Agosta perçut l'haleine humide et froide d'un puits de mine.

— L'un après l'autre. Pas question de se planter. Occupe-toi du tien en premier, j'attends ici avec l'autre. Et grouille-toi, ça caille.

D'Agosta entendit Pendergast et son garde s'éloigner à travers l'herbe mouillée. Son tortionnaire le tenait par les menottes, le canon d'un pistolet collé sur la tempe. Il fallait absolument trouver quelque chose, mais quoi ? Au moindre mouvement, il était mort. Il avait envie de croire que Pendergast découvrirait le moyen de sortir un lapin de son chapeau à la dernière extrémité, mais il savait au fond de lui qu'il était trop tard. Qu'aurait pu faire Pendergast au bord d'un précipice, bâillonné et menotté, les yeux bandés, sous la menace d'un pistolet ? Il fallait bien s'y résoudre, tout était fini.

— C'est bon, arrête-toi là, fit une voix étouffée par la végétation quelques mètres plus loin.

Une bouffée d'air rance monta du puits de mine. Des insectes bourdonnaient tout près de D'Agosta et son doigt le lançait.

Il reconnut le bruit caractéristique d'un pistolet que l'on arme.

— Il est temps de faire tes prières, tête de nœud.

Un court silence, suivi d'une détonation assourdissante. Nouveau silence, ponctué cette fois par un bruit d'éclaboussure tout au fond du puits.

Tout s'arrêta autour de D'Agosta. Brusquement, la voix légèrement essoufflée du garde parvint jusqu'à lui :

— C'est bon, tu peux amener l'autre.

56

3 heures du matin.

Dans l'immense *salone* voûté de sa villa perdue dans les collines au sud de Florence, Locke Bullard réfléchissait. Seul le mouvement convulsif de sa mâchoire trahissait sa nervosité. Il s'approcha des fenêtres à vitraux dominant le jardin et ouvrit un battant d'une main tremblante. Les étoiles avaient disparu derrière les nuages. La nuit idéale pour ce qu'il avait à faire. Comme cette autre nuit, autrefois. Il aurait tout donné pour retourner en arrière, effacer cette nuit... Rien que d'y penser, il en avait la chair de poule. Ou alors c'était la brise à travers la *pineta* qui le faisait frissonner.

Il resta longtemps à la fenêtre, tentant de dominer sa peur du mieux qu'il le pouvait. Sur la terrasse en contrebas, les statues de marbre trouaient l'obscurité de leurs silhouettes blafardes. Il se rassura en se disant que tout serait bientôt terminé, qu'il serait libre. *Libre !* En attendant, pas question de perdre son sang-froid. Demain, toute cette histoire ne serait plus qu'un mauvais rêve.

Il fit un effort sur lui-même pour penser à autre chose. Au-delà des pins parasols qui se balançaient au gré du vent, on apercevait la coupole brillamment éclairée du Duomo, à côté de la tour Giotto. Qui a dit un jour que tout Florentin qui se respecte doit voir le Duomo depuis son salon ? Machiavel avait eu la même vue : il avait caressé des yeux ces collines, cette tour, cette coupole. Qui sait s'il n'avait pas conçu le *Prince* en se tenant à cet endroit précis ? Bullard avait vingt ans quand il l'avait lu. C'était en partie pour cette raison qu'il avait sauté sur l'occasion lorsqu'on lui avait proposé d'acheter la villa où était né l'écrivain, où il avait grandi.

Il se demanda comment aurait réagi le grand homme dans sa situation. Sans doute aurait-il hésité entre la peur et la résignation, comme lui. Comment choisir lorsque les deux seules solutions sont aussi insupportables l'une que l'autre ? Non, ce n'était pas tout à fait exact : si la première était insupportable, la seconde était tout simplement inconcevable.

Il lui fallait donc se résoudre à supporter l'insupportable.

Il se retourna afin de regarder l'heure. Le cadran de l'horloge posée au-dessus de la cheminée indiquait 3 h 10. L'heure des ultimes préparatifs.

Il s'approcha d'une table et alluma une grande bougie à l'ancienne dont la lueur se posa sur un vieux parchemin, tiré d'un grimoire du XIIIe siècle. S'emparant d'un arthame, il traça lentement un cercle sur le sol de terra-cota du salon, s'assurant que la lame du couteau sacré ne quittait jamais les pavés de terre cuite. Ce travail accompli, il saisit un morceau de charbon à l'aide duquel il dessina des caractères grecs et araméens tout autour du cercle, s'arrêtant parfois le temps de consulter le grimoire. Il esquissa ensuite deux pentagrammes avant de tracer un plus petit cercle à côté du premier, veillant cette fois à ne pas le fermer. Il avait pris la précaution de renvoyer ses domestiques afin que personne ne vienne le déranger. L'heure était trop grave pour qu'il puisse commettre la moindre erreur. L'enjeu dépassait de beaucoup sa propre vie.

Tout était prêt. Une fois que tout serait consommé, il pourrait enfin revivre. Il commencerait par régler certains détails, notamment la disparition de Pendergast et de D'Agosta, sans parler des Chinois et de ce qui s'était passé à Paterson, mais ce serait un soulagement de se remettre au travail. Il avait hâte de retrouver le monde réel, avec tous ses petits problèmes.

Il consulta le manuscrit une dernière fois afin de s'assurer qu'il n'avait rien oublié, et presque contre son gré, son regard s'arrêta sur la boîte rectangulaire posée sur la table. L'heure était venue.

Il détacha la charnière de laiton et caressa le grain lisse de la boîte avant de l'ouvrir d'une main hésitante. Un léger parfum de vieux bois et de crin de cheval s'échappa du coffret. Un parfum désuet et précieux qu'il huma longuement. Puis il glissa une main tremblante sous le couvercle et caressa l'objet qui se trouvait à l'intérieur, sans oser le sortir de son écrin. Il n'avait jamais osé le manipuler, préférant laisser à d'autres le soin de le faire. S'il réussissait, personne ne reverrait jamais ce trésor...

Une bouffée de colère, de peur et d'impuissance l'envahit soudain, au moment où il s'y attendait le moins. Il ne devait pas se laisser submerger par ses sentiments. Le souffle court, il s'appuya sur la lourde table et rassembla ses forces. Son destin l'attendait.

Il reposa délicatement le couvercle, referma la charnière et plaça la précieuse boîte à l'intérieur du plus petit des deux cercles. Inutile de se torturer inutilement en la regardant davantage. Le cœur gros, il leva les yeux en direction de l'horloge qui lui répondit en sonnant le quart d'une voix cristalline. Bullard avala sa salive, serra les mâchoires et prononça lentement la formule qu'il avait pris soin d'apprendre par cœur.

En tout, l'incantation dura quatre-vingt-dix secondes.

Au début, rien ne se produisit. Il eut beau tendre l'oreille, pas un son, pas un soupir ne lui répondit. Pouvait-il s'être trompé ? Le silence le plus absolu régnait dans la maison désertée par les domestiques.

Il examina à nouveau le manuscrit, prêt à recommencer. Mais non. La cérémonie, parfaitement réglée, ne pouvait supporter la moindre fantaisie. Le simple fait de répéter son incantation pouvait avoir des conséquences désastreuses, inimaginables.

Perdu dans la pièce à demi plongée dans l'obscurité, il se demanda s'il n'était pas la victime d'une simple superstition. Cette idée fit monter en lui une telle bouffée d'espoir qu'il s'obligea à ne plus y penser. Il ne pouvait pas s'être trompé, il n'y avait pas d'autre solution...

Au même instant, il crut sentir l'air bouger dans la pièce. Une odeur de soufre à peine perceptible traversa le *salone*.

Un courant d'air agita les rideaux et l'on aurait pu croire que la pénombre s'épaississait. Bullard s'immobilisa, pétrifié. *Ça marche !* L'incantation avait fonctionné, comme prévu.

Il attendit la suite en retenant son souffle. L'odeur de soufre, accompagnée de volutes de fumée, envahissait lentement la pièce. Bullard sentit la peur monter en lui. Une peur physique, presque palpable, alimentée par la chaleur qui le gagnait.

Debout au centre du plus grand des deux cercles, le cœur battant, Bullard écarquillait les yeux dans l'espoir de percer les ténèbres et il crut voir se dessiner sur le seuil de la pièce une forme à peine ébauchée avançant lentement dans sa direction...

Il avait réussi ! *Il était là ! Il arrivait... !*

57

Le coup de feu, le silence, le bruit d'un corps tombant dans l'eau... Hébété, D'Agosta comprit que tout était fini.

— Allez viens, grommela le garde en le poussant dans le dos.

Incapable de bouger, D'Agosta ne pouvait se résoudre au sort qui l'attendait.

— Avance ! gronda le type en lui appuyant le canon de son arme sur la nuque.

Il trébucha parmi les pierres et chercha machinalement à se rattraper. Tout près, l'haleine moisie du puits de mine lui rappelait à chaque instant le sort qui l'attendait. Il fit six pas, huit, dix...

— Arrête-toi.

Un courant d'air venu des profondeurs de la terre lui balaya le visage, faisant voler ses cheveux. Autour de lui, tout avait l'air anormalement calme, comme si le temps s'était arrêté. *Mon Dieu, quelle fin horrible...*

Le canon du pistolet était glacé contre son crâne. D'Agosta ferma les yeux sous son bandeau en espérant que ça irait vite.

Il tenta en vain d'avaler sa salive. Au même instant, un coup de feu retentit et il se laissa tomber...

... Dans un demi-brouillard, il sentit une main de fer l'agripper dans le dos et le retenir à l'instant ultime. La main desserra son étreinte et il s'écroula sur l'herbe au bord du gouffre. Presque simultanément, il entendit le bruit d'un corps tomber dans l'eau au fond du puits.

— Vincent ? questionna la voix de Pendergast.

En un clin d'œil, l'inspecteur lui retira son bandeau et son bâillon, mais D'Agosta, ne comprenant pas ce qui lui arrivait, restait prostré à terre.

— Allons, Vincent. Secouez-vous.

D'Agosta sortit lentement de sa torpeur. Debout à côté de lui, Pendergast s'employait à attacher son tortionnaire à un arbre, le tenant en respect sous la menace d'une arme. Quant à l'homme qui avait la garde de D'Agosta, il avait disparu.

Les jambes en coton, D'Agosta se releva tant bien que mal. Son visage était trempé et il se demanda s'il pleurait ou bien s'il s'agissait de la rosée. Un vrai miracle... La gorge nouée, il parvint tout juste à articuler...

— Comment...

Pendergast se contenta de secouer la tête et regarda dans le puits.

— J'ai bien peur que ses problèmes de chaussures ne soient définitivement résolus, dit-il.

Se tournant vers l'arbre, il lança un sourire glacial au garde survivant qui blêmit en grommelant des paroles inintelligibles derrière son bâillon.

Pendergast se pencha vers son compagnon.

— Montrez-moi votre doigt.

Dans la bagarre, D'Agosta l'avait complètement oublié. Pendergast lui prit la main et examina la blessure.

— Il s'est servi d'un couteau très bien affûté. Vous avez de la chance, il n'a touché ni l'os ni la racine de l'ongle.

Puis, arrachant une bande de tissu d'un pan de sa chemise noire, il réalisa un pansement sommaire.

— Il serait plus prudent de vous conduire à l'hôpital.

— Pas question. Il faut s'occuper de Bullard.

Pendergast leva les sourcils.

— Je suis ravi de constater que nous sommes sur la même longueur d'onde. Vous avez raison, le moment me semble approprié. Quant à votre doigt...

— On verra ça plus tard.

— À votre guise. Tenez, voici votre arme de service, répliqua Pendergast en lui tendant son Glock.

Puis il sortit son Les Baer et le posa sur la tempe de leur prisonnier.

— Je vous laisse une chance, une seule, de nous indiquer le meilleur moyen de sortir de cet endroit. Je connais bien la disposition des lieux, et si vous nous mentez, je serai au regret de vous loger une balle dans le lobe pariétal. C'est compris ?

L'homme n'attendit même pas qu'on lui enlève son bâillon pour commencer à parler.

Une heure plus tard, Pendergast et D'Agosta roulaient sur la Via Volterrana, une petite route en lacet bordée de murets de pierre au sud de Florence. Ici et là, quelques lumières trouaient l'obscurité des collines.

— Comment avez-vous fait ? demanda D'Agosta, mal remis de sa surprise. J'ai bien cru qu'on allait boire le bouillon.

Ils n'avaient pas pris le temps de se changer et seuls le visage et les mains de Pendergast se détachaient dans le noir. À la lueur du tableau de bord, D'Agosta vit ses traits se durcir.

— Pour tout vous avouer, je n'en menais moi-même pas large. Heureusement que nos anges gardiens ont eu l'excellente idée de nous tuer séparément. Ce fut leur première erreur. La deuxième a été de se montrer trop sûrs d'eux, et mon garde a commis une troisième erreur en m'enfonçant constamment le canon de son arme dans les côtes, ce qui me permettait de savoir à chaque instant où se trouvait son pistolet. J'ai pour habitude de dissimuler quelques menus outils sur ma personne, notamment dans mes manches et dans le revers de mon pantalon. Un vieux truc de prestidigitateur. Je m'en suis servi afin d'ouvrir mes menottes, qui étaient fort heureusement dotées de serrures assez grossières. Lorsque nous sommes arrivés à hauteur du puits de mine, j'ai désarmé mon adversaire d'un coup au plexus solaire, ce qui m'a laissé le temps d'ôter mon bâillon et mon bandeau avant de tirer un coup de feu et de faire rouler une grosse pierre dans la mine. Le temps pour lui de reprendre son souffle et mon garde a fort obligeamment accepté d'appeler son collègue afin qu'il vous pousse jusqu'au puits. Je regrette d'avoir dû abattre votre homme, mais jamais je n'aurais pu les tenir en respect tous les deux... Il n'est pas dans mes habitudes de tuer de sang-froid, mais ils ne nous laissaient guère le choix.

Dans le silence qui suivit, D'Agosta sentit une bouffée de haine monter en lui. Lui-même n'avait pas les mêmes raisons de regretter quoi que ce soit. Son doigt le lançait plus fort que jamais et il ne pensait qu'à régler ses comptes avec Bullard. Pendergast avait raison, il était temps de s'occuper de ce salaud.

À la sortie d'un virage, D'Agosta aperçut la silhouette d'une villa dans la nuit quelques centaines de mètres plus loin, sa tour crénelée entourée de cyprès.

— Le refuge de Machiavel, murmura Pendergast.

La voiture longea un vieux mur d'enceinte et Pendergast ralentit en parvenant à la hauteur d'un portail en fer forgé avant de se garer dans une oliveraie toute proche.

— Je m'attendais à des mesures de sécurité plus draconiennes, s'étonna Pendergast. Le portail n'est même pas fermé à clé et la maison des gardiens semble vide.

— Vous êtes sûr qu'il s'agit de la bonne villa ?

— Oui.

Pendergast poussa la grille et les deux hommes pénétrèrent dans le vaste jardin. Deux rangées de cyprès montaient la garde le long d'un chemin qui grimpait à travers des champs d'oliviers. Pendergast se mit à quatre pattes afin d'observer les traces de pneus sur le gravier, puis il se releva, regarda autour de lui et montra à son compagnon un bois de pins parasols un peu plus loin.

— Par ici.

Ils grimpèrent à travers le petit bois, Pendergast prenant le temps de s'arrêter de temps en temps, à l'affût des sentinelles qu'il s'était attendu à trouver sur leur chemin.

— Curieux, dit-il à voix basse. Extrêmement curieux.

Quelques minutes plus tard, ils atteignaient une épaisse haie de lauriers qu'ils longèrent jusqu'à un petit portail verrouillé dont Pendergast n'eut aucun mal à venir à bout. De l'autre côté s'ouvrait un jardin à l'italienne, avec ses massifs de buis et ses parterres de lavande et de soucis. Au milieu du jardin se dressait la statue en marbre d'un faune jouant de la flûte de Pan. Des tuyaux de celle-ci jaillissaient des jets d'eau qui retombaient en cascade sur un bassin mangé de mousse.

La maison, un bâtiment imposant décoré de stuc jaune pâle, s'élevait quelques mètres plus loin. Une loggia courait le long du troisième étage, sous un toit de tuiles romaines. À l'exception d'une lueur tremblante derrière les fenêtres à vitraux du grand *salone* du premier étage, aucun bruit ne filtrait de la maison.

Pendergast s'avança, aussitôt imité par D'Agosta. Le murmure de la fontaine masquait le bruit de leurs pas. Quelques instants plus tard, ils atteignaient sans encombre l'entrée de la villa.

— Très étrange, murmura Pendergast.

— Si ça se trouve, Bullard n'est pas chez lui.

Ils longeaient la façade sous les fenêtres du *salone* lorsqu'une odeur à peine perceptible fit sursauter D'Agosta. Un instant incrédule, il sentit sa gorge se nouer.

— Ça sent le soufre !

— En effet.

La main serrée autour de la croix qu'il portait autour du cou, D'Agosta suivit Pendergast jusqu'au grand *portone* de la villa, situé sur le côté.

— C'est ouvert, remarqua Pendergast en se glissant à l'intérieur de la demeure silencieuse.

Après une courte hésitation, D'Agosta lui emboîta le pas. Les deux hommes s'arrêtèrent dans le hall, le temps d'embrasser du regard les salles du rez-de-chaussée décorées de fresques et de peintures en trompe-l'œil.

L'odeur, un mélange de soufre, de phosphore et de graisse brûlée, était nettement plus présente à l'intérieur de la maison.

Sans hésiter, Pendergast s'engagea dans l'escalier conduisant au premier étage. D'Agosta le suivit le long d'un couloir jusqu'à une double porte aux lourdes ferrures. L'un des battants, entrouvert, laissait deviner une lueur tremblante à l'intérieur du *salone*.

Pendergast poussa la porte.

Il fallut à D'Agosta un petit moment avant de comprendre. La lueur ne provenait ni de la cheminée ni de la bougie qui brûlait sur une table, mais du milieu de la pièce où achevait de se consumer, au centre d'un cercle grossièrement tracé sur le sol, une masse noirâtre.

Malgré l'état de calcination avancé, on reconnaissait la forme d'un être humain.

Frappé d'horreur, D'Agosta ne pouvait détacher les yeux du squelette à moitié réduit en cendres, étalé les bras en croix sur le sol. On voyait encore une boucle de ceinture au niveau du ventre, ainsi que les trois boutons métalliques d'une veste, et une poignée d'euros à hauteur de l'une des poches du cadavre. Un stylo en or avait fondu sur la cage thoracique et les restes de bagues aisément reconnaissables habillaient les ossements calcinés d'une main.

Curieusement, le corps ne s'était pas entièrement consumé. L'un des pieds restait intact jusqu'à la cheville, composant un tableau presque ridicule avec son mocassin immaculé, tandis qu'à l'autre extrémité du corps, un côté du visage avait échappé aux flammes : une joue, un œil, une boucle de cheveux et une oreille, comme si l'incendie s'était arrêté après avoir réduit en cendres la moitié de la tête.

Le morceau du visage resté intact ne laissait aucun doute sur l'identité de la victime : il s'agissait de Locke Bullard.

D'Agosta, reprenant ses esprits, remarqua que le plafond et les murs tendus de soie étaient recouverts d'une fine pellicule de graisse. Le corps reposait au centre d'un cercle entouré de signes cabalistiques tracés à même les pavés de terre cuite, au centre d'un double pentagramme. Un second cercle avait été dessiné à côté du premier.

D'Agosta n'avait même plus la force de détourner le regard. Il sursauta brusquement en entendant un bruit sec et s'aperçut qu'à force de triturer sa croix il venait d'en briser la chaîne. Hébété, il regarda longuement la forme rassurante du crucifix, incrusté dans la paume de sa main. Il n'avait jamais cru aux histoires que racontaient les bonnes sœurs quand il était enfant, mais à cet instant précis, il ne doutait plus de l'existence du diable.

Il jeta un coup d'œil en direction de Pendergast et crut lire sur son visage de l'étonnement, ainsi qu'une pointe de regret. *Voilà qui vient réduire à néant l'une de ses hypothèses*, se dit D'Agosta. *Sans compter qu'il voit disparaître un témoin capital.*

Pendergast était sous le choc, sans aucun doute, mais la mort de Bullard portait un coup terrible à son enquête.

Pendergast sortit son téléphone portable et composa un numéro.

— Mais... qui appelez-vous ? ne put s'empêcher de lui demander D'Agosta, abasourdi.

— Je préviens les *carabinieri*. N'oublions pas que nous ne sommes pas chez nous.

Après avoir prononcé quelques mots en italien, il se tourna vers D'Agosta.

— Il nous reste une vingtaine de minutes avant l'arrivée de la police. Autant en profiter.

Sans attendre, sous le regard de son compagnon qui ne pouvait se résoudre à lui prêter main-forte, il fit rapidement le tour de la pièce, examinant en détail les quelques objets posés sur la table : un vieux parchemin, un étrange couteau et un petit monticule de sel.

— Tiens, tiens, murmura Pendergast. Notre ami Bullard a consulté un grimoire peu avant sa... disparition.

— Un grimoire ?

— Un traité de magie noire contenant des instructions précises pour invoquer les démons.

D'Agosta avala sa salive, prêt à déguerpir sans demander son reste. Ce n'était pas comme chez Grove ou Cutforth. La *chose* venait à peine de se produire et ils n'avaient pas affaire à un assassin quelconque. Ni Pendergast ni personne d'autre ne pouvait rien contre cet ennemi-là. *Je vous salue Marie, pleine de grâce*...

Pendergast se pencha sur le couteau.

— Voyons un peu... À première vue, il s'agit d'un arthame.

D'Agosta aurait voulu dire à son compagnon qu'il ne fallait pas rester là, qu'ils se trouvaient en présence de forces supérieures, mais les mots restaient bloqués dans sa gorge.

— Vous remarquerez que le cercle dans lequel se trouve Bullard a été effacé à un endroit. Ici, très précisément. Le cercle a ainsi été *ouvert*.

D'Agosta hocha la tête.

— En revanche, le plus petit des deux cercles n'était pas complet. Celui qui l'a dessiné l'a volontairement laissé ouvert.

Pendergast se pencha au-dessus du second cercle et l'examina de plus près. Tirant une pince à épiler de sa manche, il ramassa un indice minuscule.

— Oui, articula péniblement D'Agosta.

— Je serais curieux de savoir ce qui se trouvait au milieu de ce cercle ouvert. Il s'agissait de toute évidence d'une offrande au... euh, au diable.

— Une offrande au diable. *Notre père qui êtes aux cieux*...

Les yeux brillants, Pendergast observait en le tournant dans tous les sens l'objet coincé entre les deux extrémités de sa pince à épiler. Puis il leva les sourcils, perplexe.

D'Agosta s'arrêta au milieu de sa prière.

— Qu'est-ce que c'est ?

— Un crin de cheval.

D'Agosta crut voir se dessiner un air de triomphe sur les traits de Pendergast.

— Mais... qu'est-ce que ça veut dire ?

Pendergast le regarda droit dans les yeux.

— Tout, Vincent. Cela explique tout.

58

Harriman passa devant le Plaza Hotel et pénétra dans Central Park, humant avec délices l'air de cette belle fin d'après-midi d'automne. Le soleil faisait vibrer les feuilles d'une lumière mordorée, des écureuils gambadaient d'un arbre à l'autre et des groupes en rollers slalomaient sur South Park Drive entre les poussettes.

Son article sur Buck était paru le matin même et Ritts lui en avait fait les plus grands compliments. Depuis, les téléphones de la rédaction n'arrêtaient pas de sonner, les fax bourdonnaient et les e-mails de lecteurs s'accumulaient. Une fois de plus, l'opération avait fonctionné au-delà de ses espérances.

En cette belle fin d'après-midi, donc, Bryce Harriman retournait sur les lieux de son triomphe. Le moment était venu d'interviewer ce bon révérend Buck. En exclusivité pour le *Post*, naturellement.

Il venait de contourner le zoo et passait devant le vieil arsenal lorsqu'il s'arrêta, stupéfait, en apercevant une vieille tente de toile plantée dans la partie la plus sauvage de Central Park, à quelques mètres de la Cinquième Avenue. Il franchit une petite butte et découvrit en contrebas une véritable armée de tentes devant lesquelles étaient allumés des feux dont la fumée s'élevait paresseusement dans l'air.

Harriman s'arrêta afin de contempler ce qu'il considérait désormais comme *son* œuvre. Car c'était bien grâce à lui, par l'intermédiaire de ses articles, que tous ces gens avaient trouvé leur leader.

En s'approchant, il s'aperçut que certains, notamment les plus jeunes, n'avaient que du papier journal pour se protéger du froid. On remarquait également des sacs de couchage de toutes les couleurs, des abris de fortune réalisés à l'aide de draps tendus au-dessus de piquets improvisés, mais aussi quelques tentes de luxe de chez North Face ou Antartica Ltd. Probablement des gosses de riches venus de Scarsdale ou de Short Hills.

Quelques agents en uniforme observaient la scène depuis le mur longeant la Cinquième Avenue, et d'autres avaient choisi de se mêler discrètement à la foule. Il devait y avoir là cinq cents personnes, au bas mot.

Harriman pénétra dans le campement et se dirigea vers une allée improvisée entre deux rangées de tentes. On se serait cru au temps de la Dépression, dans ces bidonvilles de toile au milieu desquels des miséreux se réchauffaient tant bien que mal en buvant du café, enroulés dans des couvertures. Quelques nouveaux arrivants armés de sac à dos plantaient déjà leurs tentes et le village s'étendait au moins jusqu'à la 70ᵉ Rue, sur l'équivalent de quatre pâtés de maisons. Harriman avait du mal à en croire ses yeux, il se demandait même si New York avait déjà connu un tel événement. Sans perdre une seconde, il téléphona au journal afin qu'on lui envoie un photographe.

Il replia son portable et s'arrêta pour demander son chemin. Quelques minutes plus tard, il arrivait en vue du quartier général de Buck, une immense tente de l'armée installée au centre du campement.

Buck, assis devant une table de jeu à l'entrée de sa tente, était en train d'écrire. Avec son air digne, il faisait penser à ces vieilles photos de généraux prises pendant la guerre de Sécession. *Pourvu que ce putain de photographe ne tarde pas.*

Au moment où il s'approchait, un jeune type l'arrêta.

— C'est à quel sujet ?

— Je voudrais voir M. Buck.

— Vous n'êtes pas le seul à vouloir parler au révérend, mais il est très occupé et il ne reçoit personne.

— Je suis Harriman, du *Post*.

— Et moi je suis Todd, de Levittown, rétorqua l'aide de camp en barrant le chemin du journaliste, un sourire dédaigneux aux lèvres.

Ces putains d'évangélistes, tous les mêmes, maugréa intérieurement Harriman. Par-dessus l'épaule du dénommé Todd, il vit que Buck continuait à écrire sans se soucier de ce qui se passait autour de lui. Soudain, il sursauta en apercevant plusieurs articles du *Post* scotchés sur l'un des murs de la tente. *Ses* articles. Sans hésiter, il repoussa Todd et se dirigea à grands pas vers Buck, la main tendue.

— Révérend Buck ?

Buck se leva.

— À qui ai-je l'honneur ?

— Harriman, du *Post*.

— Je ne voulais pas le laisser entrer, révérend, mais... s'interposa l'aide de camp.

Un large sourire illumina le visage de Buck.

— Harriman ! Ne t'inquiète pas, Todd, j'attendais la visite de ce monsieur.

Tout penaud, Todd se retira dans un coin de la tente tandis que Buck serrait la main de son visiteur. De près, il n'était pas aussi grand qu'il en avait l'air lorsqu'il prêchait. Avec son pantalon de toile et sa chemise à carreaux, il n'avait rien de ces évangélistes en costume de tergal avec leurs crinières permanentées. Au tatouage qu'il portait sur l'un de ses bras musclés, Harriman devina qu'il avait affaire à un ancien taulard.

— Vous m'attendiez ? demanda-t-il.

Buck hocha la tête.

— Je savais que vous viendriez.

— Ah bon ?

— C'était écrit, cela fait partie du plan. Mais asseyez-vous.

Harriman se glissa sur l'une des chaises en plastique disposées autour de la petite table et sortit son mini enregistreur.

— Vous permettez ?

— Je vous en prie.

Harriman vérifia que l'appareil fonctionnait correctement avant de le poser sur la table.

— Je voudrais que vous commenciez par me parler de votre plan, justement.

Buck lui adressa un sourire magnanime.

— Il ne s'agit pas de mon plan, mais de celui de Dieu.

— Oui, bien sûr, mais de quel plan exactement ?

— Le plan qui gouverne tout et toutes choses. Tout ce qui nous entoure, expliqua-t-il en écartant les mains. Moi-même je ne suis rien, sinon un être imparfait chargé de mettre en œuvre le plan divin. Et vous, monsieur Harriman, vous ne le savez peut-être pas, mais vous faites également partie de ce plan. Vous en êtes même un rouage essentiel. Grâce à vos articles, ils sont chaque jour plus nombreux à nous rejoindre. Je parle de tous ceux qui ont des yeux et des oreilles pour témoigner.

— Témoigner de quoi ?

— Du ravissement.

— Je vous demande pardon ?

— Du ravissement que Dieu a promis aux siens au moment des Derniers Jours. Lorsque les croyants s'élèveront vers le ciel tandis que les méchants achèveront de perdre leur âme dans la boue et le feu.

Buck avait légèrement hésité avant de répondre, et Harriman crut lire dans cette hésitation un signe de nervosité. Buck aurait-il peur du phénomène qu'il avait déclenché ?

— Qu'est-ce qui vous fait dire que nous sommes arrivés aux Derniers Jours ?

— Dieu m'a envoyé un signe en me faisant découvrir votre article, celui sur la mort de Grove et de Cutforth. C'est après avoir lu cet article que j'ai quitté Yuma en Arizona et que je suis venu jusqu'ici.

— Qui sont tous ces gens qui vous entourent ?

— Ceux qui seront sauvés, monsieur Harriman. Les autres seront damnés. Savez-vous à quelle catégorie vous appartenez ?

Harriman ne s'attendait pas à une telle question et il restait interdit, d'autant que Buck le regardait fixement avec ses yeux à la Raspoutine.

— Pourquoi ? C'est vraiment important ? répondit-il avec un petit rire gêné.

— Est-il important pour vous de savoir si vous brûlerez éternellement dans les flammes de l'enfer ou bien si vous serez à jamais sous la protection de Jésus ? Le moment est venu de vous déterminer, ces horribles morts nous l'indiquent clairement. Plus question de tergiverser en se demandant où est la vérité. Nous nous posons tous la question à un moment ou à un autre de nos pauvres vies, mais l'heure est venue de choisir. Souvenez-vous de l'épître de saint Paul aux Romains : « Il n'y a point de juste, il n'y en a pas un seul... Parce que tous ont péché, et ont besoin de la gloire de Dieu. » Le temps est venu de vous repentir et de renaître dans l'amour de Jésus. Il n'est plus temps d'attendre. Alors je vous repose la question, monsieur Harriman : faites-vous partie de ceux qui seront sauvés ou de ceux qui seront damnés ?

Buck attendait visiblement une réponse.

Harriman, mal à l'aise, comprit que l'autre n'irait pas plus loin tant qu'il ne se serait pas déterminé. Quant à savoir quoi lui répondre... Bien sûr, il s'était toujours considéré comme chrétien, mais de là à partir en croisade, une bible à la main...

— Je n'ai pas encore décidé, finit-il par articuler.

Comment avait-il pu se laisser piéger de la sorte ? En plus, c'était lui qui interviewait Buck, pas l'inverse.

— Qu'y a-t-il à décider ? Le problème est pourtant simple. Souvenez-vous de ce que Jésus a déclaré au riche qui voulait accéder à la vie éternelle : « Vendez tout ce que vous avez et distribuez-le aux pauvres... Il est plus aisé qu'un chameau passe par le trou d'une aiguille qu'il ne l'est qu'un riche entre dans le royaume de Dieu. » Êtes-vous disposé à donner tous vos biens matériels et à venir me rejoindre, monsieur Harriman ? Ou bien préférez-vous vous en aller, comme le jeune homme riche de l'Évangile de Luc ?

Harriman fronça les sourcils. Jésus avait vraiment dit ça ? Si ça se trouve, ça avait échappé au traducteur de la Bible.

Il se ressaisit, décidé à reprendre l'initiative.

— Quand est-ce que tout ceci doit arriver, révérend ?

— Si nous connaissions tous le jour du Jugement dernier, les conversions de dernière minute se multiplieraient. Non, monsieur Harriman. Le jour du Jugement dernier arrivera *lorsque nous nous y attendrons le moins*.

— Vous êtes pourtant convaincu qu'il est imminent.

— En effet, tout simplement parce que Dieu a envoyé aux siens un signe avec la mort de cet homme, de l'autre côté de la rue.

Tout en poursuivant son interview, Harriman avait remarqué que la présence policière se renforçait. Les flics discutaient entre eux en prenant des notes, et il se dit que la police ne tarderait pas à chasser les ouailles de Buck de ce paradis terrestre improvisé, à moins que le Christ ne s'en mêle. La municipalité ne tolérerait pas longtemps que des centaines de gens s'installent à Central Park.

— Que comptez-vous faire si jamais la police cherche à vous chasser ? demanda-t-il.

Buck eut une nouvelle hésitation, mais son visage retrouvait déjà toute sa sérénité.

— Dieu guidera mes pas, monsieur Harriman. Dieu guidera mes pas.

59

D'Agosta entendit la plainte des sirènes dans la quiétude de la campagne toscane avant d'apercevoir les phares de deux véhicules de police qui contournaient la colline à toute allure. Ils s'arrêtèrent devant le bâtiment dans un crissement de gravier, la lueur bleue des gyrophares formant une sarabande infernale sur le plafond du *salone*.

Pendergast se leva du canapé sur lequel il était assis. La pince à épiler qu'il tenait entre les doigts quelques instants plus tôt avait rejoint sa cachette dans un repli de son costume.

Il se tourna vers D'Agosta.

— Il est sans doute préférable de se retirer dans la chapelle. Nous ne voudrions pas que ces messieurs nous croient capables d'avoir examiné le lieu du crime avant leur arrivée.

D'Agosta, mal remis de ses émotions, acquiesça mollement. Bonne idée, la chapelle. Très bonne idée, même.

Comme souvent dans les villas florentines, on accédait directement au sanctuaire depuis le *salone*. En fait de chapelle, il s'agissait d'une minuscule pièce de style baroque dans laquelle pouvaient tout juste tenir un prêtre et une demi-douzaine de personnes. Faute d'éclairage, Pendergast alluma un cierge dans un photophore rouge et les deux hommes attendirent les policiers sur un banc de bois.

Ils venaient de s'asseoir lorsqu'ils entendirent la porte d'entrée de la villa s'ouvrir à la volée. Des bruits de bottes montèrent de la cage d'escalier, accompagnés du grésillement des radios. D'Agosta, les yeux rivés sur le petit autel de marbre, tenait toujours sa croix serrée entre ses doigts. Le cierge éclairait la scène d'une lueur tremblante rougeâtre et des effluves d'encens flottaient dans l'air. Le sergent serait tombé à genoux s'il ne s'était pas souvenu qu'il appartenait à la police et qu'un crime avait été commis dans la pièce voisine, cherchant à se convaincre que Bullard n'avait pu être emporté par le diable en personne.

Au même instant, les *carabinieri* pénétraient dans le *salone* et D'Agosta entendit très nettement un haut-le-cœur, suivi de cris étouffés et de ce qui avait tout l'air d'être une prière. Peu à peu, l'émotion des arrivants céda la place à des bruits plus familiers : le périmètre que l'on sécurise autour du corps, les éclairages que l'on installe. Le faisceau d'un projecteur pénétra dans la chapelle et s'arrêta curieusement sur le Christ de marbre accroché au-dessus de l'autel.

La silhouette d'un homme se découpa dans la porte, précédée d'une ombre immense. Il portait un élégant costume gris, mais deux feuilles dorées sur le revers de sa veste trahissaient une fonction élevée dans la hiérarchie policière locale. Il s'arrêta sur le seuil de la chapelle, les yeux écarquillés. D'Agosta ne le voyait qu'en contre-jour, mais il braquait sur eux le canon court d'un Beretta Parabellum 9 mm.

— *Rimanete seduti, mani in alto, per cortesia*, prononça-t-il d'une voix calme.

— Restez assis, les mains en l'air, traduisit Pendergast. Nous sommes nous-mêmes policiers et...

— *Tacete !*

D'Agosta se souvint brusquement que son compagnon et lui étaient en tenue de commando, le visage encore barbouillé de maquillage, et il se demanda ce qu'allait penser leur visiteur.

Ce dernier s'avança, l'arme à la main.

— Qui êtes-vous ? demanda-t-il en anglais avec un léger accent.

— Inspecteur Pendergast, du Bureau fédéral d'investigation des États-Unis, répondit Pendergast en exhibant son badge.

— Et vous ?

— Sergent Vincent D'Agosta, de la police municipale de Southampton, en mission de coordination avec le FBI. Nous...

— *Basta.*

L'homme fit un nouveau pas en avant et prit le porte-badge des mains de Pendergast.

— C'est vous qui nous avez signalé ce meurtre ?

— Oui.

— Que faites-vous ici ?

— Nous enquêtons actuellement sur une série de meurtres commis aux États-Unis. Des meurtres auxquels était mêlé cet homme, précisa-t-il en montrant la pièce voisine d'un signe de tête.

— En rapport avec la Mafia ?

— Non.

L'homme ne chercha pas à cacher son soulagement.

— Connaissez-vous l'identité du mort ?

— Il s'agit de Locke Bullard.

Tout en rendant son badge à Pendergast, l'homme désigna leurs tenues :

— Ce sont les nouveaux uniformes du FBI ?

— Il s'agit d'une histoire compliquée, *colonnello*.

— Comment êtes-vous venus ici ?

— Si ce n'est déjà fait, vous trouverez notre voiture dans un champ d'oliviers de l'autre côté de la route. Il s'agit d'une Fiat Stilo noire. Je suis tout disposé à vous faire parvenir un rapport écrit afin d'établir qui nous sommes et pourquoi nous nous trouvons ici. La Questura est déjà en possession de certains de ces éléments.

— Non merci, je me passe volontiers des rapports écrits. Nous n'aurons qu'à parler de tout ça le moment venu, devant un espresso, comme des gens civilisés.

L'homme se plaça de côté, échappant à la lumière qui les aveuglait et D'Agosta put enfin voir son visage : il avait des pommettes proéminentes, un menton à fossette, des cheveux grisonnants coiffés en arrière et des yeux enfoncés auxquels rien n'échappait. Il devait avoir la soixantaine et se déplaçait avec une raideur toute militaire.

— Je suis le Colonnello Orazio Esposito. Pardonnez-moi de ne pas m'être présenté plus tôt, précisa-t-il en leur serrant la main. Qui est votre contact à la Questura ?

— Le Commissario Simoncini.

— Très bien. Et comment expliquez-vous ce... ce *casino* ? demanda-t-il en désignant le *salone*.

— Il s'agit du troisième meurtre de ce genre. Les deux précédents ont été commis à New York.

Un sourire cynique s'afficha sur le visage d'Esposito.

— Je suis certain que vous avez beaucoup de choses à me raconter, inspecteur Pendergast. Je connais un gentil petit *caffé* dans le quartier de Borgo Ognissanti à Florence, juste à côté de l'église et tout près de nos locaux. Je vous propose de nous y retrouver ce matin à 8 heures. Rien d'officiel, bien sûr.

— Avec grand plaisir.

— Maintenant, il me semble préférable que vous vous en alliez. J'oublierai de dire dans mon rapport que je vous ai trouvés ici. Vous comprenez, ajouta-t-il avec un grand sourire, de quoi on aurait l'air si les gens apprenaient qu'on a été averti de ce meurtre par le FBI ?

Sans attendre, il tourna les talons après leur avoir à nouveau serré la main. En passant devant l'autel, il se signa si vite que D'Agosta se demanda s'il n'avait pas rêvé.

60

D'Agosta avait vu pas mal de commissariats au cours de sa carrière, mais la caserne des *carabinieri* à Florence remportait la palme. Il ne s'agissait pas d'une caserne à proprement parler, mais d'un vieil édifice de style Renaissance planté au bout d'une rue étroite. Le bâtiment jouxtait la célèbre église Ognissanti dont la façade, noircie par les ans, était parsemée de petits pics métalliques destinés à éloigner les pigeons.

Même dans la lumière chaude de cette mi-octobre, la ville conservait quelque chose d'austère avec ses ruelles tarabiscotées plongées dans la pénombre et ses façades sévères. Les rues sentaient le gasoil et les trottoirs minuscules débordaient de touristes en short, un bob sur la tête et le sac au dos, des bouteilles d'eau à la ceinture comme s'ils partaient en expédition dans le Sahara.

Ils avaient retrouvé le *colonnello* à l'heure dite dans son petit café et Pendergast s'était empressé de le mettre au courant de leur enquête, non sans omettre certains détails importants. Le policier les avait invités à le suivre au commissariat et ils avançaient à présent en fille indienne, à contre-courant d'un groupe de touristes japonais.

Le *colonnello* tourna sous la voûte surmontée d'un drapeau italien qui débouchait sur la cour de la caserne. C'était le premier drapeau que voyait D'Agosta depuis son arrivée. La cour avait dû être élégante, mais elle abritait désormais un nombre impressionnant de véhicules de police, rangés avec une précision telle qu'il devait être impossible d'en déplacer un sans bouger tous les autres. Par les fenêtres ouvertes s'échappait un brouhaha de voix, de sonneries de téléphone et de portes claquées, amplifié par les pavés.

Ils empruntèrent une longue galerie flanquée de chapiteaux de pierre et ornée de fresques à moitié effacées, contournèrent une statue délabrée et s'engagèrent à la suite de leur hôte dans un escalier de pierre monumental conduisant à une salle dans laquelle s'imbriquaient des dizaines de petits bureaux.

— Cette *caserna* a été aménagée dans l'ancien couvent de l'église Ognissanti, leur expliqua Esposito. Vous avez ici le pool des secrétaires, et vous apercevez là-bas les bureaux des officiers dans les anciennes cellules des moines.

Une nouvelle galerie voûtée les attendait à l'autre extrémité de la salle.

— Et voici le réfectoire des moines, qui possède une très belle fresque de Ghirlandaio que personne ne voit jamais.

— Vraiment ?

— Vous savez, en Italie, on se débrouille comme on peut.

Ils prirent un autre escalier, franchirent ce qui avait dû être autrefois une porte dérobée, empruntèrent un escalier en colimaçon, traversèrent plusieurs bureaux sentant l'humidité et se retrouvèrent face à une petite porte anonyme à la peinture défraîchie qu'Esposito déverrouilla avec un large sourire.

Il leur fit signe d'entrer et D'Agosta découvrit une pièce lumineuse, éclairée par de larges baies vitrées en arrondi dominant l'Arno et toute la partie méridionale de la ville. La vue était spectaculaire et il s'approcha des fenêtres.

De ce perchoir, Florence ressemblait davantage à l'idée qu'il s'en était faite, avec ses dômes et ses campaniles, ses toits de tuiles, ses jardins et ses places dans l'écrin des collines vertes surmontées de palais entourant la ville. Il reconnut le Ponte Vecchio et le palais Pitti, les jardins Boboli, le dôme de San Ferdiano in Castello et, au-delà, la colline de Bellosguardo. Subjugué, il contempla longuement le paysage avant de se retourner.

La pièce, entièrement paysagée, contenait plusieurs rangées de vieux bureaux d'acajou. Le sol en mosaïque de marbres de différentes couleurs avait été poli par les siècles, et sur les murs étaient accrochés d'immenses portraits de chevaliers en armure. La plupart des fonctionnaires en costume installés derrière leurs bureaux les observaient avec curiosité, sans doute du fait des circonstances étranges du meurtre auquel ils étaient mêlés.

— Bienvenue au Nucleo Investigativo, l'unité d'élite des *carabinieri* dont j'ai la charge. Nous nous occupons des crimes et délits les plus importants.

Esposito s'arrêta et regarda D'Agosta en coin.

— Dites-moi, sergent D'Agosta, c'est la première fois que vous venez en Italie ?

— Oui.

— Quelle est votre impression ?

— C'est-à-dire... c'est assez différent de ce à quoi je m'attendais.

Il crut voir une lueur amusée passer dans le regard du *colonnello*. Celui-ci lui montra le paysage d'un geste ample.

— C'est pas beau, ça ?

— D'ici, oui.

— Les Florentins vivent dans le passé, soupira-t-il. Ils sont persuadés d'avoir donné naissance à ce qu'il y a de plus beau au monde, la peinture, la science, la musique, la littérature, et ça leur suffit. Pourquoi se fatiguer ? Ils dorment sur leurs lauriers depuis quatre cents ans. Dans mon pays natal, il y a un proverbe qui dit : *Nun cagnà á via vecchia p'a nova, ca saie chello che lasse, nun saie chello ca trouve.*

— Rien ne sert de vivre dans le passé. On sait ce qu'on a perdu, mais on ne sait jamais ce qu'on a gagné, traduisit D'Agosta.

Esposito le regarda avec des yeux ronds. Puis il afficha un grand sourire.

— Votre famille est originaire de Naples ?

D'Agosta acquiesça.

— C'est extraordinaire. Vous voulez dire que vous parlez le napolitain ?

— J'ai toujours cru que je parlais italien.

Esposito éclata de rire.

— Ce n'est pas la première fois qu'on me raconte ça. Vous avez bien de la chance, sergent, de parler une langue aussi belle qu'on n'apprend malheureusement plus à l'école. N'importe qui peut parler italien, alors que seuls les hommes, les vrais, connaissent le *napolitano*. Moi aussi je suis de Naples. Impossible d'y travailler, bien sûr, mais quel paradis !

— *Si suonne Napele viato a tte*, cita D'Agosta.

Esposito allait de surprise en surprise.

— « Béni soit celui qui rêve de Naples. » Un beau proverbe, que je ne connaissais pas.

— Quand j'étais gamin, ma grand-mère me disait ça tous les soirs en venant m'embrasser dans mon lit.

— Vous avez déjà rêvé de Naples ?

— J'ai parfois rêvé d'une ville imaginaire que je croyais être Naples, mais je n'y suis jamais allé.

— Alors n'y allez pas et contentez-vous d'en rêver. La réalité déçoit toujours. Et maintenant, conclut-il en se tournant vers Pendergast, les affaires sont les affaires, comme disent les Américains.

Les conduisant jusqu'à un canapé et quelques fauteuils installés autour d'une vieille table de pierre, il les invita à s'asseoir.

— *Caffé per noi, per favore.*

Quelques minutes plus tard, une femme leur apportait de minuscules tasses d'espresso sur un plateau. Esposito en vida une d'un trait avant d'en boire une seconde presque aussi rapidement, puis il sortit de sa poche un paquet de cigarettes qu'il tendit à ses visiteurs.

— Ah, c'est vrai que vous autres Américains ne fumez pas.

Il prit une cigarette et l'alluma.

— Ce matin entre 7 et 8 heures, commença-t-il en recrachant un nuage de fumée, j'ai reçu seize coups de téléphone. Un de l'ambassade américaine à Rome, cinq du consulat américain qui se trouve sur le Lungarno, un du Département d'État américain, deux du *New York Times*, un du *Washington Post*, un de l'ambassade de Chine à Rome, et cinq autres provenant de collaborateurs de M. Bullard dont je dois dire qu'ils se sont montrés très désagréables.

Il s'arrêta afin d'observer ses interlocuteurs de ses yeux pétillants.

— Tous ces coups de téléphone et ce que vous m'avez raconté au café confirment l'importance de ce Bullard.

— Vous ne le connaissiez pas ? s'enquit Pendergast.

— De réputation seulement, répondit Esposito entre deux bouffées de cigarette. Mes collègues de la *polizia* ont un dossier sur lui, mais ils refusent bien évidemment de me le communiquer.

— Je pourrais vous en dire davantage sur Bullard, mais cela ne servirait qu'à vous lancer sur de fausses pistes.

Esposito se retourna vers deux *carabinieri* qui discutaient à voix basse derrière lui.

— *Basta'cù sti fessarie ! Mettiteve à faticà ! Marònna meja, chist'so propi'sciem !*

D'Agosta se retint de rire.

— Ça, j'ai compris.

— Moi pas, avoua Pendergast.

— Il vient de dire à ses hommes en... euh, en napolitain : « Arrêtez de dire des conneries et remettez-vous au travail. »

— Mes hommes sont aussi stupides que superstitieux. La moitié d'entre eux sont convaincus que Bullard a été victime du diable en personne. Quant aux autres, ils voient là l'œuvre de l'une des nombreuses sociétés secrètes de la noblesse florentine.

Nouvelle bouffée de cigarette.

— Si je comprends bien, monsieur Pendergast, nous avons affaire à un petit plaisantin.

— Bien au contraire, je suis persuadé que notre meurtrier est extrêmement sérieux.

— Dans ce cas, à quoi rime tout ce cinéma... *chest è ñà scena rò diavulo* ? Allons, inspecteur. Je veux bien que mes hommes aient peur du diable, mais pas vous.

— Je puis cependant vous assurer que le meurtrier n'agit pas à la légère.

— Je vois que vous avez déjà votre petite idée sur cette affaire. Je serais curieux d'en savoir plus.

Le *colonnello* se pencha en avant et planta les coudes sur ses genoux en ajoutant sur le ton de la confidence :

— Après tout, je vous ai déjà rendu un fier service en ne signalant pas votre présence sur le lieu du crime. Sans moi, vous rempliriez des papiers jusqu'à Noël.

— Je vous en suis très reconnaissant, répliqua Pendergast, mais je suis malheureusement dans l'impossibilité de vous en dire davantage. Locke Bullard était l'un de nos suspects, mais sa disparition dans des circonstances identiques à celles des deux précédentes victimes bouleverse la donne.

— Des hypothèses ?

— Il est encore trop tôt pour répondre à votre question. D'ailleurs, vous ne me croiriez pas.

— *Va be'*. Que comptez-vous faire à présent ?

Il se cala dans son fauteuil, prit une tasse d'espresso qu'il vida d'un trait, à la manière d'un buveur de vodka.

— Je souhaiterais concentrer mes recherches sur les morts dont on a retrouvé les corps calcinés au cours des mois passés.

Esposito sourit.

— Un *autre* petit service... commenta-t-il dans un nuage de cigarette. Dans ce pays, nous croyons à la réciprocité. Que comptez-vous me donner en échange, monsieur Pendergast ?

Pendergast se pencha en avant.

— Tout ce que je puis vous promettre, *colonnello*, c'est de vous renvoyer l'ascenseur dès que je le pourrai.

Esposito le regarda longuement, puis il écrasa sa cigarette.

— Très bien. Vous cherchez les gens dont on a retrouvé le corps calciné ? sourit-il. C'est le cas de la moitié des meurtres dans le Sud. La Mafia, la Camorra, Cosa Nostra et les Sardes ont tous l'habitude de brûler leurs victimes après les avoir tuées. C'est une tradition ancestrale.

— On peut éliminer d'office les meurtres liés au crime organisé, les vendettas, ainsi que les affaires déjà élucidées. Je recherche des cas isolés, et plus particulièrement des personnes âgées en milieu rural.

D'Agosta ouvrit des yeux ronds. Pendergast avait une idée derrière la tête, mais il avait oublié de partager ses intuitions avec lui, comme à son habitude.

— Voilà qui limite grandement le champ de mes investigations, dit Esposito. Je mets immédiatement quelqu'un sur le coup, mais ça risque de prendre un jour ou deux. Nous ne sommes malheureusement pas aussi bien équipés en informatique que votre FBI.

— Je vous en suis très reconnaissant, répondit Pendergast en se levant.

— *Quann' diavulo t'accarezza, vo'll'ànema*, répliqua Esposito.

Pendergast attendit d'avoir quitté la caserne avant de demander à son compagnon :

— Je crains d'avoir à nouveau besoin de vos lumières afin de me traduire les propos de notre hôte.

D'Agosta sourit.

— C'est un vieux proverbe napolitain qui dit : « Il faut du courage pour résister aux caresses du diable. »

— Fort bien trouvé, répliqua Pendergast en respirant l'air ensoleillé. Une journée idéale pour faire du tourisme.

— Où comptez-vous aller ?

— J'ai entendu dire que la ville de Crémone était particulièrement attrayante en cette saison.

61

Un chaud soleil d'automne accueillit les deux hommes à leur sortie de la gare de Crémone. Le vent s'était levé, qui agitait les feuilles des platanes de la grande place. La vieille ville s'étalait sous leurs yeux, la masse de ses maisons médiévales dominant un labyrinthe de venelles et de petites rues. Pendergast se dirigea d'un pas décidé vers le Corso Garibaldi, les pans de son manteau noir battant comme des ailes dans son sillage.

D'Agosta lui emboîta le pas en poussant un soupir de résignation. Pendergast lui avait fait un cours sur le marbre de Carrare tout au long du voyage, insistant sur la coïncidence qui voulait que le marbre le plus blanc au monde ait surgi à quelques dizaines de kilomètres de la capitale de la Renaissance. À l'entendre, seul un tel miracle avait permis aux sculpteurs florentins d'échapper aux marbres verts et noirs traditionnels.

En revanche, il s'était bien gardé de répondre à D'Agosta lorsque celui-ci lui avait demandé la raison de ce périple à Crémone.

— Et maintenant, que fait-on ? bougonna D'Agosta.

— Nous prenons un café, répondit Pendergast en pénétrant dans un petit bar et en s'accoudant au comptoir, au grand énervement du sergent. *Due caffé, per favore*, commanda Pendergast.

— Depuis quand buvez-vous du café ? Je vous croyais abonné au thé vert.

— Que voulez-vous, à la guerre comme... ou plutôt, à Crémone comme à Crémone.

On leur servait déjà leurs cafés dans de minuscules tasses à espresso. Pendergast remua le sien et le but d'un seul trait à la manière italienne, tandis que D'Agosta prenait le temps de savourer le contenu de sa tasse tout en observant son compagnon en coin.

— Mon cher Vincent, n'allez pas croire que je vous fais des cachotteries par plaisir. Certaines enquêtes supportent mal les hypothèses prématurées. À la manière de lunettes de soleil, elles ont tendance à nous faire croire que ce que nous voyons est la réalité. Faute de preuve, j'hésite donc à avancer la moindre théorie, surtout en présence de quelqu'un tel que vous dont je respecte le jugement. C'est pour la même raison que je ne vous demande pas de m'exposer votre propre théorie.

— Je n'en ai aucune.

— Vous en aurez une avant ce soir, répliqua-t-il en posant une pièce de deux euros sur le zinc avant de sortir. Nous nous arrêterons dans un premier temps au Palazzo Comunale, un fort bel exemple d'architecture médiévale qui recèle en ses murs une remarquable cheminée de marbre attribuée à Pedoni.

— Ça tombe bien, je rêvais de la voir depuis toujours.

Pendergast lui répondit par un sourire.

Moins de dix minutes plus tard, ils arrivaient en vue d'une piazza biscornue sur laquelle s'ouvrait le parvis d'une cathédrale flanquée d'une immense tour.

— Il s'agit de la tour médiévale la plus élevée d'Italie. Érigée au XIIIe siècle, elle est aussi haute qu'un gratte-ciel de trente-trois étages.

— Incroyable.

— Et voici le Palazzo Comunale, fit Pendergast en entraînant son compagnon à l'intérieur d'un palais médiéval de brique.

Les deux hommes montèrent à l'étage et traversèrent une suite de couloirs en pierre jusqu'à une petite pièce au centre de laquelle se dressait une vitrine éclairée par un énorme lustre vénitien. Un fonctionnaire armé montait la garde à côté de la vitrine dans laquelle étaient exposés six violons.

— Ah ! s'écria Pendergast. Nous voici dans la *Saletta dei Violini*.

— Des violons ?

— Pas n'importe quels violons, Vincent. C'est toute l'histoire du violon qui se trouve résumée ici, rien de moins.

— Je vois, approuva D'Agosta sur un ton sarcastique.

Sans se soucier de la mauvaise humeur de son compagnon, Pendergast poursuivit :

— Celui-ci a été fabriqué par Andrea Amati en 1566. Vous vous souviendrez peut-être que le violon de Constance est également un Amati, mais de qualité nettement inférieure à ceux-ci. Ces deux-là sont l'œuvre des fils d'Amati, et ce troisième est de son petit-fils. Quant à celui-ci, il a été fabriqué en 1689 par Giuseppe Guarneri. Enfin, reprit Pendergast après un court silence, le dernier date de 1715, et il est signé Antonio Stradivari.

— Comme dans Stradivarius ?

— Le plus célèbre luthier au monde, l'inventeur du violon moderne. En tout, il a fabriqué onze cents instruments dont à peu près six cents ont survécu. Si tous ses violons sont des chefs-d'œuvre, une vingtaine ou une trentaine d'entre eux seulement, réalisés au cours d'une période bien précise de sa vie, possèdent un son d'une richesse inégalée. C'est ce que l'on appelle sa période d'or.

— Qu'ont-ils de si particulier ?

— Stradivari travaillait dans le plus grand secret. À ce jour, personne n'a jamais réussi à percer le mystère de ses violons. Il conservait ses procédés de fabrication dans sa tête, refusant de les consigner par écrit. Il les a néanmoins transmis à ses deux fils avant sa mort, mais les secrets de Stradivari se sont éteints avec eux lorsqu'ils ont disparu à leur tour. Depuis, on n'a eu de cesse de copier ses instruments. Certains scientifiques ont bien tenté de recréer les formules de ce luthier de génie, mais en pure perte, de sorte que ses précieux secrets de fabrication n'ont jamais pu être reproduits.

— J'imagine que ses violons valent beaucoup de fric.

— Il n'y a pas si longtemps, il était encore possible de se procurer un bon Strad pour cinquante ou cent mille dollars, mais les collectionneurs les plus fortunés sont venus bouleverser la donne. Aujourd'hui, un Strad de très haute qualité va chercher dans les dix millions de dollars, au minimum.

— Tant que ça !

— Les meilleurs instruments, notamment ceux fabriqués au cours de sa période d'or, n'ont pas de prix. Personne ne peut dire pourquoi ces violons sont supérieurs aux autres, sinon que Stradivari était à l'apogée de son art. Je ne sais pas ce que vous en pensez, Vincent, mais quelle formidable leçon d'humilité pour l'humanité de se dire que nous sommes capables d'envoyer un engin spatial sur Mars, de fissionner un noyau d'atome ou de fabriquer des appareils effectuant des milliards de calculs à la seconde, alors que nous sommes dans l'incapacité de reproduire les violons imaginés il y a trois siècles par un simple artisan dans le modeste décor de son atelier.

— Normal, il était italien.

Pendergast laissa échapper un petit rire silencieux.

— L'une des particularités du Strad est qu'il faut en jouer si l'on entend lui conserver sa sonorité. Le Strad est un être vivant et, si vous l'abandonnez dans sa boîte, il perd son âme et se meurt.

— C'est également le cas de ceux-ci ?

— Oui, on les sort au moins une fois par semaine afin d'en jouer. Crémone reste la capitale de la lutherie et les candidats à un tel privilège ne manquent pas.

Les mains derrière le dos, il se tourna soudainement vers D'Agosta.

— Il est temps de passer à la *véritable* raison de ce périple à Crémone. Je vous demanderai de marcher dans mes pas afin de ne pas vous perdre.

Sur cette recommandation, Pendergast entraîna son compagnon dans un dédale de passages dérobés et d'escaliers étroits jusqu'à une ruelle située sur l'arrière du palazzo. Une fois dehors, il scruta longuement la ruelle et les maisons environnantes et se lança dans un labyrinthe de petites rues tortueuses. La plupart d'entre elles étaient si étroites que le soleil de midi perçait rarement entre les hautes façades de brique et de pierre. De temps en temps, Pendergast se jetait dans une encoignure de porte ou dans une ruelle transversale afin de s'assurer qu'ils n'étaient pas suivis.

— Qu'est-ce que vous faites ? s'étonna D'Agosta.

— La prudence, Vincent, toujours la prudence.

Ils rejoignirent enfin une venelle si étroite qu'un cycliste aurait eu du mal à y circuler. Après un coude, elle se terminait en cul-de-sac face à ce qui ressemblait à une échoppe abandonnée dont la vitrine, noire de saleté et grossièrement réparée à l'aide de gros scotch, s'ouvrait dans l'arrondi d'une arche de pierre. Un rideau de fer maintenu par un cadenas rouillé protégeait l'ensemble.

Pendergast glissa la main derrière le rideau de fer et tira un cordon, faisant tinter une cloche au fond de l'étrange magasin.

— Ça compromettrait grandement votre enquête de me dire ce que nous faisons ici ?

— Ceci est le laboratoire et l'atelier du *dottor* Luigi Spezi, l'un des plus grands spécialistes au monde de Stradivarius. Un personnage tout droit sorti de la Renaissance, à la fois scientifique, inventeur et musicien. Ses recréations de Stradivarius sont exceptionnelles, mais autant vous avertir, le *dottor* Spezi est connu pour son caractère difficile.

Pendergast tira à nouveau sur le cordon et une voix tonna aussitôt :

— *Non lo voglio. Va'via !*

Comme Pendergast insistait, une silhouette grise apparut de l'autre côté de la vitre et D'Agosta découvrit un énorme personnage voûté avec une moustache poivre et sel et de longs cheveux gris, vêtu d'un tablier de cuir crasseux. L'homme agita les deux mains, faisant signe à Pendergast de s'en aller.

— *Che cazz' ! Via, ho detto !*

Pendergast sortit une carte au dos de laquelle il griffonna un seul mot, puis il la glissa dans l'ouverture de la boîte aux lettres qui barrait la porte. La carte tomba par terre, l'homme la ramassa et la lut. Il leva les yeux sur son visiteur, regarda à nouveau la carte, et déverrouilla la porte avant de relever le rideau de fer. Quelques instants plus tard, Pendergast et D'Agosta pénétraient dans l'échoppe.

Le sergent posa autour de lui un regard intrigué. Les murs de l'atelier étaient entièrement recouverts de tables de résonance, de dos et d'éclisses de violons plus ou moins terminés. Une bonne odeur de bois, de sciure, de vernis, d'huile et de colle envahissait la pièce.

L'homme regardait fixement Pendergast comme s'il avait affaire à un revenant. Il finit par retirer ses lunettes recouvertes d'une fine pellicule de sciure de bois.

— Eh bien, Aloysius Pendergast, docteur ès lettres, prononça-t-il dans un anglais presque parfait. Que voulez-vous ?

— Disposeriez-vous d'un endroit où nous pourrions converser tranquillement ?

Spezi les conduisit jusqu'à une pièce nettement plus spacieuse et leur fit signe de s'asseoir sur un banc. Lui-même se percha sur un coin d'établi, croisa les mains et attendit.

Une porte blindée dotée d'une petite ouverture s'ouvrait sur le mur du fond. De l'autre côté de la vitre, un laboratoire immaculé équipé de rangées entières d'appareils informatiques et d'écrans à tube cathodique baignait dans une lumière aveuglante.

— Merci d'avoir accepté de nous recevoir, *dottore* Spezi, commença Pendergast. Je vous sais très occupé et je n'ai pas l'intention de vous importuner longtemps.

Leur hôte hocha la tête d'un air légèrement plus aimable.

— Je vous présente mon collègue, le sergent Vincent D'Agosta de la police de Southampton, près de New York.

— Enchanté, fit Spezi en serrant la main de D'Agosta d'une poigne étonnamment ferme.

— Je vous propose un petit échange d'informations, reprit Pendergast.

— Je vous écoute.

— Dites-moi ce que vous savez des formules secrètes de Stradivari et je vous dirai ce que je sais du violon dont j'ai inscrit le nom sur ma carte. Je m'engage bien évidemment à ne jamais divulguer à quiconque ce que vous me direz. Quant à mon collègue, vous pouvez compter sur sa discrétion.

Tout en les fixant de ses yeux clairs, l'homme pesait le pour et le contre. Au bout d'un long moment, il hocha la tête.

— Fort bien, déclara Pendergast. Je vais commencer par vous poser quelques questions relatives à votre métier.

— Oui, mais parlez-moi d'abord du violon. Comment diable...

— Procédons par ordre. Expliquez-moi tout d'abord, *dottore*, ce qui fait la perfection du son d'un Stradivarius. J'avoue mon inculture en matière de lutherie.

Spezi parut soulagé d'apprendre qu'il n'avait pas affaire à un concurrent.

— Il n'y a là rien de secret. Je dirais que le son du Stradivarius est à la fois vif et original. Un surprenant mélange de brillance et de rondeur, un équilibre parfait entre hautes et basses fréquences. Une sonorité riche, aussi douce et pure que du miel. Chaque Strad possède sa propre sonorité : certains sont ronds, d'autres plus agressifs, d'autres encore émettent un son fluet assez décevant. Certains ont été si souvent réparés et refaits qu'ils n'ont plus rien d'original, ou presque. Il faut savoir, par exemple, que seuls six Stradivarius au monde possèdent encore leur manche d'origine. Il s'agit de la partie la plus fragile, celle qui se brise le plus fréquemment lorsque l'on fait tomber l'instrument. En résumé, je dirais qu'entre dix et vingt violons ont conservé une sonorité parfaite.

— Pour quelle raison ?

Spezi sourit.

— C'est toute la question.

Il se leva et se dirigea vers la porte blindée qu'il ouvrit après l'avoir déverrouillée, découvrant deux postes de travail informatiques et toute une série d'échantillonneurs numériques, de compresseurs et de limiteurs. Les murs et le plafond de ce laboratoire secret étaient recouverts de panneaux acoustiques.

Pendergast et D'Agosta pénétrèrent à leur tour dans la pièce. Leur hôte referma la porte derrière eux, puis il mit en marche un amplificateur et une console de mixage. Un bourdonnement grave sortit des deux haut-parleurs fixés en hauteur.

— On a procédé pour la première fois à un test scientifique sur un Stradivarius il y a une cinquantaine d'années en branchant un générateur de son sur le chevalet du violon afin de faire vibrer l'instrument. On a ainsi pu mesurer les vibrations du violon. Une expérience assez ridicule, en fait, car elle ne reproduit en rien la manière dont l'instrument se comporte lorsqu'on en joue, mais ce test a permis de constater que le Strad se comportait de façon tout à fait étonnante dans un registre limité, entre deux mille à quatre mille hertz. Ce qui, soit dit en passant, est le registre auquel l'oreille humaine se montre la plus sensible. Par la suite, le développement de l'informatique a permis d'analyser le comportement du Strad en situation réelle. Je vais vous montrer.

À l'aide du clavier de son ordinateur, il sélectionna un fichier son qu'il programma sur sa console et le son éthéré d'un violon emplit la pièce.

— Il s'agit de Jascha Heifetz interprétant le *Concerto pour violon* de Beethoven sur un Stradivarius célèbre, le Messiah.

Spezi leur désigna une série de courbes dansantes sur un écran voisin de la console.

— On voit ici le dessin des fréquences situées entre trente et trente mille hertz. Regardez l'incroyable richesse des fréquences basses ! C'est ce qui donne au violon toute sa rondeur. Vous constaterez que les fréquences situées entre deux mille et quatre mille hertz sont extrêmement riches, d'où la capacité du violon de se faire entendre dans les salles de concert.

D'Agosta avait du mal à comprendre en quoi cette leçon de lutherie pouvait concerner leur enquête. Il se demandait surtout quel étrange sésame avait permis à Pendergast de se concilier les faveurs du vieil homme.

— Observez à présent les fréquences élevées. On les voit danser comme la flamme d'une bougie. Ce sont ces fréquences intermittentes qui donnent au Strad un vibrato d'une telle délicatesse.

Pendergast inclina la tête.

— Mais alors, *dottore*, quel était le secret de Stradivari ?

Spezi appuya sur un bouton et la musique s'arrêta.

— Il n'y a pas de secret unique, mais un long cortège de secrets dont certains ont pu être décodés tandis que d'autres conservent tout leur mystère. Par exemple, nous savons très précisément comment Stradivari construisait ses instruments. Les ordinateurs nous ont permis de reconstituer un Strad en trois dimensions, et nous savons tout ce qu'il faut savoir sur le dessin de la table, du fond, des éclisses, des ouïes, etc. Nous connaissons également la nature exacte du bois qu'il utilisait, ce qui nous autorise à faire des copies exactes de Strad.

Pianotant sur son clavier, il fit apparaître sur l'écran l'image d'un superbe violon.

— Voici une copie parfaite du Strad Harrison, jusqu'à ses moindres défauts. Il m'a fallu près de six mois pour le réaliser au début des années quatre-vingt. Le seul problème, ajouta-t-il avec un sourire amusé, c'est qu'il sonne comme une casserole. Ce qui prouve bien que le secret de Stradivari est avant tout un secret chimique. Plus particulièrement celui de la solution dont il imprégnait le bois, tout comme celui de son vernis. C'est à cela que je consacre toutes mes recherches depuis cette première expérience ratée.

— Avec quels résultats ?

Le vieil homme hésita.

— Je ne sais pas vraiment ce qui me pousse à vous faire confiance. Quoi qu'il en soit, le bois dont se servait Stradivari provenait des collines des Apennins. Une fois coupés, on jetait les troncs encore verts dans les eaux du Pô ou de l'Adige qui se chargeaient de les convoyer jusqu'aux lagons d'eau croupissante riverains de Venise où ils étaient ensuite entreposés. Il s'agissait du mode de transport le plus commode, mais cela agissait sur le bois dont il ouvrait les pores. Stradivari achetait du bois encore humide et, au lieu de le sécher, il le faisait tremper dans un bain de sa composition dont j'ai pu établir qu'il contenait du borax, du sel de mer, des boules de gomme, du quartz et d'autres minéraux, ainsi que du verre vénitien sous forme de poudres de couleur. Le bois trempait pendant des mois, voire des années, et s'imbibait de tous ces éléments. Comment agissaient-ils sur le bois ? Un processus complexe, tenant du miracle, qui contribuait à la préservation du bois. Le borax le rendait plus dur, le quartz et le verre pilé empêchaient la prolifération des vers tout en contribuant à la brillance de l'instrument en remplissant les poches d'air du bois. Quant aux boules de gomme, elles avaient une action fongicide. Le secret du tout reposait évidemment sur les proportions de chacun de ces éléments, mais je ne vous en dévoilerai pas davantage.

Pendergast hocha la tête.

— Avec le temps, j'ai fabriqué plusieurs centaines de violons à l'aide de bois traité de cette façon, en variant les dosages et la durée de trempage. J'ai ainsi pu obtenir des instruments dotés d'un son ample et brillant, mais trop dur. Il me fallait donc découvrir le moyen d'atténuer ce phénomène.

Il marqua un léger temps d'arrêt.

— Et voici où intervient le génie de Stradivari, qui a résolu le problème grâce à un vernis de sa composition.

Saisissant la souris de son ordinateur, il cliqua sur différents menus et une image en noir et blanc apparut à l'écran. D'Agosta crut reconnaître un paysage de montagne particulièrement tourmenté.

— Ce que vous voyez ici est le vernis d'un Stradivarius grossi trente mille fois à l'aide d'un microscope électronique. On s'aperçoit que le vernis est loin d'être aussi lisse qu'on pourrait l'imaginer à l'œil nu. Vous remarquerez ces milliards de fissures microscopiques. Lorsque l'on joue de l'instrument, ces fissures absorbent et réduisent les vibrations les plus violentes, ne laissant passer que les sonorités les plus pures. Vous tenez là le véritable secret des violons de Stradivari. Le problème, c'est que la formule de son vernis était incroyablement complexe. On y trouvait notamment des insectes bouillis, ainsi que de nombreux autres éléments organiques et minéraux qu'il a été impossible d'analyser jusqu'à présent. Il faut reconnaître que nous disposons de fort peu d'échantillons. Il est inimaginable de dévernir un Strad. En retirer la plus petite parcelle suffirait à altérer sa sonorité, alors que l'on aurait besoin de l'ensemble du vernis d'un instrument pour l'analyser. Quant à ses violons de moins bonne qualité, cela ne servirait à rien dans la mesure où il s'agit d'instruments expérimentaux lui ayant permis de tester sa fameuse formule. La seule solution serait de se servir d'un violon de l'âge d'or, et cela ne suffirait même pas. Pour bien faire, il faudrait prélever un morceau de bois afin d'analyser la composition précise de la solution dans laquelle il le trempait, ainsi que la réaction entre le bois et le vernis. Pour cette raison, personne n'a jamais pu percer son secret.

Il reprit son souffle.

— Ce n'est pas tout. Même avec sa recette exacte, rien ne dit que cela fonctionnerait. En dépit de toute sa science, Stradivari n'a pas fabriqué que de bons instruments. Tellement d'éléments entrent en ligne de compte dans la fabrication d'un violon que lui-même ne maîtrisait pas tout.

Pendergast acquiesça.

— Voilà ce que je puis vous dire, monsieur Pendergast. Maintenant, ajouta-t-il, le regard brillant, à votre tour de me parler de *ceci*.

Il ouvrit la main dans laquelle il l'avait conservée tout au long de leur conversation et dévoila la carte de son visiteur sur laquelle D'Agosta put lire le mot *Stormcloud*.

62

Le vieil homme tenait la carte d'une main tremblante.

— Le mieux serait peut-être que vous commenciez
par raconter au sergent D'Agosta l'histoire de cet instrument, suggéra Pendergast.

Spezi se tourna à regret vers D'Agosta.

— Le Stormcloud est le chef-d'œuvre de Stradivari. Il est passé entre les mains des plus grands virtuoses, et on le retrouve à tous les moments clés de
l'histoire de la musique : Franz Clement s'en est servi
lors de la création du *Concerto pour violon* de Beethoven, Brahms lui-même l'a utilisé le soir de la première de son *Deuxième concerto pour violon*, de
même que Paganini lors de la première représentation en Italie de ses *24 Caprices*. À la veille de
la Première Guerre mondiale, le Stormcloud a brusquement disparu à la mort de Luciano Toscanelli. Ce
dernier – que Dieu le maudisse à jamais – était
devenu fou à la fin de sa vie et l'on raconte qu'il aurait
détruit son violon. D'autres prétendent que le Stormcloud a disparu au cours de la Grande Guerre.

— Ce n'est pas le cas.

Spezi se redressa, comme piqué au vif.

— Vous voulez dire qu'il existe toujours ?

— Encore quelques questions, si vous le voulez
bien, *dottore*. Que savez-vous des propriétaires du
Stormcloud ?

— C'est en partie là que réside le mystère. Ce violon semble avoir toujours appartenu à la même famille, qui l'aurait acheté à Stradivari en personne. Par la suite, il aurait été légué de père en fils, en théorie uniquement car il était en réalité confié à la garde d'une longue lignée de virtuoses. Rien d'anormal à cela : aujourd'hui encore, les Strad qui ont survécu sont en général mis à la disposition des meilleurs instrumentistes par leurs riches propriétaires. Le Stormcloud n'a pas dérogé à la règle. Lorsqu'un virtuose mourait, ou bien s'il avait le malheur de donner un concert raté, la famille à laquelle il appartenait le confiait à un autre. Les plus grands violonistes se battaient pour se le voir confier, ce qui explique le désir de ses propriétaires de conserver l'anonymat afin de ne pas être constamment importunés par de jeunes prodiges. Ils avaient même fait du secret de leur identité la condition *sine qua non* du prêt de l'instrument.

— Aucun violoniste n'a jamais rompu ce pacte ?

— Pas à ma connaissance.

— Le dernier à en jouer aurait donc été Toscanelli.

— En effet. Le grand, le terrible Toscanelli. À sa mort en 1910, dans des circonstances qui n'ont jamais été éclaircies, ce n'était plus qu'une loque syphilitique. Le violon aurait dû reposer à ses côtés, mais on ne l'a jamais retrouvé.

— À qui le Stormcloud serait-il revenu après lui ?

— Bonne question. Peut-être au jeune comte Ravetsky, l'enfant prodige russe qui fut assassiné lors de la révolution d'octobre. Une immense perte pour la musique. Mais ne me faites pas languir davantage, monsieur Pendergast, je meurs de curiosité.

Pendergast glissa la main dans la poche de sa veste et sortit une enveloppe transparente qu'il mit à la lumière afin d'en révéler le contenu.

— Voici un fragment de crin de cheval appartenant à l'archet du Stormcloud.

Le vieil homme tendit une main tremblante.

— Vous permettez ?

— Je vous avais promis quelque chose en échange de vos lumières. Il est à vous.

Spezi ouvrit l'enveloppe dont il sortit délicatement le brin de crin à l'aide d'une pince à épiler avant de le déposer sur la platine d'un microscope. Quelques instants plus tard, il se matérialisait sur l'écran d'un ordinateur.

— Il s'agit effectivement du crin d'un archet. On aperçoit la résine ici et l'on distingue l'usure due au frottement contre les cordes de l'instrument.

Il se redressa avant de poursuivre.

— Bien sûr, le Stormcloud n'aurait certainement plus son archet d'origine. Et même si c'était le cas, le crin aurait été remplacé des centaines de fois. Ce fragment ne prouve rien.

— J'en suis parfaitement conscient. Il s'agit toutefois de l'indice à partir duquel j'ai pu arriver à la conclusion que le Stormcloud avait survécu. Je peux même vous dire que le violon se trouve en Italie, *dottore*.

— Dieu vous entende ! Où avez-vous trouvé ce morceau de crin ?

— En Toscane, sur le lieu d'un crime.

— Mais enfin, mon ami, entre quelles mains se trouve le Stormcloud ?

— Je n'en suis pas encore certain.

— Quand le saurez-vous ?

— Il me faudrait tout d'abord connaître le nom de ses propriétaires.

Spezi réfléchit un moment.

— Je vous conseillerais de sonder les héritiers de Toscanelli. On dit qu'il aurait eu une douzaine d'enfants de femmes différentes. Il se peut que l'un d'entre eux soit encore en vie. Il me semble même avoir entendu dire qu'il aurait une petite-fille quelque part en Italie. Toscanelli était un séducteur impénitent et un buveur d'absinthe invétéré, il a peut-être confié son secret à l'une de ses maîtresses qui l'aura ensuite divulgué à ses enfants.

— Excellente suggestion, approuva Pendergast en se levant. Je vous suis très reconnaissant de votre générosité, *dottore*. Dès que je saurai où se trouve le Stormcloud, vous en serez le premier averti. En attendant, laissez-moi vous remercier du temps que vous nous avez consacré.

Sur le chemin du retour, Pendergast fit preuve de la même vigilance qu'à l'aller, ne relâchant son attention qu'aux abords du petit café où ils s'étaient arrêtés quelques heures plus tôt.

Il suggéra d'y faire une nouvelle halte. Une fois au bar, il se tourna vers D'Agosta.

— Et maintenant, mon cher Vincent, auriez-vous une théorie ?

D'Agosta hocha la tête.

— Oui, je crois.

— Formidable ! Ne me dites rien. Je vous propose de poursuivre notre enquête en silence encore quelque temps, mais je ne doute pas que nous puissions bientôt partager nos conclusions respectives.

— Marché conclu, acquiesça D'Agosta en trempant les lèvres dans sa tasse.

Pendergast vida la sienne d'un trait et s'accouda au comptoir.

— Vincent, vous êtes-vous jamais demandé ce qu'aurait été la Renaissance si le David de Michel-Ange avait été sculpté dans du marbre vert ?

63

Mal assise sur une chaise de collectivité orange, un café à moitié froid devant elle, Laura Hayward détonnait au milieu de l'assemblée de cadres vieillissants, exclusivement masculins, réunis ce jour-là dans les locaux du NYPD. Un portrait de Rudolph Giuliani, accolé à une photo des tours jumelles au-dessus de la liste des agents morts le 11 septembre, était encadré sur l'un des murs brun clair de la pièce. Le maire actuel et le président n'avaient curieusement pas droit au même honneur, ce qui n'était pas pour déplaire à Hayward.

Le préfet de police Henry Rocker présidait la réunion, ses grosses mains serrées autour d'un mug de café noir, son regard éternellement fatigué rivé au centre de la table. Milton Grable, le capitaine du district dans lequel se trouvait le campement de tentes, était installé à sa droite.

Hayward regarda sa montre : 9 heures précises.

— Grable ? prononça Rocker en guise d'introduction.

Grable se racla la gorge en fouillant dans ses papiers.

— Comme vous le savez, monsieur le préfet, ce campement de tentes nous pose un gros problème. Un très gros problème.

Hayward crut voir les cernes de Rocker s'élargir.

— Plusieurs centaines d'intrus campent dans l'un des quartiers les plus chics du district dont j'ai la charge, et même de toute la ville. Ils laissent des détritus partout, pissent dans les fourrés, chient sur les pelouses...

Il s'arrêta brusquement en posant les yeux sur Hayward.

— Sauf votre respect, madame.

— Ne vous excusez pas, capitaine, riposta la jeune femme. J'ai déjà entendu ces termes-là quelque part, et je sais même à quelles fonctions vitales ils font référence.

— D'accord.

— Poursuivez, fit le préfet d'un ton sec, mais Hayward avait eu le temps de lire une expression amusée dans son regard.

— On en a ras le cul – nouveau coup d'œil en direction de Hayward – de recevoir des coups de téléphone de personnalités importantes. Vous savez de qui je veux parler, monsieur le préfet. Ils exigent qu'on fasse quelque chose, ce que je peux comprendre. Tous ces gens n'ont pas le droit de camper là.

Hayward s'agita sur sa chaise. Avec le meurtre de Cutforth sur les bras, les problèmes de son collègue ne l'intéressaient qu'à moitié.

— Ces gens n'ont aucune revendication politique, ils ne peuvent donc pas se retrancher derrière le principe de liberté d'expression, poursuivit Grable. Ce sont des cinglés fanatisés par ce soi-disant révérend Buck. Qui, soit dit en passant, a passé neuf ans à Joliet. Meurtre sans préméditation pour avoir tué un caissier de supérette.

— Vraiment ? s'étonna Rocker. Pourquoi la préméditation n'a-t-elle pas été retenue ?

— Son avocat a négocié avec le procureur. Là où je veux en venir, monsieur le préfet, c'est que nous n'avons pas affaire à un simple fanatique. Ce Buck est dangereux, et le *Post* fait monter la mayonnaise.

Hayward ne prêtait qu'une oreille distraite à l'exposé de Grable. Elle pensa à D'Agosta avec un petit pincement au cœur qu'elle refusait de s'expliquer, s'étonnant de ne pas avoir reçu de ses nouvelles. Si le monde tournait rond, c'est à un vrai flic de terrain comme D'Agosta qu'on aurait confié le boulot de ce gratte-papier de Grable.

— Ce problème n'est plus uniquement le mien, c'est celui de la ville tout entière, insistait Grable, les mains écartées. Je demande donc l'envoi d'un commando pour me virer ce type avant qu'on se retrouve avec une émeute sur les bras.

— C'est bien pour ça que nous sommes réunis aujourd'hui, capitaine, répondit Rocker d'une voix grave et calme. Nous ne souhaitons nullement nous retrouver avec une émeute sur les bras.

— Exactement, monsieur le préfet.

Rocker se tourna vers son voisin de gauche.

— Wentworth ?

Hayward n'avait jamais vu cet oiseau-là. À vrai dire, il n'avait même pas l'air d'un flic.

Le dénommé Wentworth, les yeux plissés et les mains réunies en chapeau chinois, prit longuement sa respiration avant de répondre.

À tous les coups, c'est le psychologue de service, se dit Hayward.

— S'agissant de ce... euh, ce *Buck*, répondit Wentworth sur un ton sentencieux, nous avons affaire à une personnalité d'un type relativement courant. Sans m'être entretenu avec l'intéressé, il m'est bien évidemment impossible d'avancer un diagnostic infaillible, mais il ressort de mes observations qu'il présente tous les symptômes d'une psychopathologie marquée. Il s'agit probablement d'un schizophrène de type paranoïaque, souffrant d'un complexe messianique doublé d'un complexe de persécution. Tout cela est compliqué par le fait que nous avons affaire à un individu violent. Pour cette raison, je *déconseillerais* l'envoi d'un commando.

Il marqua un long temps d'arrêt.

— Les autres ne sont que de simples disciples de ce Buck. Leur réaction, violente ou non, sera calquée sur celle de leur leader. Le problème ne peut être résolu qu'en se débarrassant de Buck, et je suis convaincu que le mouvement se dégonflera de lui-même une fois Buck éliminé.

— D'accord, le contra Grable, mais comment vous comptez l'éliminer sans commando ?

— Si Buck se sent menacé, il se déchaînera. La violence est le dernier recours de ce genre d'individu. Je suggère donc d'envoyer un ou deux officiers, de préférence désarmés et du sexe féminin, afin de l'appréhender. Une arrestation rapide, chirurgicale, sans provocation, et le campement disparaîtra dans les vingt-quatre heures. Ses disciples s'égailleront dans la nature à la recherche d'un autre gourou. Après mûre réflexion, tel est mon avis, ajouta-t-il avec une nouvelle inspiration interminable.

Hayward leva les yeux au ciel. Buck, schizophrène ? Ses discours, tels que les rapportait le *Post*, étaient trop bien construits pour ça.

— Hayward, votre avis ? l'interrogea Rocker en voyant son expression.

— Merci, monsieur le préfet. Si je suis en partie d'accord avec l'analyse de M. Wentworth, je ne suis en revanche pas d'accord avec ses recommandations.

Wentworth, manifestement affligé par tant d'ignorance, posa sur elle un regard attristé. Elle comprit trop tard qu'elle avait eu le tort de l'appeler « monsieur » et non « professeur ». Un crime impardonna-

ble qui allait lui valoir la haine tenace de l'universitaire. Qu'il aille se faire foutre !

— Je ne crois pas qu'on puisse arrêter quelqu'un
sans provocation, poursuivit-elle. La moindre tentative d'embarquer Buck, même en douceur, serait un
échec. Si ce type-là est fou, c'est un fou malin et il
refusera de se laisser faire. À peine vos deux flics du
sexe féminin sortiront-elles leurs menottes qu'il les
mettra dans le pétrin.

— Monsieur le préfet, l'interrompit Grable, ce
type-là bafoue ouvertement la loi. Je reçois tous les
jours des centaines de coups de fil de commerçants
et de résidents de la Cinquième Avenue. Tous les
rupins du Sherry Netherland, du Metropolitan Club
et du Plaza font sauter le standard et je peux vous
dire que, s'ils prennent le temps de m'appeler, ils ne
se gênent pas pour appeler le maire.

— Croyez-moi, capitaine, je suis parfaitement au
courant des plaintes auprès du maire, réagit Rocker
d'une voix acide.

— Dans ce cas, monsieur le préfet, vous savez que
chaque heure compte. Il faut faire quelque chose. Si
le capitaine Hayward a mieux à proposer, qu'elle le
dise.

Il se recula sur sa chaise, rouge comme un coq.

— Capitaine Grable, reprit calmement Hayward,
les commerçants et les résidents dont vous parlez ne
doivent pas nous pousser à agir dans la précipitation.

En d'autres termes, ils n'ont qu'à aller se faire foutre,
aurait-elle voulu ajouter.

— Facile à dire pour quelqu'un de la criminelle
qui passe ses journées dans son bureau. Moi, je croise
ces gens-là tous les jours, et si le meurtre de Cutforth
avait été élucidé, capitaine, tout ça ne serait pas
arrivé.

Hayward hocha la tête, s'efforçant de rester zen, mais Grable venait de marquer un point et Rocker se tourna vers elle.

— À ce propos, capitaine, où en est votre enquête ?

— Les types du labo étudient de nouveaux indices, et nous interrogeons toutes les personnes avec lesquelles Cutforth a été en contact au cours des soixante-douze heures qui ont précédé sa mort. Nous vérifions également les enregistrements des caméras vidéo installées dans l'entrée de son immeuble. Pendant ce temps, le FBI suit une piste très sérieuse en Italie.

La vérité était que son enquête piétinait.

— Et vous proposez quoi pour nous débarrasser de ce Buck ? insista méchamment Grable.

— Je suggérerais une approche moins agressive. Par exemple, envoyer quelqu'un lui expliquer la situation. Lui dire que ses disciples gênent le voisinage et détériorent le parc. Sinon, je lui promettrais l'autorisation de manifester s'il accepte de renvoyer ses ouailles chez elles, le temps de se raser et de prendre une douche. Je ferais appel à son sens des responsabilités. Des carottes et pas de bâton. Dès qu'ils lèvent le camp, on bloque le périmètre sous prétexte de replanter de l'herbe, on leur accorde l'autorisation de manifester lundi matin à 8 heures de l'autre côté de Flushing Meadows et vous verrez que la baudruche se dégonflera toute seule.

L'œil de Rocker brillait d'une lueur cynique et elle se demanda s'il voyait les choses comme elle ou s'il trouvait sa proposition ridicule. Rocker avait plutôt bonne presse au sein de la police mais on ne savait jamais ce qu'il pensait vraiment.

— Faire appel à son sens des responsabilités, c'est bien ça ? la railla Grable. Je vous rappelle que ce type-là est un assassin.

Hayward se tourna vers le psychologue en l'entendant glousser. Il l'observait d'un air condescendant.

— Que faites-vous si votre plan ne fonctionne pas ? lui demanda Rocker.

— Dans ce cas, nous laisserons agir, euh... M. Wentworth.

— Prof... voulut la corriger Wentworth, mais Grable l'interrompit.

— Monsieur le préfet, nous n'avons plus le temps de mener des expériences. Il faut virer ce Buck sans attendre. Ou il nous suit ou on lui passe les menottes. C'est lui qui choisit. Le mieux est d'opérer à l'aube. Comme ça, il se retrouvera dans un panier à salade avant que ses disciples s'aperçoivent de quoi que ce soit.

Dans le silence qui suivit, Rocker fit des yeux le tour de la table. Plusieurs participants à la réunion n'avaient pas ouvert la bouche.

— Messieurs ?

Quelques hochements de tête, des murmures d'approbation, tout le monde semblait d'accord avec Grable et le psychologue.

— Dans ce cas, reprit le préfet, je me rallie à la majorité. Après tout, pourquoi nous offrir les services d'un psychologue si nous ne suivons pas son avis ? Sur la suggestion de Wentworth, nous enverrons à Buck deux officiers, dont le capitaine Grable.

Ce dernier sursauta.

— Cela se passe sur votre territoire, comme vous nous l'avez longuement expliqué, et c'est vous qui voulez que les choses ne traînent pas.

Grable s'était déjà repris.

— Bien sûr, monsieur le préfet. Vous avez tout à fait raison.

— Et toujours sur la suggestion de Wentworth, nous vous adjoindrons une femme. Vous, capitaine, précisa Rocker en se tournant vers Hayward.

Hayward vit Grable et Wentworth échanger un regard en coin.

De son côté, le préfet ne la quittait pas des yeux, comme s'il voulait lui dire de ne pas faire de vague.

— Buck sera sensible au fait qu'on lui envoie deux gradés. Ça lui donnera de l'importance. Grable, vous avez le privilège de l'âge et vous prendrez la direction des opérations. Je vous laisse le soin de tout régler. La réunion est terminée.

64

Les yeux plissés face au soleil de midi, D'Agosta avançait le long de l'Arno à côté de Pendergast. Bien remis de leur voyage de la veille à Crémone, les deux hommes se dirigeaient vers la Piazza San Spirito, de l'autre côté du fleuve.

— Avez-vous pu joindre le capitaine Hayward ? s'enquit Pendergast.

— Hier soir avant de me coucher.

— Quelles nouvelles ?

— Rien de bien neuf. Les rares pistes qu'ils avaient dans l'affaire Cutforth ont tourné court. Les caméras vidéo installées dans le hall d'entrée de l'immeuble n'ont rien donné et l'enquête est au point mort. Ces jours-ci, les huiles de New York s'intéressent surtout à ce prédicateur qui s'est installé à Central Park.

La piazza n'était pas aussi calme que lors de leur visite précédente. Des routards de nationalités diverses fumaient de l'herbe en buvant du vin de Brunello, installés sur les marches de la fontaine. Plusieurs chiens pelés rôdaient autour d'eux.

— Prenez garde où vous posez les pieds, Vincent, lui conseilla Pendergast avec un sourire en coin en désignant les crottes sur le pavé. Florence a toujours eu le chic pour attirer le meilleur et le pire. Tenez, prenez l'exemple du Palazzo Guadagni que vous apercevez là-bas. L'un des fleurons de l'architecture

Renaissance locale. Érigé au XVᵉ siècle par la famille Guadagni dont les origines sont plus anciennes encore.

D'Agosta découvrit un élégant édifice à colonnade crépi en jaune.

— Le premier étage accueille des bureaux et des appartements, le deuxième est occupé par une école de langue, et le niveau supérieur abrite une *pensione* tenue par la signora Donatelli. C'est très probablement là que Beckmann et les autres se sont rencontrés en 1974.

— À qui appartient le palazzo ? À cette femme ?

— Absolument. Elle est la dernière descendante des Guadagni.

— Vous croyez vraiment qu'elle se souviendra d'une bande d'étudiants américains qui ont logé chez elle il y a trente ans ?

— Nous pouvons toujours tenter notre chance, Vincent.

Ils traversèrent la place et franchirent un portail en bois monumental recouvert de ferrures. Un couloir crasseux les mena jusqu'à l'escalier conduisant au dernier étage où le mot *Reception* était écrit d'une main décidée sur un vieux morceau de carton punaisé à même une fresque baroque à demi effacée.

La réception, aussi petite que le palais semblait imposant, était d'une propreté immaculée. Une cloison de bois séparait la pièce en deux, et de vieilles boîtes aux lettres étaient fixées au mur, face à un tableau d'où pendaient plusieurs rangées de clés. Une minuscule vieille dame trônait derrière un vieux bureau. Vêtue avec une élégance recherchée, ses cheveux teints parfaitement arrangés autour d'un visage rehaussé d'une touche de rouge à lèvres, elle portait un tour de cou et des pendants d'oreille en diamant.

Elle se leva afin d'accueillir ses visiteurs et Pendergast lui fit une courbette.

— *Molto lieto di conoscerla, signora*.

— *Il piacere è mio*, répondit la vieille femme avant de poursuivre en anglais : Vous n'êtes manifestement pas venus louer une chambre.

— En effet, reconnut Pendergast en sortant son badge.

— Vous êtes de la police ?

— Oui, *signora*.

— Que voulez-vous ? Je n'ai guère de temps à vous consacrer, demanda-t-elle d'une voix pincée.

— Nous croyons savoir qu'un groupe d'étudiants américains a séjourné ici au cours de l'automne 1974. Voici leur photographie, ajouta Pendergast en sortant le cliché retrouvé parmi les affaires de Beckmann.

La vieille dame ne prit même pas la peine de regarder la photo.

— Vous connaissez leurs noms ?

— Oui.

— Alors suivez-moi.

Elle contourna la cloison et les conduisit dans une sorte de bibliothèque débordant de livres, de manuscrits et de documents anciens. Une odeur de poussière, de parchemin, de cuir et de cire régnait dans la pièce dont le plafond à caissons, dans un état de décrépitude avancé, avait été recouvert de dorures dans des temps beaucoup plus anciens.

— Huit siècles d'archives familiales, expliqua-t-elle.

— Je constate que tout est rangé.

— *Parfaitement* rangé, vous voulez dire.

La vieille femme s'empara d'un volumineux registre qu'elle déposa sur une table. Elle l'ouvrit, dévoilant des relevés de dates, de noms et de comptes rédigés dans une écriture en pattes de mouches.

— Les noms de vos étudiants ?

— Bullard, Cutforth, Beckmann et Grove.

Elle feuilleta l'épais volume dans un nuage de poussière, passant en revue les identités de ses pensionnaires avec une rapidité stupéfiante. Brusquement, son index osseux orné d'un diamant s'arrêta sur un nom.

— Grove. Et voici Beckmann... Cutforth... Bullard. Ces jeunes gens ont effectivement séjourné ici à l'automne 1974. Apparemment, ils ne sont restés ici qu'une seule nuit, celle du 31 octobre.

Elle referma le registre bruyamment.

— Autre chose, *signore* ?

— Oui, *signora*. Auriez-vous l'obligeance de regarder cette photographie ?

— Vous n'espérez tout de même pas que je me souvienne de jeunes Américains descendus ici il y a trente ans ? À quatre-vingt-douze ans, monsieur, je crois avoir gagné le droit d'oublier certains détails.

— Permettez-moi d'insister, madame...

Elle saisit la photo avec un soupir d'impatience et sursauta. Le visage blême, elle dévisagea longuement les quatre jeunes gens avant de rendre la photo à Pendergast.

— Il se trouve que je me souviens de l'un d'entre eux, dit-elle dans un murmure. Celui-ci, précisa-t-elle en désignant Beckmann. Il lui est arrivé quelque chose de terrible. Je me rappelle qu'il s'est rendu quelque part en compagnie d'autres jeunes gens, probablement ceux de cette photographie. Il a passé la nuit dehors et lorsqu'il est revenu, il semblait bouleversé et m'a demandé d'appeler un prêtre...

Encore si sûre d'elle quelques instants plus tôt, la vieille dame avait brusquement perdu de sa superbe.

— Je l'ai aussitôt conduit à l'église qui se trouve sur la place Santo Spirito. Il était paniqué et voulait se confesser. Les années ont passé, mais je n'ai jamais oublié l'expression de peur qu'avait ce pauvre garçon. Il voulait absolument voir un prêtre, comme si son salut en dépendait.

— Ensuite ?

— Il s'est confessé, et puis il a rassemblé ses affaires et s'en est allé.

— Qu'est-il arrivé aux autres étudiants américains ?

— Je ne m'en souviens plus. Chaque année, c'est toujours la même chose, la Toussaint est un prétexte pour boire et faire la fête. Ou plus exactement la veille de la Toussaint, ce que vous appelez chez vous Halloween.

— Auriez-vous une idée de l'endroit où ils ont pu se rendre ce soir-là ?

— Je ne sais rien de plus que ce que je vous ai dit.

Une sonnerie à la réception les interrompit.

— Je dois vous laisser.

— Une dernière question, *signora*. Le prêtre qui a reçu la confession de ce jeune homme est-il toujours en vie ?

— Le père Zenobi ? Oui, il s'est retiré au couvent de La Verna.

Au moment de quitter la pièce, elle ajouta :

— Si vous croyez pouvoir le convaincre de briser le secret de la confession, monsieur, vous vous trompez.

65

Au lieu de retourner à l'hôtel en sortant du *palazzo*, Pendergast choisit de flâner sur la place, les mains dans les poches, humant l'atmosphère des lieux. Soudain, il se retourna :

— Un *gelato*, Vincent ? Si je ne m'abuse, on trouve les meilleures glaces de Florence au Café Ricchi, que vous apercevez là-bas.

— Merci, mais je suis au régime.

— Dans ce cas, vous accepterez tout du moins de m'y accompagner.

Ils pénétrèrent dans le café et Pendergast commanda une glace au tiramisu et à la crème anglaise tandis que son compagnon se contentait d'un espresso.

— Je ne vous savais pas gourmand, remarqua D'Agosta en s'accoudant au bar.

— J'avoue avoir un faible pour le *gelato*, mais ce n'est pas la seule raison de notre présence ici. Je souhaitais surtout connaître ses intentions.

— Ses intentions ? De qui parlez-vous ?

— De l'homme qui nous suit.

D'Agosta se redressa.

— Quoi ?

— Ne vous retournez pas, surtout. Aucun signe particulier, la trentaine, vêtu d'un pantalon foncé et d'une chemise bleue.

Pendergast avait à peine goûté sa glace lorsqu'il changea d'expression.

— Il vient de pénétrer dans la *pensione*, s'écria-t-il en abandonnant son *gelato*.

Il jeta une poignée d'euros sur le comptoir et sortit précipitamment, D'Agosta sur ses talons.

— Vous craignez pour la vie de la *signora* ?

— La *signora* ne craint rien. C'est le prêtre pour lequel je m'inquiète.

— Nous n'avons qu'à l'arrêter à sa sortie de la *pensione*, proposa D'Agosta.

— Non, cela risquerait de nous compliquer la tâche vis-à-vis des autorités locales. Le mieux est encore de rallier le monastère. Vite, Vincent ! Pas une minute à perdre.

Vingt minutes plus tard, conduite d'une main experte par Pendergast, leur petite Fiat s'enfonçait dans les premiers contreforts des Apennins. D'Agosta n'avait jamais eu peur en voiture, mais il ne se sentait guère rassuré. La route était dépourvue de garde-fou et les pneus crissaient à chaque virage en épingle à cheveux.

— Cela fait un petit moment que nous étions surveillés, expliqua Pendergast. Au moins depuis la découverte du corps de Bullard. Jusqu'à présent, j'avais réussi à tenir notre suiveur à distance, en particulier lors de notre déplacement à Crémone. Je n'ai jamais voulu l'affronter dans l'espoir de démasquer un jour ou l'autre son commanditaire, mais je ne pensais pas qu'il s'enhardirait de la sorte. Cela ne peut signifier qu'une chose, Vincent : nous approchons de la vérité et il nous faut faire preuve de la plus extrême prudence.

Un nuage de gravier vola sous les roues de l'auto dans un tournant et D'Agosta, les muscles tendus, sentit son front se couvrir de sueur.

— Je sais que vous n'avez pas votre pareil lorsqu'il s'agit de tirer les vers du nez d'un témoin, dit-il lorsqu'il recommença à respirer, mais je veux bien rentrer à Southampton à la nage si vous réussissez à convaincre ce prêtre de lever le secret de la confession.

Pendergast prit une épingle à cheveux sur les chapeaux de roue. L'auto passa si près du précipice que D'Agosta, agrippé au tableau de bord, bougonna :

— Vous ne trouvez pas qu'on devrait ralentir un peu ?

— Impossible, rétorqua Pendergast en lui faisant signe du menton de regarder derrière eux.

La voiture dérapa dans un tournant particulièrement serré et D'Agosta, projeté contre sa portière, aperçut quelques lacets plus bas une moto noire qui leur donnait la chasse.

— Il y a une moto derrière nous !

Pendergast hocha la tête.

— Une Ducati Monster de type S4R, si je ne m'abuse. Un engin de plus de cent chevaux doté d'un twin quatre cylindres. Aussi léger que rapide.

En se retournant, D'Agosta remarqua que leur poursuivant portait une combinaison de cuir rouge et un casque intégral équipé d'une visière en plexiglas fumé.

— C'est le type de la *plaza* ?

— Si ce n'est pas lui, ce sera l'un de ses comparses.

— Il nous poursuit ?

— Non, c'est après le prêtre qu'il en a.

— On n'arrivera jamais à le battre de vitesse.

— Nous pouvons au moins le ralentir. Sortez votre arme.

Le rugissement d'un moteur indiqua à D'Agosta que la moto se rapprochait. La Fiat tangua dangereusement dans un nuage de poussière en prenant un virage, mais la moto était déjà sur eux, son conducteur presque couché sur la route. Il accéléra à la sortie de l'épingle à cheveux, prêt à les dépasser.

— Accrochez-vous, Vincent.

Pendergast se déporta sur la gauche afin de couper la route de leur poursuivant, mais le motard, contraint de rétrograder, était prêt à tous les risques.

— Attention ! cria D'Agosta. Il va nous doubler sur la droite.

À la dernière seconde, Pendergast comprit qu'il s'agissait d'une feinte et se déporta à nouveau sur la gauche. Derrière eux, le motard pressa désespérément sur le frein arrière et la Ducati se cabra. Son conducteur parvint à redresser sa machine et D'Agosta le vit glisser la main dans sa combinaison.

— Il a un flingue !

Calé contre sa portière, le dos à la route, D'Agosta braqua son arme sur l'inconnu, prêt à parer à toute éventualité.

Accélérant brutalement, le motard se rapprocha de la voiture et visa, aussitôt imité par D'Agosta.

— Laissez-le tirer le premier, lui recommanda Pendergast.

Une détonation, un nuage de fumée bleue, et la lunette arrière s'étoila, traversée par une balle de 9 mm. Pendergast appuya de toutes ses forces sur la pédale de frein, plaquant D'Agosta sur sa ceinture de sécurité, puis il accéléra brutalement.

D'Agosta retira d'un geste sa ceinture, passa d'un bond sur le siège arrière, dégagea d'un coup de coude les débris de la lunette arrière, visa et tira. Le motard fit un écart et rétrograda.

— Le salaud !

La voiture dérapa dangereusement dans un lacet, semant un nuage de cailloux derrière elle. À genoux sur la banquette arrière, retenant sa respiration,

D'Agosta attendait pour tirer que la moto se rapproche. La Fiat franchit un col et il aperçut la Ducati une centaine de mètres derrière eux.

Pendergast rétrograda brutalement à l'entrée d'un long virage et l'aiguille du compte-tours s'enfonça dangereusement dans le rouge. À la sortie du tournant, la route s'enfonçait en ligne droite dans un bois de pins et D'Agosta eut juste le temps de lire sur un panneau : *Chiusi della Verna 13 km*. Il se retourna afin de continuer à surveiller leurs arrières à travers le nuage d'aiguilles de pins que la Fiat semait sur son passage.

Soudain, la Ducati apparut à la sortie du virage. D'Agosta attendit que leur poursuivant soit plus près pour tirer.

Le motard accéléra, passa en cinquième, puis en sixième, se rapprochant à une vitesse vertigineuse. La tête baissée, les deux mains serrées sur le guidon de l'engin, il avait rangé son arme.

— Il va encore essayer de nous doubler.

— Aucun doute là-dessus, répondit Pendergast en se calant au milieu de la route, l'accélérateur au plancher.

Mais la Fiat ne pouvait rivaliser de vitesse avec la Ducati qui fondait littéralement sur eux. Observant la manœuvre, D'Agosta comprit que le motard bifurquerait à la dernière seconde, ne laissant à Pendergast aucune chance de savoir de quel côté il comptait le dépasser. Il visa du mieux qu'il le pouvait, mais la voiture bringuebalait trop pour que son tir se révèle efficace. Il appuya sur la détente et manqua son coup.

L'auto fit une violente embardée sur la droite, mais le motard, couché sur sa machine dont les deux pots crachaient littéralement le feu, la dépassa en flèche sur la gauche avant de disparaître dans un tournant.

— J'ai joué et j'ai perdu, laissa tomber Pendergast, dépité.

La Fiat se rapprochait dangereusement du virage et Pendergast, comprenant qu'il n'avait plus le temps de ralentir, appuya simultanément sur le frein et l'accélérateur en braquant à gauche. L'auto fit plusieurs tours sur elle-même avant de s'immobiliser dans un nuage de caoutchouc brûlé au bord d'un précipice.

— En dépit de ses difficultés actuelles, Fiat construit toujours de bonnes voitures, remarqua Pendergast.

— Peut-être, mais je ne sais pas si Europcar appréciera beaucoup, rétorqua D'Agosta.

Pendergast enclencha une vitesse et la voiture reprit la route.

Ils traversèrent une forêt avant de monter à l'assaut d'une nouvelle série de virages encore plus raides que les précédents. D'Agosta eut la mauvaise idée de jeter un coup d'œil par sa fenêtre. Tout en bas, la vallée de Casentino avait des allures de jouet avec ses champs et ses villages miniatures, et il ferma les yeux.

Pendergast conduisait en silence sur la route en lacet. D'Agosta rechargea son arme et s'assura qu'elle fonctionnait. La Fiat dépassa un premier groupe de maisons et ils traversèrent le bourg de Chiusi della Verna à toute allure. La main collée sur le klaxon, Pendergast évita de justesse des piétons qui se réfugièrent sur le pas de porte d'un magasin, arrachant au passage le rétroviseur d'une camionnette garée le long du trottoir. À la sortie du village, il vit dans un éclair un panneau à demi effacé : *Santuario della Verna 6 km.*

La route grimpait en pente raide à travers bois. Un instant plus tard, un grand édifice de pierre surplombant un précipice leur apparut quelques centaines de mètres plus haut. D'Agosta se souvint brusquement de ce qu'on lui avait enseigné au catéchisme : le monastère de La Verna, édifié en 1224 par saint François, était l'un des sanctuaires les plus sacrés de toute la chrétienté.

L'auto s'enfonça à nouveau dans un bois et le monastère disparut.

— Vous croyez qu'on a encore une chance d'arriver à temps ? s'inquiéta D'Agosta.

— Tout dépend de la rapidité avec laquelle notre homme trouvera le père Zenobi. Le monastère est vaste, fort heureusement. Si seulement les moines avaient le téléphone !

La Fiat s'engagea dans un dernier virage et D'Agosta entendit dans le lointain une cloche et des bribes de chant grégorien.

— C'est l'heure de la prière, remarqua-t-il.

— Nous jouons de malchance.

Pendergast emprunta le chemin de pavés glissants qui faisait le tour du monastère. Face à un portail de pierre à travers lequel on apercevait un cloître, D'Agosta vit la Ducati couchée sur le flanc, sa roue arrière encore en mouvement.

La Fiat était à peine arrêtée que Pendergast jaillissait du véhicule, son arme à la main, aussitôt imité par D'Agosta. Les deux hommes passèrent en courant à côté de la moto, franchirent un petit pont de pierre et se précipitèrent dans le cloître. Une chapelle s'élevait sur leur droite, dont s'échappaient des cantiques portés par un vent frais venu des montagnes. Brusquement, le chant s'éteignit dans la plus grande confusion.

Pendergast et D'Agosta pénétrèrent dans la chapelle juste à temps pour voir le motard tirer à bout portant sur un vieux moine à genoux, les mains levées. La détonation se répercuta comme un coup de tonnerre sous la voûte du sanctuaire et D'Agosta ne put retenir un cri d'horreur en voyant le vieil homme s'écrouler et son assassin le viser une seconde fois, comme pour une exécution.

66

Laura Hayward et le capitaine Grable, debout sur un promontoire rocheux, dominaient le campement endormi au milieu duquel s'élevait la tente de toile verte de Wayne Buck.

La disposition des lieux était moins favorable que ne l'avait imaginé la jeune femme. Le bivouac improvisé comptait plusieurs centaines de tentes éparpillées sur une étendue boisée et vallonnée, bordée de petits ravins rocheux. À travers les arbres, on entrevoyait la voiture de police dans laquelle il était prévu de faire monter Buck. Moteur au ralenti, prête à démarrer, elle attendait sur la Cinquième Avenue juste en face de l'immeuble de Cutforth.

Hayward lança un coup d'œil en direction de Grable. Ce dernier vérifia son nœud de cravate et roula des épaules.

— Faisons le tour du campement pour arriver par l'ouest.

Il transpirait abondamment en dépit de la fraîcheur du petit matin, et sa chemise lui collait à la peau.

Hayward acquiesça.

— Si vous voulez mon avis, on a intérêt à faire très vite. Il ne s'agirait pas de se retrouver coincés là-dedans.

Grable avala sa salive.

— Capitaine, riposta-t-il en remontant son pantalon, je ne collectionne pas les diplômes, contrairement à d'autres, et j'ai appris mon boulot sur le terrain. Je sais ce que j'ai à faire.

Grable n'avait pas l'air pressé d'agir et il resta un long moment à contempler le campement endormi. Hayward regarda sa montre. Le jour commençait à poindre et le soleil n'allait pas tarder à se montrer.

— Si je peux me permettre, on va finir par être en retard.

— Je n'ai pas l'habitude de laisser ma montre me dicter ma conduite, gronda Grable.

Hayward se fit la réflexion qu'elle avait tort de s'en faire. Rocker avait confié la direction des opérations à Grable et elle n'avait qu'à suivre le mouvement. À condition d'opérer rapidement et d'entraîner Buck avant qu'il ait le temps de comprendre ce qui lui arrivait, leur intervention avait même des chances de réussir.

Elle observa une nouvelle fois son collègue, se demandant ce qu'il attendait.

— Bon, grommela Grable en surprenant son coup d'œil. On y va.

Ils contournèrent le bivouac par l'ouest, veillant à rester à couvert. Ils avançaient face au vent et Hayward fronça le nez en percevant des effluves nauséabonds.

Grable pressa le pas en apercevant quelques campeurs hirsutes occupés à préparer leur petit déjeuner sur des réchauds de camping. Après un dernier instant d'hésitation, il pénétra dans le campement, suivi par Hayward qui saluait de la tête ceux qui les regardaient passer. Les tentes étaient regroupées autour d'un réseau d'allées étroites débouchant toutes sur la petite clairière au centre de laquelle avait été montée la tente de Buck.

Grable s'arrêta devant l'entrée de la tente et lança d'une voix forte :

— Buck ? Je suis le capitaine Grable de la police de New York.

— Holà ! s'écria un personnage bien habillé surgi de nulle part. Qu'est-ce que vous faites ici ?

— Ça ne vous regarde pas, répliqua Grable d'un ton brusque.

Ça commence bien ! pensa Hayward.

— Rien de grave, expliqua-t-elle, soucieuse d'arrondir les angles. Nous souhaiterions parler au révérend.

— Ah ouais ? Lui parler de quoi ?

— Allez, poussez-vous, s'interposa Grable.

— Que se passe-t-il ? fit une voix étouffée à l'intérieur de la tente. Qui est là ?

— Capitaine Grable, de la police de New York, répondit le policier en dénouant le rabat de la tente.

Une main se glissa entre deux pans de toile, se posa sur celle de Grable qu'elle repoussa. Le rabat se releva, dévoilant la silhouette élancée et le visage grave de Buck.

— Je suis ici chez moi, déclara-t-il d'une voix digne, et je vous interdis de violer ma retraite.

Mais qu'attend donc Grable ? Qu'il passe les menottes à ce guignol et qu'on foute le camp le plus vite possible.

— En notre qualité d'officiers de police, nous venons vous signifier l'interdiction de vous installer dans un espace public.

— Monsieur, je vous demanderai à nouveau de quitter ma retraite.

Hayward, impressionnée par la prestance du révérend, se demanda comment Grable allait s'en sortir. Le visage blême, son collègue transpirait à grosses gouttes.

— Wayne Buck, vous êtes en état d'arrestation, prononça Grable en essayant vainement de détacher d'une main tremblante les menottes qu'il portait à la ceinture.

Hayward n'en croyait pas ses yeux. Ce crétin de Grable crevait de trouille. Voilà pourquoi il avait tant hésité à rejoindre le campement, quelques minutes plus tôt. Lorsqu'il avait proposé au préfet d'envoyer un commando, il ne s'attendait pas à ce que Rocker lui demande d'y aller lui-même.

Imperturbable, Buck le regardait droit dans les yeux.

L'aide de camp de Buck mit ses mains en porte-voix :

— *Réveillez-vous ! Réveillez-vous ! Les flics viennent arrêter le révérend !*

— Tournez-vous et mettez vos mains derrière le dos, ordonna Grable d'une voix mal assurée.

Buck ne bougea pas.

— *Réveillez-vous !*

— Capitaine, cet homme refuse d'obtempérer, fit Hayward à voix basse. Passez-lui les menottes !

Pétrifié par la peur, Grable se révélait incapable du moindre mouvement. Regardant autour d'elle, Hayward repensa au jour où elle avait introduit un bâton dans un nid de frelons, quand elle était petite. L'espace d'un instant, le temps s'était arrêté, jusqu'à ce qu'un bourdonnement annonce la sortie en force des insectes enragés. Pour la plupart, les gens se trouvaient encore dans leurs tentes, mais une rumeur inquiétante s'élevait du camp.

— *Défendons le révérend ! La police vient l'arrêter ! Réveillez-vous !*

Les tentes se vidaient les unes après les autres.

Hayward se pencha vers son collègue.

— Les choses se gâtent, capitaine. Gardons notre sang-froid.

Grable ouvrit la bouche, mais aucun son n'en sortit.

Alors que des voix commençaient à crier leur colère, Hayward fit face à la foule.

— Mes amis, écoutez-moi. Nous ne sommes pas venus ici avec l'intention de vous faire du mal.

— Menteuse ! cria une voix.

— Elle blasphème !

Le révérend, drapé dans sa dignité, n'avait pas l'air décidé à calmer l'ardeur de ses partisans.

— Écoutez, poursuivit Hayward d'une voix calme, les mains en avant. Nous ne sommes que deux, vous voyez bien que nous ne vous voulons aucun mal.

— Honte aux soldats de Rome !

— *Ne touchez pas au révérend avec vos sales pattes !*

La foule vociférante, prête à tout, fit un pas dans leur direction.

Grable, affolé, chercha vainement des yeux une porte de sortie.

— Si vous nous touchez, nos collègues donneront l'assaut.

L'avertissement de Hayward suffit à tempérer l'ardeur des premiers rangs, mais la situation pouvait basculer à tout instant.

Lâchant ses menottes, Grable sortit son arme de service.

— Grable, pas ça ! hurla Hayward.

Un grondement monta de la foule.

— Il veut nous tirer dessus ! Assassin ! Judas !

Au moment où les plus menaçants fondaient sur les deux policiers, Grable tira en l'air. La foule se figea et Buck en profita pour désarmer Grable d'une manchette.

Dieu merci ! souffla Hayward intérieurement, veillant à tenir ses mains bien en vue, le plus loin possible de son pistolet.

— Vous devriez faire quelque chose avant qu'il soit trop tard, révérend, dit-elle en se tournant vers Buck. Notre sort se trouve entre vos mains.

Buck fit un pas en avant et leva les mains afin de faire taire la foule.

Il attendit que le silence soit complet et tendit un doigt accusateur en direction de Grable.

— Cet homme est un envoyé du Prince des ténèbres. Il est venu m'arrêter, mais Dieu voit clair dans son jeu.

Grable restait sans voix.

— Ces centurions, ces soldats de Rome ont traîtreusement investi notre campement tels des serpents du Malin, mais leur couardise les a perdus.

— *Poltrons !*

Profitant de cette interruption, Hayward demanda à voix basse au révérend :

— Nous voudrions partir.

Une tempête de cris s'éleva de la foule tandis qu'un premier bâton, lancé par une main anonyme, s'abattait à leurs pieds. Déjà, certains ramassaient des pierres.

— Révérend, murmura Hayward à l'oreille de Buck. Réfléchissez un instant à ce qui arrivera si mon collègue et moi sommes blessés ou pris en otages. La réaction de la police ne se fera pas attendre, et le drame de Waco sera de la rigolade à côté de ce qui risque de se passer ici.

Sans montrer qu'il avait entendu les propos de Hayward, Buck leva les bras vers le ciel.

— Mes frères ! Mes frères ! N'oublions pas que nous sommes chrétiens. Nous devons faire preuve de compassion et de miséricorde, même vis-à-vis de ceux qui viennent avec des intentions pernicieuses. Todd, ajouta-t-il en se tournant vers son aide de camp, veille à reconduire toi-même ces deux âmes impures. Qu'ils s'en aillent en paix !

L'un après l'autre, les bras qui brandissaient des bâtons s'abaissèrent et la foule s'écarta. Le visage écarlate, Hayward ramassa l'arme de son collègue et la glissa dans sa ceinture. Elle se retourna et constata que Grable, pétrifié, ne faisait pas mine de bouger.

— Alors capitaine, vous venez ?

Il sursauta, regarda autour de lui d'un air hébété, passa devant la jeune femme sans un regard et s'éloigna en trottinant sous les applaudissements de la foule. Dans son sillage, Hayward tentait désespérément de ne pas laisser percer sa honte.

67

Une détonation assourdissante fit sursauter D'Agosta : Pendergast venait de tirer au-dessus des moines.

L'assassin se retourna et aperçut les deux hommes. Il jeta un rapide coup d'œil à sa victime, écroulée à ses pieds, et prit la fuite. Les moines formèrent aussitôt un attroupement autour de leur compagnon. Certains priaient, d'autres criaient en gesticulant, tandis que quelques-uns montraient du doigt le fond de l'église.

— *Da questa parte ! È scappato di là !*

— Vincent, rattrapez-le ! ordonna Pendergast en sortant son téléphone portable afin d'appeler les secours.

L'un des moines se précipita vers D'Agosta.

— Je aide vous, proposa-t-il avec un fort accent. Suivez-moi.

Ils sortirent du sanctuaire par une porte située à droite de l'autel. Un passage sombre les conduisit jusqu'au cloître qu'ils traversèrent au pas de course en direction d'un étroit couloir aux murs recouverts de fresques.

— Par là, s'écria le moine en poussant une porte en fer qui donnait sur l'extérieur.

Un escalier taillé dans la roche descendait le long de la paroi. Surmontant son vertige, D'Agosta se pencha au-dessus d'une rambarde rouillée et vit l'homme en combinaison rouge dévaler les marches à toute allure.

— *Eccolo !*

Le moine reprit la chasse, sa robe volant dans son sillage.

D'Agosta faisait de son mieux pour le suivre, mais les marches, suintantes d'humidité, étaient particulièrement glissantes. L'escalier était si usé par le temps que l'on apercevait le vide par endroit.

— Où va-t-il ? s'inquiéta D'Agosta, essoufflé.

— Dans la forêt.

L'escalier s'arrêtait à mi-chemin et les deux hommes durent franchir un passage dangereux au-dessus du vide, s'agrippant des deux mains à la paroi, giflés par un vent glacial.

Une détonation les interrompit. Le moine glissa et se rattrapa tant bien que mal. D'Agosta, plaqué contre la roche, offrait une cible idéale.

Un autre coup de feu retentit et des éclats de roche lui griffèrent le visage. Se tenant d'une seule main, les genoux et les pieds collés contre la paroi, il sortit son arme, visa comme il le pouvait et appuya à deux reprises sur la détente, ratant de peu sa cible.

L'inconnu poussa un cri et poursuivit sa descente vertigineuse, mais ce court instant de répit avait permis au moine de trouver un point d'appui stable. D'Agosta se sentit glisser. Il lui fallait absolument lâcher son arme s'il ne voulait pas basculer dans le vide.

— *A me !* lui cria le moine.

D'Agosta lui lança son Glock, retrouva son équilibre et put enfin passer de l'autre côté.

Les deux hommes venaient de s'accroupir derrière un rocher lorsqu'un nouveau coup de feu éclata.

Le moine tendit à D'Agosta son pistolet.

— Dès que je commence à tirer, vous foncez. *Capisci ?*

Le moine hocha la tête.

D'une détente, D'Agosta se releva et visa à plusieurs reprises le rocher derrière lequel s'était réfugié l'assassin, l'empêchant de riposter. Le moine franchit quelques mètres à découvert et se réfugia à l'endroit où l'escalier taillé dans la falaise recommençait à descendre.

À bout de munition, D'Agosta s'accroupit derrière son rocher, changea de chargeur et rejoignit son compagnon. Avançant prudemment la tête, il constata que le tueur avait disparu.

Sans perdre une seconde, les deux hommes dévalèrent les marches et se retrouvèrent dans un champ de vigne à l'orée d'une forêt sombre.

— De quel côté allons-nous ? demanda D'Agosta.

Le moine haussa les épaules.

— Lui disparu.

— Non, il a dû se réfugier dans les bois.

D'Agosta traversa les vignes et s'enfonça dans la forêt, son compagnon sur les talons. Une forte odeur de résine flottait autour d'eux, dans le silence et l'obscurité. D'Agosta se pencha en avant, tentant vainement de retrouver la trace du tueur dans le matelas d'aiguilles de pins.

— Vous avez idée de l'endroit où il a pu aller ? demanda-t-il.

— Impossible savoir. Il faudrait chiens.

— Vous avez des chiens au monastère ?

— Non.

— Il faudrait faire appel à la police.

Le moine haussa à nouveau les épaules.

— Trop longtemps. Deux ou trois jours pour que police amène chiens.

D'Agosta regarda d'un air découragé la forêt qui les entourait.

— Merde, laissa-t-il tomber.

La plus grande confusion régnait dans la chapelle. Penché au-dessus de la forme inanimée du vieux moine, Pendergast tentait de lui faire un massage cardiaque après lui avoir fait la respiration artificielle. Un groupe de moines, agenouillé en arc de cercle, priait sous la direction du père abbé, et les autres chuchotaient entre eux, sous le choc. D'Agosta venait de pénétrer dans le sanctuaire, à bout de souffle, lorsque le bourdonnement d'un hélicoptère se fit entendre dans le lointain.

Le sergent s'agenouilla à côté du vieux moine et lui prit la main. Les yeux du malheureux étaient fermés et ses traits livides. Derrière lui, les prières monocordes de ses compagnons avaient quelque chose d'irréel.

— Je crains qu'il n'ait fait une attaque cardiaque, expliqua Pendergast en appuyant de toutes ses forces sur la cage thoracique du blessé. Si la sécurité civile arrive à temps, il est encore possible de le sauver.

Soudain, le moine toussa. L'une de ses mains s'agita et ses paupières se soulevèrent.

— *Padre*, lui demanda Pendergast d'une voix douce. *Mi dica la confessione più terribile que lei ha mai sentito.*

Les yeux du mourant indiquèrent qu'il avait compris la question.

— *Un ragazzo americano che ha fatto un patto con il diavolo, ma l'ho salvato, l'ho sicuramente salvato.*

Un sourire éclaira le visage du vieil homme, puis il ferma les yeux et rendit son dernier soupir.

Quelques instants plus tard, les sauveteurs pénétraient dans la chapelle. Ils étendirent sur une civière le moine inanimé et ne purent que constater sa mort. Le temps d'évacuer le corps et l'hélicoptère s'éloignait rapidement.

— Il a réussi à s'échapper, avoua D'Agosta.

Pendergast lui posa la main sur le bras.

— Je suis désolé.

— Que vous a dit le prêtre avant de mourir ?

Pendergast hésita un instant.

— Je lui ai demandé quelle avait été la confession la plus terrible de son sacerdoce. Il m'a répondu qu'il s'agissait de celle d'un jeune Américain qui avait passé un pacte avec le diable.

D'Agosta sentit sa gorge se nouer. C'était donc vrai...

— Il a ajouté qu'il avait sauvé l'âme de ce garçon.

D'Agosta, encore essoufflé par sa course, s'assit et baissa la tête. Puis il la releva et demanda à Pendergast :

— D'accord, mais les trois autres ?

68

Les premiers rayons du soleil qui passaient à travers le rabat de la tente s'étaient posés sur le révérend Buck, assis à sa table de travail. Le campement bruissait encore de l'intervention avortée des deux policiers, et Buck s'en trouvait comme stimulé. La passion et la foi de ses adeptes n'avaient fait que renforcer sa détermination. L'esprit du Tout-Puissant était avec eux.

Buck avait conscience que la police ne s'en tiendrait pas là. Le moment de vérité qu'il attendait depuis si longtemps arrivait, restait à savoir quelle attitude adopter à l'instant décisif.

Cette question le taraudait depuis plusieurs jours. Ce qui n'était à l'origine qu'un simple murmure au fond de son âme avait cédé la place à une angoisse indicible dont ne venaient à bout ni ses prières, ni le jeûne, ni les pénitences qu'il s'imposait. Les voies du Seigneur sont impénétrables.

Une fois de plus, il demanda à Dieu de lui venir en aide.

Buck avait du mal à s'expliquer pourquoi la police ne lui avait dépêché que deux gradés. Sans doute pour éviter un nouveau Waco.

Waco... La réflexion de la femme flic avait fait mouche. Un drôle de pistolet, celle-là. Dans les trente-cinq ans, très belle fille, très sûre d'elle. Tout l'inverse de l'autre, un péteux grande gueule comme il en avait croisé des dizaines en taule. C'était d'elle qu'il fallait se méfier, il ne faisait aucun doute à ses yeux que c'était une envoyée du diable.

Que faire ? Devait-il résister, faire appel à tous ses fidèles au risque de les sacrifier ? Car si l'Esprit Saint était avec eux, leurs ennemis possédaient la force. Ils avaient des armes, des gaz lacrymogènes, des lances à eau et l'affrontement risquait fort de tourner à la boucherie.

Perplexe, le révérend tomba à nouveau en prière, et il fut tiré de sa méditation par un coup frappé sur l'un des piquets soutenant l'entrée de sa tente.

— Oui ?

— C'est l'heure de votre sermon du matin et de l'imposition des mains.

— Merci, Todd. J'arrive tout de suite.

Que dire à ses gens ? Il pouvait d'autant moins trahir leur confiance qu'ils avaient fait preuve d'un courage et d'une force de conviction rares, allant jusqu'à traiter les deux flics de « soldats de Rome ».

Les soldats de Rome ! Voilà la solution !

Tels les rouages d'une gigantesque machine dont le mystère le dépassait, tout se mettait en place dans son esprit. *Pilate, Hérode, le Golgotha...* La réponse qu'il cherchait depuis si longtemps se trouvait devant lui depuis toujours.

— Merci, mon Père, murmura-t-il en se relevant, transfiguré.

Il savait désormais ce qu'il lui restait à faire face aux armées de Rome.

Il sortit de sa tente et se dirigea vers le promontoire depuis lequel il haranguait quotidiennement la foule, les yeux grands ouverts sur le soleil matinal et la beauté de l'œuvre divine. En se hissant sur son rocher, il se souvint que la vie qui l'attendait dans l'autre monde était infiniment plus belle encore.

Il leva les mains vers le ciel et une longue acclamation lui répondit.

69

Les sous-sols de la caserne des *carabinieri* faisaient penser à des oubliettes médiévales. D'Agosta, en s'enfonçant dans un dédale de couloirs pleins de toiles d'araignée derrière Esposito et Pendergast, s'attendait presque à découvrir des squelettes enchaînés aux murs.

Le *colonnello* s'arrêta devant une porte en fer.

— Comme vous pouvez le constater, nous sommes encore loin du XXIe siècle ici, dit-il en leur faisant signe d'entrer.

D'Agosta pénétra dans une immense salle aux rayonnages pleins à craquer d'épais dossiers fermés à l'aide de ficelle. Certains devaient se trouver là depuis des siècles. Un agent en uniforme bleu et blanc, une bande rouge sur la couture du pantalon, se leva et se mit au garde-à-vous.

— *Basta*, lui dit le *colonnello* d'une voix lasse, invitant d'un geste ses hôtes à prendre place sur de vieilles chaises en bois disposées autour d'une table.

Esposito adressa quelques mots au jeune officier qui revint peu après avec une pile de dossiers qu'il déposa sur la table.

— Voici les archives des affaires qui vous intéressent. Il s'agit exclusivement de meurtres non élucidés dont les victimes ont été brûlées. Je vous avoue n'avoir rien relevé d'intéressant en les consultant, et je m'inquiète davantage de ce qui s'est produit ce matin à La Verna.

Pendergast se plongea sans attendre dans la lecture des dossiers qu'il passait au fur et à mesure à D'Agosta après les avoir examinés.

En moins d'une heure, leur travail était terminé.

— Quelque chose ? demanda Pendergast à son compagnon.

— Rien de particulier.

— Dans ce cas, je vous propose de recommencer à tout hasard.

Le *colonnello* regarda sa montre et alluma une cigarette.

— Je ne voudrais pas vous retenir, suggéra Pendergast, mais Esposito balaya sa proposition d'un geste.

— C'est toujours mieux que d'avoir le *Proccuratore della Repubblica* toutes les demi-heures au téléphone. Tout ce qui manque ici, c'est une machine à espresso. *Caffé per tutti*, conclut-il en s'adressant à son subordonné.

— *Si signore*.

D'Agosta se replongea en soupirant dans la lecture des dossiers rédigés en italien auxquels il ne comprenait pas grand-chose. Cette fois, pourtant, il s'arrêta sur la photographie en noir et blanc d'un corps carbonisé reposant sur le sol de béton fissuré d'une maison abandonnée.

Pendergast remarqua tout de suite sa mine intriguée.

— Oui, Vincent ?

D'Agosta lui tendit la photo qu'il examina attentivement. Soudain, il leva les sourcils.

— Vous avez raison.

— Quoi ? s'enquit le *colonnello* à contrecœur.

— Vous voyez cette mare de sang sous le corps de cet homme ? On lui a tiré dessus après l'avoir brûlé.

— Et alors ?

— La plupart des criminels commencent par tuer leurs victimes et ne les brûlent qu'ensuite, dans le but de compliquer la tâche des enquêteurs. Qui voudrait brûler un homme avant de l'abattre ?

— C'est pourtant très fréquent. Un excellent moyen de faire parler quelqu'un.

— Les brûlures subies sous la torture concernent des zones nettement plus limitées. Cet homme a eu la moitié du corps brûlée.

Esposito se pencha à nouveau sur le document.

— Sans doute l'œuvre d'un fou.

— Je serais curieux de consulter le reste du dossier.

Le *colonnello* haussa les épaules, se leva et se dirigea d'un pas traînant vers un classeur métallique dont il revint avec un dossier volumineux. Il le posa sur la table, sortit son canif et coupa la ficelle.

Pendergast s'empara du résumé de l'affaire qu'il traduisit à l'intention de D'Agosta :

— Carlo Vanni, 69 ans, agriculteur retraité. Son corps a été découvert dans une *casa colonica* en ruines près d'Abetone. Aucun indice retrouvé sur place : ni empreintes, ni traces de pas, ni douilles.

Il leva les yeux et regarda le *colonnello*.

— Cela ne ressemble guère au travail d'un fou.

Le visage d'Esposito s'éclaira lentement d'un sourire.

— Les *carabinieri* ne sont pas à l'abri de la médiocrité. Ce n'est pas parce qu'on n'a rien retrouvé sur le lieu du crime qu'il n'y avait rien à retrouver.

Pendergast se replongea dans la lecture du dossier.

— Une seule balle en plein cœur. Tiens, tiens ! Curieux... Le *medico legale* a retrouvé des gouttes d'aluminium fondu dans les chairs.

Il tourna la page.

— Voilà qui est plus surprenant encore. Quelques années avant sa mort, Vanni a été accusé d'actes de pédophilie dans son village, mais il a été acquitté sur un point de procédure. Les enquêteurs ont conclu à une simple vengeance et ils ne sont pas allés chercher plus loin.

Le *colonnello* écrasa sa cigarette.

— *Allora*. Quelqu'un de son village aura voulu se venger d'un vieux pédophile en le faisant souffrir avant de le tuer. D'où les traces de brûlures antérieures à la balle en plein cœur. C'est aussi simple que ça.

Pendergast resta un long moment silencieux.

— Ça colle trop bien, reprit-il à mi-voix. Si vous souhaitiez tuer quelqu'un sans raison particulière, *colonnello*, qui choisiriez-vous ? Précisément quelqu'un de peu recommandable. Un homme seul, sans emploi ni famille. La police a toutes les chances d'enterrer l'affaire, d'autant que son voisinage s'emploiera à freiner l'enquête.

— Vous allez chercher midi à quatorze heures, inspecteur. Pourquoi tuer quelqu'un sans raison ? Votre hypothèse est digne d'un roman de Dostoïevski.

— Nous n'avons pas affaire à un criminel ordinaire, et notre homme possédait une raison précise de vouloir tuer un anonyme, rétorqua Pendergast. Qu'en pensez-vous, Vincent ?

— Je dirais que ça vaut la peine d'en savoir plus.

— Pourrais-je avoir une copie du rapport rédigé par le *medico legale* ? demanda Pendergast à Esposito.

Le *colonnello* donna des instructions au jeune officier qui revenait avec les cafés. Celui-ci prit le document concerné et revint quelques instants plus tard avec des photocopies.

Le *colonnello* la tendit à Pendergast et alluma une cigarette, l'air agacé.

— J'espère que vous n'allez pas me demander de faire exhumer le corps.

— J'ai bien peur que si.

Esposito soupira et un nuage de fumée sortit de ses narines.

— *Mio Dio*. J'avais bien besoin de ça. Vous avez idée du temps que ça va prendre ? Au moins un an.

— Impossible.

Le *colonnello* hocha la tête.

— Bienvenue en Italie, inspecteur.

Un petit sourire aux lèvres, il ajouta :

— Quoique...

— Que voulez-vous dire ?

— Il existe bien un moyen plus rapide, mais...

— Vous voulez dire... violer la sépulture ?

— Je parlerais plutôt de *controllo preliminare*. Si vous trouvez quelque chose, il sera toujours temps de demander les autorisations nécessaires.

Pendergast se leva.

— Je vous remercie, *colonnello*.

— De quoi ? Je ne vous ai rien dit, ironisa Esposito. D'ailleurs, la tombe se trouve en dehors de ma juridiction, ce qui arrange tout le monde. Sauf peut-être Carlo Vanni.

Pendergast et D'Agosta allaient quitter la pièce lorsque le *colonnello* les rappela.

— N'oubliez pas de prendre des *panini* et une bonne bouteille de Chianti. J'ai bien peur que la nuit soit longue.

70

L'église dans laquelle avait été enterré Carlo Vanni se trouvait au-dessus de la petite ville de Pistoia, tout au bout d'une petite route serpentant à travers les premiers contreforts des Apennins. La Fiat était ballottée de tous côtés et ses phares trouaient la nuit à chaque virage.

— Nous devons nous attendre à un comité de réception, laissa tomber Pendergast.

— Vous croyez qu'ils sont déjà au courant ?

— Je ne le crois pas, j'en suis sûr. J'ai aperçu une voiture derrière nous un peu plus bas. Notre poursuivant devra se garer en contrebas de l'église s'il veut nous surprendre, alors autant prendre nos précautions. Couvrez-moi pendant que je cours jusqu'à l'église, puis venez me rejoindre lorsque je ferai ceci, suggéra Pendergast en imitant le cri de la chouette.

D'Agosta sourit dans le noir.

— Je ne vous connaissais pas ces talents d'imitateur. Que fait-on en cas de problème ?

— Nous ne pouvons pas nous permettre de tirer les premiers, mais s'il ouvre le tir, pas de quartier.

— En attendant, il aura eu le temps de vous descendre.

— Ne vous inquiétez pas pour moi, je suis de taille à me défendre. Ah ! Nous y sommes, fit Pendergast en abordant le dernier virage.

D'Agosta sortit son Glock, vérifia que le chargeur était plein et engagea une balle dans le canon tandis que Pendergast passait devant l'église et faisait demi-tour avant d'arrêter le moteur.

Ils descendirent de voiture et une forte odeur de menthe monta jusqu'à eux. C'était une nuit sans lune, à peine étoilée. Seules les lueurs de Pistoia dans la vallée permettaient de deviner la silhouette de la petite église bordée d'une rangée de cyprès. *Une nuit idéale pour déterrer un cadavre*, pensa D'Agosta.

Pendergast posa un doigt sur le bras du sergent, lui montrant d'un mouvement de tête un bouquet d'arbres cent mètres plus bas. D'Agosta s'accroupit derrière l'auto, son arme à la main, et Pendergast disparut dans l'obscurité.

Une minute plus tard, un cri de chouette résonnait dans l'air glacé.

D'Agosta se releva et courut jusqu'au bouquet d'arbres où l'attendait Pendergast. Un très vieux bâtiment de pierre flanqué d'un clocher carré se dressait un peu plus loin. Pendergast posa à nouveau la main sur le bras de D'Agosta, lui désignant cette fois le portail en bois surmonté d'un fronton gothique, et le sergent se mit en position.

Pendergast traversa la place de l'église au pas de course et D'Agosta vit sa silhouette se fondre avec celle du portail. L'inspecteur voulut ouvrir la porte, mais elle était fermée. Un léger frottement métallique indiqua à son compagnon qu'il crochetait la serrure et le battant s'ouvrit en grinçant. Quelques instants plus tard résonnait un nouveau hululement. D'Agosta prit sa respiration, traversa la petite place en courant et se précipita dans l'église. Pendergast referma aussitôt le lourd portail qu'il verrouilla derrière eux à l'aide d'un crochet.

D'Agosta se signa en se tournant vers l'autel. L'intérieur de la petite église sentait un mélange de cire et de vieille pierre. Les quelques cierges qui brûlaient devant une statue en bois peint de la Vierge maintenaient la nef dans une lueur orangée.

— Prenez à gauche, je m'occupe de l'autre côté, murmura Pendergast.

Les deux hommes remontèrent le bâtiment en longeant les murs, l'arme à la main, mais à l'exception de la statue de la Vierge, d'un confessionnal et d'un autel de pierre surmonté d'un crucifix, le bâtiment était vide.

Pendergast s'approcha du confessionnal dont il tira le rideau d'un geste brusque. Vide.

Il remit son pistolet dans son étui et s'approcha silencieusement d'une petite porte en fer au fond de l'église. Penché sur la serrure, il la força en un rien de temps, poussa la porte et découvrit un escalier de pierre qui s'enfonçait dans les profondeurs de la terre. Pendergast alluma sa torche électrique et fouilla les ténèbres.

— Ce n'est pas la première fois que je m'introduis dans des catacombes, murmura-t-il alors que D'Agosta le rejoignait, mais je crois n'en avoir jamais connus d'aussi intéressantes.

— Pourquoi a-t-on mis Vanni ici au lieu de l'enterrer dans un cimetière ?

Ils franchirent la porte et Pendergast la verrouilla soigneusement derrière eux avant de répondre.

— Le terrain est trop montagneux, de sorte que l'église ne dispose d'aucun *camposanto*. Les gens d'ici enterrent leurs morts dans des cryptes creusées à même la roche.

Au bas des marches, les deux hommes découvrirent un caveau voûté qui sentait l'humidité, et le faisceau de la lampe de Pendergast s'arrêta sur une série de gisants de marbre. L'un des défunts avait été immortalisé dans son armure, un autre en tenue d'évêque.

Pendergast et D'Agosta longèrent des sépultures décorées de bas-reliefs jusqu'à une nouvelle porte en fer que l'inspecteur ouvrit avec sa dextérité coutumière.

À la lumière de la torche, les deux policiers découvrirent une galerie grossièrement taillée dans la roche. Des deux côtés s'ouvraient des niches remplies d'ossements, de crânes et de lambeaux de tissu. Certains squelettes portaient encore des bagues et des colliers. L'arrivée des deux intrus avait dérangé des colonies de souris qui leur filèrent entre les jambes afin de se mettre à l'abri.

En avançant, ils découvrirent des rangées de tombes plus récentes surmontées de plaques de marbre. Les photos apposées sur certaines sépultures montraient des visages graves marqués par la vie. Certaines plaques étaient vierges, d'autres portaient un nom et une date de naissance sans date de mort. Ils allaient atteindre le fond de la galerie lorsque la tombe qu'ils recherchaient apparut dans le pinceau de lumière, au ras du sol :

CARLO VANNI
1934 – 2003

Pendergast tira de son manteau un petit carré de tissu qu'il étala sur le sol, puis il sortit un petit pied-de-biche ainsi qu'une longue lame métallique recourbée à l'aide de laquelle il entama le mortier. Une pression sur le pied-de-biche, et la plaque sauta dans un nuage de poussière.

Une odeur de brûlé émanait du trou noir.

Pendergast éclaira l'intérieur de la niche à l'aide de sa torche.

— Aidez-moi, je vous prie.

Le cœur au bord des lèvres, D'Agosta s'agenouilla à côté de lui en évitant de regarder dans le trou.

— Vous attrapez le pied gauche pendant que je prends le pied droit, et nous le tirons vers nous. Encore une chance que la tombe de Vanni se trouve au niveau du sol.

D'Agosta s'obligea à lever les yeux, mais il ne distinguait dans l'obscurité que les semelles trouées de deux souliers.

— Prêt ?

D'Agosta hocha la tête et saisit la chaussure gauche.

— Je pense qu'il serait préférable de le prendre au-dessus de la cheville. Nous ne voudrions pas que le pied se détache.

Le sergent referma la main autour d'une jambe de pantalon et sentit la forme d'un os. Il crut qu'il allait vomir en entendant un bruit de parchemin froissé à l'intérieur du pantalon.

— À trois, nous tirons doucement. Un, deux, trois...

Après une légère résistance, le corps commença à glisser hors de la niche. Il était nettement plus léger que ne le pensait D'Agosta.

— Ne vous arrêtez pas, lui recommanda Pendergast.

Les deux hommes reculèrent tout en continuant à tirer jusqu'à ce que la dépouille de Vanni émerge totalement du trou. Des perce-oreilles s'égaillèrent dans tous les sens, et D'Agosta se jeta en arrière en repoussant quelques insectes qui avaient sauté sur lui.

Carlo Vanni reposait à présent devant eux, les bras croisés, les mains refermées sur un crucifix, ses yeux noirs et fripés grands ouverts. En se desséchant, les lèvres s'étaient écartées en un rictus sinistre, dévoilant deux rangées de dents gâtées. Les cheveux blancs du mort avaient été plaqués sur son crâne à l'aide de gel. À l'exception de quelques trous signalant le passage d'insectes, le costume de Vanni était en assez bon état.

Des traces de brûlures apparaissaient à hauteur des mains noires et tordues du mort, terminées par des ongles racornis.

— Tenez-moi la lampe, Vincent, vous serez gentil.

Pendergast introduisit la lame d'un couteau dans le col du mort et découpa ses vêtements jusqu'au nombril d'un mouvement sec. La cavité abdominale avait été rembourrée à l'aide de papier et la peau du torse se détachait en lambeaux. Plusieurs côtes calcinées émergeaient de la cage thoracique.

Le spectacle était insoutenable et D'Agosta dut faire un effort pour ne pas lâcher la lampe.

Pendergast posa à côté de lui le rapport du médecin légiste, ainsi que la photocopie d'une radiographie permettant de localiser les résidus de métal. Ajustant à son œil une loupe d'horloger, il se pencha sur le corps et entreprit de fouiller l'abdomen à l'aide d'un scalpel et d'une pince à épiler.

— Ah ! s'exclama-t-il en montrant à son compagnon une goutte de métal fondu qu'il déposa soigneusement dans une éprouvette.

Un léger bruit se fit entendre dans leur dos.

D'Agosta se releva d'un bond et éclaira la crypte derrière eux.

— Vous avez entendu ?

— Un rat, sans doute. La lumière, je vous prie.

Le cœur battant, D'Agosta obéit. S'il avait su, il aurait insisté pour que le *colonnello* fasse exhumer le corps officiellement. Combien de temps avait dit

Esposito ? Un an ? Ça ne l'aurait pas dérangé que l'obtention des autorisations nécessaires prenne le double.

Un nouveau bruit se fit entendre et D'Agosta se retourna. Un rat de la taille d'un petit chat le regardait fixement en montrant les dents.

— Va-t'en ! cria D'Agosta en lui jetant une poignée de terre, et le rat disparut.

— La lumière.

— Sale bête, maugréa D'Agosta.

— En voici une autre, reprit Pendergast, imperturbable, en déposant dans son éprouvette un deuxième fragment de métal. Vous remarquerez que le métal a pénétré en profondeur dans les chairs. Ces gouttes se sont enfoncées avec une grande force en déclenchant une légère explosion.

Pendergast acheva d'extraire deux autres gouttes de métal fondu, referma son éprouvette, retira sa loupe et fit disparaître le tout dans les replis de son costume.

— J'ai terminé. Nous n'avons plus qu'à remettre M. Vanni dans son sépulcre.

D'Agosta se baissa et les deux hommes glissèrent le mort à l'intérieur du trou.

Pendergast ramassa les quelques morceaux qui s'étaient détachés du corps et les déposa dans la niche, puis il sortit de l'une de ses poches un récipient contenant un peu de mortier qu'il étala tout autour de l'ouverture avant de sceller la plaque de marbre.

— Parfait, dit-il en contemplant son œuvre.

Quelques instants plus tard, ils sortaient de l'église et regagnaient la petite Fiat l'un après l'autre en se couvrant mutuellement comme à l'aller.

D'Agosta, soulagé, s'épousseta afin de se débarrasser de l'odeur d'humidité qui collait à ses vêtements.

Pendergast lui désigna soudain les collines plongées dans l'obscurité, au milieu desquelles couraient les phares d'une voiture.

— Il s'agit de notre homme.

Le faisceau de sa lampe s'arrêta sur des traces de pas dans l'herbe détrempée.

— Que faisait-il ?

— Nos ennemis ne semblent plus décidés à nous tuer, mais ils cherchent à savoir où nous en sommes. Comment expliquez-vous cela, Vincent ?

71

Hayward éprouvait une désagréable sensation de déjà-vu en se retrouvant dans la même salle de réunion, à écouter les mêmes gens exposer les mêmes arguments que la veille. À ceci près que chacun protégeait désormais ses arrières. On aurait dit un jeu de chaises musicales : au moment où la musique s'arrêterait, le dindon de la farce se retrouverait seul face aux autres, et personne ne lui ferait de cadeau.

Et cet après-midi-là, Grable s'employait de son mieux à ce que la jeune femme soit le dindon de la farce.

Il racontait en long, en large et en travers les événements du matin, transformant miraculeusement sa lâcheté en héroïsme. À l'entendre, il n'avait pas eu d'autre choix que de tirer en l'air afin d'empêcher la foule haineuse de les lyncher. Grâce à cet acte de bravoure suprême, ils avaient pu se replier en bon ordre avec toute la dignité requise. Tout au long de son compte rendu, il s'était appliqué à donner l'impression qu'il avait pris tous les risques, laissant entendre que Hayward s'était contentée de le suivre en traînant des pieds.

S'il était aussi efficace sur le terrain qu'à l'heure du rapport, pensa la jeune femme, *on n'en serait pas là*. Elle hésita un instant à se défendre, mais elle comprit qu'elle n'avait rien à y gagner. Si elle racontait comment Grable s'était enfui en abandonnant son arme, la queue entre les jambes, elle aurait peut-être le plaisir de rétablir la vérité, mais sa carrière était foutue.

Le préfet passa la parole à Wentworth qui se lança dans un exposé interminable sur la psychologie de la foule, avec force mots de jargon. Une longue suite de théories fumeuses sans intérêt. Puis ce fut au tour d'un notable du quartier de dire que le maire s'inquié-tait, que les gens étaient furieux et que toutes les hui-les de la ville se plaignaient du manque d'efficacité de la police.

Bref, personne ne savait comment faire déguerpir Buck de Central Park.

Rocker écouta les uns et les autres sans rien laisser paraître, puis il se tourna vers la jeune femme.

— Capitaine Hayward ?

— Je n'ai rien à ajouter.

Elle avait dit ça d'un ton un peu trop sec, et Rocker leva légèrement les sourcils.

— Dois-je en conclure que vous êtes d'accord avec tous ces messieurs ?

— Je n'ai pas dit ça. J'ai simplement dit que je n'avais rien à ajouter.

— Que dit le casier de Buck ? Rien qui puisse nous aider ?

— Si, répondit la jeune femme qui avait passé sa matinée au téléphone, mais je n'ai pas trouvé grand-chose. Il est recherché à Broken Arrow, en Okla-homa, pour non-respect des règles du contrôle judiciaire.

— Non-respect des règles du contrôle judiciaire ? ironisa Grable. C'est une plaisanterie à côté de ce qu'il a fait ce matin : coups et blessures sur la per-sonne d'un officier de police, refus d'obtempérer, tentative d'enlèvement. Rien qu'avec ça, on peut l'enfermer pour longtemps.

Hayward préféra ne pas répondre. Des dizaines de témoins pouvaient témoigner que Grable avait tiré sans la moindre provocation, que Buck n'avait jamais refusé de se laisser arrêter, que la foule les avait laissés repartir sans problème et que Grable s'était enfui comme un lâche en laissant son arme par terre.

Rocker hocha la tête.

— Quoi d'autre ?

Comme personne ne disait mot, il se tourna à nouveau vers Hayward.

— Capitaine ?

— Je n'ai pas changé d'avis depuis la réunion d'hier.

— Même après votre... euh, petite mésaventure de ce matin ?

— Surtout après ce qui s'est passé ce matin.

Sa réponse fut accueillie par un silence gêné. Grable secouait la tête, l'air de dire : *Les imbéciles n'apprennent jamais de leurs erreurs.*

— Très bien. Si je me souviens bien, vous avez proposé d'y aller seule, c'est bien ça ?

— Exactement. Je suis prête à rencontrer Buck pour lui demander de renvoyer ses gens chez eux le temps de se changer et de prendre une douche. En échange, on lui donne l'autorisation de manifester.

Grable fit entendre un gloussement.

Le préfet se tourna aussitôt vers lui.

— Capitaine Grable, vous souhaitez ajouter quelque chose ?

— J'étais *là*, monsieur le préfet. Ce Buck est complètement cinglé. N'oublions pas que ce type-là est un assassin et que ses adeptes sont de dangereux fanatiques. Si elle y va toute seule, sans protection, ils n'hésiteront pas à la prendre en otage. Voire pire.

— Monsieur le préfet, avec tout le respect que je lui dois, je ne suis pas d'accord avec le capitaine Grable. Depuis une semaine que Buck et ses gens se sont installés à Central Park, ils n'ont commis aucune violence et se comportent relativement sagement. Je pense que ça vaut le coup d'essayer.

Wentworth leva les yeux au ciel.

— Professeur Wentworth ?

— Je dirais que les chances de réussite du plan proposé par le capitaine Hayward sont infimes. Le capitaine Hayward n'est pas une psychologue de métier et son opinion en la matière est celle d'une profane qui n'a jamais étudié les mécanismes de la psychologie humaine.

— Sans vouloir me vanter, monsieur le préfet, riposta Hayward en regardant Rocker dans les yeux, il se trouve que j'ai fait mes études à l'université de New York et que j'ai une maîtrise de psychologie criminelle. Si je ne m'abuse, le professeur Wentworth est maître de conférences à la faculté de Staten Island, ce qui explique que nous ne nous soyons jamais croisés auparavant.

Hayward crut voir Rocker réprimer un sourire dans le silence de plomb qui suivit sa sortie.

— Je ne changerai pas d'avis, laissa tomber Wentworth d'une voix pincée.

— Vous campez aussi sur vos positions ? demanda le préfet à Hayward.

— Oui, monsieur le préfet.

— Si on fait ça, fit Grable, je suggère d'avoir un commando et la sécurité civile sous le coude pour sortir le capitaine Hayward de ce guêpier quand le pire se sera produit.

Rocker regarda ses mains, les sourcils froncés, puis il releva la tête.

— Après-demain, nous sommes dimanche. J'avais déjà pris la décision de profiter du week-end pour employer la force et arrêter cet homme, mais je voudrais avoir tout tenté avant d'en arriver là. Je laisserais volontiers une chance au capitaine Hayward. Si elle parvient à évacuer Buck sans que nous ayons besoin de faire usage de gaz lacrymogènes et de canons à eau, tant mieux.

Se tournant vers la jeune femme, il ajouta :

— Vous agirez à midi. Si votre médiation n'est pas couronnée de succès, nous interviendrons comme prévu.

— Je vous remercie, monsieur le préfet.

Rocker eut une légère hésitation.

— Hayward, vous êtes *certaine* que votre plan réussira ?

— Non, monsieur le préfet.

Un sourire éclaira le visage de Rocker.

— C'est ce que je souhaitais vous entendre dire. Pour une fois que quelqu'un ici fait preuve d'un peu d'humilité... ajouta-t-il en faisant des yeux le tour de la table.

72

Accoudé au bastingage du ferry, D'Agosta avait les yeux rivés sur la silhouette irréelle de Capraia, un promontoire rocheux tout droit sorti d'un conte de fées. Perdue au milieu des eaux turquoise de la Méditerranée, la plus lointaine des îles toscanes brillait dans la lumière bleutée du matin.

Pendergast, ses cheveux blonds balayés par la brise, son visage d'albâtre exposé à la caresse du soleil, rompit le silence le premier.

— Une île fort intéressante, mon cher Vincent. C'était là que l'on enfermait autrefois les criminels les plus dangereux d'Italie, qu'il s'agisse des chefs mafieux ou des rois de l'évasion. Le pénitencier a fermé ses portes au milieu des années soixante et la majeure partie de l'île a été transformée en parc naturel.

— Drôle d'endroit pour vivre.

— C'est pourtant la plus charmante des îles toscanes. Son port est relié au village par une route d'à peine un kilomètre, et l'absence de plages explique que les promoteurs immobiliers ne s'y soient jamais intéressés.

— Comment s'appelle cette femme, déjà ?

— Viola Maskelene. Lady Viola Maskelene, plus précisément. Je n'ai guère eu le loisir de me renseigner sur son compte, il semble qu'elle veille jalousement sur son intimité. J'ai cru comprendre qu'elle passait l'été sur l'île et ne retournait sur le continent qu'au milieu de l'automne. Le reste du temps, elle voyage.

— Comment savez-vous qu'elle se trouve chez elle en ce moment ?

— Je n'en sais rien. Je n'ai d'ailleurs pas cherché à la contacter afin de ne pas l'effaroucher. Nous avons affaire à une Anglaise de la meilleure société. En sa qualité d'arrière-petite-fille de la principale maîtresse de Toscanelli, elle est sans doute au courant des secrets de famille.

— Vous pensez qu'il sera difficile de la faire parler ?

— Très certainement, d'où ma décision de ne pas l'avertir de notre venue.

— Quel âge a-t-elle ?

— Si je ne me suis pas trompé dans mes calculs, elle doit avoir la cinquantaine.

D'Agosta lui lança un coup d'œil.

— Que savez-vous de ses origines ?

— Il s'agit de l'une de ces histoires sulfureuses qu'affectionnait le XIXᵉ siècle. Le genre de choses qu'on lit dans les romans, ou que l'on voit à l'opéra. L'arrière-grand-mère de Viola Maskelene, une beauté célèbre de l'ère victorienne, avait épousé le duc de Cumberland, un personnage froid et austère de trente ans son aîné. Quelques mois seulement après le mariage, Toscanelli séduisait la jeune femme et leur aventure défrayait la chronique. Une fille illégitime est née de cette liaison, mais la malheureuse duchesse est morte en donnant le jour à la grand-mère de Lady Maskelene.

— Le duc n'a pas dû apprécier.

— Malgré son austérité, c'était un homme intègre. À la mort de sa jeune épouse, il a officiellement adopté l'enfant et, à défaut de lui laisser ses biens et ses titres les plus prestigieux, il lui a légué une propriété en Cornouailles, ainsi qu'un titre de moindre importance.

La tôle du ferry se mit à vibrer sous leurs pieds alors que la silhouette de l'île se rapprochait. Pendergast sortit de sa poche l'éprouvette dans laquelle brillaient les billes de métal fondu prélevées la nuit précédente sur le corps de Carlo Vanni.

— Nous n'avons pas encore parlé de ceci, dit-il.

— Ne vous inquiétez pas, je ne les ai pas oubliées.

— Pour tout vous dire, Vincent, moi non plus. Je crois d'ailleurs qu'il est temps pour nous de jouer cartes sur table.

— À vous l'honneur.

Pendergast leva un doigt en souriant.

— En tant que responsable de cette enquête, je m'octroie le droit de solliciter en premier vos conclusions.

— Vous jouez de votre supériorité hiérarchique, à présent ?

— Exactement.

— Très bien. À mon avis, ces petites billes proviennent d'un appareil quelconque qui se sera enrayé, arrosant Vanni de métal fondu et lui infligeant des brûlures terribles.

Pendergast hocha la tête.

— À quel genre d'appareil pensez-vous ?

— Une machine censée brûler Vanni de l'intérieur, sans doute la même que celle qui a servi à tuer les autres. À ceci près que ça n'a pas fonctionné correctement dans le cas de Vanni, de sorte qu'il a fallu l'abattre.

— Bravo.

— À votre tour.

— Je suis parvenu à des conclusions identiques. Vanni aura servi de cobaye à quelque expérimentation terrible, ce qui aurait le mérite de nous mettre sur la piste d'un assassin de chair et d'os.

Le ferry longea des falaises volcaniques battues par la mer et pénétra dans un petit port. De vieilles maisons jaunes et rouges bordaient le quai. Le ferry se rangea le long de l'embarcadère et une poignée de passagers descendirent, ainsi qu'une seule auto. Les deux hommes avaient à peine retrouvé la terre ferme que le bateau s'éloignait en direction de l'île d'Elbe, son étape suivante.

— Nous disposons de quatre heures avant que le ferry ne fasse escale ici sur le chemin du retour, nota Pendergast.

Il sortit de sa poche un petit morceau de papier et lut :

— Lady Viola Maskelene, Via Saracino 19. Espérons que nous trouverons la *signorina* chez elle.

D'Agosta à son côté, l'inspecteur se dirigea vers un arrêt d'autocar. Leur attente fut de courte durée. Un vieil autobus orange manœuvra au coin d'une rue étroite et s'arrêta devant eux. Les portes du bus se refermèrent derrière les deux hommes et le véhicule s'engagea sur une petite route escarpée dans un bruit de moteur fatigué.

Il leur fallut moins de cinq minutes pour atteindre le village. Les portes du vieil autobus se rouvrirent en couinant et les deux policiers descendirent, découvrant une petite place que bordaient d'un côté une petite église de couleur ocre et de l'autre un bureau de tabac. Un château en ruine envahi de figuiers de Barbarie dominait le village, en bordure d'un maquis montagneux.

Plusieurs ruelles pavées, trop étroites pour permettre le passage d'une voiture, s'offraient à eux.

— Quel endroit charmant, remarqua Pendergast.

Désignant à son compagnon une plaque de rue sur laquelle s'étalaient les mots *Via Saracino*, il ajouta :

— Par ici, sergent.

La venelle s'enfonçait entre de petites maisons crépies dont les numéros allaient croissant. Ils ne tardèrent pas à sortir du village et la rue laissa place à un chemin de terre bordé de jardins clos dans lesquels poussaient des plants de vignes et des citronniers rachitiques. Un parfum d'agrume flottait dans l'air. À un détour du chemin, ils se retrouvèrent devant une belle maison de pierre, plantée sur la falaise à l'ombre d'une bougainvillée, face à la Méditerranée.

Pendergast pénétra dans le patio et frappa à la porte, sans résultat.

— *C'é nessuno ?* appela-t-il.

Le vent faisait murmurer les buissons de romarin, apportant avec lui l'odeur de la mer.

D'Agosta se retourna et regarda autour d'eux.

— Il y a un type qui bêche dans son jardin, remarqua-t-il en désignant une vigne en terrasse une centaine de mètres plus loin.

Un vieux chapeau de paille sur la tête, un pantalon de toile usé autour des reins et une chemise à demi ouverte sur sa poitrine, un étrange personnage retournait la terre. En les apercevant, il posa sa bêche et se redressa.

— Pardonnez-moi de vous contredire, Vincent. Il ne s'agit pas d'un type, mais d'une femme, le corrigea Pendergast en se dirigeant à grandes enjambées vers le petit jardin.

Quelques instants plus tard, les deux hommes pénétraient dans l'enclos et zigzaguaient entre les mottes de terre sous le regard de la femme, appuyée sur sa bêche.

547

Pendergast s'avança et tendit la main à la jardinière en la gratifiant de sa courbette habituelle. Avant de répondre à son salut, elle retira son chapeau de paille duquel s'échappa une masse de cheveux noirs brillants.

D'Agosta découvrit avec surprise une belle et grande jeune femme, mince et musclée, avec des yeux noisette, des pommettes saillantes et un visage bronzé couvert de taches de rousseur. Sous l'effort, son nez était recouvert d'un voile de sueur.

D'Agosta reprit ses esprits et constata que Pendergast et la jeune femme, transformés en statue de sel, se regardaient droit dans les yeux sans se lâcher la main. Le temps semblait s'être arrêté.

— Je m'appelle Aloysius Pendergast, finit par balbutier l'inspecteur.

— Et moi Viola Maskelene, répondit la jeune femme avec un charmant accent anglais.

Comme Pendergast oubliait de le présenter, D'Agosta s'avança.

— Sergent Vincent D'Agosta, de la police de Southampton.

La jeune femme se tourna dans sa direction, comme si elle s'apercevait pour la première fois de sa présence, et lui adressa un sourire chaleureux.

— Bienvenue à Capraia, sergent.

Dans le silence gêné qui s'installait, D'Agosta nota que le trouble de Pendergast ne se dissipait pas.

— Eh bien, reprit Lady Maskelene en souriant, je suppose que c'est moi que vous vouliez voir, monsieur Pendergast.

— En effet, répondit-il précipitamment. Je souhaitais vous entretenir...

Elle leva un doigt.

— Il fait trop chaud pour discuter ici. Je vous propose de retourner chez moi et de profiter de l'ombre de ma *terrazza*.

— Bien volontiers.

Un sourire lumineux éclaira le visage de la jeune femme.

— Suivez-moi, dit-elle en foulant les mottes de terre de ses bottes de jardin.

Une pergola plantée de glycine fournissait de l'ombre à la *terrazza* que bordaient des buissons de romarin en fleur et quelques petits citronniers. En contrebas, les falaises s'ouvraient sur l'infini de la mer dont le bleu se confondait avec celui du ciel.

Lady Maskelene installa ses hôtes sur de vieilles chaises en bois devant une table carrelée, puis elle disparut à l'intérieur de la maison et revint peu après avec une bouteille sans étiquette contenant un liquide ambré, des verres, une bouteille d'huile d'olive et une assiette en terre cuite débordant d'épaisses tranches de pain de campagne. Elle posa les verres sur la table et les remplit.

Pendergast trempa les lèvres dans son verre.

— S'agit-il du vin de vos vignes, Lady Maskelene ?

— Oui, et c'est également mon huile d'olive. Il y a quelque chose d'incroyablement gratifiant à travailler sa propre terre.

— *Complimenti*.

Pendergast but une deuxième gorgée de vin et trempa un morceau de pain dans l'huile.

— Excellente !

— Je vous remercie.

— Permettez-moi de vous expliquer ce qui nous amène ici, Lady Maskelene.

— Pas tout de suite, répondit-elle d'une voix grave, les yeux perdus dans la Méditerranée, un sourire étrange aux lèvres. Je ne voudrais pas gâcher ce... cet instant magique.

D'Agosta se demanda ce que l'instant pouvait avoir de magique. Le cri des mouettes et le bruit du ressac au pied des falaises leur parvenaient comme étouffés.

— Vous possédez une villa merveilleuse, Lady Maskelene.

Elle lui répondit par un petit rire.

— Ce n'est pas vraiment une villa, mais plutôt une petite maison en bord de mer. C'est ce qui fait tout son charme à mes yeux. Ici, je peux profiter en toute quiétude de mes livres, de ma musique, de mes vignes, de mes oliviers, sans parler de la mer. Que demander de plus ?

— Vous parlez de musique. Jouez-vous d'un instrument ?

Elle hésita brièvement.

— Oui, du violon.

Enfin, nous y voilà, pensa D'Agosta.

— Vous habitez ici toute l'année ?

— Oh non ! Je finirais par m'ennuyer. Je suis solitaire, mais pas à ce point.

— Où vivez-vous ordinairement ?

— Je mène une existence plutôt décadente. Je passe l'automne à Rome et le mois de décembre à Luxor, où j'ai mes habitudes au Winter Palace.

— L'Égypte ? Curieuse façon de passer l'hiver.

— Je dirige de modestes fouilles dans la vallée des Nobles.

— Vous êtes donc archéologue ?

— Plutôt égyptologue et philologue, ce qui n'est pas tout à fait la même chose. Nous ne nous intéressons pas uniquement aux ossements et aux tessons de poteries. Mes équipes viennent par exemple de mettre au jour la tombe d'un scribe de la XIXe dynastie dans laquelle nous avons découvert des inscriptions passionnantes. Cette sépulture avait bien évidemment été pillée dès l'Antiquité, mais les pilleurs de tombes ne s'intéressent qu'à l'or et aux pierres précieuses, et ils avaient fort heureusement laissé intacts les inscriptions et les parchemins. Le scribe lui-même se trouvait toujours dans son sarcophage et il tenait entre les mains des papyrus contenant de nombreuses formules magiques dont il nous reste à percer le secret après les avoir déroulés, ce qui n'est pas sans présenter certaines difficultés.

— Passionnant.

— Sinon, lorsque le printemps arrive, je retourne en Cornouailles où se trouve la propriété de famille.

— Vous passez le printemps en Angleterre ? s'étonna Pendergast.

Elle éclata de rire.

— J'avoue avoir un faible pour la boue et les pluies glacées, ce qui me laisse tout le loisir de lire, allongée sur un tapis devant un bon feu. À présent, à votre tour de me parler de vos goûts, monsieur Pendergast.

L'inspecteur ne s'attendait pas à une telle question, et il chercha à dissimuler sa confusion en plongeant les lèvres dans son verre de vin.

— J'apprécie grandement votre vin. Une grande fraîcheur, et beaucoup de simplicité.

— Il est réalisé à partir d'un cépage de malvasia apporté sur cette île par des marchands crétois il y a près de quatre mille ans. Je trouve d'ailleurs qu'il a le goût de ces aventuriers qui écumaient les îles de la Méditerranée à bord de leurs trirèmes...

Elle rit, écartant les mèches noires qui encadraient son visage.

— J'ai bien peur d'être une incorrigible romantique. Lorsque j'étais enfant, je rêvais d'être Ulysse. Et vous ? ajouta-t-elle en regardant Pendergast. Qui auriez-vous aimé être lorsque vous étiez enfant ?

— Un grand chasseur blanc.

La réponse la fit rire.

— Quelle drôle d'ambition ! Votre rêve s'est-il réalisé ?

— D'une certaine façon. Mais un beau jour en Tanzanie... je me suis brusquement aperçu que je n'en avais plus le goût.

Un silence ponctua la phrase de Pendergast. D'Agosta, dérouté par la conduite de son compagnon, goûta le vin qu'il trouva sec, mais agréable. Quant au pain, trempé dans l'huile d'olive au goût épicé inimitable, c'était un véritable délice. Il n'avait pas pris le temps de déjeuner ce matin-là et une légère entorse à son régime ne prêterait pas à conséquence. Il regarda discrètement sa montre. Si Pendergast ne se dépêchait pas, ils allaient rater le ferry.

À son grand étonnement, ce fut leur hôtesse qui aborda le sujet qui les intéressait.

— À propos d'histoire, ma famille a un destin intéressant. Vous avez peut-être entendu parler de mon arrière-grand-père, Luciano Toscanelli ?

— En effet.

— Il avait deux passions dans la vie : le violon et les femmes. C'était le Mick Jagger de son temps, à ceci près que ses groupies étaient des comtesses, des baronnes et des princesses. Il lui arrivait d'avoir deux ou trois femmes le même jour, et pas toujours séparément, précisa-t-elle avec un sourire amusé.

Pendergast se racla la gorge et prit un morceau de pain.

— Il a pourtant eu un grand amour dans sa vie, la duchesse de Cumberland, qui lui a donné une fille illégitime. Il s'agissait de ma grand-mère.

Elle s'arrêta et le regard qu'elle posa sur Pendergast n'était pas dénué de curiosité.

— C'est bien pour ça que vous êtes venu, non ?

Pendergast ne répondit pas immédiatement.

— C'est vrai, finit-il par reconnaître.

La jeune femme soupira.

— Mon arrière-grand-père est mort comme tant d'autres avant la découverte de la pénicilline, c'est-à-dire d'une maladie vénérienne.

— Lady Maskelene, s'empressa de préciser Pendergast, n'allez pas croire que je souhaite me mêler de vos affaires de famille. À la vérité, une seule question m'intéresse.

— Oui, je sais. Mais avant d'y répondre, je tiens à vous raconter l'histoire des miens.

— Vraiment, je ne voudrais pas...

Lady Maskelene rougit et posa une main sur les boutons de sa chemise.

— Je préfère tout vous dire. Cela nous évitera d'y revenir.

Tout vous dire ? se demanda D'Agosta. Tout quoi ? L'attitude de Pendergast montrait qu'il était aussi déconcerté que lui, mais la jeune femme poursuivait déjà.

— Comme je vous l'ai dit, mon arrière-grand-père était atteint de syphilis. Avec le temps, les spirochètes se sont attaqués au cerveau et il ne jouait plus comme avant. Lors d'un concert à Florence, il a fini sous les lazzis du public. La famille à qui appartenait son violon lui a réclamé son dû, mais il a refusé de le rendre et s'est enfui. Au bord de la folie, il a longtemps erré de ville en ville, aidé par une longue litanie de femmes. Les propriétaires de l'instrument avaient lancé à ses trousses des détectives privés, mais mon arrière-grand-père a toujours réussi à leur échapper. La nuit, dans les hôtels où il se cachait, il interprétait des œuvres de Bach, de Beethoven et de Brahms avec un brio incomparable tout en les massacrant avec une froideur sacrilège, à en croire la légende. Les témoins de ces terribles concerts ont même dit que le diable s'était emparé de l'âme de Toscanelli.

Elle s'arrêta.

— Poursuivez, la pressa Pendergast d'une voix douce.

— Le Stormcloud appartenait à une famille extrêmement puissante, liée par le sang aux plus grandes familles royales d'Europe, mais mon arrière-grand-père leur échappait toujours. La traque a cependant pris fin à Siusi, un petit village du Tyrol au cœur des Dolomites. Comme il fallait s'y attendre, mon aïeul avait été trahi par une femme. Il a réussi à s'échapper par la porte de derrière du petit *albergo* où il était descendu, et il s'est élancé à travers les montagnes avec son violon pour tout bagage. Là, il a entrepris l'ascension du Sciliar. Vous connaissez cet endroit ?

— Non, répondit Pendergast.

— Il s'agit d'un haut plateau alpin parsemé de précipices au cœur des Dolomites. On raconte que les sorcières y organisaient autrefois des messes noires. Pendant l'été, quelques bergers téméraires y font paître leurs troupeaux, mais la scène se déroulait en automne et le Sciliar était désert. Il a neigé abondamment cette nuit-là et, lorsque l'on a retrouvé le corps gelé de mon ancêtre le lendemain dans une cabane de berger, le Stormcloud avait disparu. Il n'y avait aucune trace de pas autour de la cabane, et on en a conclu qu'il avait jeté son violon dans les chutes du Sciliar dans un accès de folie.

— Vous croyez à cette version des faits ?

— Il faut bien me résoudre à y croire.

Pendergast se pencha vers elle et déclara d'une voix qui avait perdu toute suavité :

— Lady Maskelene, je suis venu vous dire que le Stormcloud existe toujours.

— Ce n'est pas la première fois qu'on me le dit, riposta la jeune femme en le regardant droit dans les yeux.

— Je compte bien vous en apporter la preuve.

Le visage impassible, elle le fixa un long moment, puis ses lèvres s'étirèrent en un sourire et elle secoua la tête d'un air triste.

— Il faudrait que je le voie pour y croire.

— Je récupérerai le Stormcloud et je le déposerai moi-même entre vos mains.

Elle secoua farouchement la tête.

— Il existe des centaines de copies du Stormcloud à travers le monde. On en fabriquait à la pelle à la fin du XIXe siècle et ils se vendaient pour moins de neuf livres.

— Lorsque je vous apporterai ce violon, Lady Maskelene...

— Arrêtez donc de m'appeler Lady Maskelene. À chaque fois, j'ai l'impression qu'on s'adresse à ma mère. Appelez-moi Viola, tout simplement.

— Très volontiers, Viola.

— Voilà qui est mieux. En contrepartie, je vous appellerai Aloysius.

— Bien évidemment.

— Quel curieux prénom. Votre mère lisait beaucoup de romans russes ?

— C'est une vieille tradition familiale de donner des prénoms inhabituels aux nouveau-nés.

Viola éclata de rire.

— Un peu comme les noms d'instruments de musique chez nous. Mais parlez-moi du Stormcloud. Comment avez-vous pu retrouver sa trace ? S'il s'agit vraiment du Stormcloud.

— Je vous raconterai cela en détail le jour où je vous l'apporterai, à condition que vous acceptiez d'en jouer.

— Je n'ose pas en espérer tant, même si j'ai toujours rêvé de l'entendre avant de mourir.

— En outre, cela permettra de laver l'honneur de votre famille.

Maskelene balaya l'argument d'un geste.

— Fadaise ! Si vous voulez que je vous dise, ces notions désuètes me paraissent bien inutiles.

— L'honneur ne se démode pas.

Elle observa Pendergast d'un air curieux.

— Vous n'êtes pas un peu vieux jeu ?

— Je ne m'intéresse guère aux modes actuelles, si c'est ce que vous voulez dire.

— Je vous crois sans peine, répondit-elle avec un sourire amusé en détaillant son costume noir. Mais ça me plaît plutôt.

La détresse de Pendergast était drôle à voir.

— Eh bien, dit-elle en se levant avec un sourire qui fit ressortir ses fossettes. Que vous trouviez ce violon ou non, revenez me voir. Puis-je compter sur vous ?

— Rien ne me ferait davantage plaisir.

— Dans ce cas, marché conclu.

Pendergast la regarda d'un air grave.

— Ce qui m'amène à la raison de ma visite.

— Ah ! La grande question ! Allez-y, ajouta-t-elle en souriant.

— Quel est le nom de cette puissante famille à laquelle appartenait autrefois le Stormcloud ?

— Je pourrais vous répondre, mais j'ai mieux.

Fouillant dans l'une de ses poches, elle sortit une enveloppe et la posa devant Pendergast qui déchiffra l'adresse : *À l'attention d'Aloysius X. L. Pendergast.*

Pendergast devint blanc comme un linge.

— Comment vous êtes-vous procuré cette lettre ?

— Figurez-vous que j'ai reçu la visite hier du comte Fosco, dernier descendant de la famille à qui appartenait le Stormcloud. J'avoue en avoir été bouleversée. Il m'a annoncé votre venue, ajoutant que vous étiez un ami, et il m'a demandé de bien vouloir vous remettre ceci.

Pendergast tendit lentement la main et prit l'enveloppe. Il déchira le rabat et sortit une carte sur laquelle était écrit en lettres fleuries :

Isidor Ottavio Baldassare Fosco,
Comte du Saint Empire Romain,
Chevalier Grand Croix de l'ordre de Quincunx,
Grand-Maître perpétuel des Maçons Rosicruciens de
Mésopotamie,
Membre de la Royal Geography Society, etc.
a le plaisir de vous convier
en sa demeure familiale de
Castel Fosco,
Le dimanche 4 novembre

Castel Fosco
Greve in Chianti
Firenze

Pendergast regarda brièvement D'Agosta d'un air entendu, puis il se tourna vers leur hôtesse.

— Cet homme n'est pas mon ami. Il s'agit même d'un personnage extrêmement dangereux.

— Dangereux, ce vieux comte obèse tout à fait charmant ? répliqua la jeune femme en riant.

Son rire se figea dans sa bouche lorsqu'elle vit l'expression de Pendergast.

— C'est lui qui détient le violon.

Elle écarquilla les yeux.

— Quand bien même... Après tout, le Stormcloud lui revient de droit s'il existe encore.

— À ceci près qu'il a assassiné au moins quatre personnes pour s'en emparer.

— Mon Dieu !

— Surtout, ne parlez de ceci à personne. En attendant, vous êtes en sécurité à Capraia, mais sachez qu'il n'aurait pas hésité un instant à vous tuer s'il l'avait jugé nécessaire.

— Vous cherchez vraiment à me faire peur ?

— Oui, et croyez bien que j'en suis désolé, mais la peur est parfois salutaire. Dans deux ou trois jours, tout sera fini. Je vous en prie, Viola, faites bien attention à vous. Ne bougez pas d'ici tant que je ne serai pas de retour avec le violon.

La jeune femme resta pensive quelques instants.

— Il vous faut repartir, sinon vous risquez de rater le ferry, dit-elle brusquement.

Pendergast lui prit la main et ils restèrent longtemps les yeux dans les yeux, puis il tourna les talons et s'éloigna sans une parole.

Debout sur le pont, D'Agosta regardait l'île disparaître à l'horizon avec le même sentiment de renouveau qu'il avait éprouvé quelques heures plus tôt. Pendergast, plongé dans ses pensées, n'avait pas desserré les dents depuis qu'ils avaient quitté la maison de la falaise.

— Fosco savait que vous saviez, remarqua D'Agosta. C'est ce qui l'a sauvée.

— Oui.

— Toute cette histoire tarabiscotée, c'était uniquement pour récupérer le violon, c'est bien ça ?

Pendergast acquiesça.

— J'ai toujours su que ce gros salopard avait quelque chose à cacher.

Le regard perdu dans le sillage du ferry, Pendergast ne répondit pas.

— Vous allez bien ? finit par se risquer D'Agosta.

Pendergast sursauta.

— Oui, fort bien. Je vous remercie.

L'île avait fini par s'effacer au moment précis où les côtes de Toscane apparaissaient à l'est.

— Quelle est la suite du programme ?

— Nous acceptons l'invitation de Fosco. C'est une chose de le savoir coupable, c'en est une autre d'en apporter la preuve. L'unique moyen de le confondre est de nous emparer de la machine dont il s'est servi pour commettre ces meurtres.

— Pourquoi croyez-vous que Fosco vous a invité ?

— Il a l'intention de me tuer.

— Génial. Je suppose que c'est pour ça que vous acceptez.

Pendergast détourna la tête. Ses yeux paraissaient presque blancs sous l'éclat du soleil.

— Fosco sait pertinemment que j'accepterai son invitation dans l'espoir de recueillir les éléments nécessaires à son arrestation. Si nous ne le faisons pas maintenant, il nous poursuivra éternellement...

Après une courte hésitation, il ajouta :

— Et puis il faut penser à Viola... à Lady Maskelene. Elle en sait trop à présent.

— Je comprends.

Pendergast resta longtemps sans quitter la mer des yeux, puis il murmura :

— Le dénouement aura lieu demain au Castel Fosco.

73

Installé derrière une vieille table face au révérend Buck, Bryce Harriman prenait des notes à la lueur d'une lampe tempête. Il était presque minuit, mais le journaliste ne montrait aucun signe de fatigue. Son papier sur l'arrestation ratée de Buck avait fait des vagues. Reconstituant les faits à partir d'une demi-douzaine de témoignages, il avait détaillé l'arrivée du gros capitaine et sa fuite lorsque les choses avaient tourné au vinaigre tandis que sa jeune collègue tentait de recoller les morceaux. Un modèle du genre, qui pourrait bien lui permettre de retrouver sa place au *Times*. Il avait déjà lancé des jalons, et les dirigeants du quotidien semblaient prêts à lui accorder un entretien.

Grâce à Buck, il était le seul journaliste autorisé à circuler librement dans le campement et il comptait bien enfoncer le clou avec son nouvel article. Il comptait surtout se trouver là le lendemain au cas où les flics auraient l'idée de revenir en force.

À en juger par l'atmosphère qui régnait autour de lui, la moindre confrontation avec la police risquait de tourner à la catastrophe. Les gens étaient à cran, la petite ville improvisée était une véritable poudrière. Même à cette heure tardive, des prières et des actions de grâce retentissaient dans tous les coins et les adeptes de Buck n'étaient pas près de dormir. La plupart des jeunes que Harriman avait remarqués lors de sa première visite avaient plié bagage, jugeant sans doute préférable de rentrer dans leurs banlieues bourgeoises après une nuit ou deux à dormir par terre, sans télé ni internet. Seuls les plus fanatiques avaient décidé de rester, mais il y avait là pas moins de trois cents tentes.

Une certaine radicalisation s'était produite chez Buck. On ne sentait plus chez lui ce sentiment de doute qu'il affichait encore quelques jours plus tôt. Au contraire, il faisait preuve d'un calme impressionnant. Son regard traversait Harriman, comme s'il lisait dans son âme.

— Eh bien, monsieur Harriman. Avez-vous tout ce qu'il vous faut ? Il est bientôt minuit et je m'adresse en général à mes gens avant de me retirer.

— Une dernière question. Comment voyez-vous les choses ? Vous devez bien vous douter que la police ne va pas rester les bras croisés.

Alors qu'il s'attendait à prendre Buck au dépourvu, il découvrit un homme d'une sérénité totale.

— Il arrivera ce qui doit arriver.

— La situation pourrait mal tourner. Vous sentez-vous prêt ?

— Oui, je me sens prêt.

— Vous dites ça comme si vous saviez déjà ce qui va se passer.

Buck se contenta de répondre par un sourire entendu.

— Vous n'avez pas peur ? insista Harriman, mais le même sourire énigmatique accueillit sa question.

Merde alors ! C'est pas avec des sourires que je vais faire mon papier, moi.

— Ils sont capables d'utiliser des grenades lacrymogènes et de charger la foule avec des matraques.

— Je fais confiance à Dieu, monsieur Harriman. Et vous, à qui faites-vous confiance ?

Bon, c'est le moment de remballer.

— Je vous remercie pour votre aide, révérend, conclut Harriman en se levant.

— C'est moi qui vous remercie, monsieur Harriman. Vous ne voulez pas rester quelques instants afin d'écouter ce que j'ai à dire à la foule ? Vous le dites vous-même, nous sommes à la veille d'un jour décisif, et mon sermon de ce soir sera différent des précédents.

Le journaliste hésita. Il était convaincu que les flics agiraient le lendemain et, s'il ne voulait pas rater la curée, il lui fallait être debout dès 5 heures.

— Quel est le thème de votre sermon ?

— L'enfer.

— Dans ce cas, je reste.

Buck se leva et fit signe à l'un de ses hommes de l'aider à enfiler un surplis, puis il sortit de la tente. Harriman prit son enregistreur dans sa poche et suivit le révérend au-dehors, en direction du promontoire situé en bordure du campement que ses fidèles avaient baptisé le « rocher du sermon ».

Buck contourna le tertre, se hissa en haut de sa tribune improvisée et leva lentement les mains en attendant que ses fidèles se rassemblent à ses pieds.

— Bonsoir, mes amis, commença-t-il. Une nouvelle fois, je vous remercie de vous joindre à moi dans la quête spirituelle qui nous préoccupe. Comme vous le savez, j'ai pour habitude de vous expliquer pourquoi nous sommes ici, de vous dire ce que Dieu attend de chacun d'entre nous. Aujourd'hui pourtant, je voudrais aborder un sujet d'une autre nature. Mes chers frères, mes chères sœurs, nous sommes sur le point d'affronter une épreuve difficile. Gloire soit rendue à Dieu, nous avons remporté hier, ici même, une grande victoire, mais les envoyés du mal ne sont pas sans persévérance. Aussi je vous demanderai à tous d'être forts et d'accepter la volonté de Dieu.

Harriman, son enregistreur tendu vers le rocher, était étonné de la tournure que prenait le sermon de Buck. Une lueur d'impatience teintée de résignation brillait dans le regard de l'évangéliste.

— Ce soir, à la veille de l'épreuve difficile qui vous attend, je veux prendre le temps de vous rappeler à quel ennemi vous avez affaire. Souvenez-vous de mes paroles même lorsque je ne serai plus parmi vous.

L'épreuve difficile qui vous *attend... à quel ennemi* vous *avez affaire... lorsque je ne serai plus parmi* vous...

Depuis sa dernière rencontre avec Buck, Harriman avait pris le temps de feuilleter la Bible, et certaines paroles de Jésus lui revinrent : « Vous ne pouvez maintenant me suivre où je vais ; mais vous me suivrez après. »

— Mes amis, mes frères ! Pourquoi nos ancêtres, tellement moins éduqués que nous, étaient-ils tellement plus croyants que nous ? La réponse est simple : parce qu'ils vivaient dans la crainte de Dieu. Parce qu'ils savaient quelle récompense attend au ciel les élus de Dieu. Parce qu'ils connaissaient le sort qui attend les pécheurs, les mécréants et les incrédules.

Buck s'arrêta un instant afin de parcourir des yeux les visages tendus vers lui.

— Dieu nous aime, oui ! Mais d'un amour dur. Dans cette ville comme dans tant d'autres, des malheureux meurent chaque jour par centaines. Quand croyez-vous que ces pauvres âmes prennent conscience de ce qui les attend *véritablement* ? Quand comprennent-ils que leur existence n'aura été qu'un long mensonge ? Quand s'aperçoivent-ils que l'avenir leur réserve des tourments effroyables ? À l'instant où leur âme se détache du corps, la vérité leur apparaît soudain. Ils sont saisis d'effroi mais il est trop tard pour fuir, ou même pour crier. Le vent de panique qui les emporte n'est pourtant que le premier pas sur le chemin qui les mène tout droit en enfer. Mais qu'est-ce que l'enfer ? Nos ancêtres évoquaient un lac de feu et de soufre dans lequel nous brûlerions de toute éternité, un brasier dont les flammes nous plongeraient à jamais dans les ténèbres.

Buck marqua une nouvelle pause, arrêtant cette fois son regard sur l'un, puis sur l'autre.

— Cette vision de l'enfer est trop simpliste, car il existe autant d'enfers qu'il existe d'individus. Lucifer n'est sans doute pas l'égal de Dieu, mais l'ange déchu n'en est pas moins puissant et ses pouvoirs dépassent de loin notre pauvre entendement. Mes chers frères, mes chères sœurs, n'oubliez jamais que Lucifer a été banni du paradis parce qu'il était l'esprit du mal. Dans son incommensurable jalousie, dans sa soif de vengeance inextinguible, il fait de nous de simples jouets entre ses mains. Tout comme l'enfant rejeté déteste l'enfant aimé, Lucifer nous hait parce que Dieu nous aime. Et qui d'entre nous peut prétendre sonder les profondeurs de cette haine ? Chaque être corrompu, chaque âme emportée est pour lui une victoire, une revanche sur Dieu. Il connaît nos faiblesses, il sait tous nos défauts. Notre vanité, nos envies et notre cruauté n'ont pas de secret pour lui. Mais croyez-vous vraiment que Satan se contentera de plonger nos âmes dans un enfer banal ? Réfléchissez, mes amis. S'il connaît nos faiblesses, il connaît aussi nos peurs et sa victoire ne sera totale que lorsqu'il aura plongé chacune de ses victimes dans un enfer à sa mesure. Pour certains, il s'agira d'un lac de feu. D'autres traverseront l'éternité cloués dans un cercueil, plongés dans les tourments d'une folie toujours recommencée. D'autres encore souffriront à tout jamais de crises d'étouffement. Réfléchissez à leur sort, mes amis. Rien ni personne ne saurait mettre un terme à l'agonie éternelle de celui qui connaîtra ce sort-là.

L'agonie éternelle... Malgré lui, Harriman fut parcouru d'un frisson.

Reprenant son souffle, Buck fit un pas en avant et s'arrêta au bord du rocher.

— Pensez à l'enfer personnel qui attend chacun d'entre vous et dites-vous bien que Satan, qui vous connaît mieux que vous-mêmes, sera capable d'imaginer bien pire encore car seuls les pleurs et les cris de ses victimes peuvent alléger ses propres souffrances.

Un long silence accueillit sa prédiction.

— Je vous ai dit qu'il existait un enfer pour chacun d'entre nous, reprit Buck d'une voix sourde. Eh bien, mes amis, sachez que cet enfer est tout près, au bout de l'avenue engageante que Satan a construite à votre intention. Il est tellement plus facile de s'y engager sans réfléchir, au lieu de prendre le difficile chemin qui mène au paradis. Il nous faut apprendre à éviter les embûches que le diable a semées sur notre route. Tel est le difficile combat qu'il nous faut mener sans relâche jusqu'à la mort, mes amis, car c'est là *l'unique* moyen de découvrir le chemin qui nous conduira jusqu'à Dieu. À la veille des épreuves qui nous attendent, c'est à cela seulement qu'il vous faut penser.

Tournant brusquement le dos à son auditoire, Buck disparut dans la nuit.

74

Lorsque D'Agosta pénétra dans la suite de Pendergast, ce dernier mangeait des œufs pochés du bout des dents tout en parcourant une épaisse liasse de faxes. L'espace d'un instant, D'Agosta repensa au repas qu'ils avaient pris ensemble à Southampton, au tout début de leur enquête. Tout cela lui semblait si loin à présent.

— Ah, Vincent ! s'exclama Pendergast. Entrez donc. Vous prendrez bien quelque chose ?

— Je vous remercie, mais je n'ai pas faim.

Les fenêtres de la suite s'ouvraient sur une journée magnifique, mais les nuages qui pesaient au-dessus de leur tête avaient eu raison de l'appétit de D'Agosta.

— Quant à moi, reprit Pendergast, je tenais à me sustenter car je ne sais pas trop quand nous aurons l'occasion de manger. Vous devriez prendre un croissant. Cette confiture de quetsche de chez Fauchon est un délice.

Il reposa le paquet de faxes et s'empara de l'exemplaire de *La Nazione* posé sur la table.

— Vous étiez en train de lire ?

— Des faxes envoyés par Constance. J'avais besoin de... disons, de munitions avant la rencontre qui m'attend. Elle a retrouvé des documents fort intéressants.

D'Agosta décida de se lancer.

— Je vous accompagne, il faut que ce soit bien clair dans votre esprit, déclara-t-il d'une voix rauque.

Pendergast reposa son journal.

— Je craignais cette réaction. Je vous rappelle que l'invitation est adressée à moi seul.

— Je doute que ce gros porc de comte voie un inconvénient à ma présence.

— Je ne peux vous contredire sur ce point.

— Je suis venu jusqu'ici avec vous, je me suis fait tirer dessus à plusieurs reprises, j'ai failli dégringoler dans un précipice, à pied et en voiture, j'y ai même laissé un morceau de doigt, alors ne comptez pas sur moi pour passer la soirée à boire des cocktails au bord de la piscine pendant que vous affrontez Fosco dans son antre.

Un léger sourire se dessina sur les lèvres de Pendergast.

— Il me reste une dernière chose à faire avant de quitter Florence. Nous en reparlerons à ce moment-là, si vous le voulez bien.

Sur ces mots, il se plongea dans la lecture de son journal.

Deux heures plus tard, leur voiture s'arrêtait dans une rue étroite devant un grand immeuble en pierre d'allure austère.

— Le Palazzo Maffei, expliqua Pendergast. Si vous voulez bien m'attendre quelques instants ? Je n'en ai pas pour longtemps.

Il sortit de l'auto, s'approcha de la plaque de cuivre sur laquelle étaient gravés les noms des occupants de l'immeuble et appuya sur l'une des sonnettes. Après un court silence, une voix étouffée lui répondit dans l'interphone. Pendergast prononça quelques mots, la lourde porte s'ouvrit et il disparut à l'intérieur du bâtiment.

D'Agosta avait observé le manège de son compagnon avec curiosité. Il connaissait suffisamment bien l'italien pour savoir que Pendergast ne s'était pas exprimé dans cette langue. On aurait même pu croire qu'il avait parlé à son interlocuteur en latin.

Le sergent descendit de voiture, traversa la rue et regarda les noms sur la plaque en cuivre. La sonnette actionnée par Pendergast indiquait *Corso Maffei*, mais ce nom ne lui disait rien et il remonta dans l'auto.

Moins de dix minutes plus tard, Pendergast sortit de l'immeuble et reprit sa place derrière le volant.

— Qu'est-ce que vous avez fait ? l'interrogea D'Agosta.

— J'ai souhaité prendre une assurance, répliqua Pendergast en se tournant vers lui. Je dirais que mes chances de réussite sont de l'ordre de cinquante pour cent. Je dois m'y résoudre, mais ce n'est pas votre cas. Je préférerais que vous ne veniez pas.

— Hors de question. Nous sommes sur la même galère.

— Je vous sens résolu, mais je souhaiterais vous rappeler que vous avez un fils, toutes les chances de faire une belle carrière dans la police, et un avenir personnel que je sens radieux.

— Je viens de vous le dire, nous sommes sur la même galère.

Pendergast sourit et posa une main sur le bras de son compagnon en signe d'affection.

— Je connaissais d'avance votre réponse, Vincent, et j'en suis heureux. J'ai appris à apprécier votre bon sens, votre droiture et vos qualités de tireur, entre autres choses.

D'Agosta, gêné, grommela des paroles indistinctes.

— Nous devrions arriver au château en milieu d'après-midi, reprit Pendergast. Je vous mettrai au courant en chemin.

La route du Chianti, au sud de Florence, traversait des paysages d'une rare beauté. Sur les collines, les vignes commençaient à prendre les couleurs de l'automne, les champs d'oliviers formaient des taches vert-de-gris, et l'on apercevait de loin en loin des châteaux de contes de fées et de ravissantes villas Renaissance. Au-delà, les montagnes boisées laissaient entrevoir les silhouettes austères de rares monastères.

La petite auto suivait la crête au-dessus des eaux de la Greve. Après le *Passo dei Pecorai*, la ville de Greve leur apparut dans le lointain, au fond de la vallée. Les deux hommes venaient de passer un virage lorsque Pendergast montra du doigt un édifice planté sur un rocher au cœur des collines du Chianti.

— Voici Castel Fosco.

De loin, D'Agosta aperçut au détour d'un virage une large tour crénelée s'élevant au-dessus des arbres. Pendergast quitta la route principale et la petite Fiat s'enfonça sur des routes de plus en plus étroites. La dernière s'arrêtait au pied d'un mur de pierre recouvert de mousse et percé d'une grille rouillée. Les mots *Castel Fosco* étaient gravés sur une plaque de marbre. La grille, mangée par la végétation, s'ouvrait sur un chemin de terre qui se perdait derrière une colline.

Pendergast franchit la grille et montra d'un mouvement de tête les vignes et les vergers qui les entouraient.

— L'une des plus riches propriétés de tout le Chianti.

D'Agosta ne répondit pas, incapable de dompter le sentiment d'oppression qui l'étouffait à mesure qu'ils s'enfonçaient dans le domaine du comte.

L'auto franchit une colline et le château leur apparut à nouveau. Il s'agissait d'un donjon perché sur un promontoire, contre lequel s'appuyait une ravissante villa Renaissance dont le toit rouge faisait ressortir la façade jaune pâle, ses élégantes fenêtres contrastant avec la silhouette austère de la tour médiévale.

Une double enceinte entourait l'ensemble. Mais si la première n'était qu'une longue suite de ruines, la seconde formait un rempart de protection autour du château derrière lequel la montagne s'élevait à pic.

— Le domaine est vieux de plus de mille ans, et il s'étend sur deux mille hectares, précisa Pendergast.

D'Agosta restait silencieux. La vue du château avait suffi à lui glacer les sangs. Pourquoi Pendergast voulait-il absolument se jeter dans la gueule du loup ? Il voulut se rassurer en se disant que l'inspecteur n'agissait jamais à la légère, et qu'il devait avoir un plan.

Un plan sûr.

75

L'auto aborda un dernier virage avant de franchir les premières fortifications. La silhouette du château se dressait devant les deux hommes dans toute sa majesté sévère. Pendergast emprunta une allée bordée de vieux cyprès et arrêta la voiture dans un espace aménagé en parking au pied de la seconde enceinte. D'Agosta jeta un regard inquiet sur la muraille qui s'élevait à plus de six mètres au-dessus de leur tête, ses contreforts envahis de mousse et de fougère. En haut d'un large escalier de pierre, une double porte bardée de fer offrait le seul accès à l'intérieur du château.

À peine descendus de voiture, les deux policiers furent accueillis par un bourdonnement sourd et le double battant s'ouvrit en raclant le sol.

Ils montèrent l'escalier et traversèrent un passage voûté. L'univers qui les attendait de l'autre côté était radicalement différent de celui qu'ils avaient sous les yeux quelques instants plus tôt. Une pelouse impeccable courait tout autour du château. Sur la gauche, le vert de l'herbe se reflétait dans un grand bassin circulaire, protégé par une balustrade de marbre, au milieu duquel un Neptune de pierre chevauchait un monstre marin. À droite se dressait une modeste chapelle surmontée d'un dôme carrelé, et une autre balustrade de marbre dominait un petit jardin en espalier qui s'arrêtait le long du mur d'enceinte.

D'Agosta se retourna en entendant un nouveau raclement et constata que la double porte s'était refermée derrière eux.

— Aucune importance, murmura Pendergast. Tout est prévu.

D'Agosta, priant pour que le ciel entende son compagnon, demanda :

— Où est Fosco ?

— Nous ne devrions pas tarder à le voir.

Ils traversèrent la pelouse en direction de l'énorme donjon dont la porte s'ouvrit avec un grincement métallique. Fosco, toujours aussi élégant dans son costume gris perle, ses cheveux longs rejetés en arrière, les attendait sur le seuil, un large sourire aux lèvres. Comme à son habitude, il portait des gants de chevreau.

— Mon cher Pendergast, soyez le bienvenu dans mon humble demeure. Et vous aussi, sergent D'Agosta. C'est fort aimable à vous de nous avoir rejoints.

Comme Pendergast ignorait la main qu'il lui tendait, Fosco la laissa retomber sans cesser de sourire.

— Quel dommage ! J'avais espéré que nous pourrions mener nos affaires avec la courtoisie requise, en *gentlemen*.

— Il y aurait donc un gentleman entre ces murs ? Si c'est le cas, je serais ravi de le rencontrer.

Fosco émit un gloussement réprobateur.

— Est-ce ainsi que l'on traite son hôte ?

— Est-ce ainsi que l'on traite les gens, en les brûlant chez eux ?

Fosco fit la grimace.

— Vous semblez bien pressé d'en venir au fait. Mais nous avons tout notre temps. Entrez, je vous en prie.

572

Le comte s'effaça et ils pénétrèrent au cœur du château. D'Agosta ne s'attendait pas à découvrir un décor aussi élégant, avec ses loggias à colonnades s'étalant sur trois des côtés du hall d'entrée.

— Vous remarquerez les *tondi* de Della Robia, précisa Fosco en désignant les bas-reliefs colorés de la loggia. Mais vous devez être fatigués après votre voyage. Je vais vous conduire dans vos appartements afin que vous puissiez vous rafraîchir.

— Nos appartements ? s'étonna Pendergast. Nous sommes censés passer la nuit ici ?

— Bien évidemment.

— Je crains que cela ne soit ni nécessaire ni même possible.

— Permettez-moi d'insister, répliqua le comte en se retournant et en refermant bruyamment la porte du château.

D'un geste théâtral, il sortit de sa poche une énorme clé à l'aide de laquelle il verrouilla le lourd battant, puis il ouvrit un petit coffret de bois accroché au mur, dévoilant un clavier électronique dont la modernité tranchait avec l'atmosphère ambiante. Le comte composa un code compliqué et une épaisse barre de fer descendit du plafond, condamnant la porte avec un bruit inquiétant.

— Voilà qui devrait nous protéger de toute intrusion, remarqua Fosco. Et, par la même occasion, de toute évasion.

Comme Pendergast ne répondait pas, le comte tourna les talons et traversa le hall de sa démarche sautillante en direction d'une galerie. Des tableaux noircis par les ans couvraient les murs et une vieille armure rouillée montait la garde dans un coin.

— Cette armure est une simple reproduction du XVIIIe siècle et elle n'a aucune valeur. Quant à ces portraits, ce sont bien évidemment ceux de mes ancêtres. Le temps les a fort heureusement recouverts d'un voile pudique, il faut bien dire que la race des Fosco n'est pas des plus belles. Ce domaine appartient aux miens depuis le XIIᵉ siècle, lorsque mon ancêtre Giovan de Ardaz l'a conquis de haute lutte sur un chevalier lombard. Ma famille s'est alors octroyé le titre de *cavaliere*, choisissant d'orner son écusson d'un dragon rampant, chargé d'une burèle sénestre. À l'époque du Grand Duché, nous avons été faits comtes du Saint Empire romain par l'électrice palatine en personne, et nous avons vécu benoîtement sur ces terres depuis, nous contentant de faire pousser nos vignes et nos oliviers sans nous occuper de politique. Ainsi que l'exprime si bien un dicton florentin, « Le clou qui dépasse s'expose aux coups du marteau », et la maison des Fosco n'a jamais cherché à se faire remarquer, ce qui nous a évité bien des coups de marteau tandis que se faisaient et se défaisaient les fortunes politiques des uns et des autres.

— Cela ne vous a pas empêché de vous faire remarquer au cours des derniers mois, riposta Pendergast.

— Hélas oui, mais bien contre mon gré. Il me fallait récupérer ce qui m'appartenait de droit, mais laissons ceci pour le moment, nous aurons l'occasion d'en reparler à l'heure du dîner.

En sortant de la galerie, ils traversèrent un superbe salon de réception dont les murs étaient recouverts de tapisseries magnifiques sur lesquelles des fenêtres à vitraux jetaient des reflets colorés.

— Ces paysages hollandais sont signés Van Ruisdael et Hobbema, précisa le comte en désignant de grands tableaux.

Au salon succédèrent plusieurs pièces meublées avec goût, mais le décor se modifia du tout au tout lorsqu'ils atteignirent la partie la plus ancienne du château.

— Nous pénétrons à présent dans ce qui était à l'origine une forteresse lombarde érigée au IXᵉ siècle, leur expliqua Fosco.

Les pièces, petites, sombres et chichement meublées, n'étaient éclairées que par des meurtrières.

— Je ne me sers guère de ces vieilles chambres humides et froides, nota le comte. En revanche, je dispose de plusieurs niveaux de caves, de celliers et de galeries qui servent à la fabrication du vin, du *balsamico* et du *prosciutto di cinghiale*. Ici, nous pratiquons couramment la chasse au sanglier, car il est délicieux. Les caves les plus profondes ont été creusées par les Étrusques il y a trois mille ans.

Ils s'enfonçaient dans les entrailles du château, et D'Agosta remarqua que l'humidité commençait à suinter des murs.

Parvenu devant une porte en fer scellée dans un mur de pierres de taille, Fosco sortit une autre clé de sa poche.

— Voici le donjon, fit-il en faisant tourner la clé dans la serrure.

Un large escalier en colimaçon venu des profondeurs du château poursuivait sa course au-dessus de leurs têtes. Fosco s'empara d'une torche électrique posée dans une anfractuosité du mur, l'alluma et entama son ascension. Quelques dizaines de marches plus haut, les trois hommes s'arrêtèrent devant une petite porte. Fosco la déverrouilla et les fit pénétrer dans un petit appartement dont les minuscules ouvertures dominaient la vallée de la Greve et les collines avoisinantes. Quelques bûches se consumaient dans une cheminée de pierre et le sol carrelé était recouvert de tapis persans. Quelques fauteuils confortables étaient installés devant l'âtre, à côté d'une petite table garnie de bouteilles de vins et de liqueurs, et l'un des murs de la pièce était couvert de rayonnages remplis de livres.

— *Eccoci quà !* J'espère que ces appartements vous conviendront. Vous trouverez deux petites chambres un peu plus loin. Que pensez-vous de cette vue superbe ? Mais je m'inquiète de vous voir sans bagage. Je veillerai à ce que Pinketts vous donne tout ce dont vous pourriez avoir besoin, rasoirs, robes de chambre, chaussons, vêtements de nuit...

— J'ai bien peur que nous ne restions pas dormir.

— Et j'ai bien peur que vous ne repartiez pas, répliqua le comte en souriant. Nous dînons assez tard, conformément à l'usage local. Je vous attends à 9 heures.

Le temps de saluer ses visiteurs et Fosco referma la porte derrière lui avec un grand boum. Une clé tourna dans la serrure et le cœur de D'Agosta se serra dans sa poitrine tandis que le comte dévalait les marches d'un pas alerte.

76

La police avait installé son quartier général dans un parking privé situé derrière l'arsenal, à l'abri des regards indiscrets. Le préfet Rocker n'avait pas lésiné sur les moyens, et l'on trouvait réunis là trois unités anti-émeutes du NYPD, une équipe des commandos, deux négociateurs spécialisés dans les prises d'otages, une brigade à cheval, sans parler des flics en tenue équipés de casques et de gilets pare-balles. Prêts à parer à toute éventualité, plusieurs camions de pompiers, des ambulances et des paniers à salade attendaient sur la 67ᵉ Rue.

Hayward s'assura que sa radio et son arme de service fonctionnaient correctement. Ce déploiement de forces était démesuré, mais elle était consciente que la clé du succès consiste souvent à convaincre l'adversaire de l'inutilité de résister.

Elle savait aussi à quel point les fanatiques sont imprévisibles, contrairement aux conducteurs de bus ou aux fonctionnaires en grève qui ont une femme, des enfants, un pavillon et deux voitures à rembourser.

Rocker s'approcha et lui posa une main sur l'épaule.
— Prête ?
Elle hocha la tête et il lui répondit par une petite tape paternelle.

— Si jamais les choses se gâtent, vous nous prévenez par radio et on arrive.

Avec un regard à tous les hommes en armes qui les entouraient, il ajouta :

— J'espère qu'on n'aura pas besoin d'en arriver là.

— Moi aussi.

Elle aperçut de loin Wentworth à l'un des postes de commande. Un fil ostensiblement accroché à l'oreille, il gesticulait dans tous les sens, manifestement ravi dans son rôle de superflic. Il regarda dans sa direction et elle détourna les yeux. Outre l'humiliation, un échec pouvait lui coûter cher sur le plan professionnel et elle se demanda une fois de plus quelle mouche l'avait piquée de vouloir se mouiller de la sorte. C'était le meilleur moyen de plomber sa carrière. Combien de fois avait-elle constaté que ceux qui suivent le mouvement arrivent plus vite que les autres ? L'exemple de D'Agosta y était peut-être pour quelque chose.

— Prête ?

Elle hocha la tête.

— Alors allez-y, capitaine, lui dit Rocker en lui lâchant l'épaule.

Elle jeta un dernier regard à ses collègues, prit son badge dans sa poche, l'accrocha à sa veste et s'engagea dans l'allée contournant l'arsenal par le nord.

Quelques minutes plus tard, elle arrivait en vue des premières tentes. Elle ralentit le pas afin de prendre le pouls de la foule. Il était midi et les gens allaient et venaient dans tous les sens au milieu d'une odeur de bacon frit. Tous s'arrêtaient pour l'observer et elle avait beau multiplier les petits saluts amicaux, elle rencontrait partout des regards hostiles. L'atmosphère était plus tendue encore que lors de sa visite précédente, les adeptes de Buck devaient bien se douter que la police n'allait pas oublier la débâcle de vendredi. Le tout était de leur faire comprendre qu'elle était venue avec des intentions pacifiques.

Des centaines de regards braqués sur elle, elle avançait entre les tentes au milieu de chuchotements inquiétants. Les mots *Satan* et *impure* lui revenaient constamment aux oreilles, mais elle s'appliquait à rester souriante en marchant d'un pas qu'elle voulait léger. Les paroles de son ancien prof de Sciences du comportement lui revinrent à l'esprit : « La foule se conduit comme les chiens, elle mord si elle voit qu'on a peur. »

Elle n'eut aucun mal à retrouver son chemin et arriva rapidement face à la tente de Buck. Ce dernier était installé devant une petite table, absorbé par la lecture du livre qu'il tenait entre les mains. Le même personnage empressé qui les avait accueillis Grable et elle deux jours plus tôt, celui que Buck appelait Todd, se mit en travers de son chemin. Un cercle de curieux se forma aussitôt autour d'eux.

— Encore vous, siffla l'homme.

— Encore moi, rétorqua Hayward. Je voudrais m'entretenir avec le révérend.

— Ils sont là ! cria Todd en faisant un pas en avant.

— Pourquoi « ils » ? Je suis venue toute seule.

En une fraction de seconde, une rumeur électrique parcourut le campement. Hayward jeta un coup d'œil derrière elle et constata que la foule grossissait de manière inquiétante. *Occupe-toi de Buck et de rien d'autre.* Mais le révérend, imperturbable, restait obstinément plongé dans son livre. Elle se tenait suffisamment près à présent pour en lire le titre : *Le Livre des martyrs* de John Foxe, dans une édition du Reader's Digest.

Todd s'avança à la toucher.

— Le révérend ne veut pas être dérangé.

Hayward, prise de doute, se demanda si Wentworth n'avait pas raison.

Suffisamment fort pour être entendue de Buck, elle prit la parole :

— Je n'ai pas de mandat d'arrêt. Je suis venue discuter avec le révérend, c'est tout.

— Hypocrite ! cria quelqu'un dans la foule.

Il lui fallait impérativement franchir ce barrage et elle fit un pas en avant, frôlant Todd au passage.

— C'est une agression, capitaine, remarqua l'aide de camp.

— Si le révérend refuse de me parler, il n'a qu'à me le dire lui-même. Il est assez grand pour ça.

— Le révérend a demandé qu'on ne le dérange sous aucun prétexte.

Ils se tenaient nez à nez, mais Hayward crut sentir s'effriter l'assurance de Todd.

Elle ne se trompait pas, car il finit par reculer d'un pas, sans libérer le passage pour autant.

Un cri fusa :

— Envoyée de Rome !

Qu'est-ce qu'ils ont tous à parler de Rome sans arrêt ?

— Révérend ! déclara-t-elle d'une voix forte en passant la tête par-dessus l'épaule de Todd. Je ne demande que cinq minutes de votre temps.

Buck posa son livre avec une lenteur calculée et leva les yeux sur elle. Hayward en eut la chair de poule. S'il avait semblé craindre les conséquences de ses actes deux jours plus tôt, il avait l'air sûr de son fait aujourd'hui. Un calme froid s'était emparé de lui et c'est tout juste si elle crut lire dans ses yeux une légère déception.

— Excusez-moi, dit-elle en tentant de passer à côté de Todd, la gorge sèche.

De la tête, Buck fit signe à son aide de camp de la laisser passer et il la regarda s'avancer d'un air éthéré.

580

— Révérend, je viens à la demande du NYPD pour vous demander un service, à vous et à vos adeptes.

Avoir le discours le plus banal possible, surtout ne pas lui laisser penser que je cherche à l'intimider. Toujours donner à l'autre l'impression que la décision finale est entre ses mains.

Mais Buck faisait comme s'il n'entendait rien.

La foule s'était tue et un silence tendu régnait autour d'elle. Le campement tout entier devait se trouver là.

— Révérend, nous avons un problème. Vos adeptes piétinent les buissons, ils abîment les pelouses, et tout le monde fait ses besoins en plein air. Les riverains se plaignent et nous sommes tous concernés par les problèmes d'hygiène engendrés par votre installation ici.

Comme Buck ne disait toujours rien, elle insista :

— Je suis venue vous demander votre aide.

Un murmure monta de la foule. Certains bloquaient déjà les abords immédiats de la tente de Buck, lui coupant le passage.

— Je suis venue vous faire une proposition qui me semble équitable et juste.

Salopard ! Tu pourrais au moins me demander de quoi il s'agit.

Il fallait impérativement qu'elle parvienne à lui faire dire quelque chose, n'importe quoi, mais il s'obstinait à se taire, la transperçant de son regard d'illuminé. Elle ne pouvait pas l'avoir mal jugé à ce point. Ou bien alors quelque chose s'était passé depuis la dernière fois car elle avait la nette impression de ne plus avoir affaire au même personnage.

Pour la première fois, elle se demanda si tout n'était pas foutu.

— Souhaitez-vous savoir de quoi il s'agit ?

Faute de réaction, elle décida de jouer son va-tout.

— En ce qui concerne les problèmes d'hygiène, nous ne voudrions pas qu'une épidémie se déclare parmi vous. Nous vous proposons de demander à vos gens de rentrer chez eux le temps de prendre une douche et un repas chaud. Nous ne vous demandons qu'une journée de répit, une seule. En échange, nous vous accordons un permis de manifester qui vous autorisera à vous rassembler en toute légalité par la suite, dans de meilleures conditions. C'est-à-dire avec notre bénédiction, sans endommager l'environnement ni déranger les riverains. Je vous ai entendu parler à ces gens, révérend, et je sais que vous êtes quelqu'un de responsable. Tout ce que je vous demande, c'est d'opérer dans la légalité, ce qui vous permettra de continuer à faire passer votre message sans vous mettre à dos toute la ville.

La foule était suspendue à la réaction de Buck, sur les épaules duquel tout reposait à présent.

Enfin décidé à sortir de son immobilisme, il cligna des paupières et leva la main très lentement d'un geste mécanique. Le silence était tel que l'on entendait le chant des oiseaux au-dessus de leurs têtes.

— Vous n'êtes qu'un centurion, laissa-t-il tomber d'une voix à peine audible.

Comme si la soupape d'une cocotte-minute venait d'être libérée, ses fidèles se rapprochèrent dangereusement de la jeune femme en vociférant :

— Centurion ! Soldat de Rome !

La foule était haineuse. Non seulement Hayward avait échoué dans sa mission, mais elle commençait à craindre pour sa vie.

— Révérend, si vous n'acceptez pas mon offre...

À sa stupéfaction, Buck lui tourna le dos et se retrancha dans sa tente alors que ses adeptes se précipitaient sur elle.

Elle leur fit face, décidée à quitter le campement le plus rapidement possible.

— Bon, très bien ! Maintenant que je sais à quoi m'en tenir...

— Tais-toi, Judas !

Les premiers bâtons s'agitèrent au-dessus de sa tête.

— Je m'en vais, déclara-t-elle d'une voix ferme. Je vous demanderai de me laisser passer.

Elle fit quelques pas en avant, mais la foule se resserrait autour d'elle à mesure qu'elle avançait. Des mains la repoussèrent.

— Je suis venue pacifiquement, cria-t-elle, veillant à ne pas laisser percer sa peur, et je compte bien repartir tout aussi pacifiquement.

Soudain, elle se retrouva nez à nez avec Todd. Il brandissait une pierre au bout de son bras levé.

— Ne faites rien que vous pourriez regretter, lui dit-elle calmement.

Pour toute réponse, il fit mine de la frapper et elle s'avança à le toucher en le regardant droit dans les yeux, comme elle l'aurait fait avec un chien de garde.

— Salope de Judas, gronda Todd en reculant, le poing serré autour de la pierre.

Hayward devait trouver quelque chose, et vite, si elle voulait s'en tirer sans casse. Surtout ne pas sortir son arme. Elle arriverait sans doute à les faire reculer en tirant en l'air, mais ils ne tarderaient pas à se ressaisir et elle serait contrainte de tirer dans le tas. Appeler Rocker ? Il lui faudrait au moins dix minutes avant d'arriver avec des renforts, et elle n'avait plus le temps.

Le seul qui pouvait encore l'aider était Buck, mais il s'était retiré dans sa tente.

Elle recula sous la poussée de la foule, tournant sur elle-même. Les adeptes de Buck, toujours plus nombreux, la repoussaient loin de la tente, comme s'ils avaient voulu épargner à leur chef spirituel la scène qui allait suivre.

Pour s'être intéressée à la psychologie des masses suite aux émeutes de l'affaire Wisher quelques années plus tôt, elle savait que les réactions d'une foule en colère n'ont rien de commun avec celles d'un individu isolé. Lorsqu'ils agissent en groupe, les gens perdent tout sens de la réalité au point de commettre des actes qu'ils réprouveraient tous individuellement.

— Centurion !

Enhardi par les cris et les insultes qui pleuvaient, Todd s'avança, à la limite de l'hystérie.

— Regardez-vous ! fit-elle en leur faisant face. Et vous vous prétendez chrétiens ?

Au lieu de les calmer, sa remarque ne fit qu'exacerber leur haine. À bout de ressources, elle insista :

— On ne vous a jamais dit que vous devez aimer votre voisin comme...

— Elle blasphème ! Elle blasphème ! hurla Todd, brandissant sa pierre.

Effrayée, Hayward voulut reculer, mais quelqu'un la poussa dans le dos.

— Il est dit dans la Bible... commença-t-elle d'une voix mal assurée.

— Elle salit la Bible !

— Vous avez entendu ?

— Faites-la taire !

Il lui fallait trouver quelque chose tout de suite, sinon elle ne tarderait pas à se faire lapider. Il suffisait que quelqu'un lui lance la première pierre pour que les autres l'imitent.

Mais Hayward avait beau se creuser la tête, elle était à bout de ressources.

77

À 8 h 55, Pendergast se leva calmement du canapé où il s'était allongé une demi-heure plus tôt, après s'être assuré qu'il avait tout ce dont il avait besoin pour forcer la serrure. Il avait même ouvert la porte avant de la refermer, sans prendre la peine d'explorer les environs.

— Reposé ? s'enquit D'Agosta d'un ton agressif.

Comment Pendergast pouvait-il dormir dans un moment pareil ?

— Je ne me reposais pas, Vincent. Je réfléchissais.

— Ouais, et moi aussi. Je me demandais comment on allait pouvoir sortir de ce guêpier.

— Vous ne pensez tout de même pas que je vous ai attiré ici sans avoir imaginé un plan de retraite. Et quand bien même mon programme ne porterait pas ses fruits, j'ai toujours été un chaud partisan de l'improvisation.

— Voilà un mot qui ne me dit rien qui vaille.

— Ces vieux châteaux sont de vrais morceaux de gruyère. Nous trouverons bien le moyen de nous échapper avec les preuves dont nous avons besoin. Mais il nous faut absolument ces preuves si nous voulons revenir en force.

Quelqu'un frappa et la porte s'ouvrit sur Pinketts, impeccable dans sa livrée. D'Agosta posa machinalement la main sur la crosse de son arme.

— Le dîner est servi, leur signala Pinketts avec son accent d'Oxford.

Ils lui emboîtèrent le pas et se retrouvèrent dans le *salotto* au terme d'un long parcours à travers des couloirs et des pièces qu'ils ne connaissaient pas. L'endroit, haut de plafond, était peint d'un jaune très vif. Des assiettes et des couverts d'argent étaient mis pour trois, et un superbe bouquet de roses trônait au centre de la table. Fosco se tenait à l'autre extrémité de la pièce, devant une énorme cheminée surmontée d'un écusson sculpté dans laquelle flambaient quelques bûches. Il se retourna et la minuscule souris blanche posée sur sa main grassouillette se réfugia sur sa manche.

— Bienvenue, prononça-t-il en enfermant le petit animal dans une cage de fil de fer en forme de pagode. Faites-moi l'honneur de vous installer à ma droite, monsieur Pendergast. Et vous à ma gauche, monsieur D'Agosta.

D'Agosta s'assit sur la chaise indiquée, s'éloignant machinalement de son hôte. Fosco lui avait toujours donné la chair de poule et sa seule présence le faisait frémir.

— Un doigt de *prosecco* de mes vignes ?

Les deux hommes firent non de la tête et Fosco haussa les épaules. Pinketts remplit le verre du comte et celui-ci le leva.

— Au Stormcloud, dit-il. Je regrette que nous ne puissions trinquer ensemble. Vous prendrez bien un peu d'eau.

— Vous ne nous en voudrez pas, mais le sergent D'Agosta et moi-même préférons faire preuve d'abstinence ce soir, répliqua Pendergast.

— J'avais pourtant fait préparer un véritable festin.

Il vida son verre et fit signe à Pinketts d'apporter une assiette débordant de charcuterie.

— *Affettati misti toscani*, précisa le comte. Du jambon de sanglier sauvage de la propriété. Vous m'en direz des nouvelles. Vous avez également de la *finocchiona* et de la *soprasatta*, également de la propriété.

— Non merci.

— Monsieur D'Agosta ?

Le sergent ne répondit pas.

— Quel dommage que nous n'ayons pas quelque nain sous la main pour goûter les plats ! Je vous avoue éprouver peu de plaisir à manger seul.

Pendergast se pencha en direction de Fosco.

— Laissons le dîner de côté et parlons de nos affaires, voulez-vous ? Le sergent D'Agosta et moi-même ne souhaitons pas nous éterniser ici ce soir.

— Je suis malheureusement au regret d'insister.

— Que nous importe votre insistance ? Ne vous en déplaise, nous partirons lorsque bon nous semblera.

— J'ai bien peur que vous ne puissiez repartir ce soir. Ni même un autre soir, d'ailleurs. Je vous suggère donc de manger, car il s'agit de votre dernier repas. N'ayez crainte, la nourriture n'est pas empoisonnée, j'ai d'autres projets plus intéressants en ce qui vous concerne.

Un lourd silence accueillit sa remarque, et Pinketts en profita pour servir un peu de vin rouge au comte qui le fit tourner dans son verre, le goûta et approuva de la tête.

— Quand avez-vous compris que c'était moi ? demanda-t-il à brûle-pourpoint.

Pendergast prit son temps avant de répondre d'une voix lente :

— Dans la pièce où Bullard venait d'être assassiné, j'ai trouvé un fragment de crin de cheval appartenant à un archet de violon. C'est alors que je me suis souvenu du nom donné par Bullard à son bateau, le *Stormcloud*, et les morceaux du puzzle se sont assemblés. Je venais de comprendre que nous étions en présence d'une banale affaire de vol, de meurtre et d'intimidation, et j'ai tout naturellement pensé à vous. Je savais depuis longtemps que Bullard n'était qu'un simple pion dans cette histoire.

— Remarquable. J'avoue avoir été surpris que vous deviniez aussi vite, d'où ma précipitation à faire taire ce vieux prêtre. Un acte inutile et stupide, que je regrette infiniment, mais j'ai cédé à un instant de panique.

— Inutile ? Stupide ? s'interposa D'Agosta. Je rêve, ou nous parlons du meurtre d'un être humain ?

— Épargnez-moi vos leçons de morale, riposta le comte d'une voix acide.

Fosco but une gorgée de vin, piqua avec sa fourchette une tranche de jambon qu'il porta à sa bouche et recouvra aussitôt sa bonne humeur.

— Quant à moi, poursuivit-il à l'intention de Pendergast, j'ai su que vous alliez me mettre des bâtons dans les roues dès notre première rencontre. Qui aurait pu imaginer qu'un homme tel que vous trouve sa place dans la police ?

Faute de réponse, il leva son verre.

— J'ai tout de suite su qu'il me faudrait un jour vous tuer, et ce jour est arrivé.

Il avala une nouvelle gorgée et reposa son verre.

— J'avais espéré que ce crétin de Bullard se salirait les mains à ma place, mais il a échoué lamentablement.

— Car c'est vous qui l'avez poussé à mettre un assassin à mes trousses ?

— Disons qu'il m'a été facile de l'influencer, mais cela n'a pas marché et il faudra bien que je m'occupe de vous personnellement. En attendant, vous pourriez au moins me féliciter d'avoir mis au point un plan aussi brillant. Il n'existe pas l'ombre d'une preuve contre moi, et vous le savez mieux que quiconque, monsieur Pendergast.

— Sinon que Bullard possédait un violon qui se trouve aujourd'hui entre vos mains. Cela ne sera pas difficile à prouver.

— Un violon qui appartient de droit aux Fosco. La facture originale, signée d'Antonio Stradivari en personne, figure encore dans les archives familiales et personne ne saurait contester cet héritage. J'entends laisser passer un délai respectable après la mort de Bullard, et puis le violon réapparaîtra un beau jour à Rome. Je n'ai rien laissé au hasard. Je viendrai réclamer mon dû et je dédommagerai l'heureux luthier entre les mains duquel le Stormcloud sera tombé, et le tour sera joué. Bullard n'a révélé à personne la raison pour laquelle il souhaitait récupérer son violon. Pas même aux chercheurs qui travaillent dans ses laboratoires. Comment aurait-il pu leur avouer qu'il avait peur du diable ? précisa-t-il en gloussant. Vous voyez bien, monsieur Pendergast, qu'il n'existe aucune preuve contre moi.

Il porta à la bouche un morceau de pain.

— Je dois toutefois reconnaître avoir été superbement servi par la chance. Je pense notamment à l'incroyable coïncidence qui fut le nœud de cette affaire. Vous voyez sans doute à quoi je fais allusion.

— Je crois l'avoir deviné.

— Le 31 octobre 1974, en début d'après-midi, alors que je me rendais à la *Biblioteca Nazionale*, c'est par le plus grand des hasards que je suis tombé sur un groupe de ces jeunes étudiants américains à la naïveté désarmante que Florence accueille dans ses murs à longueur d'année. Nous étions à la veille de la Toussaint, ce que vous appelez chez vous Halloween, et ces jeunes gens avaient bu plus que de raison. J'étais moi-même jeune et naïf, et leur vulgarité m'amusait au plus haut point. À un moment, l'un d'entre eux – Jeremy Grove, pour être précis – s'est lancé dans une longue diatribe contre la religion, affirmant que Dieu n'était qu'une invention destinée aux faibles d'esprit. Quelque peu irrité par son arrogance, je lui ai dit que, si je ne pouvais attester de l'existence de Dieu, je pouvais en revanche me porter garant de celle du diable.

Fosco ponctua sa phrase d'un rire silencieux qui secoua son énorme ventre.

— Ils se sont tous exclamés que le diable n'existait pas, mais je leur ai rétorqué que certains de mes amis, avides de sciences occultes, avaient réuni de vieux manuscrits. Je leur ai même affirmé que j'avais en ma possession un parchemin contenant des formules susceptibles de faire apparaître Lucifer. Je leur ai proposé de vérifier la chose le soir même, une nuit idéale puisqu'il s'agissait de celle d'Halloween. Ils se sont empressés d'accepter mon offre, trouvant l'idée fantastique.

Le comte fut à nouveau secoué de son curieux rire intérieur.

— Et vous avez décidé de leur en donner pour leur argent.

— Exactement. Je les ai conviés dans mon château à minuit très précis et je suis rentré chez moi afin de tout préparer. Nous nous sommes follement amusés avec Pinketts qui, soit dit en passant, n'est pas le moins du monde anglais. Il s'agit tout bonnement d'un serviteur du nom de Pinchetti qui possède le goût de l'intrigue et un don marqué pour les langues. Quoi qu'il en soit, nous ne disposions que de six heures, mais nous avons su les mettre à profit. J'ai toujours eu la passion des machines et des gadgets, je suis également un grand spécialiste des *fuochi d'artificio*. Ce ne sont pas les portes dérobées et les passages secrets qui manquent dans ce château, et nous les avons mis à profit. Quelle nuit ! Vous auriez dû les voir lorsque nous avons entamé nos incantations, demandant au Prince des ténèbres de leur apporter gloire et richesse en échange de leurs âmes, leur faisant signer un pacte à l'aide de leur sang tandis que Pinketts multipliait les effets spectaculaires.

Renversé sur sa chaise, le comte riait aux larmes.

— Ils en sont sortis terrifiés, au point que Beckmann ne s'en est jamais remis. Je souhaitais uniquement m'amuser à leurs dépens, mais si cette mascarade a pu les ébranler dans leurs pauvres petites convictions, tant mieux. Ils sont ensuite repartis de leur côté et moi du mien, jusqu'à ce qu'intervienne cette incroyable coïncidence qui me ferait presque croire à la prédestination. Trente ans plus tard, je découvrais avec horreur que l'un de ces philistins avait acquis le Stormcloud.

— Comment l'avez-vous appris ? s'enquit Pendergast.

— J'ai passé ma vie à traquer ce violon afin de le faire revenir dans le patrimoine familial, monsieur Pendergast. J'en avais fait ma mission. Vous avez rencontré Lady Maskelene, vous connaissez donc l'histoire de cet instrument. J'étais convaincu que Toscanelli n'aurait jamais précipité le Stormcloud dans les chutes du Sciliar. Comment aurait-il pu commettre un tel sacrilège ? Tout fou qu'il était, il savait ce que représentait ce violon. Restait à savoir ce qu'il était devenu. La réponse n'est pas aussi complexe qu'il y paraît. On sait qu'il est mort de froid dans une cabane de berger sur le mont Sciliar, et qu'il a neigé cette nuit-là. Comme il n'y avait aucune empreinte sur la neige, le violon avait donc été dérobé *avant* la chute des premiers flocons. Qui aurait pu faire cela, sinon celui à qui appartenait la cabane ?

Pinketts retira l'assiette de son maître et déposa devant lui un plat de tortelloni au beurre et à la sauge que Fosco contempla avec gourmandise.

— Je crois vous avoir déjà dit ma passion pour les enquêtes policières. Je pense même posséder un certain talent en la matière. J'ai ainsi pu suivre la trace du Stormcloud. Après le berger, il s'est retrouvé entre les mains de son neveu, puis d'une bande de gitans avant d'atterrir dans une échoppe espagnole, puis dans un orphelinat de Malte et ainsi de suite. Je tremble en pensant à toutes les fois où il a dû être exposé sans précaution à la lumière du jour, où il aura été jeté dans un camion, à peine protégé par de la paille, où il aura été oublié dans une quelconque école de musique. *Mio Dio !* Malgré cela, le Stormcloud a survécu et il a fini dans un lycée français qui l'avait acheté parmi un lot de vieux instruments. Là, un imbécile maladroit l'a fait tomber, endommageant la volute. Il a fallu faire appel à un petit luthier d'Angoulême qui l'a reconnu et lui a substitué un autre instrument.

Fosco marqua sa désapprobation par un claquement de la langue avant de poursuivre.

— Imaginez un instant l'émotion de ce luthier en identifiant le Stormcloud ! Sachant qu'il ne parviendrait pas à le garder par-devers lui, faute de pouvoir en expliquer l'origine, il l'a introduit en fraude sur le territoire américain afin de le mettre discrètement en vente. La chose n'était pas aisée. Qui s'encombrerait d'un Stradivarius dont il ne pourrait se servir librement et que l'on risquerait de lui ôter à tout moment ? Le luthier français a pourtant trouvé preneur en la personne de Locke Bullard qui le lui a racheté pour deux millions de dollars. Une somme dérisoire, mais j'ai malheureusement été averti trop tard. Le violon avait changé de main depuis trois mois.

Le visage de Fosco s'assombrit, mais le comte recouvra rapidement sa sérénité en voyant la tranche de *bistecca fiorentina* encore fumante que Pinketts déposait devant lui.

— Le Stormcloud avait beau me revenir de droit, j'étais tout disposé à le racheter à Bullard pour un bon prix, mais je n'ai pas eu le temps de lui faire une offre. Figurez-vous que Bullard avait décidé de le détruire.

— Afin de percer une fois pour toutes les secrets de fabrication de Stradivari.

— Précisément. Et savez-vous pour quelle raison ?

— Je sais simplement que Bullard ne s'intéressait pas à la musique et qu'il n'était pas luthier.

— C'est vrai, mais savez-vous ce que trafiquait sa compagnie, la BAI, pour le compte du gouvernement chinois ?

Comme Pendergast ne répondait pas, il enchaîna.

— Eh bien, mon cher Pendergast, il fabriquait des missiles balistiques, et c'est pour cette raison qu'il avait besoin du Stormcloud !

— Des conneries, oui ! s'écria D'Agosta. Quel rapport peut-il y avoir entre un violon fabriqué il y a trois siècles et des missiles balistiques ?

Ignorant superbement la question du sergent, Fosco poursuivit à l'intention de Pendergast.

— J'ai comme dans l'idée que vous en savez davantage que vous ne voulez bien me le dire, mon cher monsieur. Quoi qu'il en soit, j'ai réussi à introduire une taupe dans ses laboratoires. Le malheureux a fini la tête en bouillie, mais il avait eu le temps de m'expliquer ce que Bullard comptait faire du violon.

Il se pencha en avant, le regard brillant d'indignation.

— Les Chinois avaient développé un engin balistique théoriquement capable de percer le futur bouclier antimissile américain, mais il leur fallait encore résoudre une difficulté majeure. Comme vous le savez, les missiles ne restent invisibles aux radars qu'à la condition de ne posséder aucune surface courbe ou réfléchissante. Mais c'est une chose de fabriquer un bombardier furtif volant à la vitesse du son, et c'en est une autre de construire un missile capable de voler dix fois plus vite, et les prototypes chinois explosaient systématiquement en rentrant dans l'atmosphère.

Pendergast acquiesça de façon à peine visible.

— Les équipes scientifiques de Bullard ont fini par trouver la solution. Avec ses milliards de fissures microscopiques, invisibles à l'œil nu, le vernis de Stradivari permettait de résoudre le problème. Ces mêmes fissures ont donné l'idée aux chercheurs de Bullard de mettre au point un procédé comparable afin d'amortir la résonance des vibrations lors de la rentrée dans l'atmosphère. Extraordinaire, vous ne trouvez pas ? Il leur fallait toutefois comprendre comment fonctionnait *exactement* le phénomène, analyser la forme et la profondeur des fissures, leur capacité d'interaction et leur distribution précise à travers la couche de vernis.

Fosco s'arrêta afin de ne pas laisser refroidir sa viande, dégustant de petites gorgées de vin entre deux bouchées.

— Bullard ne pouvait analyser le vernis qu'en désossant un Stradivarius de la période d'or. N'importe lequel aurait fait l'affaire, mais aucun n'était à vendre, surtout à quelqu'un qui voulait le démolir. C'est alors qu'on lui a proposé d'acheter le Stormcloud sous le manteau. *Ecco fatto !*

D'Agosta fit une moue de dégoût en voyant le comte essuyer sa bouche grasse sur une immense serviette.

— Vous comprenez à présent, Pendergast, pourquoi je n'avais pas le choix. Le Stormcloud représentait un marché d'un milliard de dollars rien qu'avec les Chinois, sans parler de ceux qui se seraient précipités chez Bullard une fois sa technique au point. Je devais donc récupérer le Stormcloud avant qu'il ne soit trop tard. Il avait pris la précaution de l'expédier dans ses laboratoires italiens où il était trop bien gardé pour que je puisse le lui soustraire, et c'est là que m'est venue l'idée de forcer Bullard à me rendre le violon *par la peur*. Pour cela, il me suffisait de poursuivre la mascarade d'il y a trente ans.

— À ceci près qu'il était impératif d'assassiner auparavant ses anciens camarades.

— Eh oui ! Il fallait lui prouver que le diable était bien venu réclamer les âmes de Grove, Beckmann et Cutforth. Comme Beckmann s'était évanoui dans la nature, il me restait à faire disparaître Grove et Cutforth, et pas n'importe comment. Bullard était un personnage inculte et fruste, dépourvu de toute spiritualité. Je devais donc tuer les deux autres dans des circonstances à la fois mystérieuses et effrayantes, de façon à confondre la police tout en accréditant la version d'une intervention diabolique. Seul le feu pouvait me permettre d'arriver à mes fins, ce qui m'a donné l'idée de mettre au point un appareil d'un genre un peu particulier. Mais c'est une autre histoire.

Fosco porta son verre à sa bouche.

— La mort de Grove a été mise en scène avec le plus grand soin. J'ai commencé par lui téléphoner afin de lui raconter que j'avais eu une vision terrible, que

Lucifer comptait nous réclamer des comptes à la suite de la petite cérémonie d'autrefois, et qu'il nous fallait réagir d'urgence. Il s'est tout d'abord montré sceptique, mais Pinketts s'est arrangé pour organiser quelques phénomènes curieux chez lui. Des bruits bizarres, des odeurs curieuses, ce genre de choses. C'est fou ce que quelques tours de passe-passe peuvent provoquer, même chez l'individu le plus arrogant. Grove a pris peur et je lui ai suggéré de faire amende honorable auprès de certaines de ses victimes, d'où le dîner que vous savez, au cours duquel je lui ai prêté mon crucifix. En échange, le pauvre idiot m'a confié les clés de chez lui et le code de son système d'alarme, et le tour était joué. À peine annoncée la nouvelle de sa mort, Bullard acceptait de me prendre au téléphone et j'ai joué le rôle du comte terrifié. Je lui ai parlé de bruits anormaux, d'une mystérieuse odeur de soufre, de picotements désagréables... Je lui ai expliqué que le diable avait tenu parole et qu'il viendrait tous nous visiter. Laissant Bullard mijoter dans son coin, je me suis occupé de Cutforth. Pinketts s'est fait passer pour un baronnet anglais et il s'est installé dans l'appartement voisin du sien afin de pouvoir s'occuper de lui. Cutforth a commencé par prendre la chose à la légère, comme Grove avant lui. Il était persuadé d'avoir été victime d'une mystification en 1974, mais la mort mystérieuse de Grove l'avait sérieusement ébranlé dans ses convictions et il a pris peur. J'étais certain qu'il finirait par appeler Bullard, ce qu'il a fait, bien sûr.

Le comte eut un petit rire.

— Au lendemain de la mort de Cutforth, la presse populaire s'en est donnée à cœur joie et Bullard a cédé à la panique. Le moment était venu de lui donner le *colpo di grazia*. Je l'ai appelé et je lui ai dit que j'avais trouvé le moyen d'annuler mon propre pacte avec Lucifer !

Fosco se frottait les mains d'un air ravi tout en parlant, au grand écœurement de D'Agosta.

— Bullard m'a supplié de lui dire comment j'avais fait, reprit le comte. Je lui ai dit avoir mis la main sur un très vieux manuscrit selon lequel le diable acceptait parfois de renoncer à une âme humaine en échange d'un cadeau d'une valeur inestimable. Il devait s'agir d'un objet unique dont la disparition serait considérée comme une perte pour l'humanité, et lorsqu'il m'a demandé ce que j'avais offert à Lucifer, je lui ai dit avoir sacrifié mon Vermeer. Le pauvre Bullard était dans tous ses états car il n'avait pas le moindre Vermeer à mettre sous la dent du diable, rien que des bateaux, des voitures ou des maisons dont le Malin n'avait que faire. Il m'a imploré de lui venir en aide, mais je lui ai répondu que je ne savais trop quoi lui conseiller. Je ne pouvais bien évidemment pas lui parler du Stormcloud, dont j'étais censé ignorer l'existence, et je lui ai simplement dit que seul son bien le plus secret et le plus précieux ferait l'affaire. Je lui ai même raconté que j'avais eu beaucoup de chance de posséder un Vermeer, car jamais le diable n'aurait accepté d'échanger mon âme contre un Caravage !

Ravi, Fosco éclata de rire.

— J'ai ajouté qu'il lui fallait faire vite car le trentième anniversaire de la signature du pacte approchait et que le diable était déjà venu chercher Grove et Cutforth. C'est à ce moment-là qu'il m'a avoué posséder un violon d'une grande rareté, le Stormcloud. Il voulait savoir si cela pourrait faire l'affaire. Je lui ai répondu que je ne pouvais pas répondre à la place du diable, mais que cela me semblait convenir, et je l'ai félicité d'avoir autant de chance.

Fosco enfourna dans sa bouche un morceau de steak saignant.

— Je suis aussitôt retourné en Italie. Lorsque Bullard est arrivé, je lui ai confié un vieux grimoire retrouvé dans la bibliothèque du château et je lui ai détaillé le rituel à suivre, lui précisant qu'il devait renvoyer tout son personnel et débrancher son système d'alarme, au prétexte que le diable n'aimait guère être dérangé. Le malheureux m'a obéi scrupuleusement et, en fait de diable, je lui ai envoyé Pinketts qui sait se montrer tout à fait diabolique lorsqu'il le veut. Sa petite mise en scène achevée, Pinketts a récupéré le violon pendant que je me débarrassais de Bullard à l'aide de ma petite invention.

— Pourquoi compliquer les choses ? s'étonna Pendergast. Pourquoi ne pas l'achever d'une balle ? Vous n'aviez plus besoin de tout ce cinéma.

— Mais si, mon cher ami ! Il fallait bien que la police locale soit perplexe, histoire de vous faire rester plus longtemps en Italie où il me serait plus aisé de me débarrasser de vous.

— Aisé, dites-vous ? Cela reste à voir.

Fosco gloussa de plaisir.

— Je me doute que vous n'auriez pas accepté mon invitation si vous n'aviez pas quelque chose à me proposer.

— Très juste.

— J'ignore quel atout vous gardez dans votre manche, mais j'ai bien peur que cela ne soit pas suffisant. C'est comme si vous étiez déjà mort. Je vous connais mieux que vous ne le pensez, tout simplement parce que vous me ressemblez. Vous me ressemblez même beaucoup.

— Je suis au regret de vous contredire, monsieur le comte. Contrairement à vous, je ne suis pas un meurtrier.

Le teint de Pendergast était anormalement animé.

— Vous n'êtes peut-être pas un meurtrier, mais vous en avez l'âme. Je le sais.

— Vous ne savez rien du tout.

Sa viande terminée, Fosco se leva.

— Vous m'accusez d'être un scélérat, vous jugez sordide toute cette affaire, mais je vous demande de réfléchir un instant. En refusant que l'on détruise le violon le plus précieux au monde, j'ai empêché les Chinois de fabriquer une arme dont la mise au point aurait menacé des millions de vos concitoyens, et cela au coût de la vie d'un pédophile, d'un industriel sans scrupule, d'un producteur inondant la planète de disques répugnants et d'un esthète décadent.

— Vous semblez oublier la vie du sergent ainsi que la mienne dans votre petit calcul.

Fosco hocha la tête.

— C'est vrai, et j'ajouterai ce malheureux prêtre qui n'avait aucune raison de mourir. Mais si vous voulez savoir la vérité, je serais prêt à sacrifier des centaines d'innocents pour ce violon. Il y a plus de six milliards d'individus sur terre, mais il n'y a qu'un seul Stormcloud.

— Votre violon ne vaut pas la vie d'un seul être humain, le contra D'Agosta.

Fosco posa sur lui un regard étonné.

— Ah non ?

Se retournant, il frappa dans ses mains et Pinketts apparut aussitôt.

— Apporte-moi mon violon.

Le serviteur disparut et revint quelques instants plus tard avec une petite boîte en bois patinée par les ans, en forme de cercueil. Il la posa sur une console et s'effaça dans un coin de la pièce.

Fosco s'approcha, ouvrit la boîte et prit l'archet qu'il chargea de colophane d'un geste amoureux avant de sortir le violon.

D'Agosta avait du mal à croire qu'autant de gens soient morts pour ce vieil instrument d'allure parfaitement ordinaire.

Fosco le cala sous son double menton et se redressa. Il poussa un long soupir, les yeux à demi fermés, et caressa lentement les cordes à l'aide de l'archet. D'Agosta reconnut *Jésus, que ma joie demeure* de Bach, l'une des rares œuvres classiques qu'il connaissait pour avoir entendu son grand-père la lui chanter souvent lorsqu'il était enfant.

Au fur et à mesure que les notes s'envolaient, l'atmosphère de la pièce s'en trouvait transformée.

La musique s'arrêta, arrachant D'Agosta à sa rêverie. L'espace de quelques instants, il avait oublié Fosco, les meurtres, le danger qui les guettait, et la réalité le rattrapa d'autant plus durement.

Fosco reposa le violon en silence, puis il murmura, la voix tremblante :

— Vous comprenez, à présent ? Ce violon n'est pas un simple morceau de bois, c'est un être vivant. C'est pour cela que le son du Stradivarius est si beau, monsieur D'Agosta. Parce qu'il est mortel. Parce que, tel le cœur d'un oiseau qui s'envole, il nous rappelle que les choses les plus belles ont une fin. La musique tire sa beauté de cette fragilité même. Elle respire, elle brille, et puis elle meurt. Le génie de Stradivari, c'est d'avoir su apprivoiser ce miracle à l'aide de quelques morceaux de bois et de vernis. Grâce à lui, ce qui était mortel est devenu immortel.

Il se tourna vers Pendergast, les yeux brillants.

— C'est vrai, la musique est appelée à mourir. Mais pas *ceci*, insista-t-il en montrant l'instrument. Le Stormcloud nous survivra pendant des siècles. Alors, monsieur Pendergast, j'attends que vous me disiez si j'ai eu tort de sauver ce violon, si c'était un crime de vouloir lui épargner le sort qui l'attendait.

Pendergast ne répondit pas.

— Moi, je vais vous le dire, fit D'Agosta. Vous n'êtes qu'un assassin.

— C'est vrai, répliqua Fosco dans un souffle. On peut toujours compter sur les philistins pour vous faire la morale.

Il essuya soigneusement le violon à l'aide d'un chiffon doux et le rangea dans sa boîte.

— Si beau soit-il, il nécessite les plus grands soins. J'ai commencé par en jouer un quart d'heure tous les jours, puis une demi-heure, et il va déjà mieux. Dans six mois, il pourra à nouveau donner le meilleur de lui-même et je compte le confier à Renata Lichtenstein. Vous avez sans doute entendu parler d'elle. La première femme récompensée par le prix Tchaïkovski, une jeune fille de tout juste dix-huit ans touchée par la grâce. Grâce au Stormcloud, Renata connaîtra la gloire et lorsqu'elle ne pourra plus en jouer, mes héritiers le confieront à quelqu'un d'autre, et leurs héritiers à d'autres encore, à travers les siècles.

— Vous avez donc un héritier ? s'étonna Pendergast.

Fosco se rengorgea.

— Je n'ai pas d'héritier, non. Ou tout du moins, pas encore, car je compte bien avoir un fils bientôt avec une charmante jeune femme rencontrée tout récemment. Je regrette simplement qu'elle soit anglaise, ajouta-t-il avec un sourire, mais elle peut tout de même s'enorgueillir d'avoir un arrière-grand-père italien.

D'Agosta vit Pendergast pâlir.

— Comment pouvez-vous imaginer un instant qu'*elle* vous épousera ?

— Je sais, je sais. Le comte Fosco est gros et gras, mais ne sous-estimez pas le pouvoir du charme et des mots lorsqu'il s'agit de gagner le cœur d'une femme. Lady Maskelene et moi avons passé une après-midi délicieuse sur son île. Nous appartenons tous deux à la vieille noblesse, et nous nous comprenons parfaitement.

D'un geste désinvolte, il épousseta son gilet.

— Qui sait si je ne vais pas entamer un régime ?

Sa remarque fut accueillie par un silence glacial que Pendergast finit par rompre.

— Nous avons vu votre violon, mais il vous reste à nous montrer cet appareil dont vous nous avez parlé, et qui a déjà coûté la vie à quatre personnes au moins.

— Avec plaisir ! Je suis très fier de cette invention, et je me propose même de vous faire une petite démonstration.

D'Agostra fut parcouru d'un frisson. Une *démonstration* !

Fosco adressa un signe à Pinketts qui quitta la pièce en emportant le violon et revint peu après avec une grande valise en aluminium. Fosco en souleva le couvercle, découvrant une batterie d'ustensiles métalliques soigneusement rangés dans leurs alvéoles de mousse. Il les sortit l'un après l'autre et les emboîta, puis il se retourna en direction de D'Agosta.

— Si vous voulez bien vous mettre là-bas, sergent ? demanda-t-il d'une voix douce.

78

— Buck !

Laura Hayward s'efforçait de ne pas céder à la panique.

— Arrêtez-les avant qu'il ne soit trop tard !

Mais le révérend, enfermé dans sa tente, n'avait aucune chance de l'entendre dans le tumulte ambiant.

La foule se faisait de plus en plus menaçante. L'aide de camp de Buck, encouragé par les vociférations des plus virulents, leva le bras, les yeux écarquillés, les narines dilatées. Ce n'était pas la première fois que Hayward lisait sur un visage les ravages de la haine, et elle savait que son sort était scellé.

— Non ! dit-elle d'une voix forte. Vous n'avez pas le droit de faire ça, c'est contraire à toutes vos convictions !

— Tais-toi, centurion de Rome ! hurla Todd.

Elle trébucha, se rattrapa au dernier moment. Todd était le plus dangereux de tous, la mèche qui risquait de tout faire sauter. Le fixant droit dans les yeux, elle approcha lentement la main de son arme de service, décidée à s'en servir en dernier recours. Pas question de tomber entre leurs mains sans réagir.

Comment les choses avaient-elles pu en arriver là ? Quelque chose clochait, à commencer par ces cris qui fusaient de la foule. *Centurion, soldat de Rome...* S'agissait-il d'une référence à l'un des sermons de

Buck ? Pourquoi ce dernier avait-il brièvement laissé percer sa déception en la voyant arriver ? On aurait dit qu'il attendait autre chose.

— Elle blasphème ! hurla Todd d'une voix haineuse.

Il fit un pas en direction de la jeune femme, aussitôt imité par la foule. Bousculée de tous côtés, Hayward sentait l'haleine de ses bourreaux sur sa nuque.

Il devait y avoir une explication, le tout était de la trouver.

Elle entendit dans sa tête le diagnostic de Wentworth : *Probablement un schizophrène de type paranoïaque, souffrant d'un complexe messianique.*

Un complexe messianique... Et si Buck se prenait pour le Messie ?

D'un seul coup, tout devint limpide. Soldat de Rome, centurion... autant d'allusions aux soldats venus arrêter Jésus. Buck était retourné dans sa tente sans daigner s'occuper d'elle tout simplement parce que sa venue ne correspondait pas au scénario qu'il avait imaginé dans sa tête.

D'une voix forte, elle s'adressa à la foule :

— Les soldats sont déjà en route. Ils viennent arrêter Buck !

Une onde de choc parcourut la foule.

— *Vous avez entendu ?*

— *Les soldats arrivent !*

— Oui, ils arrivent ! cria Hayward, décidée à enfoncer le clou.

— *Les soldats arrivent ! Les centurions !*

Repris et amplifié par des centaines de voix affolées, l'avertissement de la jeune femme parvint jusqu'à Buck.

Un frémissement autour d'elle indiqua à Hayward que le révérend venait de sortir de sa tente. Le poing de Todd se figea en l'air.

Vite, appeler Rocker avant que la foule se reprenne ! Décrochant discrètement sa radio, elle se recroquevilla sur elle-même afin que l'on ne remarque pas sa manœuvre.

— Monsieur le préfet ?

La voix de Rocker grésilla dans le petit haut-parleur.

— Que se passe-t-il, capitaine ? Vous avez une émeute sur les bras ou quoi ? Nous serons là dans un instant pour vous tirer de...

— Non ! le coupa-t-elle. Ce serait un bain de sang !

— La traîtresse ! s'exclama Todd. Elle utilise sa radio !

— Monsieur le préfet, je n'ai pas le temps de vous expliquer, mais faites exactement ce que je vais vous dire. Envoyez-moi trente-trois hommes. Pas un de plus, pas un de moins. Et également l'un des informateurs envoyés en éclaireur ce matin chez Buck. *Un seul !*

— Capitaine, je ne sais pas ce que...

— Faites ce que je vous demande, je vous en supplie. Buck est en train de revivre la passion du Christ, version New York. Il faut que l'informateur s'approche de lui et l'embrasse, comme Judas. Ensuite, nos hommes pourront l'arrêter et lui passer les menottes. À condition de faire ce que je vous dis, nous pouvons éviter une émeute. Sinon...

— Trente hommes, ça suffit ?

— Non, trente-trois. Le nombre de soldats dans une troupe romaine.

— *Arrachez-lui sa radio !*

Assaillie de toutes parts, la jeune femme laissa échapper sa radio qui fut aussitôt piétinée par la foule.

— *C'est une envoyée du diable !*

Pourvu que Rocker ait compris !

Hayward se retourna et vit que Buck tentait de se frayer un chemin au milieu de ses fidèles.

— Place aux soldats de Rome ! hurla-t-elle en montrant du doigt la direction d'où devaient venir les renforts.

Buck, drapé dans sa dignité, attendait que le drame soit consommé.

— *Les voilà !* cria quelqu'un. *Les voilà !*

La plus grande confusion régnait dans le campement et certains commençaient à ramasser des bâtons et des pierres lorsque Buck leva les bras.

— *Taisez-vous ! Il va parler !*

— Laissez passer les centurions ! déclara le révérend d'une voix particulièrement grave.

Personne ne s'attendait à une telle réaction et des centaines de regards stupéfaits se posèrent sur lui.

— Dieu l'a voulu ainsi ! L'heure est venue pour la prophétie de s'accomplir. Mes amis, mes frères, laissez-les passer !

D'abord timidement, puis avec une conviction croissante, la foule répéta les paroles du révérend.

— *Laissez-les passer !*

— Ne cherchez pas à les combattre ! insista Buck. Abandonnez vos armes et laissez passer les centurions !

— *Laissez passer les centurions !*

Buck écarta les bras et Hayward comprit qu'elle avait gagné la partie en voyant la foule s'ouvrir lentement devant lui.

— Traîtresse ! aboya Todd.

Une escouade de policiers commençait à se frayer un chemin à coups de bouclier à travers la foule sans que personne songe à résister.

— Laissez-les passer ! répéta Buck, les yeux noyés de larmes.

Le visage haineux, Todd leva le bras.

— Tout ça, c'est de ta faute, espèce de salope !

La pierre atteignit la jeune femme à la tempe et elle tomba à genoux, du sang plein la tête. Buck se précipita dans sa direction et l'aida à se relever tout en maintenant la foule à distance.

— Rangez vos épées ! Ils sont venus m'arrêter et je les suivrai de mon plein gré ! Dieu le veut !

Encore étourdie par le coup qu'elle venait de recevoir, Hayward tourna un regard étonné vers Buck qui tentait d'éponger son sang avec un mouchoir immaculé.

— Laissez, demeurez-en là ! murmura-t-il, le visage rayonnant.

Il aura été jusqu'au bout, pensa-t-elle.

Dans la confusion générale, l'informateur qui dirigeait l'escouade s'approcha de Buck et l'embrassa.

— Judas, c'est toi qui me trahis en m'embrassant ? demanda Buck en se laissant emmener par les agents.

La blessure de la jeune femme saignait abondamment et la tête lui tournait.

— Le capitaine Hayward a été blessée ! entendit-elle derrière elle.

— Ça va, capitaine ? C'est lui qui vous a agressée ?

— Tout va bien, rassura-t-elle les collègues qui l'entouraient. Ce n'est rien, une simple égratignure. Ce n'est pas de la faute de Buck.

— Elle saigne !

— Ce n'est rien, je vous dis ! Laissez-moi !

Ils la lâchèrent à contrecœur.

— Qui a fait ça ? Qui vous a frappée ?

Todd la regardait d'un air horrifié, brusquement rappelé à l'absurdité de son geste.

Hayward décida de ne pas envenimer les choses.

— Je ne sais pas, un caillou lancé au hasard. Aucune importance.

— Nous allons vous porter jusqu'à l'ambulance.

— C'est bon, je peux marcher, grommela-t-elle en repoussant le bras qu'on lui offrait, gênée d'être l'objet de tant d'attentions pour une simple entaille au cuir chevelu.

Légèrement groggy, elle regarda autour d'elle. Un silence de mort s'était abattu sur le campement. Buck, menotté, s'éloignait au milieu d'une cohorte de policiers sous le regard consterné de ses fidèles qu'il exhortait à rester calmes.

— Pardonnez-leur, ils ne savent pas ce qu'ils font, s'écria-t-il.

Le drame était consommé.

79

D'Agosta dégaina son arme et la braqua en direction du comte.

— Allez vous faire foutre !

Fosco posa sur le pistolet un regard condescendant.

— Pauvre imbécile. Vous pouvez ranger votre arme. Pinketts ?

Le serviteur pénétra dans la salle à manger. Il tenait entre ses bras une grosse citrouille qu'il déposa devant la cheminée.

— Je suis d'accord avec vous, sergent D'Agosta. Vous auriez fourni une cible de choix, mais il aurait fallu tout nettoyer ensuite, ironisa Fosco en achevant d'assembler son étrange appareil.

D'Agosta retourna s'asseoir. Le simple fait d'avoir dégainé son arme lui avait redonné confiance. Au premier signe de traîtrise, il n'hésiterait pas à abattre le comte et son serviteur.

— Je suis prêt ! fit le comte.

Monté, son appareil ressemblait à un fusil de science-fiction en acier inoxydable avec sa crosse munie de cadrans, et son canon terminé par une parabole.

— Comme je vous l'ai expliqué, il me fallait tuer Grove et Cutforth de façon à désorienter les enquêteurs. En outre, il me fallait brûler mes victimes, mais comment ? Pas question que l'on retrouve leurs corps calcinés, c'était beaucoup trop banal. C'est alors que j'ai pensé aux phénomènes de combustion spontanée. Vous savez sans doute que c'est en Italie que le premier cas a été enregistré.

Pendergast hocha la tête.

— La comtesse Cornelia.

— La comtesse Cornelia Zangari née Bandi di Cesena. Une bien triste histoire. Je me suis donc appliqué à mettre au point une machine susceptible de reproduire ce phénomène diabolique, et j'ai pensé aux micro-ondes.

— Les micro-ondes ? répéta D'Agosta.

Le comte lui répondit par un sourire dédaigneux.

— Mais oui, sergent. Les mêmes que dans un four à micro-ondes. C'était exactement ce qu'il me fallait puisque les micro-ondes ont la propriété de chauffer de l'intérieur. Il me fallait toutefois les diriger avec une certaine précision afin de laisser intact l'environnement immédiat de la victime. Les micro-ondes réchauffent les éléments aqueux beaucoup plus rapidement que les matériaux secs, de sorte qu'il est assez facile de brûler un corps sans abîmer les meubles et les tapis, par exemple. Les micro-ondes ont également un effet ionisant sur les métaux qui disposent d'électrons de valence en quantité suffisante.

Fosco caressa lentement son appareil et le posa sur la table près de lui.

— Ainsi que vous le savez, monsieur Pendergast, j'adore bricoler et les défis ne me font pas peur. Je n'ai eu aucun mal à construire une machine capable de transmettre les micro-ondes avec la puissance nécessaire, mais encore me fallait-il disposer de batteries suffisamment puissantes. Il se trouve que I.G.

Farben, une compagnie allemande avec laquelle ma famille a été en affaires au cours de la dernière guerre, commercialise un capaciteur doté de toute la puissance voulue.

D'Agosta jeta un coup d'œil à l'appareil à micro-ondes. On aurait dit un accessoire de mauvais film de *space opera*.

— Ma machine ferait une bien piètre arme de guerre car sa portée ne dépasse pas six ou sept mètres, sans parler de sa lenteur, mais elle était idéale pour ce que je souhaitais faire. Il m'a fallu un certain temps avant de la mettre au point et je dois même vous avouer avoir sacrifié plus d'une citrouille, sergent. Lorsque j'ai été prêt, je l'ai testé sur ce vieux pédophile de Pistoia dont vous avez exhumé la dépouille, mais l'essai ne s'est pas révélé très concluant, le corps humain étant nettement plus difficile à réchauffer que la chair d'une citrouille. J'ai donc apporté des améliorations à mon invention et elle a donné de parfaits résultats sur Grove, sans toutefois parvenir à le brûler tout à fait. J'ai peaufiné ma petite mise en scène avant de remballer mon équipement et je m'en suis allé tranquillement après avoir rebranché l'alarme. Les choses ont été encore plus simples avec Cutforth. Je vous l'ai dit, mon précieux Pinketts avait loué l'appartement voisin afin d'y réaliser des « travaux » et il a joué à la perfection le rôle du vieux gentleman anglais emmitouflé dans son manteau.

— Voilà pourquoi les caméras de surveillance n'ont rien révélé de suspect, commenta D'Agosta.

— Pinketts a longtemps fait du théâtre, un don que j'ai su mettre à profit. En tout état de cause, cette arme est tout bonnement formidable. Les micro-ondes, mon cher Pendergast, ont ceci de particulier qu'elles traversent les murs aussi aisément que la lumière passe à travers une vitre, tant qu'ils ne contiennent pas de métal et qu'ils sont parfaitement secs. La présence de clous est de ce point de vue ennuyeuse, car le métal a la propriété d'absorber les micro-ondes et provoque des incendies en chauffant. Pinketts a donc démonté le mur mitoyen depuis son appartement, il a remplacé les clous par des chevilles en bois avant de tout remettre en place, sous prétexte de travaux de réaménagement. Et c'est Pinketts qui s'est chargé de Cutforth pendant que je vous accompagnais à l'opéra. Je ne pouvais rêver meilleur alibi.

Fosco se mit à rire silencieusement.

— Et l'odeur de soufre ?

— Un mélange de soufre et de phosphore dans un brûle-parfum, injecté à travers le mur le long des moulures.

— Restent les curieuses empreintes retrouvées sur place.

— Le pied fourchu chez Grove a été réalisé directement à l'aide de mon appareil. Quant au visage que vous avez vu chez Cutforth, c'était un peu plus complexe puisque Pinketts ne pouvait s'introduire dans l'appartement, mais il s'est servi d'un masque afin de bloquer les ondes à certains endroits, et la chose a fonctionné. Remarquable, vous ne trouvez pas ?

— Vous êtes complètement malade, laissa tomber D'Agosta.

— Je suis surtout très inventif. Je n'aime rien tant que résoudre de petits problèmes techniques, riposta-t-il avec un sourire carnassier en soulevant son appareil. À présent, reculez-vous. Il me faut régler la longueur du rayon, sinon nous risquerions d'exploser avec cette malheureuse citrouille.

Fosco passa la courroie autour de son cou et visa la citrouille en tournant plusieurs boutons avant d'appuyer sur la tige qui faisait office de détente. Le capaciteur émit un léger bourdonnement.

— L'appareil est réglé au minimum. Si la victime se trouvait en lieu et place de cette citrouille, elle commencerait à éprouver des chatouillements extrêmement désagréables au niveau de la peau et du ventre.

Fosco tourna un bouton et le bourdonnement monta d'un ton.

— À présent, la victime se met à hurler sous l'effet de brûlures intérieures fort douloureuses. Un peu comme si elle avait avalé un essaim de guêpes. Des cloques se forment sur la peau, la chaleur à l'intérieur des muscles est telle que les neurones s'agitent, provoquant des spasmes si violents qu'elle tombe à terre, prise de convulsions. La température intérieure du corps grimpe encore et elle ne tardera pas à se tordre par terre en avalant sa langue, à moins qu'elle ne l'ait déjà sectionnée avec ses dents.

Le comte tourna encore d'un cran et la citrouille s'ouvrit en deux avec un bruit sec, laissant échapper un jet de vapeur.

— La victime est inconsciente, la mort est imminente.

Un bouillonnement sourd se fit entendre à l'intérieur de la citrouille. Soudain, une bouillie orange, fumante, se répandit sur le sol avec un chuintement humide.

— Vous l'aurez compris, notre victime a succombé, mais le plus intéressant reste à venir.

La citrouille, couverte d'énormes cloques desquelles s'échappaient de petits nuages de vapeur, s'affaissa complètement et se mit à noircir alors que la queue commençait à fumer. Les graines explosèrent dans un crépitement sinistre, une forte odeur de brûlé envahit la pièce et la citrouille prit feu.

— *Ecco !* Et pourtant, si vous posez votre main à côté de la citrouille, vous trouverez la pierre à peine chaude.

Tandis que la citrouille se consumait avec une fumée noire et âcre, Fosco reposa son appareil.

— Pinketts ?

Le serviteur arrosa la citrouille à l'aide d'une bouteille d'*acqua minerale* avant d'en envoyer les restes fumants dans la cheminée d'un coup de pied adroit, puis il se retira dans son coin après avoir remis du bois dans l'âtre.

— Merveilleux, n'est-ce pas ? Mais je puis vous assurer que le spectacle est autrement plus passionnant lorsque vous avez affaire à une victime humaine.

— Vous êtes complètement cinglé, gronda le sergent.

— Pendergast, votre homme de main commence à m'agacer sérieusement.

— Ce n'est pas la moindre de ses qualités, rétorqua Pendergast. À dire vrai, ce petit jeu a assez duré. Il est grand temps de passer aux choses sérieuses.

— Nous sommes d'accord.

— Je suis venu vous proposer un marché.

Un sourire cynique étira les lèvres de Fosco.

— Je vous écoute.

Pendergast, le visage impassible, observa longuement le comte avant de reprendre.

— Voici ma proposition. Vous rédigez et signez une confession dans laquelle vous précisez ce que vous venez de nous rapporter, et vous me confiez cette machine diabolique en guise de preuve. Ensuite, nous nous rendrons chez les *carabinieri* qui vous mettront en état d'arrestation en attendant que vous soyez jugé pour les meurtres de Locke Bullard et de Carlo Vanni, et complicité de meurtre sur la personne du vieux prêtre. L'Italie ayant aboli la peine de mort, vous serez libre dans vingt-cinq ans. Vous aurez alors quatre-vingts ans et vous pourrez passer le reste de vos jours en paix, à condition bien sûr d'avoir survécu à la prison.

Fosco écarquilla les yeux, un sourire incrédule aux lèvres.

— Rien que ça ? Et que m'offrez-vous en échange ?

— La vie.

— Je n'avais pas cru comprendre que vous teniez ma vie entre vos mains, monsieur Pendergast. J'avais même l'impression que c'était l'inverse.

Du coin de l'œil, D'Agosta vit que Pinketts tenait un Beretta de calibre 9 mm braqué sur eux.

Il dégaina son arme d'une main discrète, mais Pendergast l'arrêta d'un geste et sortit de sa poche une enveloppe qu'il tendit au comte.

— Une copie de cette lettre a été confiée au prince Corso Maffei, avec pour instruction de l'ouvrir si je n'étais pas venu la réclamer dans les vingt-quatre heures.

Fosco pâlit en entendant le nom de Maffei.

— Vous appartenez à une société secrète connue sous le nom de Comitatus Decimus, le Comité des Dix. En votre qualité de membre de cette confrérie dont les origines remontent au Moyen Âge, un certain nombre de documents, de manuscrits et de formules vous ont été confiés. Vous avez trahi la confiance de vos pairs, notamment en faisant usage de cet héritage afin de mystifier de jeunes étudiants américains au soir du 31 octobre 1974, et plus encore en commettant ces meurtres.

Le désarroi du comte avait laissé place à une fureur mal contenue.

— Ce que vous dites est absurde, Pendergast.

— Vous savez aussi bien que moi qu'il n'en est rien. Par votre naissance, vous êtes membre de droit de cette société secrète. Plus jeune, vous n'avez pas cru bon de prendre au sérieux cette institution. Vous n'avez réalisé votre erreur que beaucoup plus tard.

— Des menaces sans fondement, une tentative pitoyable de sauver votre peau.

— C'est à votre peau que vous devriez penser. Vous savez le sort qui attend ceux qui ont osé bafouer les règles de cette société. Vous aurez sans doute en mémoire le sort de la marquise Meucci. Les dirigeants du Comitatus ne manquent ni d'argent ni de relations. Ils ont les moyens de vous retrouver où que vous vous cachiez, Fosco, et vous le savez.

Le comte ne répondit pas.

— Comme je vous l'ai dit, je vous laisse la vie sauve en m'engageant à récupérer cette lettre, mais pas avant d'avoir recueilli votre confession écrite et de vous avoir conduit chez les *carabinieri*. Je vous laisse le violon. Après tout, il vous appartient. Un marché parfaitement équitable, tout bien considéré.

Fosco déchira le rabat de l'enveloppe d'un doigt boudiné et entama la lecture de la lettre, puis il leva les yeux sur Pendergast.

— Tout cela est infâme ! lâcha-t-il avant de reprendre sa lecture d'une main tremblante.

D'Agosta comprenait à présent la signification de l'« assurance » contractée par Pendergast le matin même. Une fois de plus, il leur sauvait la mise.

Le comte était livide.

— Comment avez-vous pu savoir tout ceci ? Quelqu'un d'autre a dû briser la loi du silence. C'est à lui de payer, pas à moi !

— C'est par vous, et personne d'autre, que j'ai pu recueillir ces détails. Je ne vous en dirai pas plus.

616

Fosco avait toutes les peines du monde à dissimuler son trouble.

— Fort bien. Je m'attendais à une réaction à la mesure de votre intelligence, et vous ne m'avez pas déçu. Vingt-quatre heures, avez-vous dit ? Pinketts va vous reconduire dans vos appartements en attendant que je réfléchisse à une riposte.

— Pas question ! s'écria D'Agosta. Nous ne resterons pas ici une minute de plus. Vous n'aurez qu'à nous joindre à notre hôtel lorsque votre confession sera prête.

Tout en parlant, il surveillait Pinketts dont l'arme les visait tour à tour. En cas de besoin il pouvait abattre Pinketts sans que ce dernier ait le temps de réagir.

— Vous attendrez ma réponse dans vos appartements, répéta le comte d'une voix tranchante.

Comme D'Agosta et Pendergast ne faisaient pas mine de bouger, Fosco adressa à Pinketts un signe à peine perceptible.

D'Agosta plongea au sol dans un mouvement souvent répété lors de ses séances d'entraînement et ouvrit le feu. Pinketts s'affala contre le mur sans un cri. Il avait eu le temps de tirer, mais la balle était passée largement au-dessus de leurs têtes. Sans attendre, D'Agosta se releva et fit feu à deux reprises. Pinketts se cabra et son Beretta roula dans un coin tandis que Pendergast sortait son arme et mettait le comte en joue.

Fosco leva lentement les mains.

Au même instant, une dizaine d'hommes d'allure fruste firent irruption dans la salle à manger, leurs armes braquées sur Pendergast et D'Agosta.

Un silence pesant s'installa, que seul vint interrompre le dernier râle de Pinketts.

Fosco, les bras levés, prit la parole :

— Quelle situation théâtrale ! Je constate que nous nous trouvons dans une impasse. Si vous me tuez, mes hommes vous tuent.

Derrière son apparente bonhomie se dissimulait une détermination froide.

— Nous n'avons qu'à partir d'ici, et comme ça personne ne sera tué, suggéra D'Agosta.

— Il est trop tard pour cela. Vous avez déjà tué Pinketts, répliqua sèchement Fosco. Et c'est vous qui me faisiez la leçon sur le caractère sacré de la vie humaine ? Pinketts était mon meilleur et mon plus fidèle serviteur.

D'Agosta fit un pas en direction du comte.

— Inspecteur Pendergast ! s'écria Fosco en élevant la voix. Réfléchissez un instant, et vous comprendrez que la partie est perdue pour vous. À trois, je demanderai à mes hommes d'abattre D'Agosta. Vous parviendrez à me tuer, mais vous aurez la mort de votre collègue sur la conscience. Vous me connaissez suffisamment pour savoir que je ne plaisante pas.

Il s'arrêta brièvement.

— Un.

— C'est du bluff ! cria D'Agosta. Ne vous laissez pas avoir.

— Deux.

Pendergast baissa son arme.

— À présent, monsieur D'Agosta, reprit le comte, il vous reste à baisser votre pistolet. En dépit de vos talents de tireur, vous n'aurez guère le temps d'abattre plus d'un ou deux de mes hommes avant d'être envoyé devant votre créateur.

D'Agosta baissa le bras lentement. Il avait une seconde arme attachée au mollet, et Pendergast aussi. La partie ne faisait que commencer, d'autant qu'ils avaient la lettre.

Les yeux brillants, Fosco les regarda l'un après l'autre.

— Fort bien. Mes hommes vont vous reconduire dans vos chambres pendant que je réfléchis à votre proposition.

80

Les premières lueurs de l'aube venaient d'atteindre les fenêtres du donjon lorsque Pendergast émergea de sa chambre. D'Agosta, assis près de la cheminée, grommela un bonjour indistinct. Contrairement à Pendergast qui parvenait à trouver le sommeil en toutes circonstances, il n'avait pas fermé l'œil de la nuit.

— Belle flambée, Vincent, remarqua Pendergast en s'installant près du sergent après avoir défroissé son costume. Ces matins d'automne sont décidément frisquets.

D'Agosta donna un coup de tison rageur.

— Bien dormi ?

— À peu près bien, merci. Le lit était tout simplement abominable.

D'Agosta remit une bûche dans l'âtre. Il ne supportait plus cette attente et cachait mal son irritation à l'idée que son compagnon se soit couché la veille sans lui fournir la moindre explication.

— Comment étiez-vous au courant de toute cette histoire de société secrète ? demanda-t-il d'un ton bourru. Ce n'est pas la première fois que je vous vois sortir un lapin de votre chapeau, mais là, vous battez tous les records.

— Quelle jolie concentration de métaphores ! Je me doutais que Fosco était impliqué dans cette affaire avant même de retrouver ce fragment de crin de cheval dans la villa de Bullard.

— Quand l'avez-vous soupçonné pour la première fois ?

— Vous souvenez-vous de cet associé dont je vous ai déjà parlé, Mime ? Je lui avais demandé d'effectuer des recherches sur tous les convives de Grove, et il a appris que Fosco avait discrètement fait l'acquisition d'une croix florentine du XVIIe siècle chez un antiquaire de la Via Maggio.

— La croix qu'il a donnée à Grove ?

— Précisément. De plus, le comte avait insisté sur le fait qu'à un jour près, la mort de Grove lui coûtait la bagatelle de quarante millions de dollars.

— Je me souviens. Les gens qui fournissent spontanément un alibi ont rarement la conscience tranquille.

— Le talon d'Achille du comte est indéniablement sa volubilité.

— Sans parler de sa grande gueule.

— Je me suis donc intéressé de plus près à Fosco. Un personnage dangereux, à n'en pas douter, dont il fallait se méfier. Souvenez-vous de la petite phrase du *colonnello*, à la caserne, concernant l'abondance de sociétés secrètes à Florence. La noblesse florentine figure parmi les plus vieilles d'Europe. Beaucoup de ces vieilles familles sont liées à diverses guildes et autres ordres secrets. Je pense aux Templiers, aux Gonfaloniers Noirs, aux Chevaliers de la Rose, et bien d'autres.

D'Agosta hocha la tête.

— Si leur raison d'être a disparu de longue date, certaines de ces sociétés continuent à obéir à des rites bien précis. J'ai pensé que le comte, héritier d'un très vieux clan toscan, devait appartenir de droit à plusieurs d'entre elles. J'ai envoyé un e-mail à Constance, lui demandant d'effectuer les recherches nécessaires, et j'ai montré ce qu'elle avait découvert à certains de mes contacts en Italie.

— Quand ?

— Avant-hier soir.

— Et moi qui vous croyais tranquillement endormi dans votre suite.

— Le sommeil est une nécessité biologique qui nous affaiblit et nous fait perdre du temps. Quoi qu'il en soit, j'ai appris l'existence du Comitatus Decimus, une assemblée d'assassins née des soubresauts de l'histoire au XIIIe siècle, bien avant l'arrivée au pouvoir des Médicis. L'un des fondateurs de l'ordre était un baron français nommé Hugo d'Aquilanges qui avait apporté dans ses bagages d'étranges grimoires de magie noire. Ces textes avaient permis aux membres du Comitatus d'entrer en contact avec le diable – c'est tout du moins ce qu'ils croyaient – afin de les aider dans leurs funestes entreprises, et ils avaient juré de garder le silence sous peine de mort. Le *cavaliere* Mantun de Ardaz da Fosco était au nombre des fondateurs de l'ordre, et ses héritiers lui ont succédé génération après génération, jusqu'au comte actuel. Il semble que les Fosco aient eu la charge des archives du Comitatus, ce qui a grandement servi notre homme lorsqu'il s'est agi d'organiser cette mascarade à l'intention de Bullard et de ses amis à la veille de la Toussaint 1974. Je ne saurais dire s'il comptait se servir de ces précieux documents dès le départ, mais il n'a pas tardé à s'apercevoir que Beckmann connaissait l'italien et que Grove était un historien averti. Fosco ne pouvait se contenter de faux grossiers, il lui fallait utiliser de véritables grimoires et il n'a pu résister à la tentation. Il ne savait d'ailleurs pas à quoi il s'exposait en divulguant les secrets de son ordre, les membres n'étant admis qu'à compter de l'âge de trente ans.

— Ça ne me dit toujours pas comment vous avez su que Fosco appartenait à ce comité.

— Mes recherches m'ont appris qu'à leur intronisation au sein de l'ordre, les membres de droit sont marqués d'un point noir au-dessus du cœur. Un tatouage, en vérité, réalisé à partir des cendres de Mantun de Ardaz, mort écartelé et brûlé pour hérésie sur la Piazza della Signoria.

— Comment pouviez-vous savoir qu'il portait ce tatouage ?

— Le jour où je suis allé l'interroger chez lui au Sherry Netherland, il portait une chemise blanche largement ouverte sur sa poitrine. J'ai tout d'abord cru que cette tache sombre était un grain de beauté, avant de comprendre par la suite sa signification réelle.

— Vous vous étiez souvenu de ce petit détail ?

— Il n'est pas inutile d'avoir une mémoire photographique.

Brusquement, Pendergast fit signe à D'Agosta de se taire. Un bruit de pas se fit entendre et l'on frappa à la porte.

— Entrez, répondit Pendergast.

La porte s'ouvrit et Fosco pénétra dans la pièce, accompagné d'une demi-douzaine d'hommes en armes. Il s'inclina devant ses prisonniers.

— Bien le bonjour à tous les deux. J'espère que vous avez dormi convenablement ?

D'Agosta ne répondit pas.

— Vous-même, avez-vous bien dormi ? s'enquit Pendergast.

— Oui, merci. Je dors toujours comme un bébé.

— C'est ce que disent tous les assassins.

Fosco se tourna vers D'Agosta.

— Vous m'avez l'air bien fatigué, sergent. J'espère que vous n'avez pas attrapé froid.

— C'est vous qui me rendez malade.

— Tous les goûts sont dans la nature, rétorqua Fosco avec un sourire. Comme promis, ajouta-t-il à l'intention de Pendergast, j'ai réfléchi à votre proposition, mais je crains de ne pouvoir l'accepter.

Il glissa une main dans la poche intérieure de sa veste et sortit une enveloppe blanche, le regard pétillant.

D'Agosta vit Pendergast pâlir.

— Eh oui ! Il s'agit bien de l'enveloppe que vous avez confiée au prince Maffei. Elle est intacte, ainsi que vous pouvez le constater. N'est-ce pas le moment de dire *échec*, monsieur Pendergast ? À vous de jouer.

— Mais comment... ? commença D'Agosta, laissant sa phrase en suspens.

Fosco balaya la question d'un revers de main.

— M. Pendergast a eu le tort de me sous-estimer. Je me suis rendu chez le prince Maffei afin de lui expliquer que mon château venait d'être cambriolé et que je m'inquiétais pour le manuscrit le plus secret du Comitatus, dont j'ai tout naturellement la charge en tant qu'archiviste de l'ordre. Je lui ai demandé de bien vouloir le conserver en lieu sûr tant que les cambrioleurs n'auraient pas été arrêtés. Comme je m'en doutais, il m'a conduit tout droit à sa cachette la plus sûre, convaincu qu'il devait y avoir entreposé votre lettre. Et lorsque ce vieil imbécile a ouvert son coffre afin d'y déposer mon manuscrit, j'ai aperçu une jolie enveloppe toute neuve au milieu de ses vieux papiers, et je me suis empressé de la subtiliser. Lorsque, ne vous voyant pas revenir, le prince Maffei ouvrira son coffre et constatera que votre lettre ne s'y trouve pas, il se dira qu'il est en train de perdre le peu de tête qui lui reste.

Fosco éclata de son rire silencieux et tendit l'enveloppe à Pendergast. Ce dernier la regarda longuement, puis il la prit, l'ouvrit, jeta un coup d'œil aux feuillets qu'elle contenait et la laissa tomber sur le sol.

— J'aurais sans doute dû dire *échec et mat*, monsieur Pendergast, déclara le comte en se tournant vers ses hommes.

Ils portaient de gros vêtements de laine et de cuir, et ils étaient tous armés. Derrière eux, un personnage au visage émacié en veste de daim tachée observait attentivement la scène.

D'Agosta voulut porter la main à son arme, mais Pendergast lui fit signe de n'en rien faire.

— Votre supérieur a raison, D'Agosta. Il n'y a guère qu'au cinéma que les deux héros viennent à bout de sept adversaires. Cela ne me dérangerait pas outre mesure de vous voir mourir tout de suite, mais cela vous priverait de tout espoir de vous échapper, ajouta-t-il sur le ton de la plaisanterie. Fabbri, récupère les armes de ces messieurs.

L'homme à la veste en daim s'avança, la main tendue. Après une courte hésitation, Pendergast lui tendit son pistolet, imité à regret par D'Agosta.

— Fouillez-les, ordonna le comte.

— Vous d'abord, monsieur Pendergast, demanda Fabbri avec un fort accent. Retirez votre veste, votre chemise, et allez vous mettre là-bas les bras levés.

Pendergast s'exécuta, tendant au fur et à mesure chacun de ses vêtements à Fabbri. Sa chemise enlevée, D'Agosta remarqua qu'il portait autour du cou une curieuse médaille représentant un phénix surmonté d'un œil.

L'un des hommes le poussa contre le mur. Fabbri le palpa d'une main experte et trouva rapidement un stylet.

— Je ne serais pas surpris qu'il ait sur lui de quoi crocheter des serrures, remarqua le comte.

Fabbri examina soigneusement le col et les manches du costume de Pendergast et ne tarda pas à découvrir une trousse à outils miniature attachée à l'aide de Velcro, ainsi qu'une seringue, une aiguille et de minuscules éprouvettes.

— Quel arsenal ! plaisanta Fosco. Fabbri, pose-moi tout ce bazar sur la table.

À l'aide d'un canif, Fabbri déchira la doublure du costume de Pendergast et mit au jour divers objets qu'il déposa sur la table, parmi lesquels une pince à épiler et de petits sachets de produits chimiques.

— Maintenant, vérifie l'intérieur de sa bouche.

L'homme força Pendergast à ouvrir la bouche, examina sa denture et regarda sous sa langue.

D'Agosta, humilié pour son compagnon, détourna les yeux. Chaque nouvel objet découvert par Fabbri diminuait d'autant leurs chances de survie, mais il connaissait suffisamment Pendergast pour savoir qu'il avait plus d'un tour dans son sac.

Fabbri ordonna à Pendergast de se pencher en avant afin de lui passer la main dans les cheveux. Les mains levées, l'inspecteur obéit, se positionnant de manière à tourner le dos au comte et à ses hommes, occupés à examiner avec intérêt la moisson récupérée dans les effets du policier. Au moment où Fabbri lui tournait le dos, D'Agosta vit Pendergast glisser un minuscule morceau de métal sous le col de la veste de Fabbri d'un geste quasiment imperceptible.

Fabbri procéda ensuite à l'examen des chaussures de l'inspecteur. À l'aide d'un couteau, il décolla les talons et transperça les semelles à plusieurs reprises, découvrant de nouveaux outils. Les sourcils froncés, il examina une nouvelle fois les lambeaux du costume de Pendergast et les lui rendit.

L'opération se répéta avec D'Agosta, qui dut se déshabiller et subir la même fouille humiliante tandis que l'on taillait ses vêtements en pièces.

— Je vous proposerais volontiers de rester tout nus, mais les oubliettes du château sont si humides ! ricana Fosco. Je ne voudrais pas que vous attrapiez froid. Allons, ajouta-t-il en leur montrant leurs tenues déchirées. Rhabillez-vous.

Les deux hommes obéirent. Ils avaient à peine terminé que Fabbri leur passait des menottes.

— *Andiamoci.*

Fosco sortit de l'appartement, suivi de Fabbri, de Pendergast et de D'Agosta. Les autres hommes de main du comte fermaient la marche.

Ils descendirent l'escalier en colimaçon, quittèrent l'enceinte du donjon et regagnèrent le *salotto* où s'était déroulé le dîner de la veille, puis ils traversèrent la cuisine et pénétrèrent dans un vaste office au fond duquel s'ouvrait un vieil escalier s'enfonçant dans les profondeurs du bâtiment. Au bas des marches, le petit groupe s'engagea en silence dans une longue galerie voûtée dont les parois, recouvertes de cristaux de calcite, suintaient l'humidité.

— *Ecco*, dit enfin le comte en s'arrêtant devant une porte basse.

Au moment où Fabbri s'arrêtait à son tour, Pendergast le bouscula. Fabbri le repoussa brutalement en jurant et le policier s'étala sur le sol.

— Allons, entrez ! leur ordonna le comte.

Pendergast se releva et pénétra dans la petite pièce en baissant la tête, suivi de D'Agosta. La porte de fer se referma sur eux, une clé tourna dans la serrure et les deux hommes se retrouvèrent dans l'obscurité.

Le visage de Fosco leur apparut soudain à travers une ouverture grillagée pratiquée dans la porte.

— Vous serez en sécurité ici pendant que je règle certains détails. Mais ne vous inquiétez pas, je serai bientôt de retour. Je vous ai réservé quelque chose de spécial, digne de vous. Je souhaiterais offrir à Pendergast une fin littéraire, inspirée de Poe. Quant à D'Agosta, le meurtrier de mon cher Pinchetti, il fera une dernière fois les frais de mon appareil à micro-ondes. Ensuite, je détruirai ma machine afin de faire disparaître la dernière preuve de mon implication dans ces meurtres.

Le visage du comte s'effaça et la lumière sourde du couloir s'éteignit peu après.

Plongé dans le noir, D'Agosta écouta disparaître l'écho des pas de leurs geôliers. Bientôt il ne resta plus que le silence, troublé par le bruit des gouttes d'eau qui tombaient régulièrement de la voûte et le frôlement de ce qui devait être des chauves-souris.

Frigorifié, il se recroquevilla sur lui-même. La voix de Pendergast lui parvint au même instant, dans un murmure à peine audible.

— Je ne vois aucune raison de moisir ici. Et vous ?

— C'est bien une tige métallique que je vous ai vu cacher sous le col de Fabbri ? répondit D'Agosta dans un souffle.

— En effet. Il a eu l'amabilité de la garder pour moi et je l'ai récupérée en le bousculant il y a un instant. En attendant, il est très probable que Fabbri ou l'un de ses sbires montent la garde. Donnez donc un coup dans la porte, Vincent, afin de nous en assurer.

D'Agosta tapa du poing sur le battant en hurlant.

— Laissez-nous sortir ! Laissez-nous sortir !

Mais l'écho de ses cris s'éteignit entre les murs du couloir.

Pendergast effleura le bras de son compagnon et lui dit à l'oreille :

— Continuez à faire du bruit pendant que je crochète la serrure.

D'Agosta s'exécuta, criant et jurant à pleins poumons. Moins d'une minute plus tard, Pendergast lui touchait à nouveau le bras.

— C'est fait, chuchota-t-il. À présent écoutez-moi. L'homme qui garde la porte doit avoir sur lui une lampe électrique qu'il allumera au premier bruit suspect. Je me charge de lui, mais continuez à faire diversion en faisant le plus de bruit possible afin qu'il ne m'entende pas ramper dans le noir.

— D'accord.

D'Agosta se mit à hurler de plus belle en tapant du pied. L'obscurité était totale et il aurait été bien en peine de dire ce que faisait Pendergast. Soudain, il entendit un bruit sourd, suivi du son mat d'un corps s'effondrant sur le sol, et le rayon d'une torche troua les ténèbres.

— Bien joué, Vincent.

Courbé en deux, D'Agosta sortit de la cellule et découvrit quelques mètres plus loin le corps de Fabbri étalé sur le ventre, les bras en croix.

— Vous êtes sûr qu'on peut s'échapper de ces souterrains ? s'inquiéta D'Agosta.

— Comme moi, vous avez dû entendre les chauves-souris.

— Oui.

— Il existe donc une sortie.

— Ouais, pour une chauve-souris !

— Là où passe une chauve-souris, nous passerons aussi, mais il nous faut encore récupérer cette satanée machine. C'est le seul moyen de confondre le comte.

81

Ils retracèrent leur chemin à travers les souterrains du château jusqu'aux marches conduisant à l'office qu'ils remontèrent sans bruit. Une fois en haut, Pendergast jeta un coup d'œil prudent dans la pièce et fit signe à D'Agosta de le suivre. Les deux hommes traversèrent l'office et pénétrèrent dans l'immense cuisine où deux tables de bois huilé recouvertes de marbre montaient la garde près d'une énorme cheminée équipée de broches et de grils. Des litanies de cocottes en fonte pendaient au plafond. De l'autre côté de la porte, tout semblait calme dans le *salotto*. Les lieux étaient apparemment déserts.

— Lorsque Pinketts est parti chercher l'arme, chuchota Pendergast, il est passé par la cuisine et il est revenu moins d'une minute plus tard. La valise ne doit pas être loin.

— Vous pensez que Fosco ne l'a pas bougée de place ?

— Souvenez-vous de ce qu'il vous a dit. Il compte s'en servir une dernière fois... avec vous. Outre la porte conduisant à la salle à manger, il en existe deux autres : celle de l'office et celle-là, dit-il en désignant une ouverture ressemblant à celle d'une vieille chambre froide.

Les deux hommes furent interrompus par un bruit de pas dans la salle à manger et ils s'aplatirent derrière la porte de la cuisine. On parlait en italien dans la pièce d'à côté et les voix se rapprochaient.

— Continuons à chercher, murmura Pendergast. L'alarme risque d'être donnée d'un moment à l'autre.

Il pénétra dans la chambre froide où il découvrit une provision de jambons et de salamis, des rayonnages ployant sous le poids de vieux fromages. En faisant jouer le faisceau de sa lampe à travers la pièce, Pendergast aperçut soudain un flash d'aluminium.

— Là ! s'exclama D'Agosta en s'emparant de la valise.

— Trop encombrant, répliqua Pendergast.

Non sans mal, il assembla l'appareil et le tendit à D'Agosta qui passa la courroie autour de son cou. De retour dans la cuisine, ils entendirent le grésillement d'une radio, suivi d'une voix paniquée.

— *Sono scappatti !*

Les pas s'éloignèrent en toute hâte.

— Ils ont des radios, murmura Pendergast.

Il attendit quelques instants et traversa la cuisine en trombe, se précipita dans le *salotto*, suivi de D'Agosta, l'arme en bandoulière, avant de parcourir la galerie aux portraits au pas de course.

Des voix résonnèrent devant eux.

— Par ici, réagit aussitôt Pendergast en désignant une petite porte ouverte.

Ils se retrouvèrent dans l'ancien dépôt d'armes du château. Sans un mot, Pendergast s'empara d'une épée, l'examina, la reposa et en saisit une autre.

Les voix étaient tout près. Un petit groupe passa en courant devant la porte, en direction de la salle à manger et de la cuisine.

Pendergast avança prudemment la tête dans la galerie et fit signe à D'Agosta de le suivre en direction du donjon. Personne n'irait imaginer qu'ils puissent se réfugier dans les profondeurs du château.

D'Agosta était en train de se dire que la chance leur souriait lorsqu'il entendit des éclats de voix. Les deux hommes se réfugièrent tant bien que mal derrière une porte au moment où l'un des hommes de Fosco la franchissait en courant, une radio à la main. Pendergast leva son épée et l'abattit sur le crâne de l'homme qui s'écroula sur les pavés de pierre, en sang.

En un clin d'œil, Pendergast le délesta de son Beretta et tendit sans un mot l'épée à D'Agosta en lui faisant signe de le suivre.

Devant eux, un escalier en colimaçon s'enfonçait dans l'obscurité. Ils s'y élancèrent, descendant les marches quatre à quatre. Soudain, Pendergast s'arrêta net dans sa course et leva la main. Quelqu'un montait dans leur direction.

— Putain ! gronda D'Agosta. Combien de tueurs il a, ce gros porc ?

— Autant qu'il en a besoin, j'en ai bien peur. Ne bougez pas. Nous avons l'avantage de la surprise et de la position, répondit Pendergast en dirigeant le canon de son arme vers le bas.

À l'instant où apparaissait l'un des hommes de main de Fosco, Pendergast lui tira dessus sans hésiter et récupéra son Beretta qu'il lança à D'Agosta.

— *Carlo ! Cosa c'è ?* s'inquiéta une voix un peu plus bas.

Les lambeaux de sa veste volant dans son sillage, Pendergast se rua sur l'inconnu qu'il fit tomber d'un coup de pied en pleine tête, puis il s'empara de son pistolet qu'il glissa dans la ceinture de son pantalon.

Les deux hommes s'engouffrèrent dans le souterrain humide qui s'ouvrait au pied de l'escalier. Derrière eux, les premiers cris résonnaient déjà. Pendergast éteignit sa lampe afin de ne pas offrir à leurs poursuivants une cible trop facile et ils continuèrent leur course dans une obscurité presque totale.

Un peu plus loin, la galerie se scindait en deux. Pendergast examina rapidement le sol, puis le plafond.

— Vous avez vu ces déjections ? Les chauves-souris viennent de là, expliqua-t-il en désignant le souterrain de gauche.

Ils s'y précipitèrent alors qu'une faible lueur apparaissait dans leur dos. Un coup de feu retentit et une balle ricocha sur une pierre. D'Agosta se retourna et riposta, mais leurs poursuivants n'étaient pas près de lâcher prise.

— Et si on se servait du canon à micro-ondes ? proposa-t-il.

— Cela nous demanderait trop de temps, et son rayon d'action est trop court. Sans compter que nous n'en connaissons pas le fonctionnement.

Ils parvinrent à un nouvel embranchement et D'Agosta sentit un courant d'air lui balayer le visage. Ils franchirent un premier coude, puis un second, et se retrouvèrent soudainement face à l'air libre, bloqués par une lourde grille scellée à même la roche sur une paroi à pic.

— Merde !

— C'est ce que je redoutais, déclara Pendergast en examinant les barreaux de la grille. Vieux, mais solides.

— Alors ?

— Il ne nous reste plus qu'à faire face. Je compte sur vos talents de tireur d'élite, Vincent.

Ils s'aplatirent derrière le dernier coude de la galerie. À en juger par la cavalcade qui résonnait dans les souterrains, ils avaient au moins une demi-douzaine de poursuivants à leurs trousses. D'Agosta visa soigneusement, tira et une silhouette s'écroula tandis que les autres se collaient contre la roche. Un coup de feu lui répondit, suivi par deux rafales d'armes automatiques. Les balles volaient dans tous les sens autour d'eux dans des gerbes d'étincelles et d'éclats de pierre.

— Saloperie ! s'écria D'Agosta en reculant machinalement.

— Vincent, essayez de les tenir en respect pendant que je vois ce que je peux faire avec cette grille.

D'Agosta s'accroupit, glissa un œil derrière le coude rocheux et tira. Un tir d'arme automatique lui répondit aussitôt, et une pluie de balles s'abattit tout près de lui.

— Ils font exprès de faire ricocher leurs balles.

Il sortit le chargeur de son pistolet : sur les dix balles, il en restait six, plus une dans le canon.

— Tenez ! Un chargeur de rechange ! s'exclama Pendergast en le lui lançant. Continuez à tirer.

D'Agosta regarda le chargeur : il était plein. Dix-sept balles en tout.

Une nouvelle grêle de projectiles, et une balle s'écrasa à ses pieds.

L'angle d'incidence est égal à l'angle de réfraction. Une vieille règle apprise à l'époque où il jouait régulièrement au billard. Il visa à deux reprises le point précis où les balles venaient de ricocher. Un cri lui répondit.

Vive les maths !

Mais son tir avait déclenché une fusillade et il eut tout juste le temps de se reculer avant qu'une demi-douzaine de balles s'écrasent à l'endroit précis où il se trouvait un instant auparavant.

— Ça avance ? demanda-t-il par-dessus son épaule.

— Essayez encore de gagner du temps, Vincent.

634

Une nouvelle grêle de balles lui siffla aux oreilles dans une gerbe d'éclats de roche.

Gagner du temps. Le seul moyen d'y parvenir était de continuer à tirer. À quatre pattes, il passa la tête de l'autre côté du coude et vit l'un des assaillants s'approcher en courant dans l'obscurité. Il tira, blessant l'homme qui battit en retraite en hurlant.

De son côté, Pendergast tirait à intervalles réguliers. D'Agosta se retourna et vit qu'il visait le mortier maintenant la grille en place.

Son chargeur épuisé, Pendergast l'appela :

— Vincent !

— Quoi ?

— Lancez-moi votre arme.

— Mais...

— Votre arme !

Pendergast l'attrapa au vol et tira à bout portant sur le mur. Le ciment, usé par le temps, commençait à s'effriter. D'Agosta fit la grimace en comptant les coups de feu.

Un, deux, trois, quatre, clic...

Pendergast jeta son chargeur vide sur le sol et son compagnon lui tendit celui qui lui restait. De l'autre côté de leur abri rocheux, les tirs s'intensifiaient. Leurs assaillants ne tarderaient pas à donner l'assaut.

Sept coups de feu retentirent, et Pendergast fit signe à D'Agosta de le rejoindre.

— À trois, on enfonce la grille à coups de pied.

Mais ils eurent beau s'escrimer, la grille ne bougeait pas.

En désespoir de cause, Pendergast tira deux nouvelles balles et glissa le pistolet dans la ceinture de son pantalon avant de s'allonger sur le sol, invitant D'Agosta à l'imiter.

Ils replièrent les jambes et frappèrent les barreaux de toutes leurs forces.

Cette fois, la grille bougea.

Deux nouvelles tentatives, et elle bascula soudain dans le vide.

Les deux hommes se remirent debout et se penchèrent au-dehors. La paroi rocheuse était à pic sur près de vingt mètres.

— Putain ! murmura D'Agosta.

— Nous n'avons pas le choix. Commencez par jeter le canon à micro-ondes dans un massif de buissons, puis descendez le long de la paroi.

D'Agosta lança l'appareil de Fosco, puis il se retourna et se glissa lentement le long de la roche en surmontant sa peur, agrippé aux restes de mortier de la grille en espérant trouver une prise pour ses pieds. Quelques instants plus tard, l'ouverture de la galerie se trouvait déjà au-dessus de sa tête.

Pendergast ne tarda pas à le rejoindre.

— Essayez de descendre en biais. Les prises sont meilleures et vous formerez une cible moins facile à atteindre.

La roche offrait de nombreuses prises pour les pieds et les mains, mais ce qui aurait été un jeu d'enfants pour un alpiniste confirmé constituait une épreuve terrible pour le sergent dont les souliers à semelles de cuir glissaient constamment.

Centimètre par centimètre, il n'en poursuivait pas moins sa descente, évitant de s'arracher les doigts sur la roche coupante. Pendergast, nettement plus à l'aise, se trouvait déjà quelques mètres plus bas.

Des coups de feu résonnèrent au-dessus de leurs têtes, suivis d'une fusillade nourrie et d'un grand silence.

— *Eccoli ! Di là !* cria une voix.

Levant la tête, D'Agosta aperçut des visages grimaçants de rage au-dessus de lui, et un pistolet se tendit dans sa direction. Pétrifié, il attendait le coup de grâce lorsque Pendergast fit feu. Sa dernière cartouche. Touché en plein front, le tireur bascula et passa tout près de D'Agosta avant de s'écraser sur les rochers en contrebas. Le sergent profita de ce répit et descendit aussi vite qu'il le pouvait.

En levant les yeux, il reconnut la silhouette trapue d'un Uzi à travers l'ouverture. Il s'aplatit aussitôt contre la paroi. La mitraillette aboya et les balles lui sifflèrent aux oreilles. Il s'apprêtait à trouver un nouvel appui lorsqu'il s'aperçut qu'un repli rocheux le protégeait. S'il bougeait, c'était la mort certaine.

Une rafale confirma ses craintes.

— Pendergast !

Mais l'inspecteur avait disparu.

Des échardes de pierre lui griffèrent le visage alors qu'une nouvelle grêle de balles s'abattait au-dessus de sa tête.

Il voulut avancer un pied, mais une balle lui érafla la chaussure et il se recroquevilla sur lui-même sans demander son reste. Coincé contre la paroi, le souffle court, il n'avait jamais eu aussi peur de toute son existence.

L'Uzi aboya, projetant des éclats de roche tout autour de lui. Ses adversaires semblaient décidés à l'atteindre *à travers* le repli rocheux et ils finiraient bien par y parvenir, même s'il restait tapi là. Il sentit un filet de sang chaud couler sur sa joue.

Il croyait la situation désespérée lorsqu'un coup de feu claqua en contrebas. Un cri retentit quelques mètres plus haut et le corps d'un des hommes de Fosco passa tout près de lui, un Uzi entre les mains.

Pendergast !

Arrivé en bas, il avait pu récupérer l'arme de l'homme abattu quelques instants auparavant.

D'Agosta reprit précipitamment sa descente, glissant et manquant de tomber à plusieurs reprises.

Deux coups de feu retentirent successivement... Pendergast le couvrait, empêchant les sbires de Fosco de tirer depuis la galerie.

La paroi était moins raide et D'Agosta descendit les derniers mètres à toute vitesse avant de prendre pied sur un talus, couvert de sueur, le cœur battant, les jambes en coton. De l'abri d'un rocher, Pendergast tirait toujours en direction des tueurs.

— Récupérez la machine, Vincent. Il s'agit de ne pas traîner.

D'Agosta se releva, se précipita vers les buissons et ramassa le canon à micro-ondes. L'appareil, un peu cabossé, n'avait pas l'air d'avoir trop souffert de sa chute et il le mit en bandoulière avant de se précipiter dans un bois où Pendergast ne tarda pas à le rejoindre.

— Il nous faut regagner la route de Greve.

Sans attendre, les deux hommes se lancèrent à travers les châtaigniers tandis que la rumeur des coups de feu s'éloignait dans leur dos.

Brusquement, Pendergast s'arrêta net. Dans le silence oppressant qui les entourait, D'Agosta entendit des aboiements en direction de la vallée.

82

Pendergast tendit l'oreille, puis il se tourna vers D'Agosta.

— Ce sont les chiens du comte. Ils sont spéciale-ment dressés pour la chasse au sanglier et se déploient en formant un mur infranchissable autour de leurs proies. Nous n'avons pas le choix. Notre uni-que chance de salut est de franchir cette montagne.

Ils firent demi-tour et s'enfoncèrent au pas de course à travers les châtaigniers. Le terrain, humide et glissant, était en pente et les fourrés ralentissaient leur marche. Les aboiements, amplifiés par l'écho, se répercutaient entre les montagnes dans une cacopho-nie infernale.

Ils gravirent un raidillon abrupt et se retrouvèrent sur un contrefort nettement moins escarpé, planté de vignes. Le souffle court, ils se ruèrent entre les ran-gées de ceps, se prenant les pieds dans les mottes de terre qui leur collaient aux chaussures, mais les chiens se rapprochaient inexorablement.

Pendergast s'arrêta brièvement afin de se repérer. Ils se trouvaient entre deux crêtes qui se rétrécis-saient vers le sommet, environ un kilomètre plus haut. De l'autre côté, le château formait une masse sinistre sur son promontoire rocheux.

— Venez, Vincent. Nous n'avons pas une minute à perdre.

Le vignoble céda la place à un bois de châtaigniers dans lequel ils s'enfoncèrent sans se soucier des épineux qui achevaient de réduire leurs vêtements en lambeaux. Un peu plus haut, un vieux mur signalait les restes d'une ancienne *casa colonica* mangée de lierre. Ils en escaladèrent les murs en ruine et se retrouvèrent au milieu d'une clairière. Une nouvelle fois, Pendergast s'arrêta et examina les alentours.

D'Agosta avait l'impression que son cœur allait exploser. Le canon à micro-ondes pesait une tonne sur son épaule. Tout en reprenant son souffle, il plongea son regard dans la vallée et aperçut brièvement la meute de chiens lancée à leurs trousses. On entendait clairement les cris et les sifflements des maîtres-chiens au milieu d'un concert d'aboiements furieux.

Pendergast examina longuement le couloir dans lequel ils s'étaient engagés.

— Je viens de voir un reflet métallique, remarqua-t-il.

— Vous croyez qu'on nous attend là-haut ?

Pendergast acquiesça.

— Avez-vous déjà chassé le sanglier, Vincent ?

— Jamais.

— Eh bien, c'est précisément comme cela qu'on s'y prend. Les chasseurs nous attendent à l'endroit où le couloir se resserre. Ils sont probablement une dizaine, peut-être davantage, disposés en éventail afin de couvrir toute la largeur de la crête. La méthode habituelle, ajouta-t-il en hochant la tête. Les chiens repoussent les sangliers à travers une vallée de plus en plus étroite au sommet de laquelle les chasseurs les guettent.

— Que proposez-vous ?

— Évitons de faire comme les sangliers. Au lieu de grimper, essayons de leur échapper sur le côté.

Ils reprirent leur course transversalement à la pente. Les chiens n'étaient plus très loin, l'écho donnant l'impression qu'ils arrivaient simultanément de tous les côtés à la fois.

Les flancs escarpés de la montagne se dressaient à moins de cinq cents mètres devant eux. À condition de franchir cet obstacle, ils avaient une chance de contourner les chiens et de redescendre jusqu'à la vallée.

Au moment où ils s'y attendaient le moins, ils se trouvèrent stoppés par les gorges d'un petit cours d'eau. Une dizaine de mètres au moins les séparait des rochers couverts de mousse de l'autre côté du ravin.

Pendergast se retourna. Les chiens se trouvaient tout près à présent, D'Agosta entendait même les branches et les brindilles craquer sous les pas de leurs maîtres.

— Nous n'avons plus le choix, déclara Pendergast. Il nous faut avancer vers le sommet et tenter de passer entre les chasseurs.

Il vérifia le chargeur de l'arme de poing saisie sur le cadavre de l'un de leurs assaillants.

— Encore trois balles. Allons-y.

D'Agosta se demandait comment il trouvait encore la force d'avancer, mais la peur et les aboiements des chiens lui donnaient des ailes.

Après quelques minutes de course, les arbres s'espacèrent, les obligeant à se courber en deux afin de ne pas être vus. En quittant la forêt, ils avaient le choix entre un maquis impénétrable d'épineux et des prés d'herbe rase sans la moindre protection. Il leur restait pourtant près de cinq cents mètres à traverser à découvert jusqu'au sommet.

Pendergast observa les environs pendant plus d'une minute sans se soucier des chiens, puis il secoua la tête.

— Inutile, Vincent. Ce serait du suicide. Ils sont trop nombreux et connaissent parfaitement le terrain. Jamais nous ne parviendrons à les déborder.

— Vous êtes certain ? Je veux dire, vous êtes certain qu'ils sont là-haut ?

Pendergast fit oui de la tête, le regard tourné en direction de la ligne de crête.

— J'en aperçois au moins une demi-douzaine. Impossible de savoir combien d'autres sont cachés derrière ces rochers. Nous sommes cernés, ajouta-t-il d'une voix saccadée, comme pour lui-même.

— Il n'y a donc aucun moyen d'échapper aux chiens ?

— Pas le moindre. Rien ne fait peur à ces bêtes, pas même un sanglier de cent kilos fonçant sur eux à cinquante kilomètres heure. Dès que le sanglier est en vue, les chiens se regroupent et...

Il s'arrêta soudain et regarda son compagnon, les yeux brillants.

— Mais oui, Vincent, bien sûr ! Écoutez-moi. Je vais redescendre et dès qu'ils me repéreront, ils se regrouperont. Cela vous laissera le temps de les déborder sur le côté en avançant très lentement. J'ai bien dit lentement. Leurs aboiements vous indiqueront précisément à quel moment les premiers chiens m'auront coincé, vous ne pourrez pas vous tromper. Les autres se précipiteront dans cette direction et vous n'aurez plus qu'à passer. C'est bien clair ? Une fois l'obstacle franchi, dirigez-vous tout droit vers la route de Greve.

— Et vous ?

Pendergast leva son arme.

— Avec trois balles ? Vous n'y arriverez jamais.

— C'est la seule solution.

— Où nous retrouvons-nous ? Sur la route de Greve ?

Pendergast fit non de la tête.

— Ne m'attendez pas. Allez voir le *colonnello* et revenez ici en force aussi vite que possible. Compris ? N'oubliez pas de prendre l'appareil de Fosco, c'est la seule preuve susceptible de convaincre les *carabinieri*.

— Mais...

D'Agosta s'arrêta, comprenant brusquement les implications de ce que lui demandait Pendergast.

— Pas question, reprit-il. On reste ensemble.

Les aboiements redoublèrent derrière eux.

— Il n'y a pas d'autre solution, Vincent. Un seul d'entre nous peut encore s'en sortir. Maintenant, allez-y !

— Non. Je refuse de laisser les chiens vous...

— Mais enfin, Vincent ! Je vous dis que vous n'avez pas le choix !

Tournant le dos à D'Agosta, Pendergast se dirigea vers la vallée.

— Non ! lui cria D'Agosta. Noooooooon !

Mais il était trop tard. Incapable de réagir, il vit la silhouette noire de son compagnon disparaître entre les arbres, son arme à la main.

Comme un robot, il s'éloigna rapidement sur le côté et parcourut trois cents mètres avant d'entamer sa descente.

Soudain, il s'arrêta en apercevant un homme qui l'observait en silence, debout derrière un rocher au milieu d'un bouquet d'arbres.

Mon Dieu ! Je suis foutu...

Il leva machinalement le canon à micro-ondes avant de comprendre que c'était inutile. L'homme n'était pas armé et le plus simple était encore de l'affronter à mains nues.

Il s'apprêtait à sauter à la gorge de son adversaire lorsqu'il hésita. L'homme ne ressemblait en rien à ceux de Fosco. Très mince, plus élancé encore que Pendergast, il avait un œil brun et l'autre d'un bleu soutenu.

Si ça se trouve, c'est un braconnier. Drôle d'endroit pour se balader.

Les cris des chiens le rappelèrent à la réalité. Il n'y avait pas une minute à perdre.

L'homme ne s'intéressait déjà plus à lui et D'Agosta reprit la direction de la vallée. En se retournant, il vit que l'inconnu n'avait pas quitté son poste d'observation.

Drôle de type, pensa D'Agosta en s'enfonçant dans les bois. Un peu plus bas sur sa droite, un chien se mit à aboyer de façon hystérique. D'Agosta s'arrêta. Une deuxième bête imita la première, puis une troisième. Bientôt, c'était toute la meute qui poussait des cris aigus en convergeant vers un point bien précis. Un coup de feu se fit entendre, ponctué par le hurlement d'un chien et un concert d'aboiements hargneux. Un autre coup de feu, puis un troisième, suivi d'une double déflagration plus grave, manifestement celle d'un fusil de chasse. Les broussailles étaient trop denses pour que D'Agosta puisse voir quoi que ce soit, mais il savait que le drame était consommé.

L'appareil de Fosco serré contre lui, il redescendit la pente en courant, trébuchant et se raccrochant tant bien que mal sans jamais tomber. En traversant une petite clairière, il aperçut l'espace d'un instant sur sa droite la silhouette noire de Pendergast entouré d'une meute hurlante, une dizaine de fusils braqués sur lui. Le vacarme était assourdissant, les bêtes prêtes à déchirer leur proie.

D'Agosta redoubla d'efforts, laissant rapidement derrière lui les hurlements hystériques de la meute, auxquels se mêlaient les cris et les jurons des maîtres-chiens. Pour les hommes comme pour les bêtes, la traque était finie.

83

L'oreille aux aguets, Buck prenait son mal en patience, assis sur sa couchette dans une cellule du centre de détention de Manhattan. Un cadre moderne et aseptisé avec des murs blancs et des néons enfermés derrière des verres grillagés. Malgré l'heure tardive, les autres prisonniers faisaient un raffut de tous les diables. Certains tapaient sur les barreaux de leurs cellules, d'autres poussaient des cris, s'insultaient, exigeaient la présence d'un avocat, s'exprimant parfois dans des langues incompréhensibles aux accents gutturaux prononcés.

À son arrivée, on avait pris ses empreintes, on l'avait photographié et on lui avait donné des vêtements propres après lui avoir fait prendre une douche. On l'avait nourri, on lui avait donné un exemplaire du *Times*, on l'avait même autorisé à téléphoner à un avocat, mais personne ne lui avait rien dit. Il avait l'impression d'être là depuis une éternité et chaque heure qui s'écoulait ajoutait à son angoisse. Quand son supplice allait-il commencer ? Jésus avait-il ressenti les mêmes émotions avant d'être conduit devant Pilate ? Les coups, les insultes, la torture... tout était préférable à cette attente qui n'en finissait plus. Jusqu'à ce décor immaculé qui l'oppressait. On avait poussé la cruauté jusqu'à l'enfermer tout seul dans sa cellule, un traitement de faveur insoutenable. Combien de temps supporterait-il sans broncher tous ces gens qui entraient et sortaient pour lui apporter ses repas ? Jamais personne ne répondait à ses questions, ne le regardait en face, ne lui parlait.

Il se mit à genoux et pria en attendant l'heure où les murs se mettraient à trembler, où la terre s'ouvrirait et avalerait les impurs, où résonneraient les cris des damnés, où les rois et les princes se réfugieraient parmi les rochers, où les quatre chevaliers de l'Apocalypse apparaîtraient dans le ciel. Mais sa cellule ne possédait pas de fenêtre et Buck risquait de manquer le spectacle final à l'heure décisive.

Un nouveau gardien s'approcha de sa cellule, un grand Noir en uniforme bleu avec un plateau.

— C'est quoi ? s'enquit Buck en levant la tête.

L'autre se contenta de passer le plateau entre les barreaux avant de s'éloigner.

— Que se passe-t-il ? s'écria Buck. Que... ?

Mais le gardien avait déjà disparu.

Buck se leva, puis il se rassit. Il jeta un coup d'œil à ses aliments : un bagel avec du fromage blanc et de la confiture, un blanc de poulet dans de la sauce figée, des haricots et des carottes informes, une louche de purée de pommes de terre durcie. Un repas d'une banalité à vomir.

Une rumeur inhabituelle troubla le vacarme ambiant : des éclats de voix, un bruit de clés, des cris de prisonniers. Buck se leva, plein d'espoir.

Quatre policiers armés jusqu'aux dents s'avancèrent dans le couloir, la matraque ostensiblement attachée à la ceinture. Un frisson d'excitation lui parcourut l'échine à l'idée que l'heure de vérité était arrivée. L'épreuve qui l'attendait risquait d'être terrible, mais il l'acceptait d'avance avec reconnaissance car Dieu l'avait voulu ainsi.

Avec une impatience mal contenue, Buck vit les quatre hommes s'arrêter devant sa cellule. L'un d'eux s'avança. Il tenait à la main une fiche agrafée à un classeur vert.

— Wayne Paul Buck ?

Il hocha la tête en se raidissant.

— Je vais vous demander de nous accompagner.

— Je suis prêt, répondit-il d'une voix digne, non sans crânerie.

L'agent ouvrit la grille de sa cellule tandis que les autres reculaient pour le laisser passer, la main sur la crosse de leur pistolet.

— Sortez, tournez-vous et mettez vos mains dans le dos.

Buck obéit, fier de l'épreuve qui l'attendait. Les menottes se refermèrent sur ses poignets avec un claquement sinistre.

— Par ici, monsieur.

Monsieur ! Ça n'avait pas traîné, les moqueries commençaient déjà.

Arrivés au bout du corridor, Buck et ses gardiens montèrent dans un ascenseur qui les conduisit quelques étages plus haut. Le temps de traverser un autre couloir et ils s'arrêtèrent devant une porte métallique grise à laquelle l'un des hommes frappa.

— Entrez, répondit une voix de femme.

La porte s'ouvrit et Buck se retrouva dans un petit bureau dont la fenêtre dominait les lumières de Manhattan. La jeune femme flic qui avait donné l'ordre aux centurions de l'arrêter se trouvait là.

Il la toisa fièrement, sachant qu'elle serait son Ponce Pilate.

Hayward s'empara du dossier que lui tendait l'un des flics.

— Avez-vous pu vous entretenir avec un avocat ? demanda la jeune femme.

— Je n'ai pas besoin d'avocat. Dieu est mon seul défenseur.

Un pansement discret au-dessus de l'oreille de la jeune femme rappelait la blessure qu'elle avait reçue. Et c'était lui qui lui avait sauvé la vie.

Il n'avait jamais remarqué à quel point elle était jolie. *Décidément, le diable se dissimule parfois sous les traits d'un ange.*

— Comme vous voudrez.

Elle se leva, décrocha sa veste d'une patère, l'enfila et fit signe aux agents.

— Le Marshall est prêt ?

— Oui, capitaine.

— Alors allons-y.

— Où ça ? s'enquit Buck.

Elle ouvrit la porte sans répondre. Ils prirent un ascenseur jusqu'au rez-de-chaussée, traversèrent un dédale de couloirs et se retrouvèrent dans une cour au centre de laquelle les attendait une voiture banalisée dont le moteur ronronnait. Un flic en uniforme était au volant, et un petit bonhomme rondouillard en costume de tergal gris attendait patiemment près de l'auto, les mains croisées.

— Retirez-lui ses menottes et installez-le à l'arrière, demanda Hayward aux agents.

Ils s'exécutèrent et Buck se glissa sur la banquette pendant que Hayward discutait avec l'homme en costume gris à qui elle tendit le dossier vert. Il lui signa une décharge, s'installa à côté du chauffeur et referma la portière.

Hayward se pencha vers la fenêtre arrière.

— Vous vous demandez sans doute ce qui va vous arriver, monsieur Buck.

Buck, étreint par l'émotion, comprit que son sort était scellé et qu'on le conduisait à son supplice, mais il était prêt.

— Ce monsieur est un policier fédéral qui doit vous escorter en avion jusqu'à Broken Arrow en Oklahoma, où vous êtes recherché pour n'avoir pas respecté les termes de votre libération conditionnelle.

Buck, hébété, ne comprenait plus. Il devait y avoir erreur. C'était une ruse, ou alors on se moquait de lui.

— Vous m'entendez ?

Buck refusa de répondre, persuadé qu'on cherchait à le piéger.

— Le procureur de New York a décidé de ne pas porter plainte contre vous. Trop compliqué. D'autant que vous n'avez pas commis grand-chose de répréhensible. Les gens se sont dispersés sans difficulté suite à votre arrestation. Tout est rentré dans l'ordre et nous avons fait fermer votre ancien campement. Le service des espaces verts se chargera de tout nettoyer et de replanter du gazon, ce qui n'était pas un luxe. Bref, tout ça ne prêtait pas vraiment à conséquence et nous avons jugé préférable d'oublier l'incident.

Buck n'en croyait pas ses oreilles.

— Et... et moi ? finit-il par articuler péniblement.

— Je viens de vous le dire, on vous renvoie en Oklahoma où le contrôleur judiciaire chargé de votre dossier vous attend avec impatience. Bref, tout est bien qui finit bien.

Hayward s'appuya sur le toit de la voiture en souriant.

— Ça n'a pas l'air d'aller, monsieur Buck.

Il ne répondit pas. Non, ça n'allait pas du tout. Il avait même envie de vomir. Ce n'était pas du tout ce qui était prévu, il s'était laissé piéger comme un débutant.

Elle s'approcha de la vitre.

— Si vous le permettez, monsieur Buck, j'aurais voulu ajouter quelque chose.

Il leva vers elle des yeux écarquillés.

— D'abord, il n'y a qu'un seul Jésus et ce n'est pas vous. Ensuite, je suis chrétienne et j'essaie de me comporter comme telle, même si je n'y parviens pas toujours, mais vous n'aviez pas le droit de me juger et de me désigner à la vindicte de la foule comme vous l'avez fait. Si j'étais vous, je relirais l'Évangile de saint Matthieu dans lequel il est dit : « Ne jugez pas, pour n'être pas jugés. Hypocrite, enlève d'abord la poutre de ton œil, et alors tu verras clair pour enlever la paille de l'œil de ton frère. »

Elle s'arrêta un instant, puis elle ajouta :

— Maintenant, écoutez-moi bien. À l'avenir, occupez-vous de vos affaires et arrangez-vous pour ne plus avoir d'histoires.

— Mais... vous ne comprenez pas... c'est pour bientôt, bégaya Buck. Croyez-moi, c'est pour très bientôt.

— Si jamais Jésus revient un jour, tout ce que je peux vous dire, c'est que ce n'est pas vous qu'il préviendra.

Sur ces mots, elle donna une petite tape sur le toit de l'auto en souriant.

— Adieu, monsieur Buck, et ne faites plus de bêtises.

84

Confortablement installé dans la vieille salle à manger de son château, le comte attendait patiemment qu'on lui apporte son dîner. Les murs de la forteresse du XVe siècle empêchaient le moindre bruit extérieur de pénétrer dans la pièce, et seuls résonnaient les coups de bec de Bucéphale sur son perchoir. Insensible à la majesté des collines du Chianti que l'on apercevait à travers les hautes fenêtres, Fosco savourait le souvenir des événements qui avaient marqué sa journée.

Sa méditation fut interrompue par l'arrivée d'Assunta, sa cuisinière. La vieille femme était chargée d'un plateau qu'elle déposa en bout de table avant de présenter un à un les plats à son maître : des *matagliati ai porcini*, de la queue de bœuf *alla vaccinara*, des *fegatini* grillés au feu de bois, un *contorno* de fenouil braisé à l'huile d'olive. Des plats traditionnels simples dont Fosco faisait son ordinaire à chacun de ses séjours en Italie. Assunta n'était sans doute pas aussi stylée que Pinketts, mais il lui faudrait bien s'y habituer.

Il la remercia, se servit un verre de l'excellent Chianti Classico de la propriété et entama son repas. Malgré sa faim, il s'appliquait à manger lentement afin de savourer chaque bouchée, chaque gorgée de vin.

Son repas achevé, il fit tinter une petite sonnette d'argent posée à sa droite et Assunta apparut presque aussitôt.

— *Grazie*, lui dit-il en s'essuyant la bouche à l'aide d'une immense serviette de lin.

Assunta lui répondit par une courbette maladroite.

— Une fois que vous aurez débarrassé, poursuivit le comte en se levant, je vous autorise à prendre quelques jours de congé.

La cuisinière lui lança un regard interrogateur.

— *Per favore, signora.* Cela fait plusieurs mois que vous n'avez pas rendu visite à votre fils à Pontremoli.

— *Mille grazie*, répondit-elle avec une courbette plus marquée.

— *Prego. Buona sera.*

Sur ces mots, le comte tourna les talons et quitta la salle à manger.

Une fois la cuisinière partie, le château serait vide. Les serviteurs s'étaient tous éclipsés, leur besogne terminée, et Fosco avait même donné congé à ses métayers. Seul le vieux Giuseppe, le responsable de son chenil, se trouvait encore là car il allait avoir besoin de lui.

Fosco avait toute confiance en ses gens. La plupart étaient issus de familles attachées aux Fosco depuis des générations, voire des siècles. Leur loyauté était totale, mais il avait besoin de tranquillité pour ce qu'il lui restait à faire.

Il traversa lentement le *salone*, la galerie de portraits et la salle d'armes. Remontant le temps, il pénétra dans la forteresse dont les pièces austères et sombres semblaient avoir échappé aux assauts de la modernité. Faute d'électricité, Fosco saisit dans un anneau fixé au mur une torche qu'il alluma, puis il ramassa sur un vieil établi un objet qu'il glissa à l'intérieur de sa veste et poursuivit son périple à l'intérieur des entrailles du château.

Les sous-sols du Castello Fosco servaient à entreposer les produits de la propriété. Aux vastes espaces réservés à la fermentation et à la mise en bouteille du vin succédaient des caves remplies de fûts de chêne. D'autres, plus fraîches et mieux aérées, permettaient de stocker les jambons de sanglier, l'huile d'olive et le vinaigre balsamique. Les souterrains dans lesquels Fosco s'aventurait à présent n'étaient toutefois pas aussi accueillants. D'un pas alerte, il traversa une longue litanie de caves étroites taillées à même le calcaire, parsemées de grossiers escaliers en colimaçon descendant dans des oubliettes abandonnées depuis des siècles.

À mesure que Fosco s'enfonçait dans les profondeurs de la terre, le froid et l'humidité envahissaient les lieux. Il avançait avec précaution afin de ne pas glisser sur les marches, car personne n'entendrait ses cris s'il faisait une chute.

Au pied d'un escalier interminable s'ouvraient plusieurs galeries étroites habillées de briques et percées de niches remplies d'ossements. À en juger par l'abondance de ces sépultures d'un autre âge, les restes des ancêtres du comte devaient côtoyer les cadavres décomposés d'ennemis anonymes, vaincus lors de guerres immémoriales. L'air commençait à se faire rare et la torche fumait en laissant des larmes de cire dans le sillage du comte.

Les murs s'écroulaient par endroits dans un enchevêtrement de briques et d'ossements rongés par les rats.

Le couloir dans lequel avançait Fosco se terminait en cul-de-sac. Il fouilla l'obscurité à l'aide de sa torche, et la flamme vacillante dévoila la silhouette prostrée de Pendergast. La tête de l'inspecteur pendait lamentablement sur sa poitrine et son visage tuméfié saignait en plusieurs endroits. Son costume noir n'était plus qu'un souvenir, la veste jetée en boule à ses pieds, ses chaussures anglaises couvertes de boue. Manifestement évanoui, il ne tenait debout que grâce aux chaînes emprisonnant son torse et ses bras inertes.

Prudemment tout d'abord, Fosco fit courir la faible lueur de sa torche sur le corps meurtri de cet adversaire dont il avait appris à se méfier, mais Pendergast n'était plus en état de lui nuire et le comte fit un pas en avant.

À l'instant où la torche s'approchait de son visage, Pendergast ouvrit les yeux et Fosco recula instinctivement.

— Inspecteur Pendergast ? demanda-t-il d'une voix doucereuse. Aloysius ? Vous m'entendez ?

Pendergast ne répondit pas, mais ses yeux restaient grands ouverts et il bougea péniblement les mains.

— Vous ne m'en voudrez pas, mais j'ai cru bon de vous enchaîner ici pour des raisons que vous ne tarderez pas à comprendre.

Comme son prisonnier restait muet, le comte poursuivit :

— Vous ne devez pas vous sentir très vaillant. Vous ne vous souvenez sans doute même pas des derniers événements, c'est l'un des inconvénients du phénobarbital, mais c'était le plus sûr moyen de vous ramener au château sans trop de difficultés. Il se trouve que vous avez décidé, avec ce bon sergent D'Agosta, de ne pas profiter de mon hospitalité. Le sergent est parvenu à s'enfuir, mais cela n'a guère d'importance puisque vous voici de retour au Castel Fosco, mon cher Pendergast ! Vous risquez même d'y être mon hôte éternellement. Si, si, j'insiste !

Fosco accrocha sa torche à un anneau scellé dans la paroi.

— Veuillez excuser l'inconfort de votre situation. Un inconfort tout relatif, car ses souterrains ne manquent pas de charme. Avez-vous remarqué ces veines blanches qui courent dans la roche ? Il s'agit de salpêtre, mon cher Pendergast. Je vous sais trop cultivé pour ne pas apprécier à sa juste valeur ce clin d'œil à Edgar Poe.

Tout en parlant, Fosco glissa la main à l'intérieur de son gilet et sortit une petite truelle.

Pendergast posa sur l'instrument un regard endormi et un éclair brilla dans ses yeux.

— Allons bon ! s'écria le comte, ravi. Je vois que vous commencez à comprendre ! Alors ne perdons pas de temps.

Repoussant du pied un tas d'ossements, il découvrit un baquet rempli de mortier frais.

À l'aide de la truelle, il en étala une couche épaisse sur le sol, au pied de la niche dans laquelle était enchaîné Pendergast, puis il saisit des briques sur l'un des tas voisins et les aligna soigneusement sur le ciment frais. En quelques instants, une première rangée de briques fermait la niche, que Fosco recouvrit aussitôt de mortier.

— Ces briques sont extraordinaires, remarqua-t-il tout en poursuivant sa tâche. Des briques vieilles de plusieurs siècles, fabriquées avec de la terre des collines avoisinantes. Vous n'imaginiez tout de même pas que Fosco aurait l'impudence de vous emmurer derrière de vulgaires briques anglaises ? Et regardez-moi ce mortier. Un véritable mortier à la chaux, avec près de deux volumes de chaux pour un volume de sable. Un hôte tel que vous mérite tous les sacrifices. Je ne voudrais pas que votre dernière demeure s'écroule avant l'heure du jugement dernier.

Pendergast ne disait toujours rien, mais ses yeux commençaient à reprendre vie et il observait Fosco avec stoïcisme. La deuxième rangée achevée, le comte leva les yeux sur son prisonnier.

— J'attendais ce moment depuis si longtemps, dit-il. Dès notre première rencontre, lorsque nous avons eu ce petit désaccord au sujet de Ghirlandaio lors de la cérémonie à la mémoire de Jeremy Grove, j'ai su que j'avais affaire à un adversaire coriace.

Il espérait visiblement que Pendergast réagirait, mais ce dernier s'obstinait à rester muet, se contentant de cligner des yeux. Furieux, Fosco se remit au travail avec une énergie décuplée.

Il s'arrêta après la sixième rangée, son calme retrouvé. Le mur arrivait à la poitrine de Pendergast. Rejetant d'un geste les pans de son manteau, Fosco s'assit un instant sur le tas de briques et posa sur son prisonnier un regard apaisé.

— Vous remarquerez que je monte les briques à la flamande, en les entrecroisant. De la belle ouvrage, pas vrai ? J'aurais pu être un excellent maçon si je l'avais voulu. Vous noterez que j'y mets tout mon cœur. Ce sera mon cadeau d'adieu. Une fois la dernière brique posée, vous n'en aurez plus pour très longtemps. Un jour peut-être, deux tout au plus. Tout dépend de la quantité d'air que laissent passer ces vieux murs. Ne croyez pas que je sois sadique, même si une mort par asphyxie dans le noir peut paraître cruelle, mais je n'ai guère le choix.

Il reprit son souffle avant de poursuivre d'une voix pensive.

— N'allez pas croire que je prends les choses à la légère, *signor* Pendergast. J'ai bien conscience de priver l'humanité d'un esprit supérieur en vous emmurant de la sorte. Le monde ne sera plus aussi amusant sans vous, mais il sera nettement plus sûr pour moi et tous ceux qui, comme moi, préfèrent poursuivre leur existence loin des contraintes imaginées par des êtres inférieurs.

La niche était presque totalement plongée dans la pénombre, et seul le visage ensanglanté de Pendergast se détachait à la lueur de la torche.

Le comte le regarda d'un air interrogatif.

— Toujours rien ? Dans ce cas, continuons, dit-il en se relevant.

Fosco poursuivit son travail en silence et trois nouvelles rangées de briques vinrent s'ajouter aux précédentes. Mais, alors qu'il étalait une couche de ciment frais à hauteur des yeux pâles de Pendergast, ce dernier prit la parole d'une voix qui résonnait curieusement à l'intérieur de la niche.

— Vous ne pouvez pas faire cela, dit-il d'un ton ralenti par le phénobarbital.

— Mais enfin, mon cher Pendergast ! Il est trop tard, j'ai quasiment fini, répliqua le comte en ramassant deux nouvelles briques.

La dixième rangée était bien entamée lorsque Pendergast poursuivit.

— Il me reste une dernière mission à accomplir. Une mission dont dépend l'avenir du monde. L'un des membres de ma famille est sur le point de commettre l'irréparable. Il me faut absolument l'empêcher d'agir.

Fosco s'arrêta net, la truelle en l'air.

— Laissez-moi accomplir cette mission, et je vous donne ma parole d'honneur de revenir ici. Vous... vous serez alors libre de disposer de moi à votre guise.

La proposition fit rire Fosco.

— Vous me prenez pour un idiot, mon cher Pendergast. Vous n'imaginez tout de même pas que je vais vous croire lorsque vous vous dites prêt à revenir vous livrer de votre plein gré, tel Regulus se sacrifiant pour Carthage. Allons bon ! Quand bien même vous tiendriez parole, vous reviendriez dans vingt ou trente ans, vieux et fatigué de la vie.

Derrière le mur de briques, Pendergast ne réagit pas.

— Je dois pourtant reconnaître que vous m'intriguez avec votre mission. Un membre de votre famille, dites-vous ? Je serais curieux d'en savoir davantage.

— Libérez-moi d'abord.

— Impossible. D'ailleurs, ce ne sont que des mots et je suis fatigué.

Accélérant le mouvement, Fosco acheva la dixième rangée et entama la suivante.

Il s'apprêtait à cimenter la dernière brique lorsque la voix sépulcrale de Pendergast se fit entendre, à peine audible dans son sarcophage.

— Fosco, j'en appelle à votre humanité et à votre sens de l'honneur. Ne posez pas cette brique.

— J'avoue que c'est dommage, concéda le comte, la brique à la main, mais il est temps de nous dire, non pas *arrivederla*, mais *addio*. Merci encore de votre visite à Castel Fosco.

Sur ces mots, il scella la dernière brique.

Alors qu'il lissait le reste de mortier sur le mur, Fosco crut entendre à l'intérieur de la tombe une plainte sourde, ou peut-être un soupir déchirant. Ou alors était-ce le gémissement du vent dans les catacombes ? Il colla son oreille à la paroi, mais seul le silence lui répondit.

Fosco recula d'un pas, poussa du pied quelques ossements devant le mur, prit la torche et s'éloigna rapidement à travers le labyrinthe de souterrains. Au terme d'une longue remontée des enfers, il retrouvait peu après la lumière du jour et la tiédeur rassurante de cette fin d'après-midi.

85

Assis à l'arrière de la voiture qui suivait les méandres de la petite route de montagne, D'Agosta ne disait mot. Les paysages magnifiques déjà entrevus deux jours plus tôt défilaient de l'autre côté de la vitre, mais il ne prêtait guère attention aux collines rousses du Chianti que dorait le soleil naissant, comme hypnotisé par la silhouette cruelle du Castel Fosco sur son promontoire rocheux. Il en avait la chair de poule, malgré la présence rassurante dans son dos d'un cortège de voitures de police.

Le lourd sac de toile contenant la machine diabolique de Fosco posé sur ses genoux le rappela à la réalité, et à la peur succéda une colère froide et maîtrisée. Il aurait besoin de tout son sang-froid face à l'épreuve qui l'attendait, surtout après cette demi-journée perdue à attendre que la machine bureaucratique se mette en marche. L'obtention des mandats indispensables avait pris une éternité, mais c'était sa seule chance de pouvoir sauver Pendergast, s'il était encore en vie.

Le *colonnello* Esposito, assis à côté de lui, tira une dernière fois sur sa cigarette et l'écrasa dans un cendrier. Il était resté silencieux pendant le trajet, se contentant de fumer sans répit.

— Sacré nid d'aigle, commenta-t-il en regardant à son tour par la fenêtre.

D'Agosta acquiesça.

Esposito sortit une cigarette, sembla réfléchir, la remit dans le paquet et se tourna vers son voisin.

— À en juger par ce que vous m'avez raconté, ce Fosco est malin et il s'agit de le prendre la main dans le sac si nous voulons le confondre. Il nous faudra faire vite.

— Oui.

Esposito se passa la main dans les cheveux.

— Je me demande si Pendergast n'est pas déjà...

Il laissa sa phrase en suspens.

— Si on n'avait pas perdu plus de douze heures...

Le *colonnello* secoua la tête.

— Nous n'y pouvons rien, malheureusement.

La conversation s'arrêta alors que le convoi franchissait les ruines de la première enceinte et remontait l'allée de cyprès.

Esposito rompit le silence le premier.

— Une dernière recommandation, sergent.

— Quoi ?

— Je vous demanderai de me laisser faire. Je veillerai à ce que la conversation se déroule en anglais. Fosco parle anglais, je suppose ?

— Parfaitement.

D'Agosta ne s'était jamais senti aussi épuisé de toute son existence. Il avait mal partout, son corps était couvert d'égratignures et il ne tenait debout que grâce à sa détermination à tirer son ami des griffes du comte.

Il est peut-être encore vivant. Il le faut. Si ça se trouve, il a été remis dans la même cellule...

D'Agosta se refusait à envisager les choses autrement.

Les voitures de police s'arrêtèrent sur l'aire aménagée face à la seconde enceinte. À l'ombre de la forteresse, l'air du matin était glacé. D'Agosta ouvrit sa portière et descendit précipitamment malgré ses courbatures.

— La Fiat, remarqua-t-il. Notre voiture de location, elle a disparu.

— Quel modèle ? s'enquit Esposito.

— Une Stilo noire, immatriculée IGP 223.

Esposito aboya un ordre à l'un de ses hommes.

Le château, anormalement calme, avait l'air désert. Le *colonnello* fit signe à ses hommes de le suivre et monta vivement l'escalier de pierre conduisant aux portes en fer.

Cette fois, elles ne s'ouvrirent pas toutes seules et le *colonnello* dut frapper à coups répétés pendant plus de cinq minutes avant qu'elles s'écartent.

Fosco les attendait de l'autre côté. Il regarda les policiers d'un air étonné et ses yeux s'arrêtèrent sur D'Agosta. Un sourire étira ses lèvres.

— Ma parole ! Le sergent D'Agosta ! Que faites-vous en Italie ?

D'Agosta préféra ne pas répondre. La seule vue de la silhouette obèse du comte le faisait bouillir intérieurement.

Fosco se montrait parfaitement cordial, comme à son habitude.

— Excusez-moi de ne pas vous avoir ouvert plus vite, mais je n'attendais personne ce matin, expliqua-t-il, avant d'ajouter à l'adresse du *colonnello* : Mais nous n'avons pas été présentés. Je suis le comte Fosco.

— *Colonnello* Orazio Esposito du Nucleo Investigativo, répliqua son interlocuteur d'un ton brusque. Nous avons un mandat de perquisition et je vous demanderai de bien vouloir nous laisser fouiller les lieux.

— Un mandat !

Le plus grand étonnement se lisait sur le visage du comte.

— Pour quelle raison ? demanda-t-il.

Sans lui répondre, Esposito pénétra dans le bâtiment en donnant des ordres à ses équipes, puis il se tourna vers le maître de maison.

— Mes hommes doivent avoir accès à l'ensemble du château, précisa-t-il.

— Bien sûr ! s'exclama le comte.

Feignant à merveille la surprise et l'inquiétude, il ouvrit le chemin d'un air empressé et les fit pénétrer à l'intérieur du donjon.

D'Agosta, son sac de toile serré contre lui, s'enfermait dans un silence buté. Il remarqua que les portes de fer ne s'étaient pas refermées derrière eux, contrairement à sa visite précédente.

Empruntant la galerie, le petit groupe pénétra à la suite de Fosco dans une magnifique bibliothèque aux murs couverts de volumes de cuir aux tranches ornées au fer doré. Quelques bûches flambaient joyeusement dans une cheminée.

— Entrez, messieurs, je vous en prie, déclara Fosco. Installez-vous confortablement. Puis-je vous offrir du sherry ou un cigare ?

— Nous ne sommes pas ici pour échanger des civilités, rétorqua Esposito en sortant un document officiel qu'il posa sur la table. Voici notre mandat. Nous entamerons la fouille par les souterrains et les caves avant de terminer par les appartements.

Le comte prit un cigare dans une boîte en bois finement sculpté.

— Je me tiens à votre entière disposition, mais j'aurais souhaité savoir de quoi il retourne.

— Le sergent D'Agosta a porté contre vous des accusations extrêmement graves.

— Contre moi ? s'étonna le comte.

Puis il se tourna vers D'Agosta.

— Mais enfin, sergent, de quoi m'accusez-vous ?

— D'enlèvement et de tentative d'assassinat. Je vous accuse surtout de détenir Pendergast ici contre son gré.

L'étonnement de Fosco s'accentua sur son visage.

— Mais... mais c'est tout bonnement scandaleux !

Son cigare à la main, il regarda tour à tour D'Agosta et Esposito avant de revenir sur le premier.

— Sergent, vous êtes sérieux ? Vous m'accusez réellement de tout cela ?

— Allons-y, s'énerva D'Agosta qui bouillait intérieurement.

— Puisqu'il en est ainsi, je ne chercherai même pas à protester, laissa tomber Fosco en étêtant son cigare à l'aide d'un coupe-cigare en argent. Mais vous pouvez reprendre votre mandat, *colonnello*. Les portes de mon château vous sont ouvertes, et si je puis vous être utile en quoi que ce soit, faites-le-moi savoir.

Esposito donna des ordres en italien à ses *carabinieri* et les hommes le saluèrent avant de s'éparpiller dans toutes les directions.

— Sergent, je vous demanderai de nous conduire dans la pièce où vous avez été retenu prisonnier. Monsieur le comte nous accompagnera.

— J'allais vous le proposer. Ma famille est de vieille et noble lignée, et je tiens plus que tout à préserver son honneur. J'entends balayer ces accusations au plus vite, rétorqua Fosco en regardant D'Agosta d'un air outragé.

Esposito traversa le château sous la conduite du sergent. Fosco les suivait de sa démarche sautillante, montrant au passage les plus belles pièces de ses collections au *colonnello* qui l'ignorait. Deux *carabinieri* fermaient la marche.

Soudain, D'Agosta s'arrêta, comme perdu. Il contempla longuement un mur d'un air perplexe, regarda autour de lui. Il aurait juré qu'une porte se trouvait là la veille.

— Sergent ? s'inquiéta Esposito.

— Puis-je vous aider ? proposa Fosco.

D'Agosta ouvrit une porte, la referma, répéta son manège avec une autre. Il ne pouvait tout de même pas se tromper à ce point-là. Il palpa le mur et constata que le stuc était ancien.

— Le sergent nous a déclaré que l'appartement dans lequel il avait été retenu prisonnier se trouvait dans la tour, expliqua le *colonnello* à Fosco.

Le comte posa un regard étonné sur Esposito et se tourna vers D'Agosta.

— Il n'existe qu'un seul appartement dans la tour, mais on ne peut y accéder par ici.

— Montrez-le-nous.

Sans se faire prier, le comte les conduisit à travers une série de couloirs bas et de pièces sombres, dépourvues de tout mobilier.

— Il s'agit de la partie du château datant du IXe siècle, expliqua-t-il en chemin. L'atmosphère y est sinistre et je ne m'y rends jamais, d'autant que ces pièces n'ont ni eau, ni électricité.

Moins d'une minute plus tard, ils parvenaient devant la lourde porte du donjon. Fosco l'ouvrit avec difficulté car la serrure était rouillée. Le lourd battant s'écarta en grinçant et Fosco balaya de la main quelques toiles d'araignée, puis il s'engagea dans un escalier dont les murs répercutaient l'écho de ses pas. À l'étage supérieur, D'Agosta constata que la porte de l'appartement où il avait été enfermé avec Pendergast était entrouverte.

— C'est bien ici ? s'enquit Esposito.

D'Agosta hocha la tête.

Esposito fit signe à ses hommes d'entrer dans la pièce et il leur emboîta le pas, suivi de D'Agosta.

Le confortable appartement de la veille avait laissé place à des planches de bois en décomposition, des pierres sculptées en piteux état et des piles de tissus moisis. Un candélabre rouillé gisait sur le sol et une épaisse couche de poussière recouvrait le tout. Tout semblait indiquer que l'endroit servait de grenier depuis des siècles.

— Sergent... vous êtes certain que c'est ici ?

La surprise céda le pas à la colère chez D'Agosta.

— Oui, j'en suis certain, mais tout était arrangé différemment. Il y avait deux chambres et une salle de bains...

Sa réponse fut accueillie par un profond silence.

— Le comte aura mis à profit le temps qu'il nous a fallu pour obtenir ce mandat, et il a tout réarrangé à sa manière.

Esposito passa le doigt sur le plateau d'une table vermoulue, laissant un sillon dans la poussière. Il regarda longuement D'Agosta avant de demander au comte.

— Existe-t-il d'autres appartements dans cette tour ?

— Comme vous pouvez le constater, ces pièces occupent tout l'étage.

Esposito se tourna à nouveau vers D'Agosta.

— Très bien. Ensuite ?

— Ensuite, on nous a conduits dans la salle à manger pour le dîner, répondit D'Agosta, faisant un effort surhumain pour garder son sang-froid. Des coups de feu ont été échangés et j'ai été contraint d'abattre son serviteur.

— Pinketts ? réagit le comte en haussant les sourcils.

Cinq minutes plus tard, ils pénétraient dans le *salotto* et D'Agosta put constater que ses craintes étaient justifiées : les taches de sang avaient été effacées et toute trace de lutte avait disparu. Sur la table reposaient les restes d'un petit déjeuner.

— Vous excuserez le désordre, fit le comte. J'étais en train de déjeuner lorsque vous êtes arrivés. Je vous avoue que je n'attendais personne ces jours-ci, j'ai même donné congé à mes gens.

Esposito arpentait la pièce de long en large, les mains derrière le dos, s'arrêtant ici et là à la recherche d'impacts de balles éventuels.

— Combien de coups de feu avez-vous tirés, sergent ? demanda-t-il.

D'Agosta réfléchit.

— Quatre, dont trois ont atteint Pinketts. La dernière balle doit se trouver quelque part au-dessus de la cheminée, si personne n'a rebouché le trou.

Comme on pouvait s'y attendre, le mur était intact.

Esposito se tourna vers le comte.

— Pourrions-nous voir ce Pinketts ?

— Malheureusement, il a dû repartir pour l'Angleterre avant-hier. Il sera absent quelques semaines. Un décès dans sa famille, si j'ai bien compris. Mais je serai ravi de vous fournir son adresse et son numéro de téléphone dans le Dorset.

— Tout à l'heure, approuva Esposito.

Un silence gêné s'installa. D'Agosta aurait voulu crier à la face de Fosco que son valet de chambre n'était pas anglais et qu'il ne s'appelait même pas Pinketts, mais à quoi bon ? Le comte était trop rusé pour tomber dans le piège, surtout en présence du *colonnello*.

D'Agosta se disait que le mieux à faire était de retrouver Pendergast lorsque deux *carabinieri* pénétrèrent dans la pièce. Ils s'approchèrent du *colonnello* et échangèrent avec lui quelques phrases en italien.

— Mes hommes n'ont pas trouvé trace de votre voiture, ni dans les garages ni sur la propriété.

— Il s'en sera débarrassé.

Esposito hocha la tête d'un air pensif.

— Quelle compagnie de location, m'avez-vous dit ?

— Europcar.

Esposito donna un ordre à ses hommes en italien et ils s'éclipsèrent.

— À son retour de Florence, Fosco nous a enfermés dans une cave, déclara D'Agosta, refusant de céder à la panique. Je peux vous y conduire, si vous voulez. L'escalier débouche dans l'office.

— Je vous en prie, répliqua Esposito en lui faisant signe de le précéder.

D'Agosta sortit de la salle à manger et traversa l'immense cuisine en direction de l'office. Un énorme placard débordant de casseroles en cuivre et d'ustensiles de cuisine se dressait à présent là où s'ouvrait la cage d'escalier.

Je le tiens ! fit D'Agosta dans son for intérieur.

— L'escalier se trouve derrière, s'écria-t-il. Il a cherché à le dissimuler à l'aide de ce placard.

Esposito fit signe aux deux *carabinieri* de déplacer le placard qu'ils décollèrent péniblement du mur. D'Agosta fut pris de sueurs froides en constatant que l'escalier avait disparu.

— Sondez le mur ! ordonna-t-il, au comble de la frustration. Il l'aura rebouché, le ciment doit être encore humide !

Le *colonnello* s'approcha, sortit un canif de sa poche et le plongea entre les briques à divers endroits. Des éclats de mortier desséchés par le temps se détachèrent. Il insista quelques instants encore avant de tendre son canif à D'Agosta, sans un mot.

D'Agosta s'agenouilla et tâta le bas du mur, mais celui-ci était vieux et poussiéreux, avec des traces de toiles d'araignée. Il se releva et regarda le reste de l'office : aucun doute, il s'agissait bien de la même pièce.

— Je vous dis qu'il y avait une porte ici ! Le comte se sera arrangé pour la boucher d'une façon ou d'une autre.

Un silence glacial lui répondit. Le regard d'Esposito croisa furtivement celui du sergent.

— Allons rejoindre vos hommes, nous finirons bien par trouver quelque chose, gronda D'Agosta, refusant de se laisser abattre.

Une heure plus tard, ils étaient de retour dans la galerie aux portraits après avoir exploré une multitude de salons, de chambres, de sous-sols, de caves et de souterrains. Le château était si vaste et sa disposition si complexe qu'il leur était impossible d'en fouiller les moindres recoins. D'Agosta avait mal partout et le sac en toile lui sciait l'épaule.

Esposito s'était renfrogné à mesure que progressait la perquisition, tandis que Fosco faisait preuve d'une patience et d'une politesse remarquables, allant jusqu'à leur indiquer des recoins oubliés.

Le comte toussota, puis il prit la parole :

— Je vous propose de retourner dans la bibliothèque afin de poursuivre confortablement notre conversation.

Ils allaient s'asseoir autour de la cheminée lorsque l'un des *carabinieri* fit son entrée et chuchota à l'oreille d'Esposito. Le *colonnello*, impassible, hocha la tête et lui fit signe de se retirer. Fosco en profita pour lui offrir un cigare qu'il accepta cette fois, à la stupéfaction de D'Agosta qui avait le plus grand mal à contenir sa rage et son désespoir.

— Mes hommes se sont mis en quête de la Stilo, déclara Esposito d'une voix neutre. Elle a été rendue à Europcar hier à 13 heures. Le reçu porte la signature d'A.X.L. Pendergast et la facture a été réglée au moyen d'une carte American Express au nom de Pendergast. Un certain inspecteur A.X.L. Pendergast a ensuite réservé une place sur le vol de 14 h 30 pour Palerme depuis l'aéroport de Florence Peretola. Nous sommes en train de vérifier qu'il se trouvait bien sur ce vol, mais les compagnies aériennes se montrent peu coopératives de nos jours et...

— Bien sûr qu'il aura pris ce vol ! explosa D'Agosta. Vous ne comprenez donc pas que Fosco vous manipule ?

— Sergent...

— Un tissu de conneries orchestrées par Fosco ! s'écria D'Agosta en bondissant de son siège. Comme ce putain d'escalier disparu, l'appartement transformé en grenier et tout le reste !

— Sergent, je vous en prie, tenta de le calmer Esposito. Gardez votre sang-froid.

— Encore tout à l'heure, vous disiez vous-même que nous avions affaire à un homme déterminé !

— Sergent ! le rappela à l'ordre le *colonnello*.

Rouge de colère, D'Agosta était au bord du désespoir. Fosco avait récupéré la carte de crédit de Pendergast, ce qui ne présageait rien de bon. Mais surtout, il était en train de leur glisser entre les doigts. Il lui fallait impérativement trouver un défaut dans la cuirasse de Fosco.

— Si Pendergast n'est pas retenu à l'intérieur du château, on l'aura entraîné dans les bois. Nous n'avons qu'à fouiller la montagne.

Esposito tirait pensivement sur son cigare, attendant que D'Agosta ait recouvré son calme.

— Écoutez-moi, sergent. D'après vous, le comte aurait tué quatre personnes pour récupérer un violon...

— *Au moins* quatre personnes. Mais nous perdons du temps, il faut...

Esposito leva la main afin de le faire taire.

— Excusez-moi. Vous prétendez que le comte a tué ces hommes à l'aide de l'appareil que vous avez avec vous.

— Oui, répondit D'Agosta.

— Pourquoi ne pas montrer cet appareil au comte ?

D'Agosta sortit le canon à micro-ondes de son sac.

— Quel curieux engin ! s'écria le comte en observant la machine avec le plus grand intérêt.

— Le sergent nous affirme qu'il s'agit d'un canon à micro-ondes de votre invention dont vous vous seriez servi pour tuer et brûler les corps de M. Locke Bullard, d'un paysan d'Abetone, et de deux autres personnes aux États-Unis.

Fosco regarda le *colonnello*, puis D'Agosta, avec un mélange d'étonnement et de pitié.

— Le sergent prétend cela ?

— Oui.

— Vous dites que cet engin serait capable de réduire des corps humains en cendres et que j'en serais l'inventeur ? Si c'est le cas, ajouta-t-il en écartant les bras, je serais curieux de le voir fonctionner.

— Sergent, si vous voulez bien nous montrer comment marche cet appareil ?

D'Agosta regarda le canon à micro-ondes, perplexe. Le scepticisme affiché du comte n'avait pas échappé au *colonnello* qui avait lui-même le plus grand mal à croire à la nocivité de cet appareil d'opérette, tout droit tiré des aventures de Flash Gordon.

— Je ne sais pas comment ça marche, avoua D'Agosta.

— Vous n'avez qu'à essayer, lui suggéra Esposito, un rien sarcastique.

D'Agosta savait qu'il s'agissait de sa dernière cartouche. À condition de faire fonctionner l'appareil, il pouvait encore inverser la vapeur.

Il pointa l'arme en direction de la cheminée où reposait une énorme citrouille, comme par un fait exprès, puis il essaya de se souvenir comment avait procédé Fosco.

Il tourna un bouton et appuya sur la détente, sans résultat.

Il actionna plusieurs des variateurs installés sur l'appareil, visa à nouveau et tira sans rien déclencher de probant.

Qui sait si la machine n'avait pas souffert de sa chute lorsqu'il l'avait jetée dans les buissons ? Refusant de s'avouer vaincu, il s'entêta, appuyant sur tous les boutons à la fois en espérant déclencher le bourdonnement sourd émis par l'appareil lors de la démonstration de Fosco, mais en vain. L'engin restait désespérément muet.

— Inutile d'insister, finit par déclarer Esposito d'une voix calme.

La mort dans l'âme, D'Agosta baissa la tête et remit l'arme dans son sac de toile tandis que le *colonnello* faisait peser sur lui un regard où le scepticisme le disputait à la colère.

D'Agosta leva les yeux et vit que Fosco, debout derrière le *colonnello*, le regardait fixement. Très posément, il glissa la main dans le col de sa chemise et sortit une chaîne au bout de laquelle pendait un médaillon. D'Agosta sursauta en reconnaissant le phénix surmonté d'un œil ouvert que Pendergast portait autour du cou la veille encore. Le message ne pouvait être plus clair.

— Espèce de salaud ! s'exclama D'Agosta en se ruant sur le comte.

Il eut tout juste le temps de l'atteindre avant que les *carabinieri* l'empoignent solidement et le repoussent contre l'un des pans de la bibliothèque.

— Ce salaud porte autour du cou la médaille de Pendergast ! hurla le sergent. C'est bien la preuve qu'il l'a tué !

— Vous allez bien, monsieur le comte ? s'inquiéta Esposito.

— Fort bien, je vous remercie, répondit Fosco en passant la main sur son embonpoint. Sa réaction m'a surpris, c'est tout. Mais afin qu'il ne subsiste *aucun doute*...

Tout en parlant, il avait retourné la médaille au dos de laquelle figuraient les armes de la famille Fosco.

Esposito lança un regard courroucé à D'Agosta que les *carabinieri* maintenaient toujours contre la bibliothèque. Le comte avait dit : *Afin qu'il ne subsiste aucun doute*, insistant tout particulièrement sur les deux derniers mots. Il ne pouvait s'agir que d'un message déguisé à l'intention de D'Agosta, pour lui faire comprendre qu'il était trop tard. Le temps d'obtenir ce satané mandat, et le comte avait fait disparaître Pendergast. L'inspecteur était bel et bien mort. *Afin qu'il ne subsiste aucun doute*...

Esposito tendit la main au comte.

— *Abbiamo finiti qui, Conte. Chiedo scusa per il disturbo, e la ringrazio per la sua pazienza con questa faccenda piuttosto spiacevole.*

Le comte inclina la tête en signe de remerciement.

— *Niento disturbo, colonnello. Prego.*

Puis, après un dernier regard à D'Agosta, il ajouta :

— *Mi dispiace per lui.*

— Il est temps de nous en aller, répondit Esposito en lâchant la main de son hôte. Ne prenez pas la peine de nous raccompagner.

Sur ces mots, il s'inclina devant Fosco et quitta la pièce sans un regard pour D'Agosta.

Les *carabinieri* qui maintenaient le sergent le relâchèrent, et D'Agosta se dirigea à son tour vers la porte après avoir ramassé son sac. Puis il se retourna sur le seuil avant de lâcher :

— Vous êtes un homme mort, balbutia-t-il. Vous...

La gorge nouée, il s'arrêta en voyant Fosco lui adresser un sourire d'une cruauté terrifiante, dans lequel se mêlaient jubilation et méchanceté pure. Le message n'aurait pu être plus clair s'il avait avoué à voix haute avoir assassiné Pendergast.

La scène n'avait duré que l'espace d'un instant et le sourire diabolique du comte disparaissait déjà derrière la fumée de son cigare.

Le *colonnello* parcourut en silence la galerie et traversa le petit jardin intérieur. Toujours sans mot dire, il prit place dans sa voiture, fit signe au chauffeur de démarrer, et le convoi remonta l'allée de cyprès avant de repasser devant les champs d'oliviers. Une fois sur la grand route de Florence, il se tourna vers D'Agosta.

— Je vous avais mal jugé, monsieur, déclara-t-il d'un ton glacial. Je vous ai réservé le meilleur accueil, j'ai tout fait pour vous aider dans votre enquête et en guise de remerciement, vous m'humiliez et vous humiliez mes hommes en vous ridiculisant. J'aurai de la chance si le comte ne porte pas plainte contre moi pour invasion de sa vie privée et harcèlement.

Se penchant vers son voisin, il ajouta :

— À compter de cet instant, vous n'avez plus aucun statut officiel dans ce pays. La bureaucratie

674

italienne étant ce qu'elle est, il me faudra un peu de temps pour vous faire expulser, mais si j'étais vous, *signore*, je prendrais le prochain avion pour les États-Unis.

Sans laisser à D'Agosta le temps de répondre, il se retourna et se plongea dans la contemplation du paysage.

86

Il était près de minuit lorsque le comte Fosco acheva sa petite promenade du soir et reprit le chemin du grand *salotto*, légèrement essoufflé. À la ville comme à la campagne, il avait pris l'habitude de faire quelques pas avant de se coucher, et le dédale des couloirs de Castel Fosco lui offrait un choix infini.

Il s'installa confortablement devant l'immense cheminée de pierre et tendit les mains en direction des flammes afin de se réchauffer. Un dernier verre de porto pour savourer pleinement sa journée, et plus généralement le succès de son entreprise.

Ses hommes de main avaient été payés, les *carabinieri* étaient repartis la queue entre les jambes et cet idiot présomptueux de D'Agosta ne tarderait pas à regagner New York. Quant à ses domestiques, ils ne rentreraient que le lendemain matin, de sorte que le château était plongé dans un profond silence.

Fosco prit un carafon sur la vieille desserte et se versa un doigt de porto, puis il retourna s'asseoir. Après les péripéties des derniers jours, le calme qui l'entourait avait quelque chose d'irréel.

Tout s'était bien terminé, mais il n'en regrettait pas moins la disparition de son cher Pinketts qu'il avait été contraint d'enterrer anonymement dans le caveau de famille. Jamais il ne retrouverait un serviteur aussi dévoué, et cela rendait sa solitude d'autant plus grande.

Il se rassura en se disant qu'il n'était pas tout à fait seul, puisque Pendergast lui tenait compagnie. S'il était encore en vie...

Fosco avait affronté plus d'un adversaire par le passé, mais aucun n'avait fait preuve d'autant d'intelligence et de ténacité. À bien y réfléchir, si Fosco n'avait pas eu ses propres informateurs au sein de la police italienne et si son plan n'avait pas été aussi bien imaginé, les choses auraient pu mal tourner. Il n'avait d'ailleurs pu s'empêcher de s'assurer que Pendergast n'avait pas quitté sa « résidence ». En guise de promenade vespérale, il était retourné dans les catacombes du château où il avait pu constater que le mur n'avait pas bougé. Il avait appelé Pendergast et toqué contre la brique, à l'affût d'une réaction, sans résultat. Vingt-quatre heures s'étaient écoulées et ce bon inspecteur avait probablement rendu l'âme.

Il trempa les lèvres dans son verre de porto et se cala confortablement dans son fauteuil, satisfait de lui. Restait bien sûr le cas de D'Agosta. Fosco sourit en repensant au visage décomposé du sergent lorsqu'il avait quitté les lieux. D'Agosta finirait bien par accepter l'inéluctable, autant par résignation que par peur, maintenant qu'il savait à qui il avait affaire. De son côté, le comte n'avait pas l'intention d'oublier. D'Agosta était un témoin compromettant, c'était surtout l'assassin de son cher Pinchetti. En outre, Fosco avait la ferme intention de récupérer un jour ou l'autre son précieux appareil.

Mais tout vient à point à qui sait attendre, comme chacun sait.

Tout en dégustant son porto, Fosco s'aperçut qu'il avait oublié un autre témoin : Viola, Lady Maskelene. Il la revoyait dans ses vignes, ses bras musclés hâlés par le soleil. Tout dans sa façon de se tenir, de se mouvoir, respirait une parfaite éducation, sans parler de cette sensualité à fleur de peau qui le troublait profondément. Jamais il n'avait éprouvé autant de plaisir à converser avec une femme. Avec sa vitalité débordante, Lady Maskelene saurait apporter à Castel Fosco la touche de chaleur qui faisait défaut à la vieille demeure.

Un léger bruit vint troubler le silence de la pièce.

Le verre de Fosco se figea dans sa main.

Il le reposa lentement, se leva et s'approcha de la porte principale du *salotto* d'où l'on embrassait l'enfilade d'un couloir éclairé par la lune. Les armures alignées le long des murs luisaient faiblement dans la pénombre.

Rien.

Fosco rebroussa chemin, se promettant de demander au jardinier de se débarrasser des rats qui infestaient le château.

Il retourna près du feu en frissonnant. Le fond de l'air était frais, mais cela ne pouvait suffire à expliquer le sentiment de malaise qui l'étreignait. Fort heureusement, il possédait un antidote infaillible contre ce genre de mal.

S'éloignant brusquement de la cheminée, il se dirigea vers la petite porte menant à son atelier secret. Il traversa la pièce plongée dans la pénombre, évitant les établis et autres tables de laboratoire sur lesquels reposaient ses outils, et s'approcha d'un mur lambrissé. Il se mit à genoux, caressa les lambris de sa main boudinée et fit jouer un ressort. Un panneau de bois s'entrouvrit avec un soupir au-dessus de sa tête. Le comte se releva, tira le panneau vers lui et découvrit un coffre-fort enchâssé dans la pierre. Il composa un code sur un petit clavier et la porte du coffre coulissa. Avec d'infinies précautions, le comte sortit alors la boîte en forme de cercueil contenant le Stormcloud.

Il retourna dans le *salotto* avec son précieux fardeau qu'il déposa sans l'ouvrir sur une petite table, loin du feu, avant de retourner s'asseoir en attendant que l'instrument s'habitue à la température de la pièce. La chaleur du feu avait quelque chose de rassurant comparée à la fraîcheur de son laboratoire et, tout en dégustant son porto, Fosco se demanda ce qu'il allait bien pouvoir jouer. Une chaconne de Bach, peut-être ? Ou bien alors quelque chose de plus clinquant, du Paganini par exemple ? Non, il avait envie de simplicité, de pureté, de fraîcheur. *Le Printemps* de Vivaldi ferait parfaitement l'affaire.

Après quelques minutes, il se dirigea vers la console sur laquelle reposait la boîte et souleva le couvercle après avoir fait jouer le fermoir de laiton. Il était encore trop tôt pour sortir le violon : il faudrait encore une dizaine de minutes au Stradivarius pour se faire à l'humidité ambiante. Fosco contempla longuement son violon avec amour, se laissant envahir par un sentiment de joie et de plénitude, puis il retourna s'asseoir, dénoua sa cravate et déboutonna son gilet.

Le Stormcloud avait enfin retrouvé sa place dans le patrimoine familial grâce à lui. L'opération s'était révélée complexe et coûteuse, mais il ne regrettait ni les vies humaines ni les risques qu'il avait dû prendre. Le Stormcloud était un bien trop précieux pour qu'il s'arrête à de tels détails. Le violon représentait infiniment plus qu'un simple instrument, c'était un véritable don de Dieu, la musique d'un avenir radieux.

Décidément, il commençait à faire chaud dans le *salotto*. Fosco s'approcha de l'âtre et tisonna les bûches avant d'éloigner son fauteuil de la cheminée.

Il entendait déjà dans sa tête la mélodie cristalline du Printemps. Encore cinq minutes.

Quelle chaleur... Il retira sa cravate, ouvrit le col de sa chemise.

Fosco sursauta en entendant une bûche craquer bruyamment, et renversa quelques gouttes de porto sur son gilet ouvert.

Il s'enfonça dans son fauteuil, surpris de l'anxiété sourde qui le tenaillait. Les nerfs, probablement. Toute cette histoire l'avait davantage ébranlé qu'il ne l'aurait cru. Son estomac se contracta soudain et il posa son verre de porto. Il aurait peut-être dû prendre quelque chose de plus fort : un doigt de calvados, de la grappa, ou bien alors cet excellent digestif à base d'herbes fabriqué par les moines de Monte Senario.

Il commençait à ressentir tous les symptômes d'une mauvaise indigestion. Il se leva pesamment et se dirigea d'un pas mal assuré vers le buffet, sortit un petit flacon d'Amaro Borghini dont il remplit un verre à liqueur et revint près du feu. De plus en plus barbouillé, il avala coup sur coup deux gorgées du liquide brunâtre. Au même instant, il crut percevoir un bruit de pas du côté de la porte.

C'était d'autant plus curieux que ses domestiques étaient tous en congé. Sans doute son imagination lui jouait-elle des tours. Il voulut se lever et retomba aussitôt, incapable de bouger.

Ses intestins le brûlaient et il vida son verre d'un trait, se tortillant dans tous les sens sur son siège. Il faisait une chaleur étouffante dans la pièce, et il ne pouvait demander à personne d'éteindre le feu. Il poussa un soupir douloureux et se rassura en se disant que le Stormcloud lui rendrait bientôt toute sa sérénité.

Mais, loin de s'apaiser, la douleur ne faisait que croître. Pas de doute, il était en train de tomber malade. Il s'essuya le front avec son mouchoir. Il avait probablement pris froid dans les catacombes en remuant ces briques qui pesaient une tonne, ou bien lors de sa dernière visite dans les souterrains humides. Il était grand temps de prendre des vacances. C'était décidé, il partirait demain pour Capraia...

Il tendit une main tremblante vers son verre d'amaro, mais il était brûlant. Il se leva d'une détente en poussant un grand cri et le verre se brisa en mille morceaux à ses pieds. Fosco trébucha, faillit tomber et se rattrapa au dernier instant.

Porca miseria, que m'arrive-t-il ?

La gorge abominablement sèche, les yeux piquants, le cœur battant à tout rompre, il se demanda un instant s'il n'était pas victime d'une attaque, ou d'un infarctus. Il avait souvent entendu dire que les crises cardiaques provoquaient une sensation d'angoisse, doublée d'un malaise généralisé. Si c'était effectivement le cas, il aurait dû avoir mal à la poitrine et au bras. Fosco, de plus en plus oppressé, sentait ses boyaux se tordre dans son ventre. Affolé, il regarda tour à tour le flacon de porto, son violon, les meubles et les tapisseries accrochées au mur, cherchant vainement à comprendre.

Ses intestins lui faisaient mal, sa bouche se tordait, ses yeux étaient secoués de tics nerveux, son visage grimaçait, ses doigts s'agitaient dans tous les sens, il suffoquait sous l'effet de la chaleur, sa peau le piquait comme sous l'assaut d'un essaim de guêpes. Étreint par une peur incontrôlable, au bord de l'étouffement, il sentait bien que cette chaleur n'avait rien de naturel...

Brusquement, il comprit.

— D'Agosta... ! voulut-il crier, mais le reste de sa phrase resta coincé au fond de sa gorge en feu.

Il tenta d'atteindre la porte du *salotto* en titubant, mais ses jambes ne le portaient plus et il s'écroula sur une table basse. Le corps secoué de spasmes, il se mit à genoux au prix d'un effort surhumain et rampa vers l'entrée de la pièce.

— *Bastardo...* !

L'insulte sortit de sa bouche desséchée sous la forme d'un cri étouffé. Ses membres dansaient une gigue grotesque et pitoyable au rythme des spasmes qui l'agitaient. Plus que quelques mètres... D'un bond, il agrippa la poignée, mais elle était incandescente et d'énormes cloques se formèrent instantanément sur sa main. Il s'entêta malgré tout, tourna la poignée, en vain : la porte était verrouillée.

Étouffant un hurlement, il s'écroula au pied de la porte en se tordant de douleur. La chaleur était insupportable, son sang bouillait dans ses veines comme de la lave en fusion, un bourdonnement insoutenable lui vrillait le cerveau.

Une odeur de brûlé monta aux narines du comte dont le corps se figea. Ses mâchoires se refermèrent avec une telle violence que ses dents s'effritèrent dans sa bouche. Soudain, ses crimes et ses excès lui apparurent dans toute leur horreur. Mais alors que la chaleur se faisait plus intense encore, transformant sa lente agonie en enfer, les images qu'il avait sous les yeux se brouillèrent et son regard s'arrêta sur les bûches qui se consumaient dans la cheminée.

Là, devant lui, il vit une forme sombre se détacher des flammes...

Alors, rassemblant le peu de forces qui lui restaient, malgré les débris de dents qui se mêlaient au goût de sang qu'il avait dans la bouche, sa langue boursouflée incapable du plus petit mouvement,

Fosco voulut réciter le « Notre Père » dans un gargouillis grotesque.

Pater noster...

La peau couverte de cloques, les cheveux en feu, il s'arrachait les ongles en griffant le sol de ses mains dans l'espoir d'aller jusqu'au bout.

... Qui es in coelis...

À travers le bourdonnement effroyable qui lui vrillait les tympans, Fosco entendit un rire terrible monter des entrailles de la terre. Il crut un instant qu'il s'agissait de D'Agosta avant de comprendre qu'aucun être humain n'aurait pu rire de la sorte...

... Sanctificetur...

Il voulut poursuivre au prix d'un ultime effort, mais ses lèvres grasses s'étaient mises à bouillir.

... Sanctiferrrrrr...

Toute tentative était désormais inutile.

87

Bryce Harriman se précipita dans le bureau de son rédacteur en chef. L'antre de Rupert Ritts sentait le rance et le tabac froid, mais Harriman n'en avait cure. Il attendait cet instant depuis trop longtemps pour laisser quoi que ce soit gâcher son plaisir.

— Harriman ! s'écria Ritts en se levant, histoire de faire comprendre à son visiteur en quelle estime il le tenait. Asseyez-vous donc, ajouta-t-il en se perchant sur un coin de son bureau.

Harriman obtempéra. Après tout, pourquoi pas ? Autant laisser Ritts parler un peu.

— Félicitations pour votre papier sur Hayward et Buck. J'en arrive presque à regretter que ce cul-terreux ait été renvoyé en Oklahoma. J'espère qu'il aura la bonne idée de revenir ici quand il aura réglé ses petits soucis avec les juges.

Il éclata de rire et ramassa un papier sur son bureau.

— J'ai quelque chose qui devrait vous intéresser. Les chiffres de vente de la semaine dernière, fit-il en brandissant ses statistiques. On est à dix-neuf pour cent de plus par rapport à la même époque l'an passé, six pour cent de plus que la semaine précédente avec un taux de retour inférieur à quarante pour cent.

Ritts avait l'air ravi, comme si son interlocuteur ne vivait que pour les chiffres de vente du *New York Post*.

Harriman, affalé sur son fauteuil, l'écoutait en souriant.

— Et c'est pas tout ! On a aussi une augmentation de trois et demi pour cent des revenus publicitaires !

Ritts marqua un temps d'arrêt afin que Harriman ait le temps d'assimiler une nouvelle d'une telle importance. Il alluma une cigarette, referma son briquet et recracha la fumée.

— Vous savez, Harriman, je suis du genre à rendre à César ce qui lui appartient. C'est vous qui avez eu l'idée de monter cette histoire en épingle, même si je vous ai soufflé quelques idées par-ci par-là pour vous faire bénéficier de mon expérience.

Ritts s'arrêta, attendant manifestement une réaction. Sans doute espérait-il que Harriman se mettrait à genoux et lui baiserait la main. Au lieu de ça, le journaliste l'écoutait sagement, un grand sourire aux lèvres.

— Bon, comme je disais, c'était votre idée et ça n'a pas échappé à certains, je dirais même, en haut lieu.

Harriman se demanda de qui Ritts pouvait bien parler. Pas du patron, tout de même ? Quelle rigolade ! Un crétin qui n'aurait jamais été autorisé à mettre les pieds dans le club de son père.

— J'ai une petite surprise pour vous, poursuivit Ritts. Vous êtes invité jeudi prochain au dîner de la News Corporation, qui se déroule comme chaque année à la Tavern on the Green. Je ne vous cache pas que l'idée ne vient pas de moi, mais j'ai applaudi des deux mains. En fait, c'était *son* idée, insista-t-il en levant les yeux vers le ciel comme si l'invitation émanait de Dieu le père. Il tient absolument à vous rencontrer pour vous serrer la main.

Me rencontrer pour me serrer la main...

C'était trop beau pour être vrai ! Quand il allait leur raconter ça, ses copains n'allaient pas le croire.

— Attention, tenue de soirée exigée, ça ne rigole pas. Si vous n'avez pas ce qu'il faut, vous n'avez qu'à faire comme moi. Je loue toujours mes smokings chez Discount Tux, en face de chez Bloomingdale's. Ils ont des prix imbattables.

Quel crétin, non mais quel crétin !

— Ne vous inquiétez pas pour ça, j'ai tout ce qu'il faut chez moi, répondit sèchement Harriman.

Ritts le regarda d'un air inquiet.

— Vous êtes sûr que ça va ? Je suppose que vous avez déjà entendu parler du dîner annuel de la News Corporation. J'ai beau avoir trente ans de métier, ça m'impressionne toujours autant. Cocktail à 18 heures dans le salon Crystal, dîner à 19 heures. Vous avez le droit d'inviter quelqu'un. Votre petite amie, si vous en avez une.

Harriman se redressa sur son siège.

— J'ai bien peur que ce ne soit pas possible.

— Aucune importance, mon vieux. Venez seul.

— Vous n'avez pas bien compris. Je ne suis pas libre ce soir-là.

— Quoi ?

— J'ai un autre rendez-vous.

Ritts, éberlué, finit par se ressaisir.

— Vous avez un autre rendez-vous ? s'exclama-t-il en bondissant de son perchoir. Je viens de vous expliquer que vous étiez invité à dîner par le patron en personne ! Je vous parle du *dîner annuel de la News Corporation, bordel* !

Harriman se leva calmement et épousseta les cendres de cigarette qui s'étaient écrasées sur sa veste lorsque Ritts s'était levé précipitamment.

— Malheureusement, on vient de me proposer un poste dans un journal qui s'appelle le *New York Times*. Vous en avez peut-être déjà entendu parler, railla Harriman en sortant une enveloppe. Voici ma lettre de démission, ajouta-t-il en la déposant sur le bureau à l'endroit précis où le rédacteur avait l'habitude de poser une fesse.

Il avait fait durer le plaisir le plus longtemps possible, mais la messe était dite et il avait assez perdu de temps comme ça. Il lui fallait encore arranger son nouveau bureau avant que Bill Smithback revienne de sa lune de miel. L'autre risquait d'avoir une attaque en s'apercevant que son nouveau collègue occupait le bureau voisin du sien.

Un autre grand moment en perspective.

Harriman se retourna sur le seuil de la porte et vit que Ritts le regardait avec des yeux ronds, bouche bée. Pour une fois, il avait réussi à lui clouer le bec.

— À un de ces jours, vieux ! lui lança-t-il d'un ton enjoué.

88

Le gros-porteur rebondit brièvement sur le tarmac et se reposa définitivement dans le hurlement des réacteurs.

L'avion commençait à ralentir lorsqu'une voix nonchalante annonça aux passagers :

— Ici votre commandant de bord. Nous venons d'atterrir à Kennedy Airport et nous prendrons la direction du terminal dès que nous en aurons reçu l'autorisation. Je vous demanderai de rester à vos places et de ne pas détacher vos ceintures jusqu'à l'arrêt complet de l'appareil. Veuillez accepter toutes nos excuses pour les légères turbulences rencontrées au cours du trajet, et bienvenue à New York.

De rares applaudissements accueillirent le message du commandant. À bord de l'appareil, les visages étaient blêmes.

— Légères turbulences, tu parles ! maugréa un passager. Je veux bien être pendu si c'étaient des légères turbulences. Il faudra me payer pour que je refoute les pieds dans un avion.

Puis il ajouta en donnant un coup de coude à son voisin :

— Content d'avoir retrouvé le plancher des vaches ?

— Pardon ? demanda D'Agosta d'un air perdu.

L'autre émit un ricanement incrédule.

— Arrêtez un peu votre cinoche. Vous allez pas me dire que vous avez pas eu peur ? Depuis une demi-heure, j'ai vu passer ma vie deux fois devant mes yeux.

— Désolé, répondit D'Agosta en se tournant à nouveau vers la fenêtre. Je n'ai pas fait attention.

Le sergent traversa le terminal 8 d'un pas mécanique, sa valise à la main. Il ne lui restait plus qu'à passer la douane. Autour de lui, la plupart des gens discutaient, riaient, s'embrassaient, mais il ne les voyait même pas, perdu dans ses pensées.

— Vinnie ! fit une voix. Hé Vinnie ! Par ici !

D'Agosta leva la tête et vit Laura Hayward venir à sa rencontre en faisant de grands gestes. Elle le regardait en souriant, ravissante dans sa tenue sombre avec ses beaux cheveux noirs et son regard d'un bleu aussi profond que la Méditerranée.

— Vinnie ! s'écria-t-elle en le prenant dans ses bras. Oh Vinnie !

Sans réfléchir, il la serra contre lui, heureux d'accepter son étreinte, de sentir ses seins contre sa poitrine, son souffle dans le creux de son cou. Il n'était pourtant parti que depuis dix jours, mais c'était un peu comme s'il refaisait surface après une trop longue plongée.

— Vinnie, murmura-t-elle. Je ne sais pas quoi dire.

— Ne dis rien. Pas tout de suite, en tout cas. On verra plus tard.

Elle relâcha lentement son étreinte.

— Mais... qu'est-ce qui t'est arrivé au doigt ?

— Un petit cadeau de Locke Bullard.

Ils rejoignirent ensemble la zone de retrait des bagages, sans trop savoir quoi se dire.

— Comment ça s'est passé ? demanda-t-il dans l'espoir de rompre le silence gêné qui s'était installé entre eux.

— Pas grand-chose depuis ton coup de fil d'hier. On a toujours dix inspecteurs sur le meurtre de Cutforth. En théorie, du moins. De son côté, le chef de la police de Southampton s'est fait sonner les cloches pour n'avoir pas fait de progrès dans l'affaire Grove.

D'Agosta serra les dents. Il allait dire quelque chose lorsque Hayward posa un doigt sur ses lèvres.

— Je sais, je sais, mais c'est le boulot qui veut ça. Maintenant que Buck a disparu et que le *Post* s'occupe d'autre chose, la mort de Cutforth a été reléguée au second plan, jusqu'au jour où l'affaire sera classée, en même temps que celle de Grove.

D'Agosta acquiesça.

— Je n'en reviens toujours pas que Fosco ait été le coupable.

D'Agosta secoua la tête.

— C'est dur de savoir qui est le coupable et de ne rien pouvoir faire, tu ne trouves pas ?

Un klaxon retentit, une lumière orange s'alluma et le tapis porte-bagages se mit en route.

— Je me suis arrangé pour régler ça, répondit-il d'une voix grave.

Hayward le regarda d'un air surpris.

— Je t'expliquerai dans la voiture.

Dix minutes plus tard, ils roulaient sur le Van Wyck Expressway en direction de Manhattan. Assis à côté de la jeune femme, D'Agosta regardait machinalement par la fenêtre.

— Tout ça pour un violon, laissa tomber la jeune femme. Tout ça pour un putain de violon.

— Pas n'importe quel violon.

— Je m'en fous. Quand tu penses que tant de gens sont morts pour ça... Surtout quand je pense à...

N'osant pas achever sa phrase, elle ajouta :

— Qu'as-tu fait du violon ?

— Je l'ai envoyé par porteur spécial à une femme qui vit sur l'île de Capraia. L'héritière d'une longue lignée de violonistes. Je la laisse libre de le rendre aux Fosco quand les histoires de succession seront réglées. Je me dis que c'est ce que Pendergast aurait voulu.

C'était la première fois depuis son retour qu'il prononçait ce nom.

— J'ai bien compris que tu ne pouvais rien me dire au téléphone, mais que s'est-il passé, exactement ? Je veux dire, après la perquisition chez Fosco ?

D'Agosta ne répondit pas.

— Tu sais, Vinnie, je crois que ça te ferait du bien d'en parler.

Il poussa un soupir.

— J'ai passé la journée dans les collines du Chianti, à interroger les paysans et les gens des patelins alentour dans l'espoir de recueillir un témoignage utile. J'ai téléphoné plusieurs fois à l'hôtel, mais personne ne m'avait laissé de message, bien évidemment. J'aurais voulu être certain...

Hayward attendit qu'il continue.

— En fait, au fond de moi, je savais déjà. On avait fouillé le château de fond en comble. Et si tu avais pu voir le regard de Fosco. Un regard horrible.

Il secoua la tête.

— Je suis retourné au château vers minuit, par le chemin qu'on avait pris le jour de notre évasion. J'ai mis du temps à comprendre comment fonctionnait son canon à micro-ondes, mais j'ai fini par y arriver. Alors je m'en suis servi. Une dernière fois.

— À ta place, j'aurais fait la même chose.

— Tu crois ? demanda D'Agosta à voix basse.

Hayward hocha la tête.

D'Agosta s'agita sur son siège avant de poursuivre son récit.

— À part ça, il n'y a plus grand-chose à raconter. Ce matin, à Florence, j'ai fait le tour des hôpitaux et des commissariats, je suis passé à la morgue, et ensuite j'ai pris l'avion.

— Qu'as-tu fait de l'arme de Fosco ?

— Je l'ai démontée, j'ai écrabouillé les morceaux les uns après les autres et je les ai dispersés à travers Florence dans une demi-douzaine de poubelles.

La jeune femme hocha la tête.

— Que comptes-tu faire maintenant ?

D'Agosta haussa les épaules. Il n'avait pas encore eu le temps d'y réfléchir.

— Je ne sais pas encore. Retourner à Southampton rendre des comptes, probablement.

Un petit sourire éclaira le visage de Hayward.

— Tu n'as pas entendu ce que je t'ai dit ? C'est ton patron à qui on a demandé de rendre des comptes. Il a voulu faire le malin en rentrant de vacances et ça lui est retombé sur le nez. Braskie a décidé de se présenter contre lui lors des prochaines élections et tout le monde le donne gagnant.

— Pour moi, c'est encore pire.

— Il faut que je te dise autre chose. On recrute à nouveau au NYPD, ce qui veut dire que tu pourrais facilement retrouver ton ancien boulot.

D'Agosta secoua la tête.

— Tu parles ! Ça fait trop longtemps que j'ai décroché, ils ne voudront jamais d'un vieux comme moi.

— Arrête, ça ne fait pas si longtemps. En plus, ils engagent en priorité les moins jeunes, sans compter ton expérience à Southampton et comme agent de liaison avec le FBI.

Elle s'engagea sur le Long Island Expressway et reprit :

— Je ne peux pas te prendre dans mon service, mais des postes doivent se libérer dans les commissariats de Manhattan.

D'Agosta ne répondit pas tout de suite.

— Attends une seconde. Tu me parles de retrouver mon ancien boulot, tu me dis qu'il y a des postes libres. Tu es sûre que tu n'as rien à voir là-dedans ? Tu n'en aurais pas touché un mot à Rocker ou à un de ses adjoints, par hasard ?

— Moi ? Tu sais bien que ce n'est pas mon style. Je ne suis pas du genre à faire du favoritisme et je tiens à ma réputation d'incorruptible, répliqua-t-elle sans pouvoir refréner un léger sourire.

Ils arrivaient à hauteur du tunnel de Queens-Midtown dont les voûtes de faïence reflétaient les éclairages au néon. Hayward se faufila jusqu'à la file réservée aux voitures équipées d'un badge.

D'Agosta la regardait faire, observant ses traits fins, le modelé de son nez, son front plissé alors qu'elle se concentrait sur sa conduite. Il avait beau être heureux de la retrouver, il ne parvenait pas à se débarrasser de la chape de tristesse qui s'était abattue sur lui, du vide dans lequel l'avait plongé la mort de son compagnon.

— Tu as raison, remarqua-t-il alors que la voiture s'enfonçait dans le tunnel. Si précieux soit-il, ce violon ne méritait pas qu'on lui sacrifie Pendergast. Ce violon ni quoi que ce soit d'autre.

Hayward regardait droit devant elle.

— Tu ne sais pas s'il est vraiment mort.

D'Agosta ne répondit pas. Depuis qu'il tournait et retournait le problème dans sa tête, il s'était fait la même réflexion des centaines de fois, repensant aux situations désespérées dont Pendergast s'était toujours sorti miraculeusement. Cette fois, pourtant, il n'avait pas refait surface.

Et puis il y avait cette image terrible, obsédante, qui lui donnait la nausée chaque fois qu'il y repensait. Pendergast au centre de la clairière, acculé par les chiens, cerné par les rabatteurs du comte. Les paroles de son compagnon lui résonnaient encore aux oreilles : *Il n'y a pas d'autre solution, Vincent. Un seul d'entre nous a une chance de s'en sortir.*

La gorge de D'Agosta se noua.

— C'est vrai, je n'ai pas la preuve formelle de sa mort, si ce n'est ceci, répondit-il en sortant de sa poche une médaille à moitié fondue.

La médaille de Pendergast, avec son œil grand ouvert au-dessus d'un phénix renaissant de ses cendres, arrachée au corps encore fumant de Fosco.

Il la contempla longtemps avant de serrer le poing. Pour un peu, il aurait éclaté en sanglots.

Il se sentait terriblement coupable de n'avoir pas pris la place de Pendergast dans la clairière. C'était lui qui aurait dû mourir.

— S'il était encore vivant, il m'aurait contacté, ou toi, ou quelqu'un d'autre.

Il hésita avant de poursuivre.

— Je ne sais pas comment je vais pouvoir annoncer la nouvelle à Constance.

— Qui ça ?

— Constance Greene, sa protégée.

À l'extrémité du tunnel brillaient les lumières de Manhattan. Hayward lui prit doucement la main.

— Tu n'as qu'à me déposer à Penn Station, murmura-t-il, bouleversé. Je prendrai le train jusqu'à Southampton.

— Pourquoi ? demanda-t-elle. Personne ne t'attend là-bas. Ton avenir est ici, pas à Southampton.

D'Agosta ne répondit pas. Hayward dépassa successivement Park, Madison, et la Cinquième Avenue.

— Tu as quelque part où aller à Manhattan ? insista la jeune femme.

D'Agosta fit non de la tête.

— Je...

Hayward s'arrêta brusquement et D'Agosta lança un coup d'œil dans sa direction.

— Oui ? demanda-t-il.

Il crut la voir rougir dans la lumière orangée des réverbères.

— Rien... je me disais juste que, si tu retrouves un poste ici... peut-être que tu pourrais venir habiter chez moi. Au moins provisoirement, le temps de voir si ça marche entre nous, ajouta-t-elle précipitamment.

D'Agosta ne répondit pas tout de suite, les yeux perdus dans les reflets de la ville sur le pare-brise.

Soudain, il comprit qu'il ne pouvait pas éternellement porter le fardeau du passé, et encore moins décider de l'avenir. Alors autant vivre au jour le jour.

— Écoute, Vinnie, poursuivit-elle d'une voix grave. Je me fiche de ce que tu penses, je n'arrive pas à croire que Pendergast soit mort. Quelque chose me dit qu'il est toujours en vie. S'il y a quelqu'un d'indestructible sur terre, c'est bien ce type-là. Il a déjà échappé mille fois à la mort et il s'en tirera encore. Je le sens.

D'Agosta lui répondit par un petit sourire.

Devant eux, le feu passa au rouge. Elle freina et se tourna vers lui.

— Alors, tu viens chez moi, oui ou non ? Je te signale que c'est mal élevé de faire répéter les dames.

Il prit sa main entre les siennes.

— L'idée me plaît bien, murmura-t-il, un large sourire aux lèvres. Je crois même qu'elle me plaît beaucoup.

Épilogue

Le pâle soleil de novembre illuminait les murs de Castel Fosco sans les réchauffer. Les jardins étaient déserts, l'eau de la fontaine s'écoulait sans témoins. De l'autre côté de l'enceinte, le vent faisait tournoyer les feuilles mortes sur le gravier du parking qui portait encore les traces de pneus de nombreux véhicules. Un corbeau solitaire, perché sur les anciens remparts, regardait d'un œil morne la petite route descendant vers la vallée de la Greve.

Le corps de Fosco avait été conduit le matin même à la morgue pendant que les enquêteurs achevaient de prendre des photos et de recueillir des témoignages sur les circonstances du drame. C'était Assunta qui avait découvert les restes du comte. Elle était dans un tel état qu'il avait fallu faire appel à son fils pour la reconduire chez elle. Les autres domestiques avaient quitté les lieux à leur tour, en attendant l'arrivée du seul héritier de Fosco, un lointain cousin qui passait des vacances sur les côtes de Sardaigne. Personne n'avait souhaité rester dans une maison que la mort avait frappée de façon si terrible, et un voile de silence s'était abattu sur le château.

Nulle part le silence n'était aussi profond qu'au cœur des souterrains sillonnant la roche, en dessous du bâtiment. Pas un souffle d'air ne venait troubler

le repos des morts qui gisaient là dans leurs sarco-
phages de pierre.

Le souterrain le plus ancien, creusé trois mille ans
plus tôt par les Étrusques, se terminait en cul-de-sac
face à un mur de briques devant lequel reposaient les
ossements d'un chevalier lombard anonyme, chassé
de sa sépulture quelques jours plus tôt.

Même à l'aide d'une torche, il aurait été quasiment
impossible de s'apercevoir que le mur était récent.
Pas un bruit ne filtrait de la niche emmurée.

On aurait pu croire le temps arrêté, jusqu'à ce
qu'un léger bruit de pas se fasse entendre, suivi d'un
frottement, semblable à celui d'un sac d'outils que
l'on poserait sur le sol. Le silence reprit brièvement
ses droits, interrompu par l'écho de coups de marteau s'écrasant sur un burin à une cadence régulière.

Les coups laissèrent place au grattement de la brique qui s'effrite. De nouveaux coups de marteau et
une faible lueur qui troue brusquement l'obscurité,
dévoilant une ouverture en forme de brique dans la
partie supérieure du mur. Une torche s'approche de
l'ouverture et fait pénétrer un rai de lumière dans la
niche.

Deux yeux s'avancent, qui scrutent l'intérieur de la
sépulture avec une curiosité mêlée d'inquiétude.

Deux yeux aussi différents que le jour et la nuit :
l'un est brun, l'autre bleu.

Si vous aimez la confrontation entre
l'énigmatique **inspecteur Pendergast** et
le Malin, découvrez-le dans
ses précédentes enquêtes :

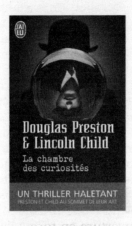

La chambre des curiosités

Et si certains serial-killers étaient immortels ?

Manhattan, chantier de démolition.
Soudain, le bulldozer se fige devant l'horreur du spectacle
qui apparaît : les restes de trente-six adolescents victimes
d'un tueur en série ayant sévi à New York vers 1880.

Les jours suivants, plusieurs meurtres sont commis selon
le même mode opératoire.

Pendergast est perplexe : se peut-il que ce dingue soit toujours vivant ? Ou aurait-il fait des émules ?

JL 7619

Si vous aimez la confrontation entre l'énigmatique **inspecteur Pendergast** et **le Malin,** découvrez-le dans ses précédentes enquêtes :

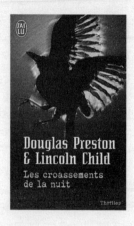

Les croassements de la nuit

Bienvenue à Medicine Creek ! Ses champs de maïs et ses mises en scène macabres...

Des corbeaux empalés sur des flèches indiennes au beau milieu d'une clairière...
Un cercle sanglant au centre duquel gît le corps mutilé d'une femme...
Ce crime, le premier d'une étrange série, plonge dans l'angoisse les habitants de la bourgade.
Une enquête à couper au couteau pour l'inspecteur Pendergast, aussi froid qu'une lame dans la moiteur du Kansas.

JL 8227

JL 8433

Douglas Preston & Lincoln Child

Ice limit

Un astéroïde géant découvert sur un îlot au large du cap Horn ! Lorsque le collectionneur Palm Lloyd apprend la nouvelle, il n'a qu'une idée en tête : récupérer cette météorite.

Mais la chasse vire au cauchemar...

JL 8602

Douglas Preston

Le codex

Un pilleur de tombes laisse un étrange héritage à ses fils : un manuscrit maya enfoui dans la jungle.

Quels dangers recèle le Codex ?

8671

Composition PCA à Rezé
Achevé d'imprimer en France (La Flèche)
par Brodard et Taupin
le 5 avril 2008. 46259
Dépôt légal avril 2008. EAN 9782290002285

Éditions J'ai lu
87, quai Panhard-et-Levassor, 75013 Paris
Diffusion France et étranger : Flammarion